C000125209

ISBN 978-0-332-23102-0
PIBN 11007080

MONUMENTA
BOICA.

VOLUMEN VIGESIMUM TERTIUM

EDIDIT

ACADEMIA SCIENTIARUM BOICA.

MONACHII 1815.

PRAEVIUM MONITUM
AD
LECTOREM.

Dum volumen vigesimum tertium monumentorum Boicorum, quod ſecundam San-Vlricanarum tabularum partem comprehendit, in lucem damus, pauca quidem, ſed tamen ſingularia quaedam habemus, quae Lectorem monitum volumus, qui, cum ad finem diplomatum passim leget, ſigilla citari, quae deinde neutiquam inueniet allata, citationum talium rationem haud ſibi poterit exsplicare. Est autem ratio haec. Diplomata ſcilicet cum citationibus ſigillorum iam erant impressa, cum

pri-

primum delineationes eorum ad nos ſunt delatae; quas cum ita comparatas accepimus, vt dubitaremus, magnam partem ſigillorum, tum quia iam in prioribus voluminibus exhibita, tum quia grauioris momenti non visa, erudito et ſagaci lectori committere, ſtatuimus, omnia ſigilla, ad hoc volumen ſpectantia, vniuersali cuidam ſigillorum collectioni inferre, quam archiuium regni propediem publici iuris facere instituit.

MONU-

MONUMENTA
SAN - VLRICANA.

DIPLOMATARIUM MISCELLUM.

Num. I. Hartwici Episcopi litterae, quibus Controuersia inter fratres S. Vdalrici et S. Georgii dirimitur. Anno 1180.

Ex Autographo.

In Nomine sancte et Indiuidue Trinitatis. *Hartuuicus* Dei Gra. Eps. Nouerit omnium Christi fidelium sollers industria qualiter in presentia nostra inter fratres *S. Vdalrici* et fratres *S. Georii* pro iure proprietatis in ecclesia Atenhouen *a*) questione ventilata lis ad vltimum per sententiam definitiuam decisa sit contra impeticionem fratrum *S. Vdalrici* super iam dicte ecclesie proprietate. Fratres *S. Georii* prescriptionem tricennalis possessionis in se ipsis et suis donatoribus in ea pretenderunt. Item plebano de Bobingen eandem ecclesiam pro filia ecclesie sue repetente. Iam dicti fratres eam per se stare et liberam esse debere asserentes. Huius quoque libertatis eandem quam et proprietatis prescriptionem proposuerunt. Super hoc igitur a *Boppone* maioris chori Canonico sententia data et ab omnibus ibi

pre-

presentibus absque contradictione sed vnanimi consensu approbata est, cuius forma talis erat, quod fratres *S. Georii* ex prescriptione qua se tuebantur, obtinere deberent, nisi eius interruptio possit ostendi. Aduersis itaque partibus in interruptionis ostensione deficientibus ex sententia conuentus et proprietatis et instituendi libertas illis in eadem ecclesia cessit et auctoritate nostra et impressione sigilli noſtri *b*) confirmata est simul et impeticionis de cetero abolitio facta. Huius rei testes idonei ſunt. *Vdalscalc* prepositus maioris ecclesie. *Tiemo* Decanus. *Sifridus* presbiter. *Rupertus* presbiter. *Boppo* presbiter. *Kunradus* presbiter. *Burchardus* Archidiaconus. *Tietricus* custos. *Witegov* Scolasticus. *Bertoldus* decanus de Helmesh. *Wernherus* presbiter. *Willehalm* Diaconus. *Heinricus* Diac. *Kunradus* Diaconus. *Erchenger* Diac. *Otto* Subdiaconus. *Adelbertus Adelbertus. Adelbertus* Subdiaconi. *Waltherus* Subdiaconus. *Kunradus* Subdiac. *Luitfried* Subdiac. *Rapoto* Subdiac. *Nudung* Subdiac. *Adelbertus* prepositus de S. Cruce. *Otto* prepositus de Raitenbuch. *Hainricus* prepositus de Silua. *Mahtolf* presbiter de Hiltolvingen. *Rudegerus* presbiter de Mandechingen. *Egeno* de Waringen. *Wernher* Decanus de Baldesh et fratres sui *Diebalt* prefectus. *Diebalt. Wortwin. Bertold* de Husen et filii *Diebaltoi Volricus* et *Diebaldus. Volrich* de-Hopfen. *Otto* Camerarius. *Otto* de Bobingen et filius eius. *Otto. Marquart* de Lico. *Marquart Boninc. Rudolf* et *Ebo* de *Porta. Arnolt. Reinhart. Otto. Hartmann. Herman. Heinric* de Mandechingen *Adelbertus Gula. Adelbertus* de Luitrichesh. *Luitolt* Castinarius et alii quam plures tam clerici quam laici. Acta sunt autem hec anno dominice incarnationis millesimo CLXXX^mo. Indictione XIII. Epacte XXII. die XII. Presidente *Alexandro* papa III. regnante romano Imperatore *Friderico.*

a) Hic

a) Hic locus est penitus ignotus; aut enim temporum iniuria periit; aut aliud nomen ei adpositum erat.

b) Sigillum Pendulum auulsum est.

Num. II. Friderici Sueuiae Ducis Confirmatio emtionis Bonorum in Algouia. circa 1185.

Ex Originali.

In Nomine Sancte. Et. Indiuidue Trinitatis Fridericus. a) Gracia Dei Sueuorum Illustris Dux. Deus a quo omnis potestas in celo et in terra nominatur et per quem conditores legum iusta decernunt, nos ideo sua benignitate et gracia ducem totius Sueuie esse voluit, vt que iusta sunt decernamus et iudicium omnibus faciamus. ac per hoc misericordiam ipsius nobis conciliemus. Ea propter notum esse volumus tam presentibus quam etiam in posterum fidelibus, et precipue tocius Sueuie principibus, qualiter concessione nostra ministeriales nostri *Burchardus* et *Heinricus* et *Kuonradus* confratres de *Hohenburch*. b) acceptis ab abbate sci *Vdalrici* Confessoris et sce *Afre* Mrs. apud Augustam centum sexaginta et sex marcis probati argenti, predia sua in *Greggenhouen* et in *Wiare* et in *Iberch* et *Maizilstein*, c) sita cum omnibus pertinentiis suis comiti *Hartmanno* de *Chirichperch* proprietatis iure contradiderunt mutuo datis sibi aliis prediis ab eodem in *Speche* et *morinhusen*. Quod quia sic deliberatum et iudiciario ordine deductum constat, et a principibus et ministerialibus ducatus nostri sub iuris iurandi pactione diiudicatum est. Comes iam dictus ad peticionem predictorum ministerialium suscepta predia iure vt dictum est proprietatis potenti manu ecclesie ſci *Vdalrici* et ſce *Afre* in preſencia noſtri contradidit. Et ne hoc factum a ſuccedentium memoria poſſit elabi presentem super hoc paginam fecimus conscribi et ſigilli noſtri *d*) impreſſione muniri. Huius rei testes ſunt. Dux *Welfo.* Dux *Adilbertus* de *Deche e*) Marchio *Heinricus* de *Rumiſperch.* Comes *Fridericus* de *Zolr.* *Perchtoldus* de *Wizirhorn.* *Deginhart* de *Haſila.* *Heinricus* Aduocatus de *Rotinberch.* *Kuonradus* et *Oddo* filius ejus de *Loubun.* *Harthmannus* puer filius comitis de *chirchichperh.* *Perthold*u*s de Walse.* *Burichardus* et *Heinricus et Kuonradus* fratres de *Hohenburch.* *Ebirhardus* de *tanne.* *Eberhardus* filius fratris ejusdem, *Perchtolt* de *Moutwishouen.* *Heinrich* de *Tietrichishouen.*

a) FRIDERICUM Ducem eſſe filium FRIDERICI I. Imperatoris, plures teſtes, qui in charta ab eodem in Monasterii de Salem gratiam anno 1185. data recurrunt, testantur; ſc. *Welfo* Dux, Marchio *Henricus* de *Rumersberg*, *Fridericus* Comes de *Zolrn*: *Hartmannus* Comes de *Kirchberg.* V. Hergott Genealog. diplom. Habsburg. Vol. II. p. 196.

b) Nobiles *Hohenburg* arcem eiusdem nominis in praefectura Dornstettensi Würtembergiae habuere.

c) Oppida illa tria in Algouia exiſtunt.

d) Sigillum e filo ſerico diuersi coloris dependens, penitus fractum est, ex reliquiis dux equo inſidens agn_ſcitur. V. Tab. I. N. I.

e) Dux Teccenſis.

Huius documenti fidem tam graphica, quam ſemiotica et formularia confirmant. Inuocatio et Titulatura longioribus litteris ſunt exſcriptae. Littera S. eſt criſpata. Interpunctionis ſignum punctum occurrit. Abbreuationis ſignum lineola curua. Inuocatio, Titulatura, ſubſcriptionis clauſula ſunt Fridericianis propriae; et teſtes nominati omnes coaeui. Chronologiam ex Librarii negligentia

tia fuiſſe omiſſam, veriſimile eſſe videtur; ante annum verō 1188 quo *Fridericus* cum patre suo ad expugnandam Palaeſtinam crucem ſuscepit, idem ſcriptum fuiſſe haud dubitandum est.

Num. III. Fundatio Anniuerſarii. Anno. 1213.

Ex Originali.

In nomine ſancte et indiuidue trinitatis. Hainricus *a)* ſola miſeratione diuina humilis miniſter cenobii beati *Vdalrici* et ſce *Afre* in Auguſta. Cunctis preſens ſcriptum legentibus vel audientibus ſalutem in perpetuum. Notum eſſe volumus, tam futuris quam preſentibus omnibus Chriſti fidelibus, quod dns *Vlricus* de *Norndorf*, *Pfluch* cognominatus, et filius eius *Henricus*, inſtinctu illius qui vbi vult ſpirat conpuncti, predium quoddam noſtrum in *Annenhuſen b)* ſitum in vade pro ſeptem talentis expoſitum, pro remedio anime ſue, et vxoris ſue *Irmingarde*, tunc temporis nuper defuncte, de conſenſu noſtro et totius conuentus exſoluerent, et poſt exſolutionem, ad altare beati *Vdalrici*, cum hac pacti aſtipulatione reſignauerunt, videlicet vt de cetero ſub adminiſtratione conſiſtat cuſtodis, et vſibus ac neceſſariis monaſterii inſeratur. Anniuerſaria quoque dies predicte coniugis ſue, cum media vrna vini ab ipſo ſingulis annis agatur. Verum quia ſolent interdum a ſuccedentibus prelatis, predeceſſorum ſanctiones abrogari, vel in deterius conmutari. huius rei gratia hanc cartam iuſſimus conſcribi et ſigillo *c)* eccleſie noſtre communiri. ne aliquis ſucceſſurus nobis, hec quaſi neſcius immutet, aut aliud quit exinde agendum ordinet. Huius rei teſtes ſunt. Dns *Henricus* decanus de *Hakingen*. *Adilbertus*

bertus Valeman. Rudigerus Magifter cenfus. *Chounradus Magrat. Walchuon Suuarzin. Rapoto Pellifex. Friderih Deke. Heinrih Kunne. Chuonrad Gollenhouer. Adilbertus Difpenfator Wernher Malhar. Gerolt* de *Argefingen. Heinricus Planchenburgare*, et Alii quam plures.

Acta funt hec Anno Dominice incarnationis. M. CC. XIII. prefidente fce Rom. ecclie dno papa INNOCENTIO. *d*) Anno Pontificatus fui XVII. Regnante dno FRIDERICO Rom. Rege et femper Augufto. Anno Regni fui fecdo. Regente dno *Sifrido*. *e*) Epo Auguftn eccliam. Anno ordinationis fue V.

a) *Henricus* de *Belsheim*.
b) Anhaufen in praefectura Goeging.
c) Sigillum Abbatis e filo ferico diuerfi coloris dependens periit.
d) *Innocentius III.* *e*) *Sigefridus III.*

Num. IV. Donatio curiae in Gauggenried a Conrado de Erringen facta et ab Epifcopo confirmata An. 1231.

Ex Copia Vidimata. *)

In Nomine fancte et Indiuidue Trinitatis. SIBOTO dei gratia Auguften, ecclefie Eps omnibus Xpi fidelibus falutem in perpetuum. Notum fit tam prefentibus quam futuris Xpi fidelibus quod *Cunradus* de *Erringen* curiam in *Gugenrieth b*) pro remedio anime fue beato *Vdalrico* et beate *Affre* huius pacti aftipulatione donauit quod dns Abbas ei communem fepulturam obtineret et anniuerfarium diem debita commemoratione perageret. Poft obitum vero eius vxor fua *Adelhaidis* aduocatiam iam dicte curie

fibi

ſibi et *Wilhelmo* filio ſuo quoad viuerent nullusque heredum ſuorum poſt mortem eorum ius aduocatie ſibi vſſurpabit quod vt ratum et in conuulſum permaneat, ſigilli noſtri appenſione confirmamus. Huius rei teſtes ſunt *Vdalricus* de *Riſineſpurck Heinricus* de *Eberſtal. Heinricus* et *Vdalricus* de *Bockeſperk Hermannus* de *Igelingen. Luipoldus Purggrauius Swiggerus* de *Mindelberck Heinricus Marſcalcus Arnoldus Camerarius Hermannus* de *Blanckenburck Wernherus* de *Burckperk Cunradus Koppo Heinricus* et *Sifridus* de *Algiſhuſen Bertholdus* de *Bobingen Vlricus Coquarius Rudigerus* de *Lutzelnburk Bertholdus Vbel.ld.* Acta ſunt hec anno dominice Incarnationis Milleſimo ducenteſimo triceſimo primo Indictione tercia.

a) Haec charta a *Bartholomaeo Riedler* decretorum doctore et Decano collegiatae eccleſiae S. Mauritii anno 1499. vidimata fuit.

b) *Gauggenried* haud procul a Zuſamaltheim quondam extitiſſe e vetuſtis carthulariis eruitur.

Num. V. Fundatio Anniuerſarii a Gebwino Abbate. Anno 1249.

Ex Originali.

Omnibus Chriſti fidelibus ad quos preſens ſcriptum peruenit. Gebwinus a) miſeratione diuina Abbas ſanctorum *Vdalrici* et *Afre* in Auguſta. Salutem in omnium Saluatore. Ne pia hominum facta ex proceſſu temporis veritate ſubrepta erroris deuio perimantur, profecto ea commendari conuenit memorie ſcripturarum. Huius rei gratia notum eſſe volumus tam preſentibus

quam

quam futuris quod nos gregis et conuentus nobis commissi prout nobis desuper datum fuerit curam agere summo opere aspiremus fratrum nostrorum vtilitatibus intendentes ac prebendarum eorum stipendia pro nostra possibilitate volentes ad hoc potissimum ampliare vt et nostra consolatione refecti, deo commodius valeant famulari. Et nobis de hac vita migrantibus memoriam nostri agere, ac anniuersarium nostrum debeant celebrare, ipsis de pensionibus Molendini quod Schwalmul dicitur, quas in octo libris Augusten. augmentauimus, duas libras in perpetuum oblaium donauimus, eisdem singulis annis in festo sci *Mi-hahelis* Archangeli integraliter persoluendas. Eorum oblaico super hiis duabus libris exigendi et percipiendi dantes liberam potestatem. Reliquas vero sex libras ad nos et successores nostros specialiter volumus pertinere. Magis siquidem in subsidium fratrum nostrorum pensiones dicti molendini elegimus augmentare, quam sexaginta libras Augusten, recipere quas pro collatione eiusdem Molendini nobis nuper vacantis consequi poteramus. Vt autem hec donatio nostra nunc et in posterum perpetuum robur firmitatis valeat obtinere, et nulli successorum nostrorum liceat ipsam infringere, vel circa eam aliquid in deterius commutare, dictis fratribus nostris presentem litteram in testimonium euidens donauimus. Sigillorum videlicet Ecclie nre, et Capituli maioris ecclie Augusten, *b)* munimine roboratam. Testes sunt. *Wernherus Custos. Sifridus Inningen. Vlricus Knoringen.* Canonici Ecclie Aug. *Nycolaus* Prior. *Hiltebrandus* Custos Totusque Conuentus sci *Vdalrici*, *Hainricus* Plebanus de Luidilor. Clerici. *Cuonradus curialis ceruus. Hainricus* de *Wilham* ciues Aug. *Schwigerus* et *Hageno* Pistores Ecclie sci *Vdalrici*. Acta sunt hec Anno dni. Millo. CC.XLVIIII. In die octaua, Mense Octobre.

a) Geb-

a) Gebwinus a Thierheim.

b) Sigillum monasterii est laesum; capituli cathedralis vero penitus depravatum.

Num. VI. Feudum Censuale in Bobingen. Anno 1256.

Ex Originali.

In Nomine, Patris. Et, Filii. Et, Spiritus, Sancti. Amen. Nos Gebwinus dei gratia sanctorum *Vdalrici* et *Afre*. Augustensis Abbas et Conuentus. Omnibus Christi fidelibus presentium tenore inspecturis. Salutem et gratiam sancti Spiritus in perpetuum. Ad noticiam tam futurorum quam presentium desideramus presenti scripto peruenire, quod nos beneficium censuale nostre Ecclesie in *Bobingen* a) villa situm quod hactenus *Wernherus* et *Heinricus* filii *Ebirhardi Gegingerii* et *Agnetis* soror ipsorum a venerabili predecessore nostro Abbate *Hiltibrando* presentibus multis et discretis viris possederunt, et postmodum resignatum recipiens cum totius conuentus vnanimi consensu magistro *Bertholdo Cementario* cum suis liberis *Berhtoldo* scilicet: *Cunrado*. *Marquardo*. *Friderico*, et cum ipsis heredibus suis legitimis concessum est quiete et libere possidendum pro censu annuo et consueto in priuilegio eorum annotato, videlicet vt in festo beate et gloriose martyris *Afre* vndecim Soldi cellerario, et in festo beati Archangeli *Michahelis* due Mute tritici Camerario sine quouis obstaculo impedimenti ab ipsis possessoribus persoluerentur. Postmodum vero procedente tempore *Heinricus Cementarius* fidelis Ecclesie nostre idem feodum censuale ab ipsis redemptum sibi et vxori sue *Agneti Cunrado* et vxori ſue *Adelheidi* cum omni poſteritate generis eorum legitima ſucceſſione venientibus a me GEBWINO Abbate Conuentu fratrum noſtrorum aſſentiente ſub ante nominato iure cenſus annuatim perſoluendo conquiſiuit. Duas vero Mutas pretaxatas taliter duximus ſpecificandas, quod vicem ſupplent decimarum que de premiſſo feodo ſolent exhiberi. Ad huius contractus argumentum teſtes inducuntur. *Heinricus Gula. Vlricus Bonſtetter. Hiltibrandus*, vice totius conventus. *Ruodolfus vicedomnus. Heinricus Stauffer*, de Choro. *b*) *Otto* Prepoſitus de *Mendichingen*. Magiſter *Hageno* de eadem villa. *Wernherus* de *Cellario*. *Vlricus Guguz*. *Cunradus Hagniberc*. *Heinricus Wagin*. *Wortwinus*. Actum eſt hoc anno verbi incarnati Milleſimo Ducenteſimo Quinquageſimo ſexto. Catholice eccleſie preſidente domno ALEXANDRO *c*) Kathedram vero Auguſtensem tenente HARTMANNO Epo. feliciter amen.

Et ne ſuper premiſſis aliquis dubietatis ſcrupulus valeat oboriri preſentem paginam ſigillo Conuentus noſtri fecimus inſigniri. *d*)

a) Bobingen non procul ab Auguſta ad fluuium Sincelam.

b) Canonici Eccleſiae Cathedralis.

c) *Alexander IV.*

d) De Sigillis nil niſi filum ſericum diuerſi coloris adhuc reſtat.

Num. VII.

Num. VII. Indulgentiae a Alexandro P. IV. concessae. Anno 1258.

Ex Originali.

ALEXANDER Eps Seruus Seruorum Dei. Dilectis filiis Abbati et conuentui Monasterii sanctorum *Vdalr.ci.* et *Af.e* Augusten., ordinis sancti *Benedicti.* Salutem et Apostolicam Benedictionem. Sanctorum meritis inclita gaudia illos assequi minime dubitamus qui eorum patrocinia per condigne deuotionis obsequia promerentur illumque venerantur in ipsis quorum gloria ipse est et retributio meritorum. Nos itaque ad consequenda predicta gaudia causam dare fidelibus cupientes, omnibus vere penitentibus et confessis qui ecclesiam vestram in translatione reliquiarum gloriosi martiris. DIONISII primi Augusten. Epi *a)* quas in eadem ecclesia vt dicitur quiescentes de loco in quo nunc habentur recondite ad alium decentiorem locum transferri per venerabilem fratrem nostrum — — Epm Augusten mandamus, et in anniuersario translationis ipsius annis singulis cum deuotione ac reuerentia visitarint, de omnipotentis dei misericordia et beatorum *Petri* et *Pauli* Apostolorum auctoritate confisi Quadraginta dies de iniuncta sibi penitentia misericorditer relaxamus. Dat. Viterbii v Id. Januar. Pontificatus nri anno Quarto.

a) Facta est ipsa Translatio sub *Hartmanno* Episcopo an. 1258 26. Februarii, qua singulis annis ejusdem Sancti festum in Augustana dioecesi celebratur.

Num. VIII. Locatio Curiae in Westeraitingen. An. 1259.

EX ORIGINALI.

In nomine Domini Amen. Nouerint vniuersi presentis pagine inspectores quod nos GEBWINUS Dei gratia Abbas Ecclesie sancti *Vdalrici* et sancte *Afre* in Augusta ordinis sancti *Benedicti*, dedimus de communi consensu nostri conuentus Curiam in *western Aitingen*. a) Dno *Conrado Hurenloher*, et *Adelheidi* vxori sue, et *Agneti* filie sue nec non *Conrado* filio suo, et *Hainrico* dicto *Portenario*, et *Adelheidi* vxori sue, pro ipsorum vite temporibus libere possidendam. Et vt hoc irreuocabile permaneat, atque ratum presentem cedulam Sigillorum b) presentium robore confirmamus, et testibus subnotatis. Testes autem sunt hii. Dns *Ruodolfus* Prior. Dns *Hiltebrandus Custos*. Dns *Nycolaus*. Dns *Hainricus Gula*. Dns *Vlricus Bonsteten*. Dns *Philippus* Plebanus. Dns *Vlricus* de *Vilwibach*. Dns *Cuono* Plebanus majoris ecclesie. Dns *Otto Burgrauius*. Aug. *Hainricus Hegenebergarius*. *Vlricus Guggus*. *Marquardus de Riethusen*, et alii quam plures. Acta sunt hec anno dni. M.CC LVIIII.

a) In praefectura Menchingana. b) Sigillum est deprauatum.

Num. IX. Fundatio festi S. Seruatii Ep. et Anniuersarii. Anno 1265.

EX ORIGINALI.

In Nomine Patris Et Filii Et Spiritus Sancti Amen. GEBWINUS diuina permissione Abbas sanctorum *Vdalrici* et *Afre* Augusten

gusten. Cunctis presens scriptum intuentibus Salutem in auctore salutis. Ea que humanis geruntur negociis casibus subiacent et mutabilitati nisi testibus et notulis scripturarum roborentur, quare notum esse volumus tam presentibus quam futuris presentium perceptoribus quod cum dns *Hermannus* Decanus. Ecclesie sancti *Mauricii* Augusten dictus *Fundan*, motus zelo pietatis ad honorem sancti *Seruacii* et ob remedium anime sue et suorum, ac quidam alii bone conuersacionis homines summa denariorum ad XXVIII. libras Augustn ad oblegium fratrum Monasterii nostri causa consolacionis contulerit, nos eximia necessitate Monasterii vrgente ad peticionem tocius conuentus et predicti Dni *Hermanni* Decani pratum quoddam situm in Husteten *a*) reddens duas libras Augusten annuatim, quod nobis et Monasterio nostro dns *Vlricus* nobilis de *Bokesperc* vendidit iure proprietatis ipsis confratribus nostris ad oblegium ipsorum pro XXVIII. libris Augstn. tytulo proprietatis contulimus perpetuo possidendum. Sane quia sepe dictus dns *Hermannus* fratrum nostrorum amator partem illorum denariorum fratribus ad consolationem contulit communi consensu fratrum statuimus inuiolabiliter in Monasterio nostro perpetuo obseruandum, vt deinceps festum *S. Seruacii* aput nos septem luminaribus accensis, indutis cappis cum sequentia Lux preclara festiue celebretur, fratribus quoque de XV. solidis denarionem de prato soluendis maior mensura vini, cum simulis et duobus ferculis lauciorìbus sine diminutione prebende cottidiane administretur. Post obitum vero ipsius dni *Hermanni* Decani in Anniuersario suo perpetim maior vigilia in memoriam ipsius peragatur, et prior missa cum ministris altaris et oblationibus fratrum secundum consuetudinem loci decantetur, sed quam diu ipse superuixerit, eodem modo anniuersarius sororis sue pie memorie domine *Matthil-*

Machtildis in die *Williboldi* celebretur, ipso quoque die de XI. solidis denariorum fratribus sine diminutione prebende cottidiane, maiore mensura vini et duobus ferculis laucioribus administretur. In huius rei euidens testimonium presentes exinde confecte sigillo *b)* Monasterii nostri fideliter sunt communite. Huius rei testes sunt. *Ruodolfus* Prior. *Heinricus* custos dictus *Gula. Vlricus Bonsteten, Hiltebrandus Fuller, Vlricus* de *Villbach. Hermannus Genselin, Ruodolfus Dahso,* Sacerdotes et confratres Monasterii nostri. *Gotfridus, Heinricus* Custos, *Wernherus Curialis ceruus, Albertus* Plebanus. *Degenhardus. Berhtoldus* Cellerarius. *Heinricus* de *Vtingen. Vlricus* scolasticus. *Jacobus*, Canonici Sci *Mauricii* Augustn. *Marquardus Riethuser. Berhtolt Stunph. Vlricus Gugguz. Wernherus Blanko*, et alii quam plures. Acta sunt hec Anno dni. M.CC.LXV.XVI Kalendas Nouembris.

a) Haunstetten non procul ab Augusta.

b) Sigillum est perditum.

Num. X. Donatio dimidii Mansus. Anno 1270.

EX ORIGINALI.

De Gestis hominum grandis consueuit calupnia suboriri nisi scripturarum et testium munimine roborentur. Nouerint igitur vniuersi presentem paginam inspecturi quod nos VL. nobilis Senior de HÆLMSTEIN in remedium anime nostre contulimus medium mansum situm *Wengiu a*) cum omnibus adtinenciis in areis, campis et in pratis sitis quem *Cuonradus* miles dictus *Raspo*

Raspo a nobis titulo feodi possedit consensu ipsius *Cuonradus* miles dictus *Raspo* a nobis titulo feodi possedit consensu ipsius *Cuonradi* interueniente ecclesie sci *Michahelis* in Vultinbach perpetuo possidendum reseruato nobis iure aduocaticii prehabita tamen tali condicione vt abbas ecclesie memorate prelibato *Cuonrado* necnon vxori sue *Hadwigi* in prouentibus ante fati medii mansus pro tempore vite ipsorum debeat prouidere. Testes huius sunt Dns *Vl.* venerabilis Abbas in Echinbrunnen. *Fridericus* Sacerdos in Giengin. *Deginhardus* nobilis de *Asilingen*. *Gotofredus* Canonicus argentinensis *Andreas* Canonicus Herbipolensis. *Diepoldus Gusso* de Brenzi *Vl.* et C. dcti *Raspin*. *Manigoldus* de Smithun. *Siuridus* de *riet Milites*. *H. Munstere*. *Gotofredus* de *Gundluingen Vl. riet*. *Siuridus* de *mædlingen* clientes et alii quam plures fide digni. Acta sunt hec Anno domin. M.CC.LXX.X. Kal. Februarii ego quoque *Vl. munstrer* presentem litteram manu mea conscripsi.

a) Wengen prope Fultenbach in praefectura Wertingen.
b) Sigillum periit.

Num. XI. Fundatio Anniuersarii ad S Crucem. An. 1272.

Ex Originali.

In nomine dni Amen. Ich *Bertolt* der Brobest von vnsers herren gnaden de Goteshuses datz dem hæilligem Crvce ze Auspurch, herre *Hainrich Tsenrich*, herre *Herman Eggehart*, herre *Hainrich Nuedunk* vnd ælliv div Samenvnge, wir griezen alle die, die disen brief lesen hoerent, oder sehent, innechlichen in got.

got. Vnde tun Kvnt, daz herre *Sibot* der *Stolzhirz* vnſ ze rehtem aigen, aine wiſe, div lit ze hoſteten *a)* in der awe, fvr allen den zehenden, ob er ſich iener gæin vnſ verſvmet hete, hat gegeben. dir ſol gelten iærgelicheſ fvnf ſchillinge, mit ſogetaner beſchaidenhait, Swenne er en iſt, daz man ſin dannedа von iærgeliches an ſinem iarſ tage ſol gedenken. mit einem placebo. vnd æiner ſelmeſſe, vnd daz vnſer brvder ſvlen da von haben an dem Tage æin oblaige, durch ſiner ſele willen, daz ime allez daz ſtæte belibe, alſ da vor wol geſchriben iſt, vnd vnzerbrochen, ſo haben wir ime diſen brief geben. mit vnſerm Ynſigel *b)* daz dar an gehangen iſt. Do daz geſchach, vnd dirre brief geben wart. Do was von Criſteſ gebvrte. Tvſent Jar zwai hundert iar. Sibenzek iar. vnd in dem andern iar. nach Sante Jacobeſtage an dem Donerſtage dem næheſten. *c)*

a) Haunſtetten.

b) Sigillum, Jeſum crucifixum repraeſentans, eſt paululum laeſum.

c) 28 Julii. Harum litterarum ſtilus eſt prorſus ſingularis et haud obuius.

Num. XII. Emtio prati in Haunſtetten, et duarum arearum in vicu Schwal. Anno 1277.

EX ORIGINALI.

In nomine dni Amen. DIETRICUS permiſſione diuina abbas Monaſterii ſanctorum *Vdalrici* et *Afre* Auguſten. Cunctis preſentem paginam intuentibus. Salutem in ihu Xpo. Ea que humanis geruntur negotiis caſibus ſubiacent et mutabilitati niſi teſtibus

bus et notulis ſcripturarum roborentur. Vnde notum eſſe volumus vniuerſis quod nos de conſenſu tocius conuentus noſtri exigente penuria eccleſie noſtre vendidimus pratum ſitum in *huſteten a*) dictum Kaeppin et alia gramina quod pratum bone memiore dns *Vlricus* nobilis dictus de Bokeſperch anteceſſoribus noſtris vendidit iure proprietatis poſſidendum. Dno *Hiltibrando* dicto *Fullaer* Monacho et fratri noſtro pro XIII. Aug. monete, qui dictus *Hilt.* fuet ſaluti felix prouiſor exiſtens de predicto prato Sacerdotibus confratribus noſtris celebrantibus ſuis ſtatutis diebus in capella glorioſe ac perpetue virginis *Marie* et beati *Gothardi* confeſſoris ſita in pomario noſtro in die beati *Michahelis* XXV. ſol. Aug. monete dari procurauit. Coemit etiam a filio *Naegellini* duas areas ſitas in vice Swal *b*) VII. Sol. in feſto ſci *Michahelis* ſoluentes quos etiam in honorem ſce *Marie* predicte capelle donauit, cuius remedii et conſolationis ſubſidium per dictum *Hilt.* fideliter inchoatum a nobis et ſucceſſoribus noſtris deuote volumus ac humiliter perpetim obſeruari. Hec autem vt rata et in conuulſa permaneant preſentes ſigilli venerabilis patris et dni nri Hartmanni Epi Aug. et Capituli matricis eccleſie et noſtri ac conuentus noſtri *c*) munimine cummunimus. Huius rei teſtes ſunt dns Dietricus Abbas. *Vlricus* prior. *Hiltibrandus Fullaer. Perchtoldus* Cuſtos. *Wernherus* de *Waeldiu. Gerboldus* de *mertiſrieth. Vlricus* de *Staufen. Siboto curialis . ceruus. Wernherus fundanus* Sacerdotes. *Perhtoldus Stumph. Vlricus Guggur. Wernherus Blanko. Ludewicus* de *Etnisrieth. Cuonradus Geswi. Cuonradus Slegel. Perhtoldus de huſteten. Hainricus Maenhingen. Hainricus Litaer.* et alii quam plures. Si quis autem huius ordinationis laudabilis violator exſtiterit nouerit ſe indignationem omnipotentis dei beate et glorioſe virginis *Marie* ac ſanctorum in ipſa capella

C requie-

requiefcentium iram eternam incurfurum. Acta funt hec Anno dni M.CC.LXX.VII.XIIII. Kl. Jvnii.

a) V. Supra N. IX. b) In vrbe Augufta.

c) Quatuor Sigilla omnia, praeter illud capituli cathedralis, quod laefum, perierunt.

Num. XIII. Sententia Epifcopi quasdam curias concernens. Anno 1286.

EX ORIGINALI.

Nos. H. a) dei gratia Ecclefie Auguften. Epc. confitemur prefentibus et proteftamur, quod fententie noftre pro dna de *Vifchach*, contra *Vlricum Kamerarium* de *Wellenburch*, fuper vna curia in *Mulhufen*, b) duabus curiis in *Hurenloch* c) dimidia curia in *Inningen* d) et vna curia in *Bridrichingen* e) prolate, teftes funt et interfuerunt. Dnf. *Eg.* f) de *Schelkelingen*. Dnf *D.* g) de *Helenftain*, Dnf. *G.* h) de *Neiffen*. Dnf. *F.* i) de *Schenneg-ge*, canonici ecclie Aug. *C.* dictus *Hurenlocher* Purggrauius. *O.* dictus *Hurenlocher* — — — *Johes* dictus *Purgrauius* *B.* dictus *Velman.* *H.* *Portenarius* et filii eiusdem. *S.* et *Johes* fratres dicti *Schonguer* ciues Auguften. et alii quam plures fide digni. In cuius rei teftimonium prefentes noftro ac canonicorum fupradictorum figillis k) fideliter funt communite. Datum Aug. Anno dni. Millo. CC.LXXXVI.II. Non. Maii.

a) *Hartmannus.* b) Mühlhaufen et

c) Hurlach. in praefectura Schwabmenchingen.

d) Innin-

d) Inningen in praefectura Goegging.
e) Bridrichingen in praefectura Landsb. f) *Egeno.*
g) *Degenhardus.* h) *Gotefridus.* i) *Fridericus.*
k) De Sigillis quatuor tria priora sunt laesa, et quartum periit.

Num. XIV. Venditio Curiae in Waltershofen. An. 1287.

Ex Originali.

Sifridus a) dei gratia Auguften. Ecclie Eps Vniuerfis prefentium infpectoribus, falutem in ihu xpo. Ne res prefertim digne memoria, obliuionis devio perimantur, expedit eas fcripturarum et teftium fubfidiis adiuuari. Nouerint igitur vniuerforum folercia, quod dilectus et fidelis nofter. *Mangoldus* de *Richerfhouen*, noftro fauore plenius accedente, curiam fitam, in *Walterfhouen*, que *Grimenhoef* dicitur, quam *Marquardus* de *Turchain* nunc colit proprietatis fibi tytulo pertinentem. cum omnibus fuis Attinentiis quefitis et inquirendis, dilectis in Xpo Sororibus dictis de *Stella b*) ciuitatis noftre Auguften, eo iure, ficut fibi competiit, vendidit et donauit, renuncians pro fe et vxore fua *Gertrude.* ac omnibus heredibus fuis, omni iuris quod in eadem curia fibi competebat, vel competere videbatur, Item eiufdem curie decimam, quam prefatus Miles *Mangoldus*, ab avvnculo noftro predilecto *Bertoldo.* Dapifero de *Donrfperch*, in feudo tenebat, ipfe avvnculus nofter, viris honoratis. *Wernhero.* dicto *Golenhouayr*, *Wernhero* et *Hainrico* filiis fuis nomine predictarum fororum contulit, titulo feudi poffidendam. In quorum omnium euidens teftimonium et debitam firmitatem prefentes ad petitionem sepedicti *Mangoldi.* militis, ac etiam dictarum Sororum dedimus Sigilli nostri *c*) munimine roboratas, Actum et datum, Anno dni. M.CC.LXXX septimo. II. Jdus Maii.

a) SIGEFRIDUS de *Algishausen.*

b) Moniales tertii Ordinis *S. Francisci.*

c) Sigillum est laesum.

Num. XV. Litterae feudales pro decimis in Bobingen Anno 1288.

EX ORIGINALI.

Ich HAENRICH von HATENBERGE tvn kunt. allen den die nv lebent oder hernach Koment. Daz Fro Gerdrvt. div et swenne *Sibotes* des *Schongauers* fræwelin wass hat gekaufet vmbe. *Cvnraden* des Smides svn von Swabegge aeinen zehenden der gat vz der frawen houe von dem Sterne ze *Bobingen* den da bowet *Cvonrat* von *Erringen*, Vnde het in der vorgenante. *Cvonrat* des *Smides* Svn von mir ze rehten lehen. Von dem han ich vf genomen vnde han in gelihen ze rehten lehen. *Haeinrich* vnde *Vlrich* von *Ostern Aittingen* der vorgenanten Frawen *Gertrude* zetragen, ne wan si selbe des lehens nith getragen mach. Vnde auch mit sogetanem gedinge daz div vorgenante frie wal hat daz selbe gvt ze verkaufenne swenne si wil oder swem si wil. vnde svlen die vor genanten *Haeinrich* vnde auch *Vlrich* die des vorgenanten zehenden ir trager sint dar an niht irren mit kaeiner hande dingen. Vnde svlen ez avch vrilich wider vfgeben in min hant dem der daz gvt kav-

fet

fet wær aber daz div vorgenante *Gertrvt* dazſelbe gvt erſparen mehte oder wolte ſo ſol ez die vorgenanten die des gvtes ir træger ſint ane vallen ane widerrede in allem dem rehte alſe ez der vor genante *Cvonrat* deſ *Smides* ſvn von mir het in rehter lehenſ gewer nach ir tode iſt aber daz die forgenanten *Haeinrich* vnde *Vlrich* von Oſtern Aeittingen e tot geligent e div forgenantiv frawe ſwem ſi mich daz ſelbe gvt hæiſset liehen dem ſol is lihen vnde ſol er irz tragen in allem dem reht alſ die fvrgenanten lehen Trager vnde alſ diche alſ ir lehen Trager ſterbent vor ir Tode ſo ſol ich daz ſelbe lehen lihen ſwem ſi mich ez hæizſet lihen in allem reth alſ for geſæit iſt vnde ſchaf avch vnde wil daz min erben tvn ſvlen ob es an ſich gevalt alles daz dar zu mich gebvnden han an diſem brief. daz nv der vorgenanten. Gertrvde der kavf ſtæte belibe vnd vnzerbrochen darvm begibe ich ir diſem brieſ verſigelt mit minem inſigel *a*) deſ ſint gezvge. Her *Sibot* der *Schongawaer*. Her *Marquart* vor den *Gredvn*. Her *Vlrich* von *Geggingen* vnd ander erbær lvte genvge. Do daz geſchah do waſ von Gotes gebvrte Tvſent iar zwai hundert Jar. Æhtiv vnde ahzek Jar. an dem næheſten donerſtage nach der pfingeſt wochen. *b*)

a) Sigillum quidem integrum, ſed paululum attritum. V. Tab. I. N. II.
b) 27 Maii.

Num. XVI. Fundatio facta. Anno 1295.

Ex Originali.

In nomine dni Amen. Wir *Hainrich* von *Auſpurch* vnd der Jungeſt *Hainrich* hern *Hainrich* ſeligen Svne von Auſpurch tvn

chvnt

chvnt allen den die difen brief lefent hoerent oder fehent. Daz wir mit veraintem mute mit gutem rate vnd mit guter betrahtunge ovz der Guttin ze *Aitingin* div vnfer reht aigen ift geben haben der Samenunge der herren def Clofters ze fand *Vlriche* vnd ze fand *Affren* in der ftat ze Aufpurch zwelf Schillinge Aufpurger pheninge geltef ze rehtem aigen vnf vnfern vordern vnd vnfern nachchomen ze ainem rehten Selgereit. Vnd fol man in der felben pheninge geælliv iar vier Schillinge an fande *Elzfpeten* Tage, vnd vier Schillinge an dem vierden Tage nach fand *Mathias* tage der vmbe die vafnaht wefchent vnd an fande *Georien* tage vier Schillinge. Vnd folen die Herren der Samenunge ze den felhen drin zitten dri Jarzit began ouf iren Chore alf gewonlich ift vnf vnfern vordern vnd vnfern nachchomen ze troft und ze helfe vnd fulen daz tvn ewiclich. Die felben zwelf Schillinge geltef haben wir der Samenunge ovf geben für aigen vnd haben vnf ir verzigen mit gelerten worten. vnd fulenf der Samenunge auch ftæten für aigen nachf landef reht. Daz in daz ftet belibe vnd vnzerbrochen darvmbe haben wir der Samenunge geben difen brief verfigelt vnd geveftent mit vnferm Infigel vnd mit der ftet Infigel ze Aufpurch div baidiv dran hangent. Def fint geziuge her *Wernher* von *Waeldiv* her *Sibot* der *Stolzhirz* Cufter her *Chvnr.* der *Roefmaer* her *Chvnrat* der Schvlmaifter vnfers Conventef herren her *Rembot* der Junge her *Fridrich* der *Stolzhirz* die do der ftet ze Aufpurch pfleger waren her *Hainrich* her *Sibot* her *Johanf Schongauer*, vnd andir genuge. Do daz gefchah do waren von Criftes geburte zwelfhvndert iar in dem funften vnd Nivntzigoften iar an fand Matheuf abende.

Num. XVII.

Num. XVII. Permutatio Bonorum cum Hofpitali. Anno 1295.

Ex Originali.

In Dei nomine Amen. Cum permutatio rerum Ecclefiafticarum ad inuicem lege et canone fit conceffa, hinc eft, quod nos frater *Hermannus* procurator. et fratres, ac ipfum hofpitale fancti Spiritus in Augufta. confilio et confenfu venerabilis patris noftri Dni Wolfhardi Epi. Auguftn. et capituli fui plenius accedente, profpiciens eciam in hoc melioracionem ipfius hofpitalis noftri et vtilitatem, aream fitam vltra licum loci, vbi modo hofpitale noftrum fitum eft, quam faber inhabitat. cum horto et prato fibi contiguis, cum omni iure quo nobis et dicto hofpitali noftro pertinet libere permutamus cum honorabilibus in Xpo Dno Abbate. *a)* et Conuentu Mon. fcorum *Vdalrici* et *Afre* Auguften. pro area fita extra portam ciuitatis Aug. verfus hufteten. iuxta Murum inter Stratam *b)* et Licum. quam faber tenet. et Area iuxta eandem vltra ftratam fitam ex oppofito dictam Windefhofftat. fimiliter inter ftratam. et licum eundem eis, et dicto Monafterio iure proprietatis pertinentes, cum omni iure quo eis pertinebant, fiue fint corporalia iura, fiue incorporalia, hec permutatio vtrobique facta eft matura deliberatione et vtilitate non modica perfuadente interueniente etiam omni folempnitate iuris que confueuit adhiberi in rebus Ecclefiafticis permutandis, Et vt hec perpetuo maneant inconcuffa hoc inftrumentum Sigillorum venerabilis patris dni Epi. et Capituli Aug. ac hofpitalis noftri predicti munimine duximus roborare. Teftes funt *S.* Cuftos. *W.* de *Weldu.* C. *Rofmer.* D. *Rife.* et C. Scolafticus Monachi Mon. predicti.

W.

W. *c*) des *Zeringer*. C. Cuſtos. C. *d*) Scolaſticus. Canonici Ecclie Aug. H. de *Gunze*. H. des *Schongower*. *Hartmann Longum pallium e*) *Otto* des *Hurenloher*. Ciues Auguſten. et alii quam plures. Dat. Auguſte, Anno dni. M.CC.LXXXX quinto. VIII. Kal. Nouembr.

a) Abbas tunc erat Henricus de Hagnach.

b) Straſse. *c*) *Wernherus*. *d*) Crafto de Neidlingen.

e) Langenmantel. *f*) De Sigillis tantum illud capituli reſtat.

Num. XVIII. Fundatio Anniuerſariorum. Anno 1295.

EX ORIGINALI.

In nomine dni. Amen. Ich HAINRICH der MVRAR Burgar ze Auſpurch, tvn kvnt allen den die diſen brief leſent horent oder ſehent. Daz ich mit miner Mvter frawen *Mathilde* rat vnd willen, vnd mit rvt miner huſfrawen frawen *Adelhait*, vnde wille, vnde mit aller miner Erben rat, vnd willen vnſ minen hvs vore Strafinger Thore *a*) en vn des Luternlecheſ, hofſtat, hofſchache, vnde ſwaz dar zv gehort, verkauffet han herrn *Chunraden* dem *Vlentaler* Burgar ze Auſpurch vier ſchillinge Auſpurger phenninge gelteſ vmbe driv phunt Auſpurg. phenninge minder fvnf ſchillinge, ze rehtem aigen, vnde dieſelben vier ſchillinge. ſol ich oder min Erben, oder min nachkomen ſwer die werdent, oder in ſwes hant daz gute kamet geben ſoln hinan fûre alliv Jar den herren hint ze ſant *Vlrichen* in daz oblaie, wan her *Chunrat* der *Vlentaler*, die ſelben vier ſchillinge den vorgenanten herren geſchaffet hât, alſo,

daz

daz si da von svln began alliv Jar siner Swester Jaregezit frawen *Adelhait* der *Portenarin* salich an vnser frawen abent ze dem Ernde, vnde sines vater Jargezit hern *Chvnradef* def *Vlentalaer* salich an sant Georin Abent. Vnde die selben vier schillinge, sol ich, oder min Erben, oder swer daz vor genante gvte in nvze, oder in gewer hat, den vorgenanten herren geben alliv Jar, ahte tage vore sant Georii abent, also daz si an dem nahsten Tage, vore sant Georii abent gewert sien, der vor genanten vier schillinge, Tate ich, oder min Erben, oder swer danne daz gvte inne hat, so ist den herren von sant *Vlrichen*, hvs, hofstat, hofschahe, vnd swaf darzv gehöret zinsvelich worden an alle widerrede. Der selben vier schillinge geltef han ich, vnde min Mvter *Mathilde*, vnd min hvsfrawe *Adelhait*, vnde alle vnser den vorgenanten herren vfgeben für rehtes aigen, vnde haben vns derselben vier schillinge phenninge verzvgen, nach dirre *b*) stette reht, mit gelerten worten, vnd svln sin avch staten fvr aeigen, nach dirre stete reht. Daz in daz state belibe, vnd niht vergezzen werde dar vmbe haben wir in geben disen brief versigelt, vnd geuestent mit der stete Insigel ze Auspurch *c*) daz dran hanget. Def sint geziuge her *Rainbot* der Junge, her *Friderich* der *Stolzhirei* die do der staefe phelegar wern. Her *Otte* der *Hunelohar* *d*) *Luipolt* der *Schrotar*, *Herbort* vor sant Maurzin. *e*) *Hainrich* der *Vlentaler*, vnd sin bruder *Bertolt*, *Hainrich Herbort*, vnd andere genvge. Do daz geschach, do waz von Cristef gebvrte zwelf hvndert Jar, in dem funten *f*) vnde Nvntzigostem Jar. an sant Lucien tak.

a) Nunc Baarfüsser-Thor. *b*) Disser Stadtrecht. *c*) Sigillum periit. *d*) Hurenlober. *e*) Vor Sant Maurizen. *f*) Fünften.

Num. XIX. Sponsio ab Henr. Portner in se suscepta. Anno 1295.

Ex Originali.

In nomine dni amen. Ich Hainrich der Portenar Burger ze Ausſpurch tvn kvnt allen den die diſen brief leſent hōrent oder ſehent. Daz ich gewer vnde Burge bin fvr *Hainrichen* der *Mvraer*, vmbe vier ſchillinge Auſpurger phenninge, die er kauffet hat vſ ſinem hvs vnd ſwaz dar zv gehort, daz gelegen iſt, en vnde deſ Luternleches herrn *Chvnrat* dem *Vlentalaer*, vnde danne *Chvnrat* der *Vlentalaer* geſchafet hat hinze ſant *Vlrich* den herren, daz man hinan fvre ſol began miner wirtin ſælich *Adelhait* Jargezit, vnd ſineſ vaters Jargezit, vnde die vorgenanten vier ſchillinge gelteſ ze ſtaten fvr aeigen nach dirre ſtaete reht, Swan auch daz zil fvr kvmet, alſ man aeigen ſtaten ſol, ſo ſol ich der gewerſchaeft, vnd der Burgeſchefte ledich ſin gan dem *Vlentalaer* vnd gan den vorgenanten herren von ſant *Vlrich*. Daz in daz ſtate belibe vnd niht vergezzen werde, darvmbe han ich in geben diſen brief verſigelt, vnd geueſtent mit minem Inſigel a) daz dran hanget do dirre brief geben wart, do waz von Criſteſ gebvrte zwelf hvndert Jar in dem fvnten vnd Nvntzigoſtem Jar. an ſant Lucien tak.

a) Sigillum eſt optime conſervatum Tab. I. N. III.

Num. XX.

Num. XX. Transactio mancipii concernens. Anno 1295.

Ex Originali.

In nomine dni Amen. Ich *Hainrich* von *Auspurch*, vnde alle min Bruder, tvn kvnt allen den die disen brief lesent, horent, oder sehent, swaz Chinde *Vlrich* der *Giegaer*, der min, vnd miner Bruder aigen ist, vnde *Ma hilt* sin hosfrawe, *Worh. wits Silhaiter* thoter, div an hort, daz Gotefhvs ze sant *Vlrich* vnd sant *Afren* ze Auspurch, vnde auch des Goteshvs aeigen ist, mit ain ander hant, oder noch mit ain ander gewinnent div horent mich, vnd min bruder halbiv an, vnde halbiv daz vorgenante Goteshvz an, an alle widerrede. Daz daz also state belibe, vnde niht vergezzen werde, darvmbe han ich geben, vnd min bruder disen brief versigelt vnd geuestent mit minem Insigel *a)* daz dran hanget, vnd min bruder bindent sich vnder daz selbe Insigel wan ich der Elteste bin, ze laisten, vnd ze haben swez da vor geschriben stat. Des sint geziuge her *Wernher* von *Waldiv* her *Diepolt* der *Rize*, her *Chunrat* der Schvlmaister, her *Sibot* der Custer, her *Hainrich* von *Wingarten*. *Diepolt* der *Brugghai*, *Vlrich* der *Druzes Hainrich* in dem *Chaler*, vnde ander genvge. Do dirre brief geben wart, do was von cristes gebvrte zwelf hvndert Jaer in dem fonten, vnde Niwntzigosten Jaer an Siluesters tak.

a) Sigillum periit.

Num. XXI. Permutatio mancipiorum. Anno. 1300.

EX ORIGINALI.

Nos CUNRADUS dei gratia Abbas Monasterii Campidonensis Notum facimus presentium inspectoribus vniuersis, quod cum *Eberhardus de Hugenank*, nostro Monasterio dederit, et ad manus nostras resignauerit publice atque sponte, *Hainricum* et *Adelhaidim* pueros *Heinrici* dicti de *Tamun*, qui sibi seruitutis iure pertinebant, et eos a manu et potestaete sua manu miserit cum solemnitate debita et consueta. Nos instantie peticionis prefati *Eberhardi* annuentes, et ipsius precibus inclinati, de consensu nostri Conuentus in recompensam et concambium venerabilibus in Xpo. Abbati et conuentui Monasterii sanctorum *Vdalrici* et *Afre* Augustensis Ciuitatis *Waltherum* et *Adelhaidim* pueros. dicti *Renze*, a nostra potestate sollempniter manu missos dedimus et assignauimus cum sollempnitate debita et consueta, et omne ius, quod nobis et nostro monasterio competiit in iam dictis pueris in dictos dominos — Abbatem et Conuentum seu Monasterium iam dictum transferimus per presentes. Cuius rei testes sunt. *Lud. Marscalkus* de *Ermengers*. de *Westernriet*, Milites, et *Rud*, de *Ermengers* Miles, *Albus*. Minister Campidonensis, *R. Monetarius*. *H. Lanzer* et Magr. *Ch*. Notarius, necnon plures alii fide digni. In cuius rei Testimonium Sigillum nostrum a) duximus presentibus appendendum. Dat. Campidone. Anno dni. M.CCC. Idus Decembris Indicione XIIII.

a) Sigillum eillaesum Tab. I. N. IV.

Num. XXII.

Num. XXII. Litterae feudales. Anno 1306.

Ex Originali.

In nomine dni Amen. Nouerint vniuersi, quod nos KRAFTO a) Scolasticus maioris Ecclesie Aug. CHVNRADUS VLENTAILER ciuis Aug. b) procuratores sev Gubernatores Monasterii sanctorum *Vdalrici* et *Afre* in Aug. Curiam eiusdem monasterii, sitam in *Balishusen*, c) quam quondam coluit dictus *Scholer*, *Chunrado* dicto *Phluch*, nomine prefati Monasterii taliter contulimus excolendam, quod ipse *Chunradus* eandem curiam colere debet et habere per tres annos inmediate et contigue se sequentes sine omni pensionis solucione, et finito tertio anno ipsa curia per eundem Chunr. constructa esse debet in villa et edificata cum bona domo, et horreo, necnon aliis structuris ipsi curie competentibus, alioquin idem *Chunr.* vel heredes sui, prefato monasterio remanebunt pro pena in duabus libris denariorum Aug. obligati, quibus annis etiam elapsis, predictus *Chunr.* se in eandem Curiam personaliter recipere debet, et eam prout melius poterit excolere, vel vnum ex pueris suis quem voluerit, et qui ipsam Curiam in omni agricultura conpetenter excolere possit ibidem locare, nouem annis inmediate subsequentibus ante dicto monasterio annuatim pro pensione vndecim solidos denariorum Aug. persoluendos, quibus annis omnibus elapsis et finitis, ipse *Chunradus* vel pueri sui, qui tunc eandem curiam excolunt et possident deinceps de ipsa curia quam diu eam habere voluerint et excolere, veros redditus videlicet qui ex antiquo de eadem curia soluebantur, nisi ipsis gratia fiat specialis, sepe dicto monasterio tenebuntur annuatim sine contradiccione qualibet assignare. In cuius rei testimoniſtimonium preſentes dedimus noſtrorum ſigillorum caractare conſignitas. *b)* Datum Aug. Anno Dni. M.CCCVI. in vigilia ſci Benedicti.

a) Crafto de Heidlingen. b) Sic Originale.

Num. XXIII. Venditio decimarum in Bobingen. Anno 1306.

EX ORIGINALI.

In Gots namen Amen. Ich HELLEN div HURNLÖHERIN, Burgerin ze Auſpurch tvn kvnt allen den die diſen brief leſent, horent oder ſehent, Daz ich mit miner frivnd rat, vnd aller miner erben gvtem willen, mainen zehenden avz ainer hvbe div gelegen iſt datz *Bobingen* div an gehoert datz gotshus ze Sant Kathrinen ze Auſpurch, mainen zehenden, avz dreiu viertailen, div auch gelegen ſint datz Bobingen div gehorent hintz Sant Moritzin ze Auſpurch, mainen zehenden, avz ainer halben hvb, div avch gelegen iſt datz Bobingen, vnd div angehört den *Bronmair*, vnd mainen zehenden, datz ainer halben hvb, div gelegen iſt datz *Aittingen*, vnd div angehört Frawen *Elſpeten* die *Langenmantlin*, verkaufft, vnd geben han haer *Hainrichen* dem *Gewaechten* Burger ze Auſpurch frawen *Annen* ſiner wirtin vnd allen iren Erben für ain raechts lehen, vmb an zwai draeizzich phunt nuver auſpurger phenning die ich darumb von in enphangen han, vnd han mich avch derſelben zehenden, verzigen, für mich vnd alle maein erben, in maeines herren hant dez Biſchoffs von Auſpurch, der auch die-

dieselben zehenden lasicht, mit gierten worten, als man sich lehens dvrch reht verzaeichen sol. Wir svln in avch, ich vnd maein erben, die saelben zehenden, staeten vnd vertigen für an raehtes Lehen, nach dez Landes reht, vnd haben in darumb ze burgen vnd gwern gesetzt her *Livtfriden* in der Apoteck maeinen vater, her *Chvonraden* den *Rvidraer*, her *Otten* den *Hurelaher*, vnd *Livpolden* minen Tohterman, mit der Beschaidenhait, ob in der zehende anspraech wird mit dem raehten Daz si dann vollen gwalt svlen haben, zwen avzz den vorgenanten Burgen ze manenn, swelhe si wellent, vnd svln in die laisten, hie ze Auspurch in ainem Laeichavs an gwerd in raehter geiselscheft, vnd svln nimmer avzzkomen, bitzan die zeit, datz wir in die Ansprach ledigen vnd lösen an allen iren schaden. Etz svln avch die vorgenanten maein Burgen in der Burgschafft saein, bitz daz aelliv maeiniv Kint, div ze im tagen nit komen sint, ze iren tagen komen, vnd sechs wochen, vnd aine iar darnach, Daz daz alles also staet blaeib, vnd nit vergezzen werd, Gib ich disen brieff versigelt vnd gevestent, mit her *Livfrits*, haer *Chvonrats* vnd her *Otten* des Hurelohaers, miner vorgenanten burgen insigeln a) div dran hangent, vnd ich *Livpolt* der *Kunel* bind mich vnder div selben insigel ze laisten vnd ze behalten alles, daz da vor von mir geschriben stat Vnd dez sint gezivge, haer *Hainrich* der *Waeizzinger* haer *Kunrat* der *Arvintaler*. Die do der stet ze Auspurch Phleger warn haer *Hainrich Rifchart*, haer *Rudger* der *Langenmantel*, haer *Berchtolt Bitschlin*, her *Hainrich* der *Prier*, haer *Chunrat Brawnink*, vnd ander gnvg. Do daz geschach, do warn von Christs gebvrt Driwzehenhundert iar darnach in dem saechsten iar, An den maentag vor Sant Georien tag. b)

a) De

a) De Sigillis primum laesum, secundum et tertium illaesa. Tab. I. N. V. VI.
b) 18. Aprilis.

Num. XXIV. Venditio decimarum in Bobingen. Anno 1306.

EX ORIGINALI.

In Gotsnamen amen. Ich SEIBOT der SUMERTOERCHEL burger ze Auspurch tvn kvnt allen den die disen brief lesent horent oder sehent, Daz ich mit miner wirtin frawen *Berchten*, vnd aller miner erben rat vnd gvtem willen, maeinen zehenden der gat auz dez Eggelnhouers hvb datz *bobingen* der maein lehen waz von haer *Hainrichen* saelig von *Hattenberg* verkaufft vnd geben han, her *Chunraden* von *hoy* burger ze Auspurch vnd saeinen Erben. fvr ain raehtes lehen, vmb fvnf phunt vnd fvnf schilling niwer Auspurger phenning Die ich darvmb von in enphangen han. Vnd han mich dezsaelben zehenden verzigen mit glerten worten als man sich lehens durch recht verzeichen sol, vnd soln in avch staeten vnd vertigen fvr ain raechtes lehen nach dez lands recht. Vnd han in darumb ze burgen gesetzt maein Svn *Johansen* vnd *Merchlinen* zv mit vnuerschaidenlichen. Ob in der zehend anspraech wird mit den raechten swaz si der anspraeh schaden naemen, den svln wir, ich, maein wirtin vnd avch maein burgen die vorgenanten in gar vnd gaentzliehen ab tvn, an all widerred. Daz daz staet blaeib Gib ich disen brief versigelt vnd geuestent mit der stet Insigel a) ze Auspurch daz dran hangt, Dez sint geziug her *Hainrich* der *Waeizzinger* her *Chunrat* der *Aeulentaler* die do der

der Stet ze Aufpurch phleger warn, haer *Liutfrit* in der Apoteck, haer *Hainrich Rifschrart*, h. *Rudger* der *Langemantel*, h. *Chonrat* der *Minaaer*. h. *Hainrith* der *Prior* vnd ander gnvg. De daz gefchah Do warn von Chrifts gebvrt Drivzehenhundert iar darnach in dem faechften iar, an fant Bonifacien tag.

a) Sigillum eft illaefum.

Num. XXV. Venditio decimarum in Bobingen. An. 1309.

Ex Originali.

Wir Johans, Kunrat vnd Bartholme di Woelkwin Burger ze Aufpurch tvn kvnt allen den di difen brief lefent hörnt oder fehent. Daz wir vnfern zehenden vz der gantzen hub di der *Hotler* da bowet, vnd vnfer lehen waz, von dem *Franze*, vnd den zehenden vz der halben hub, di der *Grimolt* da bowet, vnd vnfer lehen waz von dem Bifchof ze Aufpurch, vnd gelegen fint datz *Bobingen* verkauft haben für ain rehtzlehen *Cunrat* von *Hoys* vnd finen erben, oder fwem fis gebent oder fchaffent, vmb zwainzik pfunt niwer aufpurch pfenning, di wir darvmb empfangen haben, vnd haben im di zehenden vfgeben, vnd haben vnf ir verzigen mit gelerten worten, alz man fich lehens durch reht verzihen fol, vnd foln im fi auch fteten vnd vertigen für alle anfprach, fwenn ain Bifchof wirt, vnd auch von dem *Franze* als man lehen durh reht fteten vnd vertigen fol, nach dez landes reht, vnd haben im darvmb ze burgen gefetzet *Johanfen* vnfern bruder der vorgenanten, ob im di zehenden anfpraech warden mit dem rehten, daz er im

 di

di ansprach ledigen vnd entlösen sol, an allen seinen schaden. Daz im daz stet blib geben wir im disen brief versigelt vnd geuestent, mit *Johansen* vnsers bruder insigel *a*) dez vorgenanten binden vns vnder daz selb insigel ze halten, vnd ze laisten swaz da vorgeschriben staet. Dô daz geschach do warn von Cristes geburt driuzehenhundert iar, darnach in dem nivnden iar an dem Sunnentag vor sant Gregorien tag. *b*)

a) Sigillum illaesum V. Tab. I. N. *b*) Nona Martii.

Num. XXVI. Sententia curiam in Arnolzried concernens. Anno 1312.

Ex Originali.

Anno dni Millo. CCCXII. VIII. Kla Marcii, Nos Judices curie Aug. presidentes iudicio in causa, quam dns Abbas et Conuentus Monasterii sancti *Vdalrici*, in Aug. mouerunt coram nobis. *Vlrico* filio dicte *Salherin*, de *Lechusen* super quadam curia sita in *Arnoltzriet a*) cum suis Attinenciis quam ex nunc colit *Hainricus* dictus *Gritzinch*, lite contestata, et receptis testibus ex parte ipsorum dni Abbatis et conuentus productis, et eis diligenter examinatis, publicatis attestacionibus, auditis eciam et consideratis omnibus que partes coram nobis proposuerunt. Quia inuenimus intencionem ipsorum dni Abbatis et conuentus in libello expressam, sufficienter esse probatam, habito prudentum virorum et iurisperitorum consilio, et ordine iuris per omnia obseruato dictam curiam cum suis attinenciis ipsi dno. . Abbati et conuentui adiudicamus per sententiam diffinitam

diffinitam proprietatis titulo pertinere, et inponimus ipsi *Vlrico* perpetuum silentium super ea cum ipsis in expensis litis videlicet vna libra den Aug. taxacione prehabita et iuramento legitime condenpnantes, hiis in scriptis in Nomine Patris et Filii et Spiritus sancti iniungentes sibi, vt eidem sentencie nostre pareat, et eis eandem curiam dimittat liberam et solutam, ac eis de expensis predictis satis faciat vsque ad dominicam Letare proximam, alioquin extunc contra eum ad excommunicacionis sentenciam procedemus. Vos vero dne — — Vicg plebane Ecclesie Aug. hanc nostram sentenciam coram plebe vestra publice nuncietis. Actum Anno et die prenot.

a) Arnoltsried vel Aretsried in ditione ziemetshusana.

b) Sigillum iudicum August. est impressum.

Num. XXVII. Recognitio quorundam bonorum Augustae, et Bonstadii Anno 1312.

Ex Originali.

Nos Judices curie Aug. Notum facimus discrecioni singulorum, quod *Chunradus* de *Walshousen* quondam Tabellio Curie nostre confessus est coram nobis publice litteras per presentes, quod nihil plus iuris sibi competit in bonis infra scriptis, nisi pro tempore sex personarum videlicet, sui ipsius, *Anne* vxoris sue et *Anne*, *Elzabeth*, *Mathie*, et *Adelhaidis* puerorum eius. Ita quod ipsis mortuis bona eadem ad Monasterium sci *Vdalrici* in Aug. devoluantur, bona autem sunt ista videlicet decime que dantur de agris sitis infra fratrem *Arnoldum* et li-

 eum

cum, Item de prato halbinne V. sol. den Aug. Item de pratis *Longi* de Werdea XXden. Item de prato quondam *Herbordi* v. sol. Item de prato leprosorum. III. sol. Item de prato — — dicti *Streler*. IIII. sol. Item de prato quondam *Rembotonis*. v. sol. Item de area fris *Arnoldi* et suis attinenciis II. sol. Item confessus est quod Curia in *Bonsteten* sibi tantum pertineat a Monasterio prenotato pro tempore vite sue, In cuius rei euidencia presentes ad peticionem ipsarum partium dedimus sigillo nostro fideliter communitas. Actum et datum Aug. Anno Dni M.CCC.XII. XVI. Kal. Decembr.

Num. XXVIII. Proprietatis iuris donatio in Ottmarshausen. Anno 1313.

EX ORIGINALI.

In nomine dni Amen. Nos FRIDERICUS Dei gracia Eps Ecclie Aug. Notum facimus presencium inspectoribus vniuersis. Quod cum honorandi viri et dilecti nobis in Xpo dni — prepositus — Decanus et Capitulum Ecclesie nostre Aug. quinque curias, sitas in *Othmarshusen*, a) quarum vnam ex nunc colit — dictus *Vischer*, alteram *Chunradus* dictus *Adelgrez*. Terciam — dictus *Wiman*, quartam — dictus *Oste*, et quintam *Chunradus* dictus *Burchart*, quasquidem curias a nobis et Ecclesia nostra in feodum, ab antiquo tenuerant, quondam *Johannes* dictus *Schongawer*, ciuis Aug. et ipsius heredes, ab heredibus dicti quondam *Johannis*, videlicet, *Mechthilde*, *Johanne*, et *Agnete*, et ipsorum heredum curatoribus. *Rudgero* videlicet et *Johane* dictis *Langenmantel*, *gewmantel*, emiſſent, et pro certo pretio comparaſſent. Volentes anime noſtre ſaluti ac vtilitati et comodo capituli noſtri prediċti, cui ſpecialis amoris vinculo et fauoris aſtringimur tanquam caput membris, ſpecialiter proſpicere, et ſalubriter prouidere, recepta reſignatione et ceſſione, prediċtarum curiarum ab heredibus, et eorum curatoribus, ſuperius nominatis, et tocius iuris quod eis in prediċtis curiis et earum pertinenciis competebat, vel competere videbatur, proprietatem et dominium ipſarum curiarum cum omnibus iuribus et pertinentiis earum capitulo noſtro memorato donauimus et tradidimus larga manu. Eaſdemque curias pleno iure, prout ad nos ſpeċtabant, eidem capitulo donamus et tradimus per preſentes, in quorum teſtimonium et euidenciam, preſens inſtrumentum dedimus ſigilli noſtri *b*) munimine roboratum. Datum et aċtum Auguſte anno dni M.CCC.XIII. Sexto Idus Maii.

a) Ottmarshauſen vicus in campo Licio ſitus, et praefecturae Schwabmenchinganae ſubiectus.

b) Sigillum Epiſcopi eſt paululum laeſum.

Num. XXIX. Venditio Curiarum in Ottmarshuſen. Anno 1313.

Ex Originali.

In Gotes namen Amen. Wir Rudger vnd Johans die Langenmaentel Burger ze Auſpurch phleger der Kind diu *Johans* saelig der *Schongawer* vnd Frawen *Maechtilt* saelig ſein wirtin gelazzen hant daz iſt *Johans* vnd *Agnes*, vnd ich Heinr. der

Port-

PORTNER dez vorgenanten *Johans* vnd Frawen *Meht.* tohterman tun kunt allen den die disen brief ansehent, oder hörnt lesen. Daz *Johans* saelig der *Schongawer* vnd frawen *Meht.* saelig sein wirtin diu vorgenanten Kint, vnd frawen *Mehthilt* mein *Heinr.* dez *Portners* wirtin in grozzen gelt gelazzen hant. Do wir die gült also ansahen do leten wir si für der vorgenanten Kind frevnden vnd wrden mit den ze rat waz wir angriffen da von diu Kint niht verdürben. Nu sein wir *Rudger* vnd *Johans* di vorgenanten vnd *Heinr.* der *Portner* mit der vorgenanten Kind Frevnd rat vnd willen überain chomen Daz wir vnsern herren von dem Chor vnd dem Capitel ze vnser Frawen ze Auspurch verkauft vnd geben haben, vier höf ze *Otmarshusen.* der ainen buet. *Hehtsl.* vnd ainen buwet *Chunrat Adelgos* vnd ainen buwet. *Chunrat Burkart* vnd den ainen hof den der *Weinman* buwet die mein *Heinr.* dez *Portners* vnd der vorgenanten Kind rehtez lehen warn von vnserm herren hern FRIDRICH Bischof ze Auspurch vnd wir *Rudger* vnd *Johans* die *Langenmaentel* der vorgenanten Kind getriuwe trager warn, vnd suln die vorgenanten vier höf gelten, zehen phunt vnd sechtzehen schilling gaeber Auspurger phenning vnd haben ie ain phunt geltez geben vmb fünf vnd zwaintzig phunt Auspurger phenn. vnd sein wir der phenning die vmb die vorgenanten vier höf choment gaentzlich vnd gar werriht vnd gewert vnd haben mit denselben phen. der vorgenanten Kind gült aufgeriht das sis gelten solten. Die vorgenanten vier höf haben wir in geben vnd swaz dar zv gehört ze dorf ze velde besuchtez vnd vnbesuchtez, vnd daz geriht vber die selben vier höf in allem dem reht alz ez her *Hartman* saelig der *Langenmantel*, *Johans* saelig der *Schongawer* frawe *Meht.* sein wirtin vnd auch diu Kint diu si gelazzen hant her braht hant vnd gehabt habent. Wir haben

haben auch die vorgenanten gut aufgeben in vnsers herren hant dez Bischofes vnd haben ir vns verzigen für vns, vnd für diu vorgenanten Chint mit gelerten worten alz man sich lehens durch reht verzihen sol, vnd wer daz in diu gut Ansprach wrden mit dem rehten in den ziln alz man lehen durch reht staeten sol, die selben ansprach suln wir in in ainem manod entlösen an alle widerred, vnd dar vmb haben wir in ze burgen gesetzet zv vns vnuerschaidenlich hern *Chunrat* vnd hern *Alberchten* die *Stolzenhirz*, ob wir niht taeten daz da vorgeschriben ist, so hant si gewalt ze manen vnser ainen, oder der Burgen ainen swelhen si wellen vnd sol in der laysten in ainem leithous ze Auspurch ~~oder ainen~~ an sein stat legen, vnd sol der laysten aungeuerd in rehter gaeiselschest, vnd sol nimmer von der Laystung komen biz, daz in diu ansprach mit dem rehten wirt entlözt. Waer auch daz der bürgen ainer nit enwaer dez got niht enwelle in der frist vnd man lehen durch reht staeten sol, so sullen wir in ainen andern in ainem manat setzen der in alz gut sei alz der in abgegangen ist. Taeten wir dez niht so hant si gewalt vnser ainen ze manen in allem dem reht alz da vorgeschriben ist. Man sol wizzen daz diu vorgenanten Kint *Johans* vnd *Agnes* noch ze irn tagen niht komen sint vnd swenn diu ze irn tagen choment, so sulln wir schaffen daz si dann diu vorgenanten gut aufgeben vnd sich ir verzihen alz wir ir vns verzigen haben, daz si kain ansprach noch kain reht an diu selben gut nimmer mer gehaben suln noch enmügen. Taeten wir dez niht so habent si aber gewalt vnser ainen ze manen in allem dem reht alz da vorgeschriben ist. Daz der vorgenant kauf also staet belib, vnd auch diu vorgeschriben red niht zerbrochen vnd vergezzen werd darvmb haben wir vnsern herren von dem

chor

chor: geben disen brief versigelt vnd gevestent mit vnsern Insigeln vnd mit vnser Burgen Insigel *a*) diu daran hangent. Dez sint gezing her *Heinr. Rüplin* der do der Stat ze Auspurch pfleger waz mit hern *Rudgern* dem *Langenmantel*; her *Berhtolt* vnd h. *Heinr.* die *Bitschlin*. h. *Heinr. Ritschart*. h. *Chunrat* der *Aeulntaler*. h. *Chunr.* der *Minner*. her *Heinr.* der *Prior* vnd ander genvg. Der brief wart geben do von Gotes geburt warn drevzehenhundert Jar vnd in dem drizehenden Jar an sant Seruatien tag.

a) Sigilla sunt laesa.

Num. XXX. Venditio curiae in Ottmarshausen. Anno 1313.

Ex Originali.

In Gotes namen Amen. Wir RUDGER vnd JOHANS die LANGENMAENTEL phleger der kind diu *Johans* saelig der *Schongawer* vnd frawe *Maechthilt* saelig sein wirtin gelazzen hant daz ist *Johans* vnd *Angnes* vnd ich *Heinrich* der *Portner*, dez vorgenanten *Joh.* vnd Frawen *Macht.* Tohterman burger ze Auspurch, tvn kvnt allen den die disen brief ansehent oder hoernt lesen, Daz *Johans* saelig der *Schongawer* vnd frawe *Macht.* sein wirtin diu vorgenanten chint vnd frawen *Macht* mein *Heinr.* dez *Portners* wirtin mit grozzen Gelt gelazzen hant, Do wir di gült also ansahen do leten wir si für der vorgenanten Kind frevnden vnd wrden mit den ze rat waz wir angriffen da von diu chint niht verdürben. Nu sein wir *Rudger* vnd *Joh.* die vorgenanten vnd *Heinr.* der *Portner* mit der vorgenanten kind

frevnd

frevnd rat vnd willen vberain chomen. Daz wir dem erſamen vnd weyſen herren Maiſter *Chraſten* dem obroſten Schulmaiſter *a*) vnd Chorhern ze vnſer frawen ze Auſpurch verkauft vnd geben haben ainen hof *ze Otmarshuſen den der Viſcher* buwet vnd ſol derſelb hof gelten vierdhalp phunt vnd ahtzehen phenning gaeber Auſpurch phenn. vnd haben ie ain phunt geltes geben vmb fünf vnd zwainzig phunt gaeber Auſpurger phenn. vnd ſein wir der ſelben phenn. die vmb den vorgenanten hof choment, gar vnd gaentzlich verriht vnd gewert vnd haben mit denſelben phenn. der vorgenanten kind gült ausgeriht da ſis gelten ſolten, den vorgenanten hof vnd ſwaz darzu gehört ze dorf ze velde beſuchtes vnd vnbeſuchtes, vnd daz geriht vber denſelben hof haben wir im geben in allem dem reht alz ez der her *Hartman* saelig der *Langenmantel Joh.* saelig der *Schongawer* frawe *Maecht.* saelig ſein wirtin, vnd auch diu kint diu ſi gelazzen hant, her braht hant vnd gehabt habent. Man ſol auch wizzen daz der vorgenant hof mein *Heinr.* dez *Portners*, vnd der vorgenanten kind rehtz lehen warn von vnſerm herren hern FRIDRICH Biſchof ze Auſpurch, vnd wir *Rudger* vnd *Johans*, der vorgenanten kind getriwe trager warn, vnd haben wir denſelben hof aufgeben in vnſers herren dez Biſchofz hant, vnd haben ſein vns verzigen mit gelerten worten alz man ſich lehens durch reht verzihen ſol für vns vnd für diu vorgenanten kint, vnd waer daz in der vorgenant hof anſprech wrd mit dem rehten in der ziln alz man lehen durch reht ſtaeten ſol, dieſelben Anſprach ſulln wir im in ainem ma... entlöſen an alle widerred, vnd darvmb haben wir dem vorgenanten herren Maiſter *Chraſt* ze burgen zv vns geſetzet vnuerſchaidenlich hern *Chunr.* vnd hern *Albreht* die *Stolzenturz*, ob wir niht taeten daz da vorgeſchriben iſt, ſo hat der vorgenant Maiſter *Chraſt* gewalt vnſer

ser ainen oder vnser burgen ainen ze manen swelhen er wil vnd sol im der laysten oder ainen an sain stat legen in ain leithous in rehter gaeiselschaeft, vnd sol nimmer von der layßtvng chomen biz daz in diu ansprach mit dem rehten wirt entlözt. Waer auch daz der Burgen ainer niht enwaer dez got niht enwell in der frist vnd man lehen durch reht staeten sol, so sulln wir im ainen andern in ainem manat setzen der im alz gut sei alz der im abgangen ist, taeten wir dez niht so hat er gewalt vnser ainen in allem dem reht alz da vorgeschriben ist. Man sol auch wizzen daz diu vorgenanten kint *Johans* vnd *Angnes* noch ze-irn Tagen niht chomen sint, vnd swenn si ze irn tagen choment so suln wir schaffen daz si dann diu vorgenanten gut aufgeben vnd sich ir verzihen alz wir ir vns verzigen haben. Daz si kain ansprach noch kain reht an den vorgenanten hof nimmer mer gehaben sulen noch ermügen. Taeten wir dez niht so hat der vorgenant Maister *Chraft* gewalt vnser ainen ze manen in allem dem reht alz da vorgeschriben ist. Daz der vorgenant kauf also staet belib, vnd daz der vorgeschriben red niht vergezzen werd. Darvmb haben wir dem oft genanten Maister *Chraften* geben disen brief versigelt vnd geuestert mit vnsern, vnd mit vnserr bürgen Insigeln b) diu daran hangent, Dez sint geziug her *Heinr. Ruplin* der do der stat ze Auspurch Phleger waz mit hern *Rudgern* dem *Langenmantel*, her *Berht*, vnd her *Heinr.* die *Bitschin*, her *Heinr. Ritschart*, h. *Chunr. Aeulentaler*, her *Chunr.* der *Minner*, her *Heinr.* der *Prior*, her *Chunr. Briunig* vnd ander genug. Der brief wart geben do von gotes geburt war dreuzehenhundert Jar vnd in dem Drizehenden Jar an sant Seruacien tag.

a) Schola-

a) Scholasticus Ecclesiae Cathedralis.
b) Sigilla paululum laesa Tab. I. N.

Num. XXXI. Vidimatae duae chartae duas domos Augustae concernentes. Anno 1314.

Ex Originali.

In nomine dni. Amen. Vt gesta hominum testium et instrumentorum subsidio roborata perpetua firmitate maneant stabilita expedit ea actis publicis perhennari. Huius rei causam nouerint vniuersi, ad quos presentes peruenerint et qui sua crediderint inter esse, quod nos *Haedwig*. *Adelhaidis*. *Hainricus* dictus *Wichman* germani et heredes *Hainrici* quondam dicti *Wichman* et Haedwigis uxor praedicti *Hainrici*. Ciues Aug. bona deliberacione prehabita de consilio amicorum et consanguineorum nostrorum pro nobis liberis seu heredibus nostris nunc procreatis vel in posterum procreandis, redditus vnius libre, den. Aug. nouorum quorum dimidia pars soluitur de domo dicta *Lume* sita iuxta domum domine de *Rorbach*. Conuerse, quam nunc inhabitant heredes *Chunr.* dicti *Lume*. Altera vero dimidia libra de domo dicti *Nohtschat* sita ante portam dictam vulgariter Straefinger tor que nunc pertinet *Wernhero* dicto *Gollenhofer*, discretis viris dno Abbati Totique conuentui Mon. scorum *Vdalrici* et *Afre* Aug. pro XIX libris den. Aug. nobis numeratorum et in vtilitatem nostram conuersorum iusto et legalis vendicionis titulo vendidimus, tradidimus, assignauimus ad oblagium monasterii sui titulo proprietatis perpetuo pertinendos, ac ab eisdem pacifice possidendos omne ius quod

 nobis

nobis liberis seu heredibus nostris in prefatis redditibus sev domibus competiit vel competere potuit sub omni forma et tenore, pactis, conuentionibus spiritualibus, prout in instrumentis ciuium Aug. infra scriptis super his confectis plenius continentur, ad oblagium prefatorum dominorum et ipsorum Monast. libere transferendo. Cauerunt etiam *Waltherus* de *Laugingen* et *Chunr.* de *Wertingen*. Ciues Aug. predictis dominis de euictione reddit1uum prefatorum iuxta ciuitatis Aug. consuetudinem approbatam. In cuius rei euidentiam presentes ipsis dedimus Sigillo honor. dnorum Judicum Curie Aug. legitime roboratas. Tenor instrumentorum talis est. In nomine Dni Amen. Ich *Hainrich Nahtschat* vnd min Wirtinn fraw *Elspet* wir tvn kunt allen den die disen brief lesent, sehent oder horent, daz wir verkauft haben ein halphunt gült, vf vnserm aigen vor Straefinger tor am grizze, vnd haben daz geben hern *Hainrich Wichman* dem bechken vnd sinen Erben vmbe fvnfthalp phvnt Auspurger phenninge ze rehten Aigen mit sogetaner beschaidenhait, daz wir vnd *Bernger* vnser Tohterman denz sitmalz halbez angevallen ist, alf sin gesaezze bevangen hat; im daz selbe halp phvnt geben soln wir vier schilling, vnd her *Bernger* sechz schilling alliv iar an sant Georgen Tage aht tag vor oder aht tage der nah. Vnd sol och er den zinf nemen von vnser ietwederm alf da vorgeschriben stat: vnd swelhez vnser daz zil versitzet alf da vorgenant ist, dez tail ist hern *Hainrich Wihmanne* vnd sinen erben zinsvellik worden. Wölt aber vnser ainf sinn tail durch sinen vbelen willen zinsvellik lan werden, ez waer h. *Bernger* oder wir, so sol h. *Hainrich Wichman* den zinf von dem andern nemen. Vnd swem wir daz vergenant aigen lan, oder den ez svst angevellet oder swem wirz geben, von dem sol h. *Hainrich Wichman* auch

auch ſinen zinſ nemen reht alſ von vnſ. Iſt aber daz her *Hainrich Wichman* daz halp phunt gülte ane wil werden, ſo ſol erz vnſ dez erſten an bieten, wellen wir ſin denne nit kaufen. ſwem er ez denne git dem ſvlen wir dazſelbe halp phunt geben in allen dem reht alſ auch im. Vnd daz im vnd ſinen Erben, daz von vnſ, vnd von vnſren nachkomen ſtaet belibe vnd vnzerbrochen, darvmbe haben wir im geben diſen brief verſigelt mit der ſtet inſigel ze Auſpurch, daz daran hanget. Vnd ſint dez gezivg. h. *Volkwir* der Alt. h. Sibot der *Stolzhirz*. h. *Vlrich Fvndan*. h. *Chvnrat Rembot*. h. *Liupolt* der alt *Schroter*. h. *Otte* der *Hvrloher*. *Chvnrat* der Stetſchriber. h. *Walther* von *Werde*. Maiſter *Haertwik* der *Beke*. *Sybot* hern *Wichmanſ* Geſchwie. Der Frank. *Eberhart Schvr* vnder dem *Chetzel* vnd ander genvge. Do daz geſchach vnd och dirre brief geben wart, Do waz von gotes geburt tuſent iar zwaihundert iar in dem ahzigoſten iar an ſant Walpurge abende. In nomine Dni Amen. Ich *Chvnr. Loems* tvn kvnt allen den die diſen brief leſent hoerent oder ſehent daz ich durch reht ehafft not, do ich gevangen wart zem Hamel, mit miner wirtinn rat frawn *Engeln* vnd mit ir gutem willen vſ minen hvſe daz bi dez *Barrerſ* huſe lit verkaufft han ain halp phunt geltes Auſpurger phenninge hern *Hainrich Wichman* dem beken vnd ſinen Erben, für rehteſ aigen vnd loſt mich von der vanknuſſe mit denſelben phenningen, vnd ſol in dezhalben pfundeſ, ich oder min Erben, oder ſwer daz huſe, oder die hofſtat in nvtz vnd gewer hat geben alliv iar ze Wihennaehten fvnf ſchillinge, ze ſant Georien tage fvnf ſchillinge, mit der beſchaidenhait, gaebe ich die fvnf ſchillinge niht ze Wihennaeht, ſo ſvln ſi ane ſchaden ſtan vf ſant Georien tach, vnd ſol in denne ain halp phunt mit an ander geben, het ich dez halben phvndeſ

phvndeſ niht an ſant Georien Tage, ſo ſol ich gan oder min Erben, oder ſwer daz huſe in gewer hat zv hern *Hainrich Wichman* oder zv ſinen Erben, vnd ſvln daz vorgnant halp phunt mit guter gewiſſen uf daz aigen ſchlahen vf huſe vnd uf hofſtat, vnd ſwenne ich daz halp phunt gib vor Wihnahten, oder min Erben, ſo iſt daz aigen ledigh wider alſ ee. Gaeben wir auer daz halp phunt vor wihennaeht niht, ſo hat her *Hainrich Wichman* oder ſin erben gewalt daz halp phunt von iar ze iar ze nemend ab den Jvden vf ligen div phant allv iar ze Wihenneht, vf vnſern ſchaden, vnd ſwaz ſchaden darvf gat den ſvln wir in ablegen. Woelt och ich oder min erben dez Aigenſ ane werden, ſo ſvln wirz hern *Wichman* oder ſin erben deſ erſten anbieten, wellent vnſ die darvmbe geben alſ ander Lute ane geuaerd, ſo ſvln wirz in geben vor andren Luten daz ſelbe ſol h. *Hainrich Wichman* vnd ſin erben vnſ tvn, ob ſi ireſ rehtſ ane wellent werden. Daz daz ſtaet belibe vnd vnzerbrochen, darvmbe haben wir gemachet mit veraintem mut diſen brief verſigelt vnd geſeſtent mit der ſtet Inſigel ze Auſpurch daz daran hanget. Dez ſint geziuge. h. *Chunr. Rembot.* h. *Otte* der *Hurloher.* *Walther* von *Werde.* *Franke* der *beke.* *Chunr.* in des Biſchofes mvl. *Chunr.* deſ *Haumers* ſvn. *Herman Chnvz* vnd *Grimolt* Lvemen Tohterman. *Rudolf* der Stetſchriber vnd ander genvg. Do daz geſchach do wåren von Criſtes gebvrt tuſent iar zwai hvndert iar in dem fvnſten vnd ahzigvſtem iar an der midchen nah ſant Walpurge tage. Nos vero Judices Curie Aug. ad peticionem partium et ipſis preſentibus prenominata inſtrumenta non cancellata non viciata per nos diligenter perſpecta tranſſcribi fecimus. Et ne probationum copia ſucceſſiuis temporibus partibus depereat preſentibus Sigillum noſtrum ex certa ſcientia duximus appen-

appendendum. Act. Anno Domini M. CCC. XIIII. XII. Kal. Aprilis.

Num. XXXII. Instrumentum venditionis redditus ex quadam domo. Anno 1315.

Ex Originali.

In nomine Dni amen. Nos magister *Vlricus* dictus *Hofmaier* Officialis curie Aug. notum esse volumus, presencium inspectoribus vniuersis, quod redditus sex solidorum den Aug. quos emimus de *Chunrado Fabro*, filio quondam *Mangoldi Fabri* dicti an dem Bruggelin, quorum tres nobis solui debent, annuatim, in festo sancti *Georii*, et tres in festo sancti *Michahelis* octo diebus precedentibus predicta festa vel subsequentibus, de domo, quam nunc inhabitant dicti *Telentzer*, fratres, sita prope domum *Berchtoldi* dicti *Hagen*, cuius domus proprietas tunc temporis pertinebat *Chunrado* memorato qui, si nobis exsoluti vt predictum est, non fuerint, domus et proprietas eiusdem, ad nos, seu heredes nostros, vel cui predictos redditus vendemus, plene reuertetur, et pertinebit, contradicione qualibet non obstante, sicut in Instrumento, nobis per prefatum *Chunradum* dato plenius continetur, vendidimus iusto vendicionis Titulo, pro sex libris cum dimidia den. Aug. Religiosis viro dno — — Abbati et Conuentui Mon. Sanctorum *Vdalrici* et *Afre* Aug. omni modo, forma et iure, quo ipsos a predicto *Chunr.* emimus, tenendos et possidendos perpetuo, et ad officium Mon. eorum oblaycum recipiendos. In quorum omnium testimonium

monium firmitatem et euidenciam presentes, dno. Abbati et conuentui Mon. Sanctorum *Vdalrici* et *Afre* predictis damus Sigillo Judicii *b*) communitas. Datum Auguste Anno dni Millesimo trecentesimo quinto decimo, in die sancti Cyriaci martiris.

a) Sigillum est laesum.

Num. XXXIII. Concessio cuiusdam iuris. Anno 1319.

Ex Originali.

Nos Judices cur. Aug. in communem omnium noticiam quorum interest, vel interesse poterit deducimus per presentes, quod discretus vir *Liupoldus* dictus *Notisen* ciuis Aug. et heredes sui constituti coram nobis in iure confessi sunt, quod in via et vico sitis in loco vulgariter dicto an dem *Kvtzzenmarcht* *a*) pertinentibus Mon. sctorum *Vdalrici* et *Afre* Auguste pleno iure nichil plus iuris ipsis competat. quam infra scripto instrumento continetur. In nomine Dni Amen. Wir *Marquart* von Gotes verhengunge Abt vnd mit vns der gemain Conuent, dez Goteshus ze sant *Vlrich* vnd ze sant *Afren* ze Auspurch tuen kunt allen den, die disen brief lesent, horent, oder sehent, daz wir mit guter betrahtunge vnd mit gemainem rat do wir bi an ander warn in vnserm Capitel vnd ze samen warn komen als gewonlichen ist, gelihen haben vnd lihen an disem brief, dem erbarn mann hern *Liupolt*. Notisen burger ze Auspurch, sinen Erben, sinen nachkomen vnd allen sinen hinderseßen, die er an dem Kvtzzenmarht hat den wek vnd die gassen an demselben Kvtzzenmarht von des langen *Otten* hus bitzt bitz hin hindert gegen der Rinkmur, die zv vnfrer Aigenschaft da felben gehörent. Mit der befchaidenhait, daz fi die gaffen vnd denfelben wek haben vnd nieffen fulen gemainclichen mit vnfern hinderfeffen in allen dem reht als fi. Vnd darvmb haben wir ze ainer fchenkvnge vnd minne von dem vorgenanten hern *Liupolt* enphangen drizich fchillinge geber aufpurger phenninge die wir an vnfers Gotefhus nutz haben geleit: Ez ift auch getaedinget worden, daz derfelb her *Liupolt* noch dek am fin hinderfez weder Keler noch Kamer fchlaht bv, an die felben gaffen für iriv hufer fulen machen oder tvn gegen den vnfern, noch kainen mift vor iren hufern lenger lazen ligen denne als der ftat ze Aufpurch reht ift, noch kainen ftekken geuaerlichen für ir tür in den wek fchlahen waer aner daz fi daz taeten, vnd fi dez vermeldvt wvrden. So haben wir den gewalt daz wir diefelben ftekken, den mift vnd fwaz die gaffen von iren wegen geirren möht fvren fulen, oder tragen, mit vnfern Lüten, fwa wir hin welten au alle galtnvffe, waer auch daz vnfer hinderfeffen, die gegen in vf vnferm aigen in derfelben gaffen fitzent, ainen brvnnen wölten bven, oder den wek befferun; So fulen fin hinderfeffen mit den vnfern bven, vnd fol ieglichf hus, geben nach finer wirdin, darnach vnd ez gut oder gültfchaft ift. Daz daz immer mer ftaet blib vnd niht zerbrochen werd geben wir difen brief verfigelten vnd geueftet mit vnferm Abt *Marquartz* Infigel vnd mit vnfers Conuentz Infigel, diu baidiu dar an hangent. Dez fint geziuge, her *Rudiger* der *Langenmantel*, her *Chunrat* der *Minner*. *Gerunch* von Fridberh. *Cunrat* der *Keftr*, *Herbort* der *Riethüfær* vnd ander Erber Levt genug. Do difer brief gegeben wart, Do waren von Criftes' geburt driutzzehen hundert Jar, vnd darnach in dem Nivntzzehenden Jar an fant Wal-

 purch

purch tag. In cuius rei teſtimonium preſentes ad peticionem predicti *Liupoldi* et ſuorum heredum conſcribi fecimus et ſigilli noſtri *b*) munimine ex certa ſcientia roborari. Datum Aug. Anno dni M.CCC.XIX.VIII. Idus Maij. Et ego *Liupoldus* dictus *Notiſen* predictis ad perpetuam memoriam omnium premiſſorum Sigillum meum *c*) duxi preſentibus appendendum. Act. et Dat. Anno dni et die prenotatis.

a) In occidentali plaga verſus eccleſiam S. Vdalrici.

b) Sigillum illaeſum.

c) Sigillum Liupoldi Notiſen deſideratur.

Num. XXXIV. Sententia curiae Euſtettenſis contra fratres dictos Gnaeim. Anno 1319.

Ex Originali.

Anno domini Millimo trecenteſimo. Nono decimo, feria ſexta poſt aſſcenſionem dni - comparuit coram nobis Judicibus Eccleſie Eyſteten. honorabilis in Xpo pater ac dns Abbas ſci *Vlr.* Ciuitatis Aug. contra dictum *Gnaimen* de *Megerſhaim* dictum *Gnaim* de *Perloch* et Seiferdum *Gnaim* Fratrum de *Weilhaim* fratres peticiones exhibens in hunc modum proponit abbas Monaſterii ſci *Vlr.* Ciuit. Aug. nomine ſui Mon. contra dictos *Gnáimen*, iam dictos fratres, quod licet ipſi ac progenitores ipſorum ſint proprii homines, de corpore ipſius Monaſterii, et licet ipſum Monaſterium cauſam, in non modicum preiudicium ipſius Monaſterii proprietati predicte temere contradicunt, Quapropter petit, quatenus pronunccietis ipſos fuiſſe et eſſe proprios homines de corpore ipſius Mona-

Monasterii, ac ipsum Mon. eosdem hucusque pacifice possedisse, ipsos a contradictione sua temeraria desistere compellentes, hec dicit et proponit, saluo sibi iure addendi, minuendi, mutandi, corrigendi, declarandi, saluisque omnibus aliis, que salva esse poterunt, vtriusque iuris Canonic. et ciuil. Qua peticione exhibita, predicti rei, a modo litem contestandi, de proprietate et possessione pacifica sunt confessi, prout in peticione superius continetur, sed quia in confessos, nulle sunt partes iudicis nisi in condempnando, in hiis scriptis diffiniendo pronunciamus, et adiudicamus, predictos reos, quo ad proprietatem, et possessionem Mon. antedicto inhibentes eisdem ne ipsi Monasterio, quo ad condicionem sue persone, amodo in aliquo contradicant. In cuius rei testimonium, presentes sibi dedimus litteras sigillo nostro a) fideliter comunitas. Datum an. ac die dni. prenotatis.

a) Sigillum bene conseruatum.

Num. XXXV. Venditio Curiae in Maurstetten. An. 1323.

EX ORIGINALI.

In gotes namen Amen. Ich LUDWIG von MURSTETEN Rither vergih vnd tvn kvnt allen den die disen brief sehent oder hoerent lesen. Daz ich mit raut vnd guter vorbetrahtung mins svns *Ludwiges* vnd aller miner erben verkauft vnd geben han minen sedelhoff ze Mursteten a) den etwenn der *Haster* bwt vnd alles daz dar zv gehoert ze dorf ze veld ze holtz besuchts vnd vnbesuchts dem erbern mann *Chvnrat* von *Fisch-*

ach mirer tochter mann vnd allen sinen erben vmb zwaizig phvnt gaeber vnd guter auspurger phenning die ich von im darvmb emphangen havn. Ich han auch demselben hoff ze leken gehebt von dem Rich vnd han denselben hoff vnd daz lehen ovfgeben vnd gesant dem Rich bi dem ersamen Rither hern *Arnold* dem *Chamerer* von *Wellenburch* der auch lehen haut von dem Rich. Man sol auch wissen daz ich vorgenanter *Ludwig* Rither den hoff vnd daz Lehen brauht han von dem Rich in des vorgenanten *Chvnr.* von *Fischachs* vnd siner erben hant, vnd welherlay ansprauch oder not red den egenanten *Chvnr.* oder siner erben vmb den hoff an gaut die selben ansprauch sol ich oder min erben in entlesen vnd ousrihten avn allen iren schaden. Vnd ich vorgenanter *Arnold* der *Chamerer* von *Wellenburch* vergihe vnd tvn kvnt allen den die disen brief sehent oder hoerent lesen vmb den hoff vnd daz lehen den her *Ludwig* von *Mvrsteten* bi mir dem Rich sant vnd ovf gab daz ich denselben hoff vnd daz lehen dem offt genanten *Chvnr.* vnd sinan erben wider emphangen han von dem Rich vnd im vnd sinan erben denselben hoff gelihen han an des Richs stat. Des sint gezivg her — — der kirchher von Oberndorf her *Hainr.* der *Svltzer* bi kirchwn. *Berthold Raupot*, *Herman* der *Sultzer*. *Maertklin Antz* vnd ander genvg. Vmb alles daz da vorgeschriben staut daz daz war sie so gib ich vorgenanter *Arnold* der *Chamerer* von *Wellenburch* disen brief versigelten mit minem Insigel *b)* daz daran hanget. Vnd ich offt genanter *Ludwig* von *Mvrsteten* Rither vnd all min erben binden vns mit ganzen triwen vnder daz gagenwaertig Insigel vvan wir aigener Insigel niht enhaben ze halten vnd ze laisten alles daz da vor geschriben staut. Do diser brief geben wart do waren von Christes geburt drivtzehen hvndert

Jar

Jar vnd driv vnd zwainzig Jar an dem naehſten donerſtag vor vaſnaht. *c*)

a) Maurſtetten in praefectura Kaufbur.

b) Sigillum laeſum. *c*) Tertia Februarii.

Num. XXXVI. Conuentio cum Monaſt. Schafhuſano. Anno 1323.

Ex Originali.

Jons diuina permiſſione Abbas totuſque Conuentus Mon in Schaffhuſa dyoc. Conſtant. conſtare volumus preſencium inſpectoribus vniuerſis qd nos communi deliberacione et tractatu ſolemni prehabitis noſtrum plenum et expreſſum conſenſum adhibuimus et preſentibus adhibemus qd *Diugella* ſerua ſiue ancilla noſtri Monaſterii filia Magiſtri Fabri *Vz*. den *Gneſſen* cum *Vlrico* filio *Alberti* de *Maiſſelſtain a*) ſeruo monaſterii dnorum—— abbatis et Conuentus monaſterii Sanctorum *Vdalrici* et *Afre* Aug. El qd *Vlricus* filius Magiſtri H. Fabri Vz. dem Gneſſen ſeruus noſtri Monaſterii cum *Elizabeta* filia Mgri. *Waltheri* de *Miſſenriet* ſerua ſiue ancilla predicti Mon. Scorum *Vdalrici* et *Afre* inter ſe matrimonium contraxerunt. Ita qd econuerſo plenus et expreſſus conſenſus honorandorum virorum ſiue dominorum —— Abbatis et Conuentus Monaſterii prelibati Scorum *Vdalrici* et *Afre* dictis contractibus accedere dinoſcatur. Et qd Soboles vtriuſque ſexus de prelibatis coniugibus procreate ſiue procreande inter monaſterium noſtrum et ſepe dictum monaſterium Scorum *Vdalrici* et *Afre* equali porcione diuidantur

tur absque qualibet capcione. In cuius rei testimonium prel'-batis dnis — — Abbati et Conuentui Monasterii Scorum *Vdalrici* et *Afre*, ciuit. Aug. presentes dedimus litteras Sigillorum nostrorum munimine roboratas *b*) Datum in Schaffusa. *c*) Anno dni M.CCC·XXIII. Kaln. Aprilis.

a) In Algouia. *b*) Sigilla periere.

c) Schafhausen in heluetia.

Num. XXXVII. Venditio praedii in Vischach. An. 1325.

Ex Originali.

In Gotes namen. Amen. Ich Hainrich der Vrsenhouer, vnd frawe *Maechthilt* min wirtin, tven kunt allen den, die disen brief lesent, horent, oder sehent, daz wir mit gemainem Rate, vnd mit guter vorbetrahtunge, haben verkauft reht vnd redlichen, den Ersamen vnd Geystlichen herren, dem Apt *a*) vnd dem Conuent dez Closters ze sant *Vlrich* vnd ze sant *Afren* in der Stat ze Auspurch in ir Oblay, vnser gut datz *Vischach* *b*) daz von alter ir rehtes aigen ist, daz wir von in bizher ze Libdinge haben gehebt, vnd gaben davon ze zins, vf den Alter in sant *Michels* Cappel, bi sant *Vlrichs* Mvnster alliv Jar, ainen Schilling Auspurger phenninge, vnd haizet dez Bobingers gut, vnd ist gelegen, bei der Obern mvlin, ain Selde drei Juchart akkers, an ainem velde, an dem andern velde, anderthalb Juchart, vnd an dem dritten velde völletlichen auch anderthalb Jvchart, vnd driu tagwerk wismates vnder dem Burkstal, vnd allez daz darzu gehoert, besuchtes vnd vnbesuch-

tes,

tes, ze dorf, ze velde ſwie ez gehaiſſen iſt, vmb aht phunt geber Auſpurger phenninge die wir von in enphangen haben. Mit ſogtaner beſchaidenhait, daz ſi, oder ſwer daz ſelb gut, in Nvtz vnd in gewer hat, da von geben ſulen, an Sant Michels tag, in aht Tagen vor oder nauch, vf den vorgenanten Alter in Sant *Michels* Capelle, ainen ſchilling geber Auſpurger phenning ze zins, taeten ſi dez niht So iſt daz ſelb gut, vnd ſwaz darzu gehoert, vf den vorgenanten Altar Sant *Michel*, zinſuellich vnd laedih worden, avn alle widerred. Wir verzihen vns auch weltliches vnd gaiſtlichs gerihtes, vnd aller der hilfe, damit wir, den vorgenanten kauf geirren, oder wider bringen moehten mit kainer ſlaht ſache. Daz alles ſtaet blib vnd niht vergeſſen noch zerbrochen werde, geben wir diſen brief verſigelten vnd geueſtet, vnder der — — Rihter Inſigel von dem Chor ze Auſpurg daz daran hanget, wan wir aigens Inſigels niht enhaben. Vnd wir die Rihter von dem Chor ze Auſpurch vergehen auch an diſem gagenwertigen brief, daz wir durch bet willen, der vorgenanten *Hainrichs* dez *Vrſenhouers* vnd frawen *Mehthilden* ſiner wirtin, ze ainer ſicherhait vnd beſtetunge dez ſelben kauffes haben vnſer Inſigel mit rehter wiſſen, gehangen, an diſen brief, do daz geſchah, do warn von Criſtes geburt driutzzehen hvndert Jar, vnd darnach in dem fünf vnd zwaintzgoſten Jar, an ſant Jacobs Abent.

a) *Marquardus* de *Haglen* erat tunc temporis Abbas.

b) Ad flumen Neufnach.

c) Sigillum Judicum curiae Auguſt. eſt laeſum.

Num. XXXVIII.

Num. XXXVIII. Venditio hubae in Norndorf. Anno 1326.

EX ORIGINALI.

Ich CUNRAT von ERRINGEN tun kunt vnd vergihe offenlichen an disem brief, allen den, die in lesent hörent oder sehent, Daz ich in grozes gelt geuallen bin von dez landez not, vnd daz niht vergelten mak, ich muze miniv ligendiu gut, angriffen vnd verkauffen, vnd darumbe han ich mit verdahtem mvt, mit frawen *Agnesen* miner wirtin vnd aller miner Erben Rat gvnst vnd gutem willen, min halb hub ze *Nordendorf* a) der viertzehen guter Jochhart Akkers sint, die ich selber bve, die ich von minem Herren — — dem *Truchsessen* von *Chüllental* biz her ze lehen han gehabt, vnd ain Selde ze *Nordendorf*, diu min luters aigen waz, die *Eberhart* der *Karrner* bvet vnd aelliu Jar gelten sol, zwen Metzzen Oeles, zwen schilling phenninge auspurger Münsse vnd ain hvn, vnd swaz zu der Selde gehört, ze dorf, ze veld, an Aekkern, an Wizen vnd an holtzze, besuchtes vnd vnbesuchtes swie ez gehaissen ist, mit allen den nutzzen vnd rehten, als ich si biz her han gehabt, verkauft vnd geben hawn reht vnd redlichen für rehtes aigen, den Ersamen vnd gaistlichen herren — — dem Abbt vnd dem Conuent dez Closters ze sant *Vlrich* vnd ze sant *Afren* ze Auspurch, in ir Oblay, vmb Sehzt halbes vnd zwaintzik phunt Auspurger phenninge, die ich von in darumbe enphangen haun, vnd die ich an miner gült minen geltern gegeben han. Vnd sulen ich vnd min erben der vorgenanter halben hub vnd der Selde, vnd swaz darzu gehört, besuchtes vnd vnbesuchtes, der vorgenanten herren von sant *Vlrich* vnd irr

nah-

nahkomen reht geweren ſin; Vnd ſulen ez in vertigen vnd ſteten für alle Anſprach, als man aygen durch reht ſtaeten vnd
vertigen ſol, nauch dez Landez reht, vnd wrde ez in von iemant anſpraech mit dem rehten in den zilen, als wir ez in
durch reht ſtaeten vnd vertigen ſulen, die ſelben anſprach ſulen wir in vertigen vnd entlöſen avn allen iren ſchaden, taeten
wir dez niht, ſwaz ſi derſelben Anſprach, deme ſchaden nemeht
den ſulen wir in allen ab tvn, vnd gelten avn allen criek, vnd
avn alle widerred. Vnd darumbe ſetzze ich in ze gewern vnd
ze burgen zu mir vnd minen Erben, vnuerſchaidenlichen, hern
Hanſen von *Ehingen*, hern *Vlrichen* den *Guzen*, hern *Vlrichen*
von *Erringen* minen bruder, vnd *Wilhalem* von *Wal*, Der der
vorgenanten halben hub gelihtergit haut, vnd ſturbe derſelben
miner burgen ainer, oder mer in der friſt, dez Got niht enwelle, So ſulen wir in in ainem manat darnauch, einen andern
oder ander burgen ſetzen, die in als gut ſien, als der, oder
die, die in abgegangen ſint; Taeten wir dez niht, ſwelhi zwen
ſi denne vnder den vorgenanten miner burgen, ermanent die
ſulen ze hant, gen Auſpurch in aines offen gaſtgebens hus
varn mit roſſen vnd mit maiden *b)* vnd ſulen darinne vf mich
vnd min Erben in rehter gyſelſchaeft laiſten, vnd ſol der ſcha-
de aller vf mich gavn, biz daz den vorgenanten herren vnd
ſant *Vlrich* vollaiſt wirt. Allez daz da vorgeſchriben ſtat. Daz
daz allez ſtaet blib, vnd vnzerbrochen werd, gib ich in diſen
brieff verſigelten vnd geveſtet vnder dez vorgenanten hern
Hanſen von *Ehingen* Inſigel, vnd vnder herrn *Vlrichs* von *Erringen* mines bruders Inſigel. *c)* Div baidiu daran hangent, da
ich mich vnd min Erben vnd her *Vlrich* der *Gutz* vnd *Wilhalm* von *Wal* vnder verbinden. Wan wir aigene Inſigel niht
enhaben. Daz geſchach do von Criſtes geburt waren. Driu-

zehen hundert Jar, vnd in dem fechs vnd zwaintzigostem Jar an dem Sontag ze Mitter vasten. *d*)

a) In ditione Fuggeriana iuxta Schmutteram.

b) *Maiden* Equus castratus, germanice Wallach.

c) Sigilla sunt laesa.

d) Dominica Laetare, quae secunda Martii erat.

Num. XXXIX. Traditio iuris feudalis in Nordendorf. Anno 1326.

Ex Originali.

Ich BERHTOLT der Truhses von CHÜLLENTAL, vnd mit mir SEYFRIT vnd BERHTOLD brůder, Willunt saelich minen bruders Svn, Tven kvnt vnd vergehen offenlichen an disem brief, für vns, vnser Erben, vnd für alle vnser nahkomen, daz wir durch lieb vnd friwentschaft willens, die wir zu den Ersamen vnd Gaistlichen herren —— dem Apt vnd dem Conuent dez closters ze sant *Vlrich* vnd ze sant *Afren* in der stat ze Auspurch haben. Vnd durch grosser bet willen *Cunrates* von *Erringen* der vns auch ze ainer widerlegunge vnser Lehenschaft, an ainer halben hub ze *Nordendorf* die er von vns ze lehen het, der viertzehen Jvchhart sint, sin rehtes aigen, daz sint zehen tagwerke wismates vz sinem Anger datz Nordendorf, vnd auch andriv gut vf geben hât, vnd hat diu selben gut von vns wider enphangen im vnd sinen Erben in allen dem rehte vnd man lehen durch reht enphahen sol ze ainem rehten Lehen, Do daz geschach do gaben wir den vorgenanten Herren

von

von sant *Vlrich* in ir Oblay, die Aygenschaft, die wir an der vorgenanten halben hub ze Nordendorf heten, vnd verzihen vns gen in, aller der rehten, die wir hüntz der selben halben hub vnd swaz dar zu gehört heten, oder haben möhten, ez si von Aygenschaft oder Lehenschaft swie ez gehaissen ist. Daz wir noch kain vnser nauchkom, si daran nimmer sulen geirren an kainen dingen weder wenich not vil, Daz daz alles stet blib vnd niht vergessent werde, geben wir in disen brief versigelten vnd geuestet vnder vnsern Insigeln a) diu aelliu daran hangent. Daz geschach, da von Cristes geburt warn driutzzehen hundert Jar vnd darnach in dem sehs vnd zwaintzgosten Jar, an dem Samstag ze Mitter Vasten.

a) Sigilla Tab. I. N. X. delineata conspiciuntur.

Num. XL. Concessio precaria hubae. Anno. 1326.

Ex Originali.

Nos Jud. Cur. Aug. publice profitemur quod *Cunradus* dictus *Erringer* constitutus coram nobis pro se et suis heredibus confitebatur expresse, quod in vna halbhuba et in vna Selda sitis in Nordendorf cum suis pertinenciis quas vendidit religiosis viris Dno — — Priori et Conuentui Mon. Scorum *Vdalrici* et *Afre* pleno Jure, nichil plus iuris ipsi competat, quam in infra scripto instrumento plenius continetur. Wir *Berhtolt* der Prior vnd mit vns der gemain conuent des Closters ze sant *Vlrich* vnd ze sant *Afren* in der stat ze Auspurch tuen kunt vnd vergehen offenlichen an disem brief allen den, die in lesent, horent, oder sehent, Daz wir mit gemainem Rat, vnd mit guter be-

betrahtunge, hern *Cunrats* dem *Erringer* haben verlihen ze ainem Rubreht im vnd ſinen Erben vnſer halbhub, datz *Nordendorf*; die vorkliehen viertzehen Jvchhart akkers ſint, vnd ain Selde datz *Nordendorf* die *Eberhart* der *Kärner* buet, vnd ſol geben iaerlichen zwen Metzzen Oeles Auſpurger meſſez, zwen ſchilling phenning ain hune vnd ainen rocher die wir mit der vorgenanten halben hub von demſelben hern *Cunrat* dem *Erringer* vnd von ſinen Erben, für rehtes aigen, vmb Sechtzhalbes vnd zwaintzick phunt Auſpurger phenning haben gechauft, Mit dem gedinge, daz er vnd ſin Erben vns vnd vnſern nachkomen, von der vorgenanten halben hub, vnd von der Seld, geben ſullen ain phunt herren geltez, in vnſer oblay daz wirt iaerlichen ain Scheffel waitzzens, ain Scheffel Rogens, zwen Scheffel habern, Auſpurger meſſes, vnd fvnf Schilling Auſpurger phenninge ieclichs Jar zwiſchen ſant Michels tag vnd vnſer frawen tag ze der liehtmeſſe, Taeten ſi dez niht, ſo iſt vns vnd vnſerm Goteſhus in daz Oblay, die vorgenant halb hub, die Seld vnd ſwaz darzu gehört, ze dorf, ze veld, beſuchtes vnd vnbeſuch ſwie ez gehaiz iſt, für rehtes aigen ledich werden, avn alle widerred daz daz allez ſtaet blib, vnd niht zerbrochen werde, geben wir diſen brief verſigelten vnd geueſtet, vnder vnſers Conuentez Inſigel, daz daran hanget, der geſchriben wart, do man von Criſtes geburt zalt driutzehenhundert Jar, vnd in dem ſehs vnd zwaintzgoſten Jar, an dem Samſtag vor mitter vaſten. Nos Judices Cur. Aug. ad peticionem predictorum ſigillum noſtrum a) in euidenciam omnium premiſſorum ex certa ſciencia preſentibus duximus appendendum. Dat. et actum Anno et die prenotatis.

a) Sigillum eſt laeſum.

Num. XLI.

Num. XLI. Litterae reuerſales decimas Bobingae concernentes. Anno 1326.

EX ORIGINALI.

Nos CONRADUS. NYCOLAUS. et HEINRICUS fratres, filii quondami Hainrici in *Cellari.* a) Ciuis Aug. Confitemur ex certa ſcientia in hiis ſcriptis; Quod in curia dicta Smidhube ſita in villa *Bobingen*; Et decima ipſius curie, quas iure perſonali a Mon. ſanctorum *Vdalrici* et *Afre* ciuitatis Aug. tenemus et poſſidemus, Nullum ius aliud nobis competit quam quod Eandem curiam et decimam, tenere et poſſidere ac eis vti et frui debemus, pro tempore vite noſtre, et quod poſt mortem noſtram, ad Mon. ſanctorum *Vdalrici* et *Afre* cui ius proprietatis et dominii competit in eiſdem reuerti debebunt et ab omni onere et condicione penitus abſoluta. In cuius rei teſtimonium, dominis Abbati et conuentui predicti Mon. preſentes dedimus Sigillo honorabilium virorum dominorum Iudicum Aug. Curie conſignatas. Et nos Jud. iam dicti ad peticionem predictorum fratrum premiſſa in noſtri preſencia confitencium, Sigillum noſtri Judicii b) preſentibus duximus ex certa ſcientia appendendum. Dat. Aug. Anno dni M.CCC.XXVI. Kl. Junii.

a) Im Keller V. Supra. b) Sigillum eſt laeſum.

Num. XLII. Litterae reuerſales. Anno 1327.

Nos Jud. cur. Aug. in communem omnium noticiam quorum intereſt vel intereſſe poterit, deducimus per preſentes, quod.

O. dic-

O. dictus *Harreloher* civis Aug. procurator generalis sanctimonialium Collegii apud Capellam Sci *Nicolay* extra muros Aug. ordinis sci *Benedicti a*) constitutus coram nobis in iure confitebatur, quod in infra scriptis domibus, ortis, et areis nil plus, predictis sororibus et eorum collegio iuris competat, quam in subscripto instrumento continetur. In Gotes namen Amen. Wir *Marquart* von Gotes verhengunge Abt, vnd der Conuent, dez Goteshus ze sant *Vlrich* vnd ze sant *Afren* in der stat ze Auspurgh tun kunt allen den die disen brief lesent, hörent, oder sehent, daz wir mit gemainem rat vnd mit gutem willen, den gaistlichen frawen, die in Samnvnge sint datz sant *Niclaus* haben verlihen, ain hus vnd ainen garten, da ietzunt vf sizt *Eberhart* der *Trühler*, vnd gelegen ist zwischan her *Diepoldz* saelich, dez *Brughaisen* garten vnd *Jacobz* der *Karrers* gesez, an dem obern griez, vnd stozet hinden an dez *Völkwins* anger, vnd ain hus mit ainem garten, da ietzunt inne sitzet *Hainrich* der *Vsenhouer* vnd gelegen ist ze naehst an den vorgenanten geswestern ze sant *Niclaus*, gegen den Siechen *b*) ze zehen liben, daz ist *Rosilin* lib der *Schriberin* maisterin daselbs, ze *Anen* lib der *Huntspergerin*, ze *Elzbeten* lib der *Wasserburgerin*, ze *Agnesen* lib der *Brughayn*, ze *Annen* lib der *Muncherin*, ze *Elzbeten* lib der *Sumertöklin*, ze *Agnesen* lib irr Swester, ze *Elzbeten* lib der *Mairin*; ze *Katherinen* lib der *Richenbechin*, ze *Annen* lib irr Swester — — dez *Plossen* töhter, daz si div selben hvser vnd Garten haben vnd niessen suln gerubelichen, die vil der vorgenanten lib ainer lebt. Vnd sulen vns ze zins da von geben aellu Jar an sant Michels tag Nvn schilling geber Auspurger phenninge, vnd swenne si daz versumet, so sint vns, vnd vnserm Goteshus die vorgenanten hvser, Garten, vnd swaz darzu gehort laedich vnd zinsuellich worden,

nauch

nauch libdinges reht, Daz daz also stet blib vnd niht vergessen werde geben wir in disen brief versigelten vnd geuestet, vnder vnsern Insigeln, div baidiu daran hangent. Dez sint geziug. her C. vnser Prior, her *Vlr.* der *Bart*, h. C. der *Winklaer*, her *Herman*, der Custer, h. *Albreht* der *Hofmaier* vnser Kelner, h. H. der *Limpacher* Herren vnd Priester vnsers Conuentz, *Cunrat* der alt *Kesser*. *Herwort* der *Riethuser* — — der *Hurrelober*, vnd ander Erber levt genug, Daz geschach Dô von Cristes geburt warn, Driutzzehen hundert Jar, vnd in dem Siben vnd zwaintzgosten Jar an dem Fritag in der Phingestwochen. In quorum firmitatem, testimonium et euidenciam presens scriptum ad instantes peticiones predictarum parcium sigilli nostri munimine fideliter dedimus roboratum. Dat. Aug. Anno dni M.CCC.XXVII. Non Junii.

a) Parthenon ord. S. Benedicti extra vrbem versus Fridbergam situs, monasterio S. Vdal. subiectus, et anno 1537 reformationis tempore destructus.

b) In eadem plaga leprosorum domus cum ecclesia S. Seruatii, eodem tempore diruta.

Num. XLIII. Assecuratio dotis. Anno 1327.

Ich CUNRAD von VISCHACH, vergihe an disem brief vnd tun chunt allen den die in lesent, sehent oder hörent lesen, das ich mit gesundem lib, vnd mit verdahtem mute, min husfrowen. *Mahthild.* hern. *Ludwiges* saeligen tohter von *Mursteten*, han bewiset ir redlichen Morgengabe, sinfzehen phunt gaeber Auspur-

Aufpurger phenninge, vf min hof der ze *Murfteten* gelegen ift, vnd den wilunt buwet der *Hafer* faelich, vnd fi dieselben phenninge die vorgefchriben, fol haben vf den vorgefchriben hof an alle not rede vnd das ir das ftaet blibe vnd vnzerbrochen, des gib ich ir difen brief ze ainem waren vrchunde verfigelten mit mins gnaedigen herren hern *Arnoldes*; des *Cameraers*. von *Wellenburch*. vogt ze *Füzzen*. Infigel *a*) das daran hanget, vnd dar vnder ich mich pinde mit gutem willen, wan ich des Tages aigens Infigels nit het. Der fache fint gezivge her. *Vlr*. vom *Houe*. h. *Tvfelin*. *Vlr*. *Wertach*. *Hainr*. *Ernfte*. *Vl*. *Pacenhouen*. vnd ander erbaer lite vil, Die es wars wiffen. Der brief ift gefchriben, do man zalt von Criftes geburt. Driutzehenhundert Jar. vnd darnach in dem. Siben. vnd zwainzegoften Jar. an fant. Martins. tach.

a) Sigillum periit.

Num. XLIV. Litterae reuerfales. Anno 1327.

EX ORIGINALI.

Ich LUDWICH. hern *Ludwiges* faeligen Sun von *Murfteten* vergihe an difem brief vnd tun chunt allen den die in lefent sehent oder hoerent lefen, Daz ich pin gertriwer trager miner fwefter. *Maehthild*. *Cunr*. wirtin von *Pfchach*. vnd aller ir erben, vmb driv viertail ligendes gutes div ze *Hermünfteten*. *a*) gelegen fint, vnd vmb an halbe hube div ze *Stettwanch b*) gelegen ift, mit fogtaner befchaidenhait, ob div vorgenante min fwefter. *Maehthild*. oder ir Erben, div vorgenanten gut woelten verkof-

verkoffen, als angriffen, von fwelherlaige fache das befchaehe daz ich fi niht daran fol irren, vnd das ich fi mit allem flizze fol fürdern, an denfelben guten als an getriwer trager von reht tun fol, vnd das ich in das ftaet laffe vnd vnzerbrochen. des gib ich in difen brief ze ainen waren vrchunde verfigelten mit des erfamen vnd erwirdigen hern. *Arnoldes*. des. *Camraers*. von *Wellenburch*. vogt ze. Füzzen. Infigel *a*) das daran hangut, vnd dar vnder ich mich pinde wan ich des tages aigens Infigels nit hete. Der fache fint gezivge, her. *Vlr*. vom *Houe*, h. *Tufelin*. *Vlr*. *Wertach*. h. *Ernfte*. *Vlr*. *Pacenhouen*. vnd ander erbaer livt vil die es wars wiffen. Der brief ift gefchriben. do man zalt von Criftes geburt Drivzehenhundert. Jar. vnd darnach in den fiben. vn. zwainzegoften. Jar. an Sant. Andres tach.

a) Hand procula Kaufburn. *b*) *Stöttwang* in praefectura Kaufburn.
c) Sigillum laefum eft.

Num. XLV. Litterae reuerfales. Anno 1327.

Ex Originali.

Ich Hainrich. von Adlenswandun, *Maiger* ze. Rofhobtun, vergihe an difem brief vnd tun chunt allen den die in lefent fehent oder hoerent lefen, das ich von dem erbaern manne *Ludwige* hern Ludwiges, faeligen Sun von *Murftetten*, han enphangen ze rehten lehen. driv. viertail ligendes gutes div ze *Hermanftetten*, gelegen fint. vnd ain halb hube, div ze *Stetwanch*. gelegen ift mit fogtaner befchaidenhait, das ich vnd miner

I Sune

Sune. vier. *Jacob. Walther. Hainrich.* vnd *Cunr.* sin getriwe traeger, der ersamen frowen *Maehthilt* hern. *Ludwiges.* saeligen Tohter von. *Murstetten*, vnd aller ir erben vnd div nu ist wirtin. *Cunr.* von. *Vischach.* vmb div vorgenanten gut, also, swes si beginnen went mit denselben guten, das si mit verkoffent, mit versezzent, als swas si darmit schaffen went, das wir si niht daran suln irren, vnd das wir die vorgeschriben frowe *Maehthild.* vnd alle ir erben mit allen sachen suln fürdren an den vorgeschriben guten, als getriwe tragaer von reht tun suln. Vnd das wir in das staet lassen vnd vnzerbrochen, des geben wir in disen brief ze ainen waren vrchunde versigelten mit vnsers gnaedigen herren hern *Arnoldes* des *Camraers.* von *Wellenbürch* vogt ze. Füzzen. Insigel a) das daran hangut, vnd darvnder wir mit gutem willen pinden wan wir des tages aigener insigel nit heten, Der sache sint gezivge her. *Vl.* vom *houe.* h. *Tuselin. Vlr. Wertach.* h. *Ernste* vnd *Vlr. Pacenhouen.* vnd darzu ander Livte vil die es wars wissen. Der brief ist geschriben do man zalt von Cristes geburt. Drivzehenhundert Jar. vnd darnach in dem Siben. vnd zwainzegosten. Jar. an Sant. Andres. tach.

a) Sigillum periit.

Num. XLVI. Venditio praedii in Elgau. Anno 1328.

EX ORIGINALI.

Wir HAINRICH BERNWANCK vnd JOHANS von AEHINGEN tven kunt allen den die disen brief lesent hörent, oder sehent, daz

wir

wir mit verainten mut, vnd mit guter betrahtung, vnd mit rat vnd willen Frawen *Gerdrut* min *Bertangers* wirtin, vnd frawen *Margareten* min *Johansen* wirtin, vnd aller vnser erben, vnd Friwend rat vnd guten willen, vnd mit gunst, vnd guten willen, vnser baider herren, vnser gut ze *Elgen a*) daz der *Hafnaer* bawet, vnd gelten sol zwen Schöffel waitzen vier schöffel habern Auspurger messes vnd aht schilling gaeber Auspurger phenning, zwaintzik kaes, drie Gens, sechs hüner, vnd hundert aier daz alles vnser reht aigen waz ze dorf ze vaeld, besuchtes vnd vnbesuchtes swie ez gehaizzen ist für ain lediges vnd vnuogtbaer gut, geben vnd verkaufft haben den ersamen, vnd gaistlichen herren hern — — dem Prior *b*) vnd dem Conuent vberal des Closters ze sant *Vlrich* vnd sant *Afren* in der stat ze Auspurch in daz Oblay ze rehtem aigen vmb Nvn vnd zwainzick phunt, gaeber Auspurger phenning, die wir von in darvmb enphangen haben vnd an vnsern nutz gelaeit haben, vnd haben vns letze des vorgenanten gutes, vnd swaz darzv gehört verzigen vnd vsgeben, als man sich aigens durch reht verzihen vnd ovfgeben sol. für vns vnd all vnser Erben, vnd veriehen auch daz wir kain reht hintz dem Stuber haben, der daz gut bawet, vnd sulen, noch enmugen. hintz im nihtes ze sprechen haben, vmb kainer slaht gut, noch sach. So veriehen wir *Gerdrut*, vnd *Margaret*, die vorgenanten frawen, daz wir vns des vorgenanten gutes, vnd swaz darzv gehört, auch verzigen, vnd ovfgeben, vnd verzihen vns sin frilichen vnd vmbetrununglichen alles des rehten daz wir daran haeten, oder wanden haben. daz waer von haimstiur, Morgengab, vnd widerbringung als man sich iegliches durch reht verzihen, vnd ovfgeben sol daz wir kain ansprach daran nimmer mer gewinnen sulen, noch enmügen, weder

 vor

vor gaiſtlichen, vnd weltlichem geriht, noch mit kainen dingen. daz in ze ſchaden chomen mack, vnd vns ze nutz, vnd ſulen auch die vorgenanten vnſer wirt, vnd wir, vnd alle vnſer erben, des vorgenanten gutes, vnd ſwaz darzv gehört der herren ze ſant *Vlrich* reht geweren ſin, vnd ſulen ez in auch ſteten, vnd vertigen, als man aigen durch reht ſtaeten, vnd vertigen ſol. nach des landes reht für alle anſprach. Darumb haben wir in ze burgen geſetzet, die erbern manne hern *Johanſen* von *Aehingen*, hern *Chunraden* von *Wal.* hern *Vlrichen* den *Guſen*, die Ritter ſint. *Chunraden* von *Erringen*, *Fridrichen* den *Bernwangér*, *Chunraden* vnd *Vlrichen* die *Guſen* gebrüder gv vns aller vnuerſchaidenlichen, ob den herren ze ſant *Vlrich* daz vorgenant gut, vnd ſwaz darzv gehört; von iemen anſprach würd mit dem rehten, in den zilen als man aigen durch reht ſtaeten ſol, die anſprach ſulen wir vnd vnſer erben vnd die vorgenanten burgen in gar, vnd gaentzlichen verrihten, vnd entloſen, nach des landes reht, an allen iren ſchaden. Taeten wir des niht, ſo habent ſi gewalt, der vorgenanten burgen ainen ze manen ſwelhen ſi wellent, vnd ſwelher gemanet wirt, wil derſelb niht laiſten, der ſol ainen erbern kneht legen mit ainem Maiden der laiſt in der ſtat ze Auſpurch. in aines erbaern Gaſtgebenhovs, an gevaerd in rehter giſelſcheſſt vnd ſwenne der vierzehen Tag gelaiſt hat. haben wir in dannoch niht verriht darvmb ſi gemanet habent, ſo ſulen ſi der burgen aber ainen manen, vnd ſol der laiſten mit dem vordern, vnd ſulen alſo ie vber vierzehen tag der burgen ainen manen, vnd ſvl der laiſten. biz daz ſi alle gemanet werdent. vnd ſulen danne aller von der laiſtung nimmer chomen, biz daz wir in gar vnd gaentzlichen verrihtet vnd entlöſet haben. Darvmb ſi gemanet habent. Sturb auch

auch der burgen ainer in der frist, vnd wir in daz gut staeten sulen des niht welle, swanne si vns danne manent, so sulen wir, vnd vnser erben, in darnach in dem naehsten Manat ainen andern burgen setzen, der in als gut si als der in abgegangen ist. Taeten wir des niht so haben si gewalt, die burgen ze manen, die da beliben sint, vnd sulen die laisten, in allen dem reht als da vor geschriben stat, biz daz in ain ander burg gesetzet wirt. Daz in daz staet belibe, vnd niht vergezzen werd, darvmb geben wir in disen brief versigelt vnd geuestent, mit min *Hainrich Bernwanger* Insigel. mit hern *Johansen* von *Aehingen* Insigel. vnd mit hern *Chunrades* von *Wal* Insigel. vnd mit *Vlriches* des *Gusen* Insigel c) div aelliv daran hangent. So binden wir vns *Johans* von *Aehingen Margaret* sin Wirtin vnd vnser erben, *Vlrich* der *Gus*, *Chunrat* von *Erringen*, *Fridrich* der *Bernwanger* vnd *Chunrat* der *Gus* die vorgenanten burgen, vns mit gutem willen, vnd mit vnsern triwen vnder div selben Insigel, alles daz ze halten, vnd laisten daz da vorgeschriben stat, wan wir niht aigener Insigel haben. Des sint gezing her *Hainr.* von *Holtzhaim* Ritter. *Albreht* sin bruder, *Berhtolt Huzberh*, *Chunr. Lobsinger*. *Chunr.* von *Aehingen*, *Chunr.* der *Ergsinger*. *Herbort* der *Riethauser* vnd ander genug. Do daz geschah do waren von Cristes geburt driuzehenhundert Jar. vnd in dem Aeht vnd zwaintzigosten Jar an sant Gerdrut tag.

a) Elgau in ditione Fuggeri de Oberndorf.

b) Perthold. c) Sigilla sunt illaesa.

Num. XLVII.

Num. XLVII. Fundatio anniuersarii. Anno 1328.

Ex Originali.

Ich JOHANS der GOLLENHOUER burger ze Augspurch. Tvn kvnt allen den die disen brief ansehent oder horent lesen, Daz ich vnd min Erben vnd alle min nachchomen, vz minen havs vnd hofsach vnd swaz darzv gehort, besuchtes vnd vnbesuchtes, daz gelegen ist vor Stmaevinger Tor an dem vzzeren Leche zenaehst, daz mich ze Erbschaeft, von minen vater herrn *Werenher* dem *Gollenhouer* saelig an gevallen den Erberen gaestlichen herren dem Conuent, des Gotzhavs, ze sant *Vlrich* ze Augspurch in ir Oblay alliv Jar geben svlen ich vnd min Erben in swez gewalt, daz havs vnd hofsach, hinnan fvr kvmpt ain phunt gaeber Augspurger phenning geltes dez heten si vormals, ain halb phvnt phenning geltes. vz demselben havs in ir Oblay kavft, so sol man in daz ander halb phvnt phenning geltes, nv geben alliv iar in ir Oblay, durch mines vaters, vnd miner mvter vnd aller vnser vorderen sel, vnd svlen den darvmb alliv iar zw Jarzit began ain in dem herbst, vnd ain in dem Maien. Vnd also sol man in, daz phvnt phenning geltes, vz dem vorgeschriben havs, alliv iar geben ze zwaien zilen, daz ist vf sant *Georien* tag ain halb phvnt, vnd vf sant Michelstag auch ain halb phvnt, ze ietwederen zil vierzehen tag vor oder vierzehen tag darnach. Vnd ze swelhem zil man versaezze, daz man in den vierzehen tagen, nach dem zil daz halb phvnt phenning niht gaeb so sol man ze demselben zil den vorgenanten herren in ir oblay ain phvnt Augspurger phenning geben in dem naehsten Manod, nach den selben vierzehen tagen, vnd svlen die herren, daz selb phvnt

phenning

phenning ze ainem mal in demselben Manod vorderen, an die, die daz vorgenant gelt danne durch reht, vz demselben havs geben svllen. vnd gaeb man in daz selb phvnt phenning niht. in dem vorgenanten Manod, so ist in vnd irem Oblay daz vorgenant havs, vnd hofstat, vnd swaz dar zv gehort, besuchtes vnd vnbesuchtes, darvmb mit reht zinsuellig worden vnd veruallen. Daz daz baiden tailen himan fvr also staet belib vnd vntzerbrochen, darvmb haben wir disen brief haizzen gemachet vnd versigelt mit der Stet Insigel *a*) ze Augspurch daz daran hanget. Dez sint gezivg her *Rudger* der *Langenmantel*, vnd her *Hainrich* der *Stolzhirs*, die do Bvrgermaister waren. Her *Cvnrat* der *Stolzhirs*. her *Hainrich* der *Bache*, her *Bartholome* der *Welsaer*. her *Johans* vnd her *Hainrich* der *Portner*, her *Chvnrat* der *Lang*, her *Vlrich* der *Rauensburger* her *Chvnrat* der *Schlocher* vnd ander genvg. Der gegeben ist do man zalt von Christes geburt. drivzehen hvndert iar vnd in dem ahten vnd zwaintzgosten iar. an dem hailigen abent ze Phingsten. *b*)

a) Sigillum periit. *b*) 21 Maii.

Num. XLVIII. Sententia Curiam concernens, An. 1330.

Ex Originali.

Wir *Vlrich* von *Schönegg*, Chorheer ze dem Tum ze Aufpurg. *Berhtold* der Alt *Truhsaezz* von *Kvlental* vnd ich *Hainrich* der *Portner* Burger ze Aufpurg tun kunt allen den disen briet ansehent lesent oder hörent lesen vmb den Krieg, vnd vmb die Ansprach, den *Adelhait* diu *Hulin* vnd *Hainrich* ir sun heten gen den Erberen Gaestlichen herren hern *Marquart* dem Abb, vnd

vnd dem Conuent, des Gotzhaus ze sant *Vlrich* vnd ze sant *Afren* ze Aufpurg, vmb den Bomairhof ze Aufpurg der willunt gehaiffen wars, der *Swaikhof*, daz vns dri, baid tail dar vmb namen vnd erweltun ze Rihteren, vnd gelobten baid tail, fwas vns, nach ir baider fürlegung vmb denfelben Krieg, vnd vmb die felben anfprach reht duht, vnd daz wir darvmb ertailten daz fi daz baidenthalp gern wolten ftaet haben, vnd da wider, mit worten, mit werken noch mit gaeftlichem oder mit weltlichem geriht, nimmer woltend getun, Vnd alfo ftunden baid Tail für vns mit verfprechen, da wir ze geriht fazzen, vnd klagt frauwe *Adelhait* diu *Hulin*, vnd *Heinrich* ir fun hintz den vorgenanten herren *Marquart* dem Abbt, vnd dem Conuent ze fant *Vlrich* ze Aufpurg, der vorgenant Bomairhof, der waer ir rehtes erblehen, vnd den heten fi in vor wider dem rehten, vnd batten darvmb gerihtes, der Klag vnd der Anfprach antwurten, der vorgenant herr Abbt *Marquart* vnd der Conuent des Gotzhauz ze fant *Vlrich*, derfelb *Bomairhof* waer ir vnd ires Gotzhauz rehtes aigen, vnd fi heten in mit nutz vnd mit gwer für ain fryes vnd für ain rehtes aigen gehabt vnd befezzen, vnd her braht, an all redlich Anfprach lenger dann dez landes reht ift vnd difer ftat reht ze Aufpurg, vnd batten mit geriht, vnd mit vrtail zervaren, ob fi dez billichen folten genieffen, vnd do baid tail vor vns alfo heten für geleit, alles daz fi duht, daz in, ze difer fach, helffich, vnd nutzlich waer, do duht vns reht, vnd ertailen, all dri mit gemainer vrtail, getörft herr *Marquart* der Abbt von dem vorgefchribenn Gotzhauz ze fant *Vlrich*, behaben, mit finem aide daz er den vorgenanten Bomairhof haete gehabt, vnd her braht, mit nutz vnd mit gwer an all redlich Anfprach, lenger dann dez landes reht ift, vnd lenger denn difer Stet reht ift

dann

ze Aufpurg, da dez selb gut gelegen ist, als er mit sinem fürsprechen, het für geleit, dez solt er, vnd sin Gotzhuz billichen geniessen, vnd diu vorgenant ir ansprach, vnd ir klag han verlorn, an demselben Bomayrhof, vnd solten kain reht noch kain Ansprach, hinnan für, darnach nimmer mer gehaben, noch gewinnen. Vnd do wir daz also den vorgenanten herren, hern *Marquart* dem Abt vnd sinem Gotzhuz ze sant *Vlrich*, heten ertailt, da behub er mit sinem aide, daz der vorgenant Bomairhof, sines Gotzhuz ze sant Vlrich rehtes aigen waer, vnd er in also het herbraht mit nutz vnd mit gwer, an all redlich ansprach lenger denn dez landes reht ist vnd lenger denn diser stet reht ist, vnd do er daz also behup, do seiten wir in vnd sin Gotzhus ditz kriegs vnd diser ansprach mit rehter vrtail ledig vnd loz vnd darnach begert er wir solten im vnd sinem Gotzhus dez gerihtes, billichen ainen brief geben, daz sin nit vergessen wird, der wart im auch ertailt vnd darvmb haben wir im vnd sinem Gotzhaus disen brief geben versigeten vnd geuestent mit vnsern Insigeln *a)* diu aelliu driu daran hangent, Dez sint geziug, vnd waren bi dem geriht die erberen vnd vesten man her *Swigger* der Alt von *Mindelberg*, her *Peter* von *Hohenegg*, her *Hainrich* der *Schnelman*, her *Johans* der *Langenmantel* all Ritter, her *Rudger* der *Langenmantel*, her *Hainrich* der alt *Herbort*, her *Hainrich* der *Stolzhyrs*, her *Cunrat* der *Lang*, her *Cunrat* der *Herbort*, her *Harman* der *Burer* vnd *Dyetrich* der *Brun* Burger ze Aufpurg vnd ander genug. Der brief wart geben ze Aufpurg do man zalt von Cristez geburt Driutzehenhundert Jar vnd in dem drissegostem Jar, an sant Margareten tag.

a) Sigilla sunt illaesa. de quibus primum Tab. I. N. XI. occurrit.

Num. XLIX. Compofitio litis cum Arnoldo de Wellenburch. Anno 1330.

Ex Originali.

Ich Arnolt der Kamerer von *Wellenburch* Ritter vergich, daz ich mit den Erberen Gaeftlichen herren Abbt *Marquarten* vnd dem Conuent ze fant *Vlrich* ze Augfpurch vmb den chrieg, vnd vmb die anfprach, den fi gen mir heten, vmb ainen flaechen, vnd vmb ain hofftat, die Nyderhalben, an die Swalmül ftozzet, der von mir lehen waz, lieplich vnd frivntlich verriht bin alfo daz ich vnd min bruder *Gotfrit* die felben Aygenfchaft dem Gotzhus ze fant *Vlrich* haben, frylich vnd willeclich ze rehtem aygen gegeben. Daz wir vnd aller vnfer Erben hinnan für da mit nihfhnit mer ze fchaffen, noch ze tun fulen haben. Vnd fulen vnfern Enin vnd vnferem Vater, elliv iar Ewiclichen in der Wochen vor dem Gallentag ain Jarzit began, mit der langen Vigili an dem Abent, vnd mit der kurzen Vigili ze Morgens, vnd mit ainer felmiffe als man erberen levten tvn fol. Vnd han gehaizzen für *Gotfriden* minen bruder, vnd bin fi für in tröfter, daz er dis Rihtvng durch vnfers Enis, vnd durch vnfers vaters fel alfo ftaet hat, vnd da wider niht twe. Vnd daz daz alfo ftaet belib, vnd vnuergezzen, darymb geb ich difen brief mit minem Infigel *a*) verfigelt. Der gegeben ift, da man zalt von Chriftes geburt driuzehen hvndert iar vnd in dem dryzigoften iar an fant Gregorien Abent.

a, Sigillum illaefum Tab. I. N. XII. occurrit.

Num. L.

Num. L. Fundatio perpetui luminis. Anno 1330.

Ex Originali.

In Nomine Domini Amen. Ne rerum gestarum veritas obliuionis vicio denigretur, Expedit ea scripturarum et testium subsidio perhennare. Ea propter nouerint vniuersi, tam presentes quam futuri qui sua crediderint interesse, quod Ego Magister Vlricus dictus Hofmaiger bona et matura deliberacione prehabita consensu et voluntate Domine — — vxoris mee omnium que heredum meorum plenius accedente, duas areas cum domibus in eisdem constructis et ortis adiacentibus cum eorum pertinentiis et redditibus vniuersis, sitas in vico sancte *Afre*, quarum vnam nunc inhabitant quedam Conuerse sev *Begine a)* et confinatur ex parte superiori pomario vulgariter dicto *Affenwalt* et soluit tres sol. den. Aug. Annuatim, Reliquum vero inhabitat dictus *Spor*, cui ex parte inferiori confinatur. Domus dicti *Gesellen*, et soluit singulis annis quinque sol. Aug. denariorum, quas quondam A. — filia — — dicti *Fundam* pro certa quantitate peccunie proprietatis tytulo comparaui honorabilibus ac Religiosis viris — — Abbati et Conuentui Mon. sanctorum *Vdalrici* et *Afre* ciuitatis Augusten. ad officium Custodie ipsorum nomine testamenti ~~legaui, trado et~~ tradidi, dono, et donaui, et tradidisse me presentibus profiteor pure irreuocabiliter, simpliciter et in totum, fraude et dolo penitus circumscriptis, vtendas quiete et pacifice possidendas, trasferendo in ipsos pleno iure, omnem earumdem proprietatem possessionum ius et dominium, quas vel que in dictis bonis et redditibus habui vel habere potui quoquomodo, hac tamen condicione interclusa; vt dns — — Custos prefati Mon. qui pro tempore fuerit singulis

gulis noctibus sine intermissione per coronam anni vnum Luminare iuxta tvmbam quondam *Henrici* dicti, *Blanken* in gradibus nostris situatam perpetuo arsurum, de earundem possessionum redditibus ordinet et procuret, vt hoc sibi suisque progenitoribus testamentarie in remedium animarum ipsorum eternaliter proueniat et succedat! Rennucio etiam pro me et meis heredibus tam procreatis et in posterum procreandis beneficio restitucionis in integrum litteris a sede apostolica vel aliunde impetratis aut impetrandis, necnon omni iuris auxilio canonici et ciuilis, quo vel quibus predicta donacio seu testamentum posset aliqualiter reuocari. In cuius donacionis et recognicionis testimonium presentes ipsis dedi litteras sigillo meo et dominorum Judicum curie Aug. fideliter communitas. *b*) Et Nos Judices Curie Aug. recognoscimus predictam donacionem sev testamentum in nostra presencia factam, et ad perpetuam roboris firmitatem, ad instantes peticiones prefati Magistri dicti *Hofmaier* Sigillum nostrum presentibus ex certa sciencia appendisse. Datum et Actum Auguste anno dni. Millimo. CCC.XXXI.

a) De Beghinis, Beguinis legi poterit du *Cange* in Glosf. med. et infim. Latin.

b) Sigilla perierunt.

Num. LI. Adpropriatio curiae in Elgau. Anno 1331.

EX ORIGINALI.

Ich BERHTOLT der alt *Truchsæzze* von *Küllental*. Vnd wir SYFRID, vnd BERHTOLT sin Vetteren, Tven chvnt allen den, die

die difen brief anfehent, oder hörent lefen, vmb den hof, ze *Elgen*, den *Merchlin* von *Elgen* von vns ze lehen gehabt, vnd den er ietzvnt, mit vnferem willen, vnd mit vnferer gunft verchauft hat, vnd geben dem Gotzhus ze fant *Vlrich*, vnd ze fant *Afren* ze Augfpurch in daz Oblaye das vns der vorgenant *Merchlin* von *Elgen* die lehenfchaft dez felben hofes, vnd fwaz dar zu gehört, befuchtz vnd vnbefuchtz, hat vf gegeben, in vnfer hant, vnd hat fich, derfelben Lehenfchaft vnd dez felben gutes, reht vnd redlich verzigen für fich vnd für alle fin erben, vnd alfo, haben wir alle drie durch fin bet, vnd durch Got, vnd durch vnfer fel willen denfelben hof, vnd fwaz darzu gehört vnd die aygenfchaft, über denfelben hof dem Oblaye, dez vorgenanten Gotzhus ze fant *Vlrich* ze Augfpurch reht vnd redlich gegeben, Vnd verichen, daz wir noch vnfer erben noch vnfer nachomen, hinnan für, mit demfelben hof, weder mit vogtay noch mit ftuir, noch mit chainen fachen nihtfchnit ze fchaffen, noch ze tvn fulen haben, vnd daz er hinnan für Ewiclichen, dezfelben Gotzhufes fol ain rehtes, vnd ain lediges aygen fin. Daz daz dem vorgenanten Gotzhus ze fant *Vlrich* vnd ze fant *Afren*, von vns, vnd von vnferen erben, alfo ftaet belib, vnd vnzerbrochen, darumb geben wir difen brief verfigelt vnd geveftent, mit vnferen Infigelen *a*) die elliv daran hangent. Der brief ift geben, do man zalt von Chriftes geburt, driuzehen hvndert Jar, vnd in dem ainen vnd drizigoften Jar, an dem naehften fritag nach dem Wiffenfvnntag. *b*)

a) Sigilla Maefa Tab. II. N. I. delineata occurrunt. *b*) 22 Februarii.

Num. LII.

Num. LII. Venditio curiae in Elgau. Anno 1331.

EX ORIGINALI.

In Gotes namen Amen. Ich MARQUART von ELGEN tun kunt vergihe offentlich an disem brief, allen den, die in lesent, herent, oder sehent, daz ich mit gvnst, Rat, vnd gutem willen miner frvent vnd aller miner Erben verkauft han reht vnd redlichen für rehtes aigen, den Ersamen vnd gaistlichen herren — — dem Prior vnd dem Conuent des Goteshus ze sant *Vlrich* vnd ze sant *Afren* ze Auspurch in ir Oblay minen hof datzz *Elgen* vnd swaz darzv gehört ze dorf, ze veld, holtz, aekker, oder wis swie ez gehaissen ist, besucht vnd vnbesucht, mit setzzen vnd entsetzzen, vnd mit allen den rehten als in min vordern an mich haben braht, den *Süz* der *Vetter* da bvt, vnd vnvogtber ist, den ich vormals von minen herren den *Truhsezsen* von *Chüllental* ze Lehen het, die in auch vnd irem Goteshus denselben hof geaygent hant, der auch in iaerlichen gelten sol, vier Scheffel waitzzens Siben scheffel habern Auspurger messes, aht schilling geber Auspurger phenninge, zwelf hüner, sehs Gens, zwai hunder ayger sehs vnd drizik kes vmb drithalbes vnd viertzik phunt Auspurger phenninge die ich von in enphangen havn Mit sogtaner beschaidenhait, daz die selben herren von sant *Vlrich* vnd alle ir nachkomen, den selben hof ze *Elgen* haben vnd niessen sulen, in ir Oblay immer ewiclichen für ir aygen, in allen den rehten als in min vordern gehebt vnd genossen hant, vnd sol ich noch kain min Erb, noch niemant, si noch ir Goteshus fürbaz daran irren weder wenich noch vil mit kainer slaht sache. Ich sol auch in vnd irem Goteshus, den vorgenanten hof, staeten vnd vertigen für rehtes aygen vnd für alle ansprach in den zilen, als man

man aygen von reht ſtaeten vnd vertigen ſol, nach dez Landes reht. Vnd würde er vnder den weilen von iemant anſprech von ſwelhen ſachen daz waer, der anſprach ſulen ich vnd min erben ſi vnd ir Goteſhus entladen vnd entlöſen avn alle widerred. in Jars friſt avn allen iren ſchaden, Darumben han ich in ze gwern vnd auch ze bürgen geſetzet zu mir vnd minen Erben vnuerſchaidenlichen den Erſamen Ritter Marſchalk *Sifriden* von *Oberndorf*, Marſchalk *Vlrichen* von *Oberndorf* ſinen vettern hern *Hanſen* von *Ehingen* den Ritter, *Cunraten* den *Erringer* vnd *Herman* den *Murren* von *Biberbach* miner Sweſterman, daz in vnd irem Goteſhus der ſelb kauf, vnd allez daz vorgeſchriben ſtat, von mir vnd allen minen erben ewclichen ſtet blib, vnd vnzerbrochen werde. geben wir in diſen brief verſigelten vnd geueſtet vnder der vorgenanten Marſchalk *Sifrides*, vnd Marſchalk *Vlriches*, Inſigeln vnd vnder hern *Hanſen* von *Ehingen* Inſigel *a*) div aelliu driv daran hangent, da ich der vorgenant *Marquart* von *Elgen* mich auch vnder verbinde. vnd *Cunrat* der *Erringer* vnd *Herman* der *Murre* mit mir, wan wir aigner Inſigel niht enhaben. Vnd wir *Sifrit*, vnd *Vlrich* die vorgenanten *Marſchelk* von *Oberndorf* vnd ich her *Hans* von *Ehingen* verbinden vns vnuerſchaidenlichen mit vnſern trwen hinder die ſelben gewerſchaft vnd bürgſchaft, vnd ze vollaiſten allez daz da vorgeſchriben ſtat, dez geben wir ze ainer ewigen ſicherhait diſen brief verſigelten vnd geueſtet vnder vnſern Inſigeln, diu aelliu driv daran hangent. Daz geſchach do von Criſtes geburt warn driutzehenhundert Jar und in dem ainſ vnd drizgoſten Jar, an ſant Vitalis abent.

a) Sigilla duo priora ſunt illaeſa, et tertium *Joan. Ehingeri* periit.

Num. LIII.

Num. LIII. Instrumentum super supradicta Venditione. Anno 1331.

EX ORIGINALI.

In nomine Domini Amen. Nos Judices Cur. Aug. Notum facimus presentium inspectoribus quorum interest vel inter esse potest Vniuersis Quod coram nobis comparuit in iure *Marquardus* de *Ellgen* Armiger et sponte ac ex certa sciencia bona deliberacione prehabita, vt asseruit et confitebatur se vendidisse Religiosis viris dominis Priori et Conuentui Mon. Sci *Vdalrici* in Augusta iusto vendicionis titulo ac tradidisse omnibus modis. quibus de iure melius valere potest curiam suam sitam in *Ellingen a)* et omne ius sibimet competens, cum omnibus suis pertinenciis quibuscunque quocunque nomine censeantur, vbicunque. siue in villis. siue in campis siue in siluis predicte curie pertinentibus, quam curiam nunc colit *Sifridus.* dictus *Vetter.* pro quadraginta duabus lib. cum dim. denar. Augusten. quas confessus est ab eis integraliter recepisse. astringens etiam se quod si in predicta curia vel eius pertinenciis, a quocunque vel per quemcunque fuerint molestati vel turbati. in iudicio vel extra. quod ipse sine qualibet contradictione, et sine mora et prout tenetur de iure vel consuetudine ab illa questione inquietatione, sev turbacione ipsos absoluat. sine quolibet ipsorum dampno sev iactura. Insuper promisit omnia rata et firma habere, que in alio instrumento sub Sigillis discretorum virorum dnorum *Sifridi Vlriei* dictis *Marschalk* de *Oberndorf.* et *Johis* de *Achingen* militis super predicto contractu confecto et eis tradito plenius continetur. In cuius rei testimonium presentibus Sigillum Judicii nostri ad peticionem predicti *Marquardi*

de

de *Elgen* ex certa ſciencia duximus appendendum. *b*) Datum Aug. Anno dni. M.CCC.XXXI. Sexto. Idus Junii.

a) Elgen ſeu Elgau. *b*) Sigillum eſt laeſum.

Num. LIV. Fundatio perpetui luminis. Anno 1331.

Ex Originali.

Wir Hainrich der Prior vnd der Conuent vber al dez Goteſhus ze ſant *Vlrich* vnd ze ſant *Afren* in der Stat ze Auſpurch. Tvn kvnt vnd veriehen offenlichen an diſem brief allen den die in leſent hörent oder ſehent, Daz vnſ willunt ſaelich *Hainrich* der *Huber* durch ſiner ſel willen gegeben vnd geſchaffet hat bi lebendem lip in vnſer Oblay avn ſehzig zehen phunt phenning Auſpurger die wir von im enphangen haben vnd an vnſers Goteſhus nvtz haben gelet. Mit ſogtaner beſchaidenhait, daz wir vnd alle vnſer nachkomen ain ewichliht ob ſinem grab vf der Gred alle naht ſvlen haben avn vnderlaz ewiclichen immer me, ob daz niht geſchech dez Got niht enwelle, ſo havnt dieſelben levt gewalt allez daz gut daz in daz Oblay gehört, daz ſol ir rehtes phande ſin, biz man in daz gevertiget avn alle ſchaden. Daz daz vnſ vnd vnſern nachkomen alſo ſtet belib, vnd niht zerbrochen wert geben wir in diſen brief verſigelten vnd geveſtet mit vnſers herns Abts *Marquartes* Inſigel vnd mit dez Conventes Inſigel *a*) die daran hangent. Dez ſint gezivge die erſamen Geſtlichen herren her *Albreht* von *Attenbvren*, her *Vlrich* der *Bart*, her *Herman* der Cuſter Prieſter vnſers Conuentes her *Wernher* der

Hermus her *Marquart* der *Hofmair* vnd ander genvg. Do di diser brief geben wart, do warn von Criſtes geburt Drizzehen hvndert Jar, vnd in dem ains vnd drizgoſtem Jar an San vites Avben.

a) Sigilla ſunt laeſa.

Num. LV. Renuntiatio domus Auguſtae. Anno 1331.

Ex Originali.

Wir *Vlrich* der *Hurenlohen* der Müller Burger ze Auſpurch *Maechtilt* ſin wirtin vnd ich *Johans* ir baider ſun veriehen vnd tven chunt allen den die diſen brief anſehent oder hörent leſen. Daz wir an der hofſtaet div gelegen iſt ze nechſt niderhalb an der Savvalmül, div vnſer lehen waz von dem *Kamrer* von *Wellenburg*, vnd da wir lang vmb chriegeten mit vnſerm herren —— dem Abt vnd dem Conuent ze ſant *Vlrich* vnd ze ſant *Afrun* hie ze Avſpurch, Daz wir an der ſelben hofſtat chaein reht mer haben vnd ſulſen wir, noch vnſer erben vmb die ſelben hofſtat gen dem vorgenanten Gotshavs ze ſant *Vlrich* chaein reht noch chaein anſpräch nimmer mer gehaben noch gewinnen. Man ſol avch wizzen daz wir die vorgenanten *Vlrich* der *Hurenloher Maechthilt* ſin wirtin, vnd ich *Johans* ir baeider ſun, von vnſerm herren dem Abt vnd dem Conuent ze ſant *Vlrich* vnd ze ſant *Afrun* fürbaz vberhebt ſullen ſin, aller Anſpräch vnd clag vor gaeiſtlichem vnd vor weltlichem geriht vmb alle die ſache, die ſi von der vorgenanten hofſtaet wegen gen vns gehaebt hant oder noch gehaben möhten

ten. Vnd dez ze ainen waren vrchund geben wir Burgermaister die hernach geschriben stant in disen brief versigelt vnd geuestent mit diser staet ze Avspurch Insigel a) daz daran hanget. Dez sint geziug her *Chunrat* der *Chlocker*, her *Haeinrich* der *Herborth* die do Burgermaister waren. her *Rudger* der *Langenmantel* her *Barthelme* der *Welser*. her *Haeinrich Vögellin*, her *Haeinrich* vnd her *Chunrat* die *Porthner*, her *Chunrat* der *Amsorg* vnd ander genug. Do daz geschach do waren von Christes geburt drivzehenhundert Jar vnd darnach in dem ain vnd drissigosten Jar an sant Afrun Aben.

a) Sigillum est integrum.

Num. LVI. Venditio domorum et hortorum Augustae. Anno 1332.

Ex Originali.

In Gotes namen Amen. Ich CUNRAT MAMENDORF vnd ich ADELHAIT sin wirtin burger ze Augspurch Tuen chunt allen den die disen brief ansehent oder hörent lesen vmb div zway heuser, div gelegen sint vor *Hustetter* tor an dem Griezz, vnd hofstet vnd Gärten, die darzv gehörent, div halbiv vnsers rehtes aygen sint gewesen. So gehört das anderhalb tail *Chunraden* den *Langen* an der vnder den Ledereren gesezzen ist vnd der selben zwayer huser vnd Garten hait ains ze liben — — der *Rot* der Trager. So hat das ander hus vnd Garten — — der *Töcklär* ze liben. vnd stozzet hindan, an den Anger, der des Gotshuses ze sant *Vlrich* ist vnd der gehaissen ist des —

 — *Kül-*

Kälners Anger. den selben vnsern halben tail, vnd elliv div reht div wir an den selben zwayen heusern hofstet vnd Gärten vnd swas darzv gehört besuchtes vnd vnbesuchtes haben gehabt. Verkauft haben vnd geben reht vnd redlich in die Chustry dez Gotzhus ze sant *Vlrich* vnd ze sant *Afren* hie ze Augspurch mit allen den rehten vnd nutzen, als wir si gehabt vnd herbraht haben vmb ainlf phunt gäber Auspurger pfenning, die vns der erber herr her *Chunrat* der *Winklär* der Kuster, der do ze den ziten Chuster was, darumb hat gegeben, vnd bezalt vnd haben wir die aygenschaft, vnd elliv div reht, div wir an den vorgenanten heuseren vnd hofsteten, vnd Gärten haben gehabt der Kustry ze sant *Vlrich* vf gegeben, vnd haben vns ir verzigen für vns vnd für alle vnser erben als man sich aygens durch reht verzihen sol vnd als man ez vfgeben sol nach diser Stet reht ze Augspurch vnd also sullen wir vnd vnser erben den selben halbentail, den wir gehabt haben an den vorgenanten zwayen heuseren hofsteten vnd Garten die darzu gehörent der Kustry, vnd herrn *Chunrat* dem vorgenanten Kuster ze sant *Vlrich*, stäten vnd vertigen vnd ir reht geweren sin, für alle Ansprach als man aygen durch reht stäten vnd vertigen sol nach diser Stet reht ze Augspurch. Vnd wurd ez in von iemen ansprech mit dem rehten, in den zilen als man aygen durch reht stäten vnd vertigen sol, die selben Ansprach sullen wir in verrihten vnd entlosen ane allen iren schaden. Tätten wir des niht, swaz si der selben ansprach denne schaden nement den sullen wir in allen gar vnd gäntzlich abtun vnd gelten, ane allen krieg vnd ane alle widerred, vnd sulen si des gewarten hintz vns vnd hintz allem vnserem gut. Daz das also stät belib vnd niht vergezzen werd. Darumb gib ich disen briefe versigelt vnd geuestent

uestent mit diser Stet Insigel *a*) hie ze Auspurch, das daran hanget. Des sint gezivg her Cunr. der *Lang* vnd her *Chunrat* der *Aunsorg*, die do Burgermayster waren. her *Rudger* der *Langenmantel* her *Barthelome* der *Wälser* her *Hainr*. der *Bache*, her *Hainrich* vnd her *Johans* der *Portner* her *Hainr*. der *Stoltzhirs* her *Vlrich* der *Rauensburger*. her *Chunrat* der *Wälser*, vnd ander erber Leut genug. Der brief ist gegeben, do man zalt von Cristes geburt Driuzehen hundert Jar vnd in dem zwai vnd drisigosten Jar an aller hailigen Abent.

a) Sigillum valde laesum.

Num. LVII. Venditio domorum et hortorum. An. 1332.

Ex Originali.

In Gotes namen Amen. Ich Chunrat der Lang, der hie ze Auspurch vnder den Ledrären mit wesen ist gesezzen vnd ich *Kathrin* sin wirtin Tuen chunt allen den die disen brief an sehent oder hörent lesen. Daz wir mit verdahtem mut vnd mit guter vorbetrahtung, vnd mit aller vnser erben rat willen vnd gunst vnseren tayl daz ist daz halb tayl, daz wir haben gehabt an den zwaien heuseren vnd hoffsteten, vnd an den Gärten. die darzv gehörent div helbiv vnser rehtes Aygen sint gewesen vnd div gelegen sint vor haussteter Tor, vnd derselben zwayer heuser vnd Garten hat ainz ze. lyben — — der *Rott* der Trager, so hat daz ander hus vnd garten ze lyben — — der *Tücklär* vnd stozzent baydiv hindan an den Anger der des Gotzhus ze sant *Vlrich* ist, vnd der gehaizzen ist des *Källnärs* Anger, den selben vnseren halben tayl, der vorgenanten

zwayer

zwayer heuser vnd hofftet vnd Gärten vnd elliv vnseriv reht div wir dar an haben gehabt, haben wir verkauft vnd geben, in daz Oblay des Gotzhuses ze sant *Vlrich* vnd ze sant *Afren* hie ze Auspurch. vmb aynlif pfunt Aufpurger pfenning die vns her *Vlrich* der *Winklär*, der do ze den ziten Oblayer was. darumb hat gegeben vnd die wir von im darumb enpfangen haben vnd an vnseren nutz gelät haben. vnd haben wir vnseren halben tayl, der vorgenanten zwayer heuser vnd hofftet vnd Garten vnd elliv vnseriv reht div wir daran haben gehabt dem Oblay ze sant *Vlrich* vnd ze sant *Afren* vnd dem vorgenanten hern *Vlrich* dem *Wincklär* der do desselben Oblayes pfleger was, vf gegeben vnd haben vns firr gen im verzigen für vns vnd für vnser erben, als man sich aygens durch reht verzihen sol, vnd als man es vfgeben sol nach diser stet reht ze Auspurch, vnd also sulen wir vnd vnser erben, vnsers halben tayles der vorgenanten zwayer heuser hofftet vnd Garten vnd swaz darzv gehört besuhtes vnd vnbesuhtes des vorgenanten Oblayes ze sant *Vlrich* vnd ze *Aufren* reht geweren sin vnd sulen es in staeten vnd vertigen für alle Ansprach als man aygen durch reht staeten vnd vertigen sol nach diser stet reht vnd würd ez dem Oblay, oder dem Conuent ze sant *Vlrich* vnd ze sant *Afren* von iemen ansprech mit rehten, in den zilen als man aygen durch reht stäten vnd vertigen sol, die selben Anspraech sulen wir in verihen vnd entlosen ane allen iren schaden. Täten wir des niht swaz si derselben Ansprăch, denn schaden nement; den sulen wir in allen abtun vnd gelten ane allen Krieg vnd ane alle widerred Daz daz also stät belib vnd niht vergessen werd. Darumb geben wir disen brief versigelt vnd geuestent mit diser Stet Insigel *a)* ze Auspurch daz daran hanget. Des sint geziug her *Chunrat* der *Lang* vnd her *Chunrat*

der

der *Aenforg* die do Burgermayster waren. her *Rudger* der *Langenmantel*, her *Bartholomis* der *Welsär*, her *Hainrich* vnd her *Johans* die *Portner*, her *Hainrich* der *Stoltzhirs* her *Vlrich* der *Rauensfpurger* her *Chunrat* der *Gollenhouer*, her *Chunrat* der *Wälsär* vnd ander genug. Der brief ist geben do man zalt von Cristes geburt Driuzehen hundert Jar vnd in dem zwai vnd drisigosten Jar an dem nehsten Aftermentag nach des heiligen zwelf botten tag sant Andres. *b*)

a) Sigillum est laesum. *b*) 1. Decemb.

Num. LVIII. Litterae reuersales Curiam Aitingae concernentes. Anno 1333.

EX ORIGINALI.

In Gotes namen Amen. Ich VLRICH EGGOLF, *Diepoldes* dez *Brugghayen* saeligen Tochterman, Burger ze Auspurch, vergih vnd tun chunt allen den, die disen brief lesent hörent, oder sehent lesen, Daz ich mit minen herren Abt *Marquarten* vnd mit dem Conuent dez Goteshus ze sant *Vlrich* vnd ze sant *Afren* ze Auspurch, vmb den krieg vnd vmb die Ansprâch, den si lang mit mir haun gehabt vmb einen hof ze *Western Aytingen* *a*) dez ich nacher wer min aygen vnd ich solt aelliv Jar zwai phunt Auspugger phenning, davon geben, Do sprâchen si der selb hof waer libting, vnd di selben lib waern alle abgestorben, vnd da von waer er in ledig worden, Daz ich vmb dem krieg, vnd vmb die selben Ansprauch, allerding lieblich vnd frivntlich verriht bin, Mit der beschaidenhait vnd mit

mit dem geding daz ſi mir denſelben hof habent gelihen ze zwaien liben, daz iſt ze min ſelbs *Vlrichs Eggolf* lib, vnd ze mines *Geſwien Vlriches Dyepoldes* ſaeligen, dez *Brugghaies* ſun lib, vnd alle die wil ich *Vlrich Eggolf* leb, ſo ſol ich minen vorgenanten herren Abt *Marquarten*, oder ſwer denn ze den ziten Abt iſt ze ſant *Vlrich* vnd ze ſant *Afren* ze Auſpurch, aelliv Jar geben ze den wihennaehten, von dem ſelben hof fünf ſchilling Auſpurger pfenning, an alle widerred, ze ainem waren vrkund, daz der ſelb hof min libting iſt, vnd daz ich anders rehtes daran niht havn, noch haben ſol, denn alle die wil ich *Vlrich Eggolf*, vnd min vorgenanter *Geſwien Vlrich* der *Brugghay* leben, vnd daz div aygenſchaft dez hofes dez vorgenanten Goteſhus ze ſant *Vlrich* vnd ze ſant *Afren* ze Auſpurch iſt. Vnd waer, daz ich *Vllrich Eggolf* ſtürb vor minen vorgenanten *Geſwien Vlrichen Diepoltz* dez *Brugghayen* ſaeligen ſun, ſo ſol der ſelb *Vlrich* der *Brugghay*, den ſelben hof denn navh mir haben vnd niezzen, die wil er lebt, vnd ſol minen vorgenanten herren Abt *Marquarten*, oder ſwer denn Abt iſt ze ſant *Vlrich* vnd ze ſant *Afren*, aelliv Jar ze den Wihennähten zwai phunt Auſpurger phenning da von geben, avn allen krieg vnd avn alle widerred, auch ze ainem waren vrkunde, daz div aygenſchaft dez ſelben hofes, dez vorgenanten Goteſhus ze ſant *Vlrich* vnd ze ſant *Afren* iſt, Vnd ſwenne ich *Vlrich Eggolf* vnd min vorgenanter *Geſwien*, *Vlrich* der *Brugghay*, baid tod ſien, ſo ſol der oft genant hof dem vorgenanten Gotshus ze ſant *Vlrich* vnd ze ſant *Afren* ze Auſpurch, aller ding ledig werden vnd ledig ſin, daz chain vnſer frivnt, daz ſelb Goteſhus fürbaz mer, mit chainen ſachen daran ſol irren, vnd ſol auch von vnſern wegen fürbaz niemant mer chaines rehten daran iehen, noch ſprechen. Vnd

daz

dez daz von mir *Vlrich Eggolf* vnd von mir *Vlrichen* dem vorgenanten *Brugghayen* vnd von allen vnsern Erben, vnd friunden, alſo ſtaet belib, vnd vnzerbrochen darvmb geben wir dem Goteſhus ze ſant *Vlrich* vnd ze ſant *Afren* ze Augſpurg diſen brief verſigelt, vnd geueſtent, mit der Erbern herren der Gaiſtlichen Rihter dez Chors hie ze Auſpurch Inſigel, vnd mit dez Edeln herren hern *Peter* von *Hohenegge* Inſigel, der do ze den ziten Lantvogt hie ze Auſpurch was vnd vnder minſ ſelbſ *Vlriches* dez *Brugghayen* Inſigel *by* div aelliv driv daran hangent, Vnd ich *Vlrich Eggolf* bind mich mit minen triwen in aides wis vnder div Inſigel, diſe rihtunge vnd alles daz an diſem brief iſt geſchriben, ſtaet ze haben vnd ze laiſten. Dez ſint gezivg her *Vlrich* der Prior her *Albreht* von *Attenburen*, her *Berchtold* der *Summertokel* vnſer Kaellner, her *Cunrat* der Cuſter, her *Vlrich* der *Wincler* ſin bruder, her *Johans* von *Viſchach* Prieſter vnſers Conuents, *Cunrat* von *Swabegge*, *Hainrich* der *Nef*. *Cunrat* der *Welshuſer*, *Ludwig* der *Hagler* vnſer diener, vnd anderr Erberr liet genug, Do diſer brief gegeben wart, do waren von Criſtes geburt drivtzehen hundert Jar vnd darnach in dem dritten vnd dryſgoſten Jar, an der hailigen Martrer tag, ſant Bonifacius, vnd ſiner Geſellen tag.

a) Groſsaittingen ad Sinculam fluvium in praefectura Schwabmenching.

b. De Sigillis primum et tertium ſunt laeſa, ſecundum illaeſum Tab. II. N. II. occurit.

 Num. LIX.

Num. LIX. Renunciatio census. Anno 1333.

EX ORIGINALI.

Nos Judices Cur. Auguften. Notum facimus prefencium infpectoribus vniuerfis. Quod coram nobis comparuerunt *Heinr.* dictus *Scriber* de Fridberg. frater difcreti viri *Rudgeri* dicti *Langmantel* ciuis Auguften. et *Anna* vxor eiufdem *Heinrici* et fponte. libere. ac ex certa fcientia confitebantur. Quod quondam *Chunradus* dictus *Aerefinger* Pater prefate *Anne* habuerit. et tenuerit. a Monafterio Sci *Vdalrici* in Augufta. folucionem. et penfionem annuam. cuiufdam fumme peccunie de certis domibus. in Augufta. fibi annis fingulis exfoluentis. Quam penfionem. et folucionem recepit ab eifdem domibus iure quod dicitur vulgariter *Burkreht*. Item quod habuerit a predicto Monafterio annuum cenfum. de quibufdam pratis. fitis in campis extra muros Auguften. quorum vnum tenet. Magr *Vlricus*. dictus *Hofmair*. in Augufta. et continet fex operas diurnales, de quo annuatim nomine decimarum foluit. quatuor folidos. et quatuor denarios. Monete Auguften. Alia vero hofpitale Sci Spiritus in Augufta. et de ipfis foluunt. annuatim vndecim folidos denariorum Auguften. De quibus penfionibus. et cenfibus licet. fe intromiferint. minus debite poft mortem prefati. quondam *Conradi*. vt ipfius heredes legitimi, quia tamen informat, cognouerunt fibi nullum ius competere in eifdem, quod et in prefencia noftri confeffi fuerunt — — bona et diligenti deliberacione prehabitis. prefatas penfiones. et cenfus dno *Marquardo* Abbati et Conuentui Monafterii Sancti *Vdalrici* predicti. Et eidem Monafterio dimiferunt pro fe. et fuis heredibus. ab omni occupacione liberas. et folutas. Et promiferunt ipfos in

antea

antea in eisdem possessionibus. et censibus, nullatenus impedire. per se vel per alios. aut eciam aliqualiter perturbare, Et iuri. si quod ipsis in eisdem ex quacunque causa compeciit. vel competere poterat. renunciauerunt spontanea et libera voluntate. In cuius rei testimonium presentes dedimus prefato dno —— Abbati et Conuentui Sigillo nostri iudicii confirmatas. Datum et Actum Auguste. Anno domini. M.CCC.XXXIII.III. Kln. Nouembris.

a) Sigillum illaesum.

Num. LX. Venditio decimae Bobingae. Anno 1334.

Ex Originali.

Ich Maehthilt. hern *Johansen* von *Hoy* säligen witbe burgerin ze Auspurch, Tvn chunt allen den die disen brief ansehent oder hörent lesen. Daz ich mit verdahtem mut vnd mit guter vorbetrahtung vnd mit hern *Hainrichs* des alten *Bachen* der do min Phleger was vnd mit *Hansen* des *Vettern* von *Werd* meines Tohtermans vnd mit aller miner Erben vnd frivnd rat gunst vnd gutem willen, min zehenden die gelegen sint ze *Bobingen*, die min reht Lehen warn vnd die man geben sol vz den Guten div hernach geschriben stand. Daz ist von erst der zehend den man elliv Jar git vnd geben sol vz der hub die —— der *Kyn* ze Bobingen bowet. vnd div ist *Liupolt Wolfharts* vnd ist lehen von minen herren dem bischof ze Auspurch. Darnach der zehend den man elliv Jar git vnd geben sol vz der hube die —— der *Lather* bowet, div ist frawen *Gertrud* hern *Rudgers* des *Langmantels* Tochter, vnd ist lehen von minem

nem herren dem bischof ze Ausspurch. Darnach der zehend den man elliv Jar git vnd geben sol vz der hube die — — der *Münchmaier* bowet, vnd div hern *Vlrichs* des. *Rauenspurgers* ist. der sint dri tail lehen von vnserm herren dem bischof ze Ausspurch, vnd daz ain viertail ist lehen vom *Hattenberger*. Darnach der zehend den man älliv Jar git vnd geben sol vz ainer hub die bowet *Vtz*. der *Scheiringer* div ist — — des *Hailiggrabers*, vnd ist lehen vom *Frazz*. Darnach der zehend den man elliv Jar git vnd geben sol vz anderthalber hubae die bowet — — der *Wynt* vnd sint der frowen ze sant *Katrinen*, der ist div ain hub lehen vom *Frazz*, div ander halphub ist lehen vom *Hattenberger*. Darnach der zehend den man elliv Jar git vnd geben sol vz ainem viertail ains hofs der ist *Haintzen Wichmans* vnd ist Lehen vom *Frazz*. Die selben zehenden als si daruor benent sint mit allen den rehten vnd nutzen als ich si herbraht han. han ich mit mines vorgenanten Phlegers rat vnd mit miner Erben vnd frivnd rat vnd gutem willen verchauft vnd geben reht vnd redlich für reht Lehen vnd für ein lediges gut dem Erbern vnd beschaiden manne hern *Rudger* dem *Langmantel* burger ze Ausspurch vnd allen sinen Erben oder swem er si git schaffet oder lat. vmb hundert pfunt vnd vmb fünf vnd zwaintzich pfunt gäber Auspurger phenning. die ich von im darumb enphangen han. vnd die ich nach mines vorgenanten Phlegers rat an minen vnd an miner Kind vnd miner Erben nutz gelät han. vnd han ich mich der vorgenanten zehenden aller vnd swaz darzu gehört, verzigen mit gelerten worten vnd han si vfgegeben für mich vnd für all min Erben als man sich Lehens vnd sogtanes gutes durch reht verzeihen sol vnd als man ez vfgeben sol nach des Landes reht, nach Lehens reht vnd nach der Stet reht ze Ausspurch vnd

han

han geschaffet daz man si herrn *Rudger* dem *Langmantel* vnd sinen Erben verlihen hat ze rehtem lehen. Vnd also sullen ich vnd min Erben herrn *Rudger* dem *Langmantel* vnd sinen Erben die vorgenanten zehenden stäten vnd vertigen vnd ir reht gwern sin für alle ansprach. vnd darumb han ich in ze bürgen gesetzet zu mir vnd minen erben vnuerschaidenlich. *Johansen* den *Vettern* von *Werd* minen Tohterman. *Bartelme* den *Völkwin* vnd *Herman* den *Hollen* burger hie ze Ausspurch. mit der beschaidenheit ob herrn *Rudger* dem *Langmantel* oder sinen Erben der zehenden ainer oder mer von ieman ansprach wurden mit rehten die selben Ansprach sullen ich vnd min Erben gwalt min vorgenanten bürgen in verrihten vnd entlösen dar nach in den nähsten vierzehen tagen avn allen iren schaden. Täten wir des niht so hat er oder sin erben gwalt die vorgenanten dri bürgen ze manen swanne si wellent, vnd sullen in die zehant laisten hie ze Auspurch in ains erbern Gastgeben hus. vnd dar vz nimmer komen biz ich oder min Erben herrn *Rudger* dem *Langmantel* oder sinen Erben volle furt han, darumb si gemant hand, vnd in auch den schaden han ab getan den si der Ansprach genomen hand. Man sol auch wizzen wan min Sun *Cristophen* noch niht ze sinen tagen komen ist dauon han ich hern *Rudger* dem *Langmantel* vnd sinen Erben zu mir ze burgen gesetzet *Johansen* den *Vettern* von *Werd* minen Tohterman. *Bateleme* den *Völkwin* vnd *Herman* den *Hollen* burger ze Auspurch. mit sogtaner beschaidenheit daz si schaffen sullen swanne min Sun *Cristophen* ze sinen tagen chumpt, daz er sich der vorgenanten zehenden verzihet vnd si vfgit in dem rehten als ich selber getan han. Vnd swenne daz geschiht darnach sullen si hinder der burgschaft sin ain gantz Jar vnd ainen tach nach des Landes reht vnd nach Lehens reht, Wär auch ob

der

der bürgen ainer oder mer sturbe des Got niht welle, in der vrist vnd ich herrn *Rudger* dem *Langmantel* vnd sinen erben die vorgenanten zehenden stäten sol. So sol ich in darnach ainen andern bürgen setzen in den nähsten vierzehen tagen, der in als gut ist als der in abgegangen ist, vnd den si genement. Daz daz alsò stät belib vnd vnzerbrochen darumb gib ich in disen brief versigelt vnd geuestent mit der Stet Insigel ze Augspurch vnd mit miner vorgenanten bürgen Insigel *a*) div elliv daran hangent. Des sint geziug her *Hainrich* der *Stolzhirs* der do Burgermaister was mit dem vorgenanten *Rudger* dem *Langmantel*. her *Hainrich* vnd her *Johans* die *Portner*. her *Hainrich* der *Bachr*. her *Cunrat* vnd her *Hainr*. die *Herword*. her *Vlrich* der *Rauensprurger*. her *Cunrat* der *Gollenhouer*. her *Cunrat* der *Welser*. her *Herman* der *Baur* vnd ander erber Lüt genug. Der brief ist geben do man zalt von Crist geburt drevzehenhundert Jar darnach in dem vier vnd dreizgosten Jar an dem nähsten tag nach vnser frowen tag ze der Liehtmess.

a) Sigilla primum tertium et quartum sunt illaesa, secundum laesum. De iisdem tria posteriora Tab. II. N. III. IV. V.

Num. LXI. Recognitio decimas concernens. Anno 1334.

Ex Originali.

Nos Judices Curie Aug. Notum facimus presencium inspectoribus vniuersis. Quod discretus vir. *Herbordus* dictus *Riethauser* ciuis Aug. in presencia nostri constitutus et ex certa sciencia confitebatur, et recognouit. quod in bonis infra scriptis, ac ac redditibus eorumdem, nullum ius aliud fibi competat, quam quod vfufructum ipforum tenere debeat, pro tempore vite fue. et quod ipfo ab hac luce fubtracto, vfufructus ipforum ad monafterium fancti *Vdalrici*, cui proprietatem et dominium eorumden bonorum pertinere afferuit et cognouit, reuerti debeat fine impedimento quolibet fuorum heredum, vel alterius cuiuscunque. Bona autem funt hec. Prima decima in *Hauftetten*, de bonis que dicuntur *Geräut*, que fingulis annis iuxta communem rationem feu eftimationem foluunt annuatim, vnum modium filiginis cum dimidio, vnum modium cum dimidio ordei. et dimidium modii auene Aug. menfure. Item decimam in *Schömpach a)* prope *Haedriv b)* que annuatim eftimatur ad duos modios Silig. et XXX dn, Item decima de agris et area in *Haedriv* quos colit dicta *Mertzinn*. ibid. que eftimatur ad VI. metretas Silig et II. fol. dn. Item decima in *Schenbach* fuperiori et inferiori prope *Schiltperch* in Bawaria, que eftimatur ad II. mod. Silig. vnum mod. auene, dimidium mod. ordei et dimidium mod. mixti frumenti. Reliquam partem eiufdem decime, fiue dimidietatem — — dicta *Winchlerin* ciuis Aug. tenet indebite. et contra falutem anime fue et iam longo tempore occupauit. Item ibidem minutam decimam, de qua annuatim recipitur vna metreta canaporum. VI. pulli. et VI. Cafei. Item decima in *Rorpach* prope *Stotzhart c)* que eftimatur ad dimidium mod. Silig. Item decima de pomerio ibidem. In cuius rei teftimonium prefentes ad peticionem prelibati *Herberdi* necnon procuratoris dni — — Abbatis et Conuentus predicti Mon. fci *Vdalrici* confcribi. et figillo noftro fecimus communiri *d)* Teftes qui predicte confeffioni et recognicioni interfuerunt funt. *Albertus* de *Attenpaeuren*. dns *Vlr*. dictus *Part* Cuftos et *Vlr*. dictus *Winchlaer* facerdotes dicti Mon. Dns *Sifridus* dictus *Gaulf-*

Gautſhauer, Magr. *Vlr.* dcus *Hofmair* et alii quam plures fide digni. Actum et datum Aug. Anno dni. M. CCC. XXXIIII. VII. klus. Julii.

a) *Schoembach.*

b) *Haeder* in praefectura Zuſmarshuſ. prope Dinkelſcherbem.

c) In Boioaria. d) Sigillum paululum laeſum.

Num. LXII. Henrici Reg. Bohemiae, Comitis Tirol Fundatio. Anno 1335.

Ex Originali.

Wir Hainrich von Gotes gnaden Künig ze Beheim vnd ze Polen. Hertzog in Kernden, Graf ze Tirol vnd ze Görtz Vogt der Gotzheuſer ze Aglay ze Triend vnd ze Brichſen veriehen mit diſen brief das wir mit verdachtem mut, andechtigem willen vnd ſeligem fürſatz ze merung gotz dienſt, vnd vns, vnſern vordern vnd nachkomenden ze einem ewigen vnd vnzergenglichem Seelgerät, haben der ſeligen Samungen der geiſtlichen heren der Cloſters Sant *Vlrichs* vnd ſant *Affren* in der Stat ze Auſpurch ſant *Benedicten* orden zehen mark geltes bezeigt, vnd beweiſt derſelben, Nemlich ſiben Mark auf die Pharre ze *Botzen a*) die vns die geut ze vogtreht, vnd die dri mark gelts die vns geit der Maier von ſant *Affren* vnd wellen daz ſi die vorgenant zehen mark gelts gar vnd gentzlichen iärlichen einnemen vnd enphahen ſollet on alle Irrunge vnd ander nyemant vnd vmb die ſelben zehen mark gelts habent ſi ſich mit irer hantueſt vns vnſern vordern vnd nachkomenden

menden ze ainer ewigen Meſſe beſonderlich vnd vnzergenclichem ſelgerät mit placebo vigilien meſſen bitanz offenre ſpent vnd almuſen, als fürſten vor ir tode vnd darnach zimlich vnd erlich iſt veruangen vnd verpunten mit ſoliher auſgenomene beſchaidenhait, daſ ſi teglichen vns vnſern vordern vnd nachkomenden ze zeugkniſſe ein meſſe ſprechen ſollent ewiclichen in ere des hailigen Creutzes mit ſambt ainer collecten von den lebendigen, dieweil wir leben, vnd wenne wir verſchaiden mit ainer Collecten von den Toden vnd vnſer ſelgeräte begeen iarlich mit vigil Placebo Meſſen pütanz Offenre ſpent vnd almuſen auf den nechſten tag darnach oder über acht tage darnach bei vnſerm lebendigen leibe vnd auch hinach ewielichen vf vnſer Jarzit als wir verſchaiden oder in acht tagen darnach ob es vor von redlichen ſachen auf den tag vnſer ſchidunge begangen niht möhte werden mit allem vleis vnd volfürn als vorgeſchriben ſtet, welchs iar aber ſi daran ſaumig waern deſſelben iars ſollent die vorgenant zehen Mark geltes gefallen auf daz Cloſter ze *Benedictpurm* da von man deſſelb Jars in dem ſelben Cloſter vnſer ze saeliger gedehtnuſſe alles daz volfürn vnd begen ſol, daz vor oben mit ſchriſt veruangen vnd beleutert iſt. Wir haben auch gewalt vnd vnſer Erben die oft genanten zehen mark geltes vmb C. mark perner ze ledigen vnd ze löſen wenne wir wöllen vnd nach der löſung, wenne die geſhiht, ſint ſi gepunden dieſelben hundert mark in vnſer herſchaft an vrber ze legen davon ſi die vorbeleuterte ſache alle ſambt ewiclich vnd vnbeuarnlich begen mügen vnd ſullen. Vnd darvber das die oben geſchriben ſache ſtet veſt ewigk vnd vnzerbrochen beleibe. Geben wir in diſen brief ze vrchunde verſigelten mit vnſerm anhangendem Inſigel der iſt geben auf Tirol nach Criſtes gepurt dreizehen hundert Jar vnd darnach in dem fünf vnd drizigisten Jare des sechzehenden tages in dem Jenner Jndicione tercia.

a) Bulsanum. Botzen.

Num. LXIII. Litterae reuersales supradictam fundationem concernentes. Anno 1335.

E X   A P O G R A P H O.

In Nomine Domini Amen. Ne de gestis hominum laudabilibus calumnia suboriri valeat aliquibus. et prone hominum voluntates illibate conseruentur. Expedit ea que geruntur testium aut scripture subsidio roborari. Eapropter nos CHUNRADUS diuina permissione abbas totusque conuentus Monasterii Sanctorum *Vdalrici* et *Affre* in Augusta discretioni singulorum tam presentium quam futurorum volumus esse notum quod Serenissimus Dominus noster HAINRICUS Dei gratia Bohemie et Polonie Rex Carinthie Dux Tyrolis et Goritie Comes zelo motus pietatis sueque saluti cupiens prouidere redditus decem marcarum Argenti singulis annis soluendarum liberaliter probeque diuine retributionis intuitu pro remedio anime sue Monasterio nro tradidit et donauit. Nos vero domino nro cupientes vice versa complacere de omnium nrorum voto vnanimini et consensu bona fide pro nobis et successoribus nris promisimus et presentibus solenniter pollicemur quod secundum petitionem et affectum prelibati dni nri dni HAINRICI missam celebrare perpetuam in altari aliquo nri monasterii predicti vbicunque voluerit. ac anniuersarium suum tam in vita quam post ipsius obitum tam fingulis annis cum eleemofina pauperum generali vnacum confolatione et pytantia inter nos habenda de predictis redditibus de fero cum vigilia maiori et de mane miffam pro defunctis quocunque tempore anni nobis hoc innotuerit vel moris est nobufcum Regibus Principibus et Fundatoribus nris volumus imo tenebimur peragere et perpetuis temporibus celebrare perpenfa duntaxat nri conuentus debita et confueta propter confolationem et pytantiam huiusmodi minime diminuta. Et fi quod abfit in earundem Miffarum anniuerfario et Elemofina pauperum generali cum Pytantie celebratione et peractione defides aut negligentes reperiremur faltum aliquem committendo executio penfionis predictorum redditūum eiufdem anni totaliter quando huiufmodi negligentia per nos euenerit pro pena et maiori cautela ad monafterium et Conuentum religiofforum virorum videlicet Abbatis et Conuentus Sci *Benedicti* in Buren ordinis Sci *Benedicti* Auguftane Diocefis deuoluetur. In quorum omnium euidentiam et perpetuam roboris firmitatem prefentes dedimus litteras figillis tam nro predicti Abbatis quam Conuentus nri legitime roboratas. Datum Augufte anno domini Millo Trecentefimo trigefimo quinto in Epiphania Domini.

Num. LXIV. Sententia quaedam bona concernens, An. 1335.

EX ORIGINALI.

Wir die Ratgeben der Stat ze Aufpurch Tuen kunt allen den die difen brief anfehent oder hörent lefen. Das der *Vlrich* der *Bart* Chufter des Gotzhus ze fant *Vlrich* vnd ze fant *Afren* hie ze Augfpurch kome für vns in den Rat vnd clagt vns,

das

das frawe *Hiltgunt* div *Schalerin* bürgerin ze Augspurch inne haet ainen Garten der gelegen ist zwischen des alten Spitals, vnd der Gassun, div gen sant *Vlrichs* Anger gat, vnd stosset ain halben an *Chunrades* des *Schusters* hoffache, vnd zway heuser vnd hofstet die gelegen sint, in dem selben Garten, vnd vf der ainen sitzet *Sygmar* der *Schmidt*, vnd vf der anderen sitzet *Hainrich* der Schererin bruder, vnd das selb aigen gehört in die Chustrei ze sant *Vlrich*, vnd von dem selben gut haet si im noch dhainem sinen vorderen kainen zins nie gegeben, vnd begert das wir schuffin, das si im das vorgenant gut ledig liessi ligen wan es der Chustrei ze sant *Vlrich*, mit reht zinsuellig war worden vnd veruallen. Darnach clagt er hintz der vorgenanten frawen *Hiltgunden*, Si haet ainen Garten der gehaissen ist der Müle gart, der gelegen ist ze nahst by der Wolfmüle der auch, in die Chustrei ze sant *Vlrich* gehöret, verchauft für ain rehtes aigen dem Closter ze dem hailigen cruze hie ze Augspurch vnd begert, si solti im vnd dem Gotzhus ze *Vlrich* vmb das selb gut, des si chainen gewalt het ze verchauffen billichen iren schaden ablegen, der clag vnd der Ansprach antwurt, div vorgenant frawe *Hiltgunt* div *Schalerin*, vnd sprach si laugeneti niht, si hati den vorgenanten garten inne, vnd swas zv dem selben Garten gehöret, vnd das selb gut waer ir lipting von dem Abt ze sant *Vlrich*, vnd gehorti auch in die Abtay vnd des haeti si gut brief vnd hantfestin von irem gnaedigen herren — — dem Abt des selben Closters ze sant *Vlrich*. Darnach antwurt si der anderti clag vnd sprach, das si an dem vorgenanten Garten der der Mülgart haisset weder tail noch gemain haeti, vnd auch den selben garten dem vorgenanten Gotzhus ze dem hailigen Cruze weder verchauft noch geben het. Do wir also ir baider haeten verno-

vernomen, do gaben wir baiden tailen, ainen tac vf das vorgenant gut, vnd vf denselben tag komen wir, vnd vil ander erber lüt, vnd besanten zu vns alle nachgeburen, die by den vorgenanten guten gesessen waren, vnd frageten ieden man besunder was im vmb dise sache kunt waer, do kunden wir vf dem selben an der Kundschaft niht eruinden noch eruaren, damit wir si vmb die sache mit ainander verrihten möhtin, vnd rieten dem vorgenanten hern *Vlrichen* dem Chuster, das er der vorgenanten frawen *Hiltgunden*, gebuti in vogtz dinck *a*) vnd da sin sache handelti mit den rehten, des volget er vns, vnd gebot der vorgenanten frawen *Hiltgunden*, in vogtz dinch vf die pfallentz *b*) da *Vlrich Burggraf* vogt hie ze Augspurch ze gerint saesse, vnd da der Ratgeben genug engagen waren, vnd auch ander erber lüt, vnd clagt mit fürsprechen hintz der vorgenanten frawen *Hiltgunden*, als er vns vor geclagt het, als da vor geschribene stat, der clag vnd der Ansprach antwurt frawe *Hiltgunt* diu *Schulerin* auch mit fürsprechen, als si vor vns in dem Rat auch geantwurt het, als auch da vor geschribene stat, Do baid tail ir rede, also heten für gelaet, do geviel vns vnd auch andern erberen lüten wol. die des selben tages an dem geriht waren, das man dise sache, an dem Rat-zuge, wan es ain solchiv sache waer, die dise Stat vnd die burger gemainlich an giengi, Vnd also gaben wir baiden tailen ainen tac für vns ze komen, an den rat, den naehsten Maentag ze vsgaendaer pfingstwochen, vnd vf den selben tag chome der vorgenant her *Vlrich* der Chuster, vnd clagt vns, das div vorgenant frawe *Hiltgunt* div *Schulerin* inne haet ainen Garten der gelegen ist zwischen des alten Spitals vnd der Gassen, div gen sant *Vlrichs* Anger gat, vnd stosset ain halp an *Chunrades* des *Schusters* hofsache, vnd zway hevser vnd hof-

stet

ſtet die gelegen ſint in dem ſelben Garten, vnd vf der ainen ſitzet *Sygmar* der *Schmide* vnd vf der andern ſitzet *Hainrich* der *Schererin* bruder, vnd das ſelb aigen gehorti in die Chuſtrei ze ſant *Vlrich* vnd ze ſant Afren hie ze Auſpurch, vnd von dem ſelben gut haet ſi im noch dchainem ſinem vorderen kainen zins nie gegeben, vnd begert das wir ſchuffin, das ſi im das vorgenant gut ledig lieſſi ligen, wan es der Chuſtrei ze ſant *Vlrich* mit reht zinſuellig waer worden vnd veruallen. Darnach clagte er aber hintz der vorgenanten frawen *Hiltgunden* der *Schulerin*, ſi hati ainen Garten der gehaiſſen iſt der Mül Gart, der gelegen iſt ze naehſt by der Wolfmüle, der auch in die Chuſtrey ze ſant *Vlrich* gehöret, verchauft für ain rehtes aigen dem Cloſter ze dem hailigen Cruze hie ze Augſpurch vnd begert ſi ſolti im vnd dem Gotzhus ze ſant *Vlrich* vmb das ſelb gut, des ſi chainen gewalt het ze verchauffen billichen iren ſchaden ablegen, der clag vnd der Anſprach antwurt *Hiltgunt* div *Schulerin*, vnd ſprach ſi laugneti niht ſi haet den vorgenanten Garten inne vnd ſwas zu dem ſelben Garten gehöret, vnd das ſelb gut waer ir lipting von — — dem Abt ze ſant *Vlrich* vnd gehorti auch in die Abtay, vnd des haeti ſi gut brief, vnd hantfeſtin von irem gnaedigen herren — — dem Abt desſelben Cloſters ze ſant *Vlrich*, darnach antwurt ſi der andern clag vnd ſprach, das ſi an dem vorgenanten Garten der der Mülgart haiſſet, weder tail noch gemain haeti, vnd auch den ſelben garten, dem vorgenanten Gotzhus ze dem hailigen Cruze, weder verchauft noch geben hat. Do wir alſo ir baider rede aber heten vernomen, do frageten wir, die erbern manne herrn *Berhtolden* den *Raemen*, *Chunraden* den *Alperſhouer* — — den *Boſchen* vnd ander erber Lüt, die wir durch ain kuntſchaft diſer ſache, zv vns beſant heten, an den Rat

vnd

vnd fragten ieden man besunder, was im vmb dise sache kunt waer, Do hat vns der merer tail der selben Lüt das der vorgenant gart vnd hofstet der zwischen des altten Spitals, vnd der Gassen, div gen sant *Vlrich* anger gat gelegen ist, gehörti zv dem Gotzhus ze sant *Vlrich*, ob er aber in die Abtay oder in die Chustrei gehorti des wessenten si niht, do saeten ir ain tail, das in wol kunt vnd gewissen waer, das der selb gart gehorti in die Abtay, vnd gedaeht in des wol by funf Chustern, Darnach fragten wir si, was in kunt waer, vmb die andern clag, vnd ansprach vmb den Garten den das Gotzhus ze dem hailigen Cruze gekauft haut, do sat vns aber der merer tail, das in wol kunt, vnd gewissen war, das denselben Garten verchaufti frawe *Haedwig* div *Blanchin* der vorgenanten frawen *Hiltgunden* swester, vnd das frawe *Hiltgunde* kain schulde daran haet. Do wir die Kuntschaft also erfuren do fragten wir den vorgenanten heren *Vlrichen* den Chuster, vnd die vorgenanten frawen *Hiltgunden* die *Schulerin*, ob si sich baidenthalben wolt in lassen genügen swas wir nah ir baider fürlegung, vnd nah der kuntschaft, die wir darumb ervaren haeten in diser sache ertailen, do gehiessent vns baid tail vnd gaben vns ir triwe in aides wise, swas wir vmb die sache vf vnser aid ertailten. das si das baidenthalben gern woltin staet halten, do ertailten wir alle avf vnser Aide das der vorgenant her *Vlrich* der Kuster noch dchain sin nachchomen an dem vorgenanten Garten vnd hofsteten, die vorgenanten frawen *Hiltgunden* die *Schulerin* noh ir erben vnd nachchomen, an dem vorgeschribenen Garten vnd hofsteten, vnd swas dar zv gehört, das ir libting ist, von dem Abt ze sant *Vlrich* fürbas nimmer irren noch engen soltin mit kainer schlaht sachen, vnd sol si vnd ir Erben dasselb gut haben vnd niessen, in allem dem reh-

ten,

ten, als ſi es bisher gehabt haut, waer aber das den Chuſter dühti, das das ſelb gut in die Chuſtrei gehörti, das ſol er mit ſinem herren dem Abt vsbringen, vnd ſol des frawe *Hiltgunt* div *ſchulerin* chainen ſchaden haben vnd ſwelker vnd er in baiden daſelber gut behabt, der ſol den den zins vor ir nemen in allem dem rehten als ſi in bisher gegeben haut, Es ſol auch der vorgenant herr *Vlrich* der Chuſter vnd alle ſin nahchomen die vorgenanten frawen *Hiltgunden* vnd ir Erben furbas vngerehtfertigt laſſen vmb das gut das die herren von dem hailigen Cruze von ir Swester ſaeligen gekauft haunt, wan ſi an dem ſelben Gut weder tail noch gemain hat, Düht aber — — den Abt oder den Chuſter ze ſant *Vlrich* das ſi das ſelb gut an gehorti. darvmb ſulen ſi der vorgenanten frawen *Hadwigen* der *Blanchin* erben, oder die herren von dem hailigen Cruze anſprechen. Das das alſo ſtaet belib vnd vnzerbrochen dar vmb geben wir diſen brief verſigelten vnd geueſtent mit vnſer Stet Inſigel, vnd mit *Vlriches* des *Burghgrafen* vnſers vogtes Inſigel div baidiv daran hangent. *c*) Der brief iſt geben do man zalt von Criſtes geburt drivzehen hundert Jar vnd in dem fünften vnd driſſigoſten Jar an dem naehſten Sambztag nach ſant Vites tag. *d*)

a) Eſt iudicium Aduocati.

b) Pfalz. *c*) Sigillum Burggrafii Tab. II. N. VI. occurrit.

d) 17. Junii.

Num. LXV.

Num. LXV. Sententia curiam in Riedsend concernens. Anno 1335.

EX ORIGINALI.

Nos Judices cur. Aug. ad communem noticiam omnium quorum intereſt deducimus per preſentes, quod conſtituta coram nobis in iure diſcreta ſciencia *Margareta* relicta quondam *Nycolai* de *Villibach* publice profitebatur ac ſpontanea recognouit quod in bonis ſitis in *Rietzend* a) que a Cuſtode Monaſterii ſanctorum *Vdalrici* et *Affre* in Aug. iure, qd vulgariter *hubreht* dicitur ſuſcepit, voluntate et conſenſu domini C. b) Abbatis Mon. eiusdem plenius accedente nil plus iuris ſibi competat quam quod iure prelibato excolere debeat ſub hac pacti forma qd ſingulis annis dare teneatur predicto cuſtodi vel ſuo ſucceſſori de predictis bonis modium ſiliginis cum dimidio modium auene cum dimidio menſure Aug. quinque ſol. dn. et duos pullos qd ſi negligenter dare obmiteret dicta bona ad cuſtodem et cuſtodiam dicti Mon. ſine qualibet contradicione libere reuertantur addens qd heredibus ſuis ea de medio ſublata nullum ius in dictis bonis competat ſed ad Mon. dicti cuſtodem et cuſtodiam illico remigrabunt. In cuius recognicionis firmitatem preſentes ad peticionem dicte *Margarete* et Cuſtodis ſigillo noſtro c) duximus communiri. Et ego *Margareta* de *Villibach* cum ſigillo proprio caream preſcripta omnia affirmo ſigillo Jud. Cur. Aug. me ſubiungens et aſtringens. Datum Aug. Anno Dni M.CCC.XXX.V. VI. Non. Decembris.

a) *Riedſend* in praefectura Werting. b) *Conradus Winkler.*
c) Sigillum illaeſum.

Num. LXVI. Litterae reuersales curiam supra dictam concernens. Anno 1335.

EX ORIGINALI.

Ich WILHALM von *Vilibach*. vergich offenlich für mich vnd allen miniv geswistergit vnd für alle vnser erben, daz wir an den guten diu gelegen sint ze Rietsend vnd in die Custrey gehörent. ze sant *Vlr.* ze Auspurg kain reht haben denn. daz si vnser frawe frawe *Margareta* von *Vilibach* sol haben vnd niessen für ain rehtz hupreht die wil si lebt vnd diewil sui den cinz der da von gehört git vnd geben mag in die vorgenant Custray ze sant *Vlr.* vnd swenn vnser egenantiu frawe - niht enist. so sol daz vorgenant gut. der Custrei ze sant *Vlr.* los vnd laedig sein avn widerred. Daz. daz also staet belib. geben wir disen brief versigelt mit mines vorgenanten *Wilhalms* von *Vilibach* Insigel. daz daran hanget. a) Derr brief wart geben do von Cristes geburt waren driuzehen hundert Jar darnach in dem fünf vnd drissgosten Jar. an sant Nyclaus abent.

a) Sigillum laesum Tab. II. N. VII. occurrit.

Num. LXVII. Sententia hortum concernens. Anno 1336.

Nos Jud. Cur. Aug. ad communem noticiam omnium quorum interest deducimus per presentes. Quod constituti coram nobis in iure *Vlricus* dictus *Müller*, et *Cunradus* frater eiusdem Pelliparii ciues Aug. ex certa sciencia ac spontanee publice sunt professi pro se et suis heredibus quod in orto vulgariter dicto

Stossgart

Stoffgart fito extra muros ciuit. Aug. cui ex latere confinatur vo vallis ciuitatis ex alio vero viridaria Mon. fancti *Vdal.* a parte inferiori eidem orto contiguatur ortus domus hofpitalis ab inferiori vero ortus — — dicti *Alperfhouer* ciuis Aug. qui eciam ortus dictus *Stoffgart* Mon. fancti *Vdalr.* pertinet iure proprietatis, nullum aliud ius ipfis competat, quam quod perfrui debeant pro tempore fex perfonarum, quę in inftrumento defuper a religiofis viris — — Abbate et conuentu edito nominatim explicantur, ita videlicet vt fingulis annis dare teneantur Abbati et Conuentui Mon. fanctorum *Vdalr.* et *Affre* in Aug. de nominato orto decem folidos dn. dapfilium Aug. nomine cenfus in die fci *Michahelis* vel in octo proximis aut fequentibus vel precedentibus diebus idem feftum iure perfonali. In cuius euidens teftimonium prefentibus figillum noftrum duximus appendendum. Dat. Aug. Anno dni Millimo CCC.XXXVI. III. Idus Nouembris.

Num. LXVIII. Venditio cenfus Auguftae. Anno 1338.

Ich Anne die Langmaentlin herrn *Hainrichs* des *Langmantels* faeligen witib. burgerin ze Aufpurch Tvn kunt allen den die difen brief anfehent, oder hörent lefen. Daz ich mit verdahtem mut, vnd mit guter vorbetrahtung vnd mit aller miner kinde vnd friunde Rat gunft vnd gutem willen. Dritzehen fchilling Aufpurger pfenning geltes, die ich ze rehtem Aigen iaerclichen gült gehabt han vz frawen *Agnefen* der Nördlingerin haufe vnd hofftat, daz gelegen ift vzzerhalb der Stat. vor Straeuinger Tor. hie ze Aufpurch, an der Sachfin Gazzen.

 zwifchen

zwifchen des *Ladmatingers* haus vnd hoflach vnd der *Oefpin* hoffach. reht vnd redlich verkauft vnd geben han ze rehtem Aigen in die Cuftri ze fant *Vlrich* hie ze Aufpurch. mit der befchaidenhait. daz fraw *Agnes* div *Nördlingerin* vnd ir erben oder in fwes gewalt ir vorgefchribens haus vnd hofftat. hinan für kumt. vz dem felben haus vnd hofftat alliv Jar dem Cufter ze fant *Vlrich* fwer danne Cufter ift. die vorgefchriben dritzehen fchilling Aufpurger pfenning geben fvlen vf fant *Michels* tag. oder in dem naehften aht tagen da vor oder in den naehften aht tagen darnach, vnd fwelhes Jars fi daz verfaezzen. fo ift der Cuftri ze fant *Vlrich* das felb haus vnd hofftat, vnd fwaz darzv gehört darvmb mit reht zinfuellig worden. vnd veruallen. ane allen krieg vnd ane alle widerrede. Vnd der vorgefchribenn dritzehen fchilling pfenning geltes. havnd kauft vnd vergelten zehen fchilling pfenning geltes. *Vtz* vnder dem Baerge von Inningen. vnd *Haekkel* der des Maiers bruder von Hufteten vnd *Herman* des Maiers fvn von Inningen, vnd hand darvmb gefrümt ain ewiges licht daz ewiclich brinnen fol vf fant *Affren* Altar hie ze Aufpurch. ze ainer bezzerung. vmb dem Totfchlag, den fi an *Cunraden* dem *Maemmingen* faeligen getan hand. Vnd hand mir darvmb gegeben Ainlif pfunt guter vnd gaeber Aufpurger pfenning. Vnd die vbrigen dri fchilling Aufpurger pfenning geltes hat kauft her *Vlrich* der *Bart*. der do Cufter waz ze fant *Vlrich*, vnd hat mir darumb gegeben vierdhalp pfunt Aufpurger pfenning. Vnd alfo bin ich von baiden tailen gar vnd gaentzlich verriht vnd gewert funftzehenthalb pfunt Aufpurger pfennig die ich an minen. vnd min erben nutz gelaet han. Vnd han die vorgefchriben dritzehen fchilling pfennig geltes der Cuftri ze fant *Vlrich* mit gutem willen vf gegeben vnd han mich ir verzigen

zigen

zigen mit gelerten worten, vnd verzihe mich offenlich mit disem brief für mich vnd für alle min erben aller der reht, div wir daran gehabt haben. oder wanden ze haben. als man sich aigens durch reht verzihen vnd als man es vf geben sol nach der Stet reht ze Auspurch. Vnd also sol ich der vorgeschriben dritzehen schilling pfennig geltes der Custri ze sant *Vlrich* rehtiv gewer sin vnd sol si der Custri staeten vnd vertigen für alle ansprach als man aigen durch reht staeten. vnd vertigen sol, nach der Stet reht ze Auspurch. vnd wurden die selben dritzehen schilling pfennig geltes der Custri ze sant *Vlrich* von iemant Anspraech. mit dem rehten in den zilen als man aigen durch reht staeten. vnd vertigen sol. nach der Stetreht ze Auspurch. Die selben Ansprach sulen ich, vnd min erben der Custri entlözen vnd vzrihten ane allen iren schaden. Taeten wir des niht swaz denne div Custri der selben Ansprach schaden naem denselben schaden sulen ich vnd min erben der Custri ze sant *Vlrich* gar. vnd gaentzlichen abtun. vnd gelten ane allen krieg vnd ane alle widerrede. Daz das also staet belib vnd vnzerbrochen Darvmb gib ich der Custri disen brief versigelten, vnd geuestent mit der Stet ze Auspurch Insigel a) daz daran hanget. Des sint geziug her *Cunrat* der *Clokker*. vnd her *Hainrich* der *Herbort* die do burgermaister waren. her *Hainrich* der *Portner*. her *Cunrat* der *Lang*. her *Cunrat* der *Göllenhouer*. her *Johans* der *Waelser*. her *Peter* der *Minner* vnd ander genug. Der brief ist geben do man zalt Cristes geburt driuzehenhundert Jar vnd darnach in dem Ahtenden vnd drizzigosten Jar an dem naehsten tag nach sant Pauls tag als er bekert ward.

a) Sigillum illaesum.

Num. LXIX.

Num. LXIX. Conceſſio fruticeti ab Epiſcopo facta. Anno 1338.

EX ORIGINALI.

Wir HAINRICH *a)* von gotes gnaden Erwelter vnd beſteter Biſchof ze Augſpurg Tun chunt allen den di diſen brief ſehent, leſent oder hörent leſen, Daz Maiſter *Vlrich* vnſer Hofmair vor vns fürlait, daz zwiſſchen ſein vnd den Mülnern di hernach beſchriben ſtent, ein rihtung geſchech von vnſerm Voruarn Biſſchof FRIDRICHEN ſelig, alſo daz ſi vnd ir iegli-cher zv irn Wieren was ſi dar zv bedörften, Vnd daz im di innern Mülner, daz iſt der *Swalmülner*, der *Wolfmülner*, der *Cleſſing* vnd der *Gäumüller*, allen iar dar vmb geben vf ſant Marteins tag, aht tag vor oder nach, ieglicher Müller zwen Metzzen kerns, vnd Sehs Auſpurger pfenning vnd der auzzer Müller, der vf des *Anſorgen* Mül ſitzzet, vier Metzzen kerns vnd einen Schilling pfennig vnd welher im der Gült ierlichen niht engeb, als vor beſchriben ſtet, vnd ſi vnſers Hofmairs boten, an ſi geuordert hant, der ſol des ſelben iares, ze einer Pen des halben tails Kern vnd pfenning mer geben. Si ſullen auch ſchnidem ie an ainem flecken in der Awe, da ſi von dem Hofmair oder ſinen boten ſin gewiſd werdent. Vnd di weil ſi da genug vindent ze ſchniden zu irn Wuren, ſo ſullen ſi, in anderſwo nihts ſchniden in der Auwe, noch dhainen ſchaden tun an ſinem holtz, Die rihtung beiden durch Maiſters *Vlriches*, vnd durch der Müller willen, di vns des vleizchjichen baten, haben wir beſtet vnd beſtetigen ſi mit diſem brief, daz ſi fürbaz ewichlichen alſo beleib, Der geben iſt vnd verſigelt mit vnſerm Inſigel. Do man von Chriſtes Geburd

zalt

valt Driuzehenhundert iar darnach in aht vnd dreizzigiſtem Jar an ſant Mathyas abent des zwelfboten.

a) Henricus de Schöneck.

Num. LXX. Litterae reuerſales. Anno 1339.

Ex Originali.

Ich HAINRICH RÜPLIN Burger ze Auſpurg, vergich für mich vnd alle mein erben offenlich an diſem brief allen den di in leſent, ſehent oder hörent leſen, das weder ich noch dchain mein erb, an dem Gut ze *Rainwailer a*) das des Gotes hovs ze ſant *Vlrich* ze Auſpurg aigen iſt, vnd ſwas darzv gehört, vnd das ich haun chauft, vmb vierzig pfunt gaeber Auſpurger pfenning, von *Vlrich* dem *Maier* von Gerſhouen ovf ſeinen leib, vnd ovf ſeiniv reht, di er dar an haet von dem Goteſhovs ze ſant *Vlrich* dchain ander reht haben, denne als di hantueſt ſet di hernach geſchriben ſtat. In Gotes namen Amen. Wir *Chunr*. von Gotes gnaden Abt des Goteshovs ſant *Vlriches* vnd ſant *Affren* in der ſtat ze Auſpurg, veriehen offenlich an diſem brief allen den, di in leſent, ſehent oder hörent leſen, das für vns chom *Vlrich* der *Maier* von Gershouen mit ſeinen friunden von ainem tail. vnd *Hainrich Rüplin* Burger ze Augsburg. auch mit ſeinen frunten von dem andern tail, vnd ſprach *Vlrich* der *Maier* von Gershouen, er heti ze chaufen geben, *Hainrich* dem *Rüplin* das Gut ze *Rainwailer*, vnd ſwas darzu gehört, das vnſers Goteſhovs aigen iſt, vnd das er von vns ze ſeinem leib haut, vnd heti es geben vmb vierzig pfunt pfenning Auſpurger, vnd bot vns das gut an nach des Landes reht, vnd bat vns,

vns, das wir es felb haimutin, oder das wir den chauff ftetin, wan wir nu das felb gut niht haimun wolten noch enmohten, vmb das vorgenant Gelt, veriehen wir mit difem brief *Hainrichen* dem *Rüplin* des chaufs vnd haben in ftet, ovf *Vlriches* des *Maiers*. leib, in aller der weis vnd mit den rehten vnd gelt, als es der ietzo gnant *Vlrich* der *Maier* haet, vnd als fein hantueft fet, di hernach gefchriben ftaut. In nomine dni Amen. Ne geftorum veritas obliuionis vicio procedente tempore deleatur, expedit ea roborari teftibus et fcriptura, Qua propter nos *Hainricus* divina permiffione Abbas Mon. Sanctorum *Vdalrici* et *Affre* in Aug. Notum facimus prefencium infpectoribus vniuerfis et confitemur publice et proteftamur, Quod cum nos *Maehtildem* reltam quondam *Heinr.* Villici in Gerfhouen, fuper bonis fitis in *Rainweiler*, que a nobis et noftro Mon. idem villicus poffederat, multis annis in iudicium traxiffemus, et eadem caufa fuiffet inter nos et ipfam aliquamdiv ventilata, tandem de confenfu Ven. Patris et Dni nri dni *Wolfhardi* Epi Aug. inter nos et eam fuit et eft tale medium ordinatum, quod refecatis aliquibus perfonis, quibus eadem villica in eifdem bonis afferebat ius competere perfonale prefata bona in Rainweiler, cum omnibus fuis attinenciis, eidem *Mehtildi* villice, *Vlrico* et *Heinrico* filiis fuis contulimus iure perfonali, et conferimus per prefentes, tenenda quamdiv vixerint et libere poffidenda, cum hoc tamen pacto, quod nobis exinde quatuor modii filiginis, ficut hactenus confuetum erat, fingulis annis fine contradictione qualibet perfoluantur, In quorum euidens teftimonium et debitam firmitatem prefentes figillis noftris communitas perfonis dedimus fupra dictis. Teftes funt et interfuerunt huic compoficioni feu ordinacioni, dns *Wernherus Beringerius* Canonicus Aug. *Hainricus* dictus *Ritfchard*, *Johannes*

Johannes Vlinger, *Johans* [illegible] b) *Diepoldus Brughey*, *Chunradus Sparrer*, ciues Aug. et *Chunradus Tabellio*, Ciu. Aug. et alii plures. Actum et Datum Aug. Anno dni. Millimo CC. Nonagefimo feptimo VI Non. Octobris. Darumb geben wir difen brief verinfigelt mit vnferm Infigel das daran hanget, *Hainrichen* dem *Rüplin* vnd feinen erben ze einer ziugnuffe des chaufes vnd der reht di *Vlrich* der *Maier* von Gerfhouen dar an het als vorgefchriben ift. Des fint Ziug her *Renhart* der *Fuhs*, her *Johans* von *Vifchach*, Priefter vnfers Conuents, *Chunr.* der *Werder* von Aychach, *Lud.* vnd *Vlrich Hering* vnfer diener. Der brief ift geben do man zalt nach Chriftes geburt Drivzehenhundert iar, vnd darnach in dem Nün vnd dreifgoftem iar an dem Sampstag in den vier tagen c) Darvmb gib ich difen brief dem Gotshovs ze fant. *Vlrich* verinfigelt mit meinem Infigel d) das daran hanget. Vnd ich *Vlrich* der *Maier* von Gerfhoufen vergich für mich vnd alle mein erben, das ich alles das an difem brief gefchriben ift [illegible], vnd [illegible] *Heinrich* dem *Rüplin* des chauffes [illegible] verzeich mich reht vnd redlich, vnd vnbetwngenlich gen aller Menlich vnd auch gen dem Gotshovs ze fant *Vlrich* des Gutes ze *Rainweiler*, vnd fwas darin gehört, [illegible] dehain reht daran haun weder vil noch lützel, vnd fol *Heinrich* dem *Rüplin* vnd feinen erben meinen leib ze [illegible] gevert, vnd in aufgeben, fwenne fi mich [illegible]. Darumb ze ainer ziugnuffe han ich mein Infigel e) Gehangen an difen brief. Der geben ift nach Chriftes geburt Driuzehenhundert iar, vnd darnach in dem Nün vnd dreiffigoftem iar an dem Weiffen Sunnentag.

a) *Reinweiler* erat curia prope [illegible] ante plures annos destructa.

b) *Vögelin.*

c) Sabbatum ante Dominicam primam quadragesimae.

d) Sigillum Rûplinii est laesum.

e) Villici vero illaesum.

Num. LXXI. Transactio inter Abbatem et Conuentum Mon. S. Vdal. Anno 1339.

In Nomine dni. Amen. Ad perpetuam rei memoriam. Nouerint vniuersi quos noscere fuerit oportunum, Quod nos CHUNRADUS dei gracia Abbas *Eglolfus* Prior Totusque Conuentus Mon. sanctorum *Vdalrici* et *Affre* ciuitatis Augusten. in capitulo nro ad Campane sonitum more solito conuocati adhibitis eciam ad hoc sollempnitatibus debitis et consuetis, prouida deliberacione prehabita, et de prudentum virorum consilio animaduertentes dampna multiplicia et mirabilia, que nuper in ciuitate Aug. et precipue infra limites nostre parrochie per ignis vehementis adustionem et impetum in grandibus edificiis et ecclesiis contigerant, Cupientes tali periculo quantum in nobis est obuiare, domum et aream retro muros Mon. nostri sitam in minori vico ecclesie iuxta domum et aream *Chunr.* de *Wellenhusen* in mediatae ad obsequium nostrum ex legacione et donacione quondam *Herbordi* dicti *Rieshaser* et *Mathildis* sue defuncte pro diebus aniuersariis eorundem per nos celebrandis pertinentem, in dominum Abbatem et Abbatiam Mon. nostri

communi-

communiter duximus transferendam atque commutandam tali condicione, quod Plebanus parrochie nostre, qui pro tempore fuerit seu ipsemet dns Abbas ex plebania de pensione Abbacie de parr. cedente perpetuis temporibus decem solidos den. Aug. dapsilium seu libr. hllm datiuorum Conuentui nostro integraliter condonet et persoluat, dimidiam partem dicte pecunie in die anniuersario dicti *Herbordi* et reliquam partem in die anniuersario prelibate *Mechtildis* sue femine, oblaico seu administratori Conuentus nostri porrigendo quam eciam libr hllm, de censu dicte domus, huiusmodi singulis annis libere et quiete. Et vt dicta permutacio seu translacio in suo vigore perhenniter maneat et subsistat presentes proinde conscripsimus et sigillorum nostrorum amborum duorum muniminibus communiuimus. Huius rei testes sunt dni et sacerdotes nostri conuentus Videlicet *Vlr.* Custos *Bertholt Sumertükel Rudgerus Bauwolf*, *Vlricus Winckler Renhardus Vlpes*, *Hainricus Kefer* Oblaicus *Johes* de *Vischach Fridericus* de *Nortemberg* et ceteri Mgr. *Wernherus* doctor scolarium. *Hainr.* et *Johes* scolares nostri *Lud. Vlr. Allec.* famuli nostri et alii quam plures fide digni. Act. sub anno dni Millimo Tricentesimo Tricesimo Nono in Vigi. Sci Viti.

Num. LXXII. Renunciatio iuris ciuitatis. Anno 1340.

Ex Originali.

Ich Vlrich der Türhamer von Fridwerg h. *Chunrats* selig, des *Aerfingers* von Fridberg Tochterman vergich offenlich für mich, vnd für mein ewirtin frawen *Angnesen* des ietzogenan-

 ten

ten meines swehers tohter, vnd für alle vnser baider erben, allen den die disen brief ansehent oder hörent lesen. Das wir an sant *Vlrichs* vnd sant *Affren* Burkreht ze Augspurch, vnd swa si burchrecht haunt, das der vorgenant *Chunrat* der *Ersingir* von Fridberg, etwenne ein man von des Goteshus wegen sant *Vlriches*, vnd darnach wir auch gern gesprochen hetin vnd reht gehebt hetin an dem selben burkreht, vnd vber al, swas sant *Vlrich* vnd sant *Affren* Burkrehts, habent, weder lützel noch vil weder klain noch gross haben vnd verzihen vns auch offenlich mit disem brief willeclich vnd vnbetwngelich, aller ansprach vnd alles des wir wanden, daran ze haben, vnd ob wir brief hetin, darvmb wollen wir daz die gegen disem brief tot sien vnd dhain chraft haben. Das das also staet beliben, vnd nit vber varen werd geben wir disen brief verinsigelt mit mein des vorgenanten *Vlrichs* des *Türhaimers* Insigel, vnd mit her *Vlrich* von *Ersingen* des ritter ze Otmaringen, vnd mit *Hermans* des *Pflundorfers* des eltern *a*) insigelen diu alliu daran hangent. Vnd wir *Vlrich* von *Ersingen* ritter vnd *Herman* der *Pflundorfer* die vorgenanten veriehen daz wir vnsriv insigel williclich an disen brief gehangen haben, durch bett des vorgenanten *Vlrichs* des *Türhaimer* vnd siner erben, vns vnd vnsern erben aun schaden. Des sint geziug her *Johans* von *Vischach* Conuent her ze sant *Vlrich* maister *Wernher* Schulmaister daselb. — — der *Törsch* ze Fridberg vnd ander genug. Der brief ist geben do man zalt von cristes geburt driuzehenhundert iar vnd darnach in dem vierzegostem iar an sant Marien Magdal. abent.

a) Sigilla sunt [illegible].

Num. LXXIII.

Num. LXXIII. Venditio Vectigalis. Anno 1342.

Ex Originali.

Ich *Vlrich* der *Brugghay* vergih vnd tun kunt allen den die disen brief ansehent oder hörent lesen daz ich mit verdauchtem mut vnd mit guter vorbetrahtung geben vnd verkauft reht vnd redlich gen minen gnedigen herren. Abbt *Chunraten* von sant *Vlrich* vnd sant *Afren* in der Stat ze Auspurg drizzig schilling guter vnd gaeber Auspurger phenning gelts vz minen bruggzol *a*) den ich von dem Gotzhuzz sant *Vlrichs* vnd sant *Afren* ze ainem rehten libding han alz min brief set vmb nün phund guter vnd geber Auspurger phenning, die ich von im enphangen hann. vnd sol im oder sinen nachkomen alliv iar die selben drizzig schilling phennig geben vf sant Martis tag viertzehen tag vor oder viertzehen tag darnach zu dem gelt, daz ich dem vorgenanten Gotzhuzz, vor daruz geben haun alz min brief saet, tet ich dez niht, so sint alliu min reht die ich an dem bruggzol haun, loz vnd ledig werden, aun alle widerred dem vorgenanten gotzhuzz nach libgedingsreht daz in daz allez stet belib gib ich disen brief versigelt vnd geuestent mit dez Korrihters Insigel *b*) ze Auspurg dez durch miner betwillen daran hat gehenk im aun schaden, vnd mit minem Insigel, daz ich selber daran gelaet haun. Der brief ist geben da man zalt von Cristes geburt driuzehen hundert iar darnach in den zwai vnd siertzgosten iar an dem fritag nach der Epiphany.

a) De ponte Lici. *b*) Sigilla desiderantur.

Num. LXXIV.

Num. LXXIV. Venditio Agrorum Hiltenfingae. An. 1342.

EX ORIGINALI.

In gotes namen Amen. Ich HAINRICH der Alt SCHNELMAN Ritter. vnd ich HAINRICH der iung SCHNELMAN sin sun Purger ze Auspurch. veriehen vnd tuen kunt allen den die disen brief ansehent oder hörent lesen, daz wir baide mit verraintem mut vnd mit guter vorbetrahtung vnd mit rat willen vnd gunst aller vnser erben vnd frivnde vnser zwaintzig Juchart Ackers die gelegen sint datz *Hyltolfingen a)* in dem Esche der fünf vnser rehtes zinslehen waren von dem Gotzhous sant *Vlrichs* vnd sant *Affren* ze Auspurch iaerlichen vmb zwaintzig Auspurger phenning. do waren die fünftzehen vnser rehtes aigen. Vnd darzu vier tagwerch wismatz div gelegen sint zwischen *Hartmans* von Swabegg wismat vnd — — dez *Wamselers.* div auch vnser rehtes aigen waren, dieselben vorgenanten zwaintzig Juchart ackers vnd div vier tagwerch wismats, vnd swaz auch zv dem Acker vnd den wismat gehöret mit besuhtem vnd vnbesuhtem swie ez gehaizzen ist, als acker vnd wismat iezunt vs bezaichent vnd gemerket sint, mit allen den rehten vnd nutzen vnd aker vnd wismat geltent mit clainen vnd mit grozzen, vnd mit besetzen vnd entsetzen vnd alz sie vnser vordern saelig in nutze vnd in gewer her an vns braht habent, vnd wir biz hie her für ledigiu vnuerchummertiv gute vnd für ain rehtes aigen vnd zinslehen fries vnd vnuogtberes rehte vnd redlichen verchauft vnd geben haben dem erbern mann *Chunraden* dem *Nagel* Purger ze Auspurch frawen *Agnesen* siv elichen wirtin vnd allen iren erben ze rehtem aigen vnd zinslehen oder wem sis hinna für ewiclichen verchauffent geltent

schaffent

ſchaffent oder laſſent ze habent oder ze nieſſend ewiclich vnd geruwiclichen vmb viertzig pfunt guter vnd gaeber Augſpurger phenning die wir berait von in darumb enpfangen haben vnd an vnſern vnd vnſer erben nutz gelät haben. Vnd haben wir baeide vnd vnſer erben dem vorgenanten *Chůnr.* dem *Nagel* frawen *Agneſen* ſiner wirtin vnd iren erben die vorgenanten zwaintzig Jůchart ackers. vnd div vier tagwerch wiſmatz vnd ſwaz darzu gehört ze rehten aigen vnd zinſlehen vfgeben mit frier hant vf des Ryches ſtrazz vnd haben vns ir verzigen. Vnd verzihen vns auch aller der rehte vnd nutze die wir daran gehabt haben oder wänten ze haben offenlichen mit diſem brief vrilich vnd vnbetwungenlich vnd mit gelerten worten für vns vnd für alle vnſer erben vnd nachkomen als man ſich aigens vnd zinſlehens durch reht vnd billich verzihen ſol, vnd als man ez vfgeben ſol daz aigen nach aigens reht vnd daz zinſlehens nach zinſlehensreht vnd nach dez Landes reht Alſo daz wir noch dehain vnſer erben noch nachkomen fürbaz ewiclichen chain reht clag oder Anſprache darnach nimmer mer gehaben ſullen noch enmögen weder mit gaiſtlichem noch weltlichem rehten noch mit herren noch friwnd hilff noch rat noch mit chainerlei ſache daz in vnd allen iren Erben vnd nachkomen daran hinnan für ewiclichen ze ſchaden komen mügen. vnd vns vnd allen vnſern erben vnd nachkomen ze nutze. Vnd alſo ſullen wir vnd vnſer erben der vorgenanten Acker vnd dez wiſmatz, dez obgenanten *Chunradts* des *Nagels*. frawen *Agneſen* ſiv wirtin vnd irer erben rehte Geweren ſin. Vnd ſullens in auch ſtaeten vnd vertigen für alle Anſprache als man aigen vnd zinſlehen durch reht ſtaeten vnd vertigen ſol. daz aigen nach aigens reht vnd daz zinſlehen nach zinſlehens reht vnd nach dez landes reht. Vnd darumb haben wir in vnd iren erben

ze Bürgen gesetzet zv vns vnd vnsern erben vnuerschaidenlichen hern *Chunradeh* von *Gerensberg* Korherr ze Auspurch, hern
Aulbrehten von *Bangow* Kyrchher ze Gintzemingen vnd hern
Hainrichen den Portner Burger ze Auspurch. Mit der beschaidenhait ob in die vorgenanten Aecker vnd daz wismat von iemen ansprache wurden mit dem rehten in selben ze ailen vnd man
aigen vnd zinslehen jeclichs nach sinem rehten vnd nach dem
landes reht stäten vnd vertigen sol, oder ob iht von vns oder
von vnsern Erben daran mit dem rehten geirret wurden. dieselben ansprach vnd irsalung alle sullen wir vnd vnser erben
vnd die vorgenanten burgen in ze hant nach ir manung in
dem nechsten manot gar vnd gentzlichen vrrihten vnd entslahen
nach dez landes reht ân allen iren schaden. Täten wir des
niht, so habent si gewalt die vorgenanten burgen alle darumb
ze manen swenn si went. Vnd die sullen in dann ze hant so si
gemant werdent vnuerzogenlichen ein varen in die Stat ze Auspurch in ein erbers Gastgeben hus. vnd sullen ir dainne
laisten vnd geyserde in rehter giselschaft. Vnd sullen mit nia-
ander nimmer vz der laistung kerren bis an die zit daz *Chun-*
drat Nagel frawe *Angnes* sin wirtin vnd ir erben gäntzlichen
vnd gar vzgerihtet vnd entlöste wurden aller der Ansprache vnd
irsalung darumb si si gemant habent. Vnd swelch aller der schai-
dens dez si der Ansprache vnd dem Irsalung allen genomsen
heten mit gaistlichem oder weltlichem rehten. Gieng in auch
in der vrist vnd man aigen vnd zinslehen nach des landes
reht staeten vnd vertigen sol der vorgenanten burgen ainer ab
von welherlei sache wegen daz beschaehe daz got niht enwelle
so sullen wir oder vnser erben in ze hant darnach in dem
nechsten manot in ain andern als guten burgen setzen den si
gebenant. Taeten wir des niht so habent si gewalt die andern

burgen alle darumb ze manen die dannoch da beliben ſint vnd die ſullen in dann aber vnuerzogenlichen ein varen vnd laiſten in der ſtat ze Aufpurch in allen dem rehten als vor geſchriben iſt vnd ſullen nimmer vs chomen biz daz ir die ain ander als guter burge geſetzt werde alz der in dann abgegangen iſt. Ez habent auch die burgen vollen gewalt ir ieclicher ainen erberen Kneht mit einem pfärde an ſin ſtat in die laiſtung ze legen vnd ſullen in die dann laiſten in allen dem rehten alz ob ſie mit ir ſelbs liben da wären. Man ſol auch wizzen daz ſie von den fünf Juchart ackers die da zinslehen ſint geben ſullen elliv Jar ze zins hintz ſant *Vlrich*, ze Aufpurch zwaintzg Aufpurger phenning vnd darumb ſullen ſich auch die ſelben fünf Juchart ackers in dreiu Jaren niht verualllen. Daz in daz alſo ſtät vnd vntzerbrochen belibe Darumb haben wir in geben diſen brief verſigelt vnd geueſtent mit vnser baider Inſigel vnd mit der vorgenanten burgen Inſigel *b*) div elliv daran hangent. Do daz geſchach do zalt man von Chriſtes geburt driutzehen hundert Jar vnd darnach in dem zwai vnd viertzgoſten Jar an dem Mentag in der erſten vaſtwochen. *c*)

a) In praefectura Türkheim.

b) Sigilla ſunt illaeſa, de quibus primum, et quartum Tab.II. N. VIII. IX. occurrunt.

c) 18. Februarii.

Num. LXXV. Renuntiatio iuris aduocatiae. Anno 1343.

EX ORIGINALI.

Ich HERMAN RUCH von *Erringen* vnd ich frav *Adelhait* sin. wirtin vergehen für vns vnd für all vnſer erben vnd tun kunt offenlich an diſem brief allen den die in leſent ſehent oder horent leſen. daz wir mit verainten mut mit raut gunſt vnd gutem willen aller vnſer erben. vns verzihen vnd verzigen haben gar vnd gaentzlich der vogtai vnd aller der reht die wir vnd vnſer erben haeten vnd gehaben möhten vf dem hof ze *Erringen a)* den ich ietzo bu vnd der gehaizzen iſt *Weinhers* hof von Eglingen vnd der des Gotzhaus ſant *Vlrich* vnd ſant *Afren* in der ſtat ze Auſpurg rehtes aigen iſt. vnd auch aller der reht die wir haben oder haben möhten vf der hub die ich auch bu vnd die gehaizzen iſt der Bruder Kint hub vnd die auch dez vorgenanten gotzhus aigen iſt die vogtai vnd diu reht wir ze lehen haeten von vnſerm gnaedigen herren hern *Winhart* von Rorbach. vnd verzihen vns auch zwaier iuchart akkers die vnſer vnd vnſerr erben rehtes aigen waren der ain vnd zwaintzig ſtrangen in dem veld ze *zuſaker* gelegen ſient. vnd ſehſs ſtrangen hinder dem haeg die wir dem egenanten Gotzhaus ſant *Vlrich* vnd ſant *Afren* durch vnſer ſel willen geſchaft haben vnd den worten daz ſi vnſerr baider Jaerzit begangen vnd dar vmb haben wir vns vnd vnſer erben verzigen aller der reht die wir haeten vnd gehaben mohten vf den vorgenanten guten alſ da vor geſcriben ſtaut vnd auch der zwaier Juchart akkers die vnſer vnd vnſerr erben aigen waren mit ſogtaner beſchaidenhait daz all die will ich *Herman* der vorgenant *Ruch* vnd min frau *Adelhait* leben. ſullen dieſelben vorgenanten

genanten gut haben vnd niezzen aun all gült vnd alſ vnſers rehtes lipding. wan daz wir da von elliu Jar iaerclich geben ſullen ain halphunt guter vnd gaeber Auſpurger phenning oder ie zwen haller für ainen phening ze vrkund daz diu aigenſchaft der vorgenanten gut ſant *Vlrich* vnd ſant *Afren* ie geweſen ſi vnd wir *Winhart* von *Rorbach* vergehen auch daz wir vnd all vnſer erben vns verzihen gar vnd gaenclich der Lehenſchaft vnd der reht die wir vnd vnſer erben haeten vnd gehaben mohten vmb die vogtai der vorgenanten gut ze *Erringen* die vogtai vnd reht *Herman* der *Ruch* vnd ſin erben von vns vnd den vnſern ze lehen haeten, vnd aignen auch dem vorgnanten gotzhaus ſant *Vlr.* vnd ſant *Afren* die vogtai vnd diu reht vber die vorgnanten gut für ain rehtes aigen vnd tun auch daz durch Got vnd vnſerr vodern ſel willen vnd den worten daz ſi auch für vns pitten vnd ſunderlich durch *Hermans Ruchen* vnd ſiner friunt pett willen der vnſer aigen iſt. Vnd daz daz dem vorgnanten gotzhaus ſant *Vlrich* vnd ſant *Afren* ſtet belib vnd vnzerbrochen wert gib ich *Herman* der vorgnant *Ruch* diſen brief verſigelten vnd geueſtet mit mines herren Inſigel dez erbern vnd veſten Ritters hern *Winhartz* von *Rorbach b*) dez aigen ich pin der ez durch got vnd durch ſiner vodern ſel willen vnd auch durch min vnd miner friunt pett willen daran gehangen haut. Daz geſchach da man zalt von Criſtes geburt driutzehen hundert Jar vnd darnach in dem drie vnd vierzigoſtam Jar an ſant Gerdruden tag.

a) Langenerringen, in praefectura Schwabmench.

b) Sigillum illaeſum.

 Num. LXXVI.

Num. LXXVI. Venditio feudi Bobingae. Anno 1344.

EX ORIGINALI.

In Gotes namen Amen. Ich HAINRICH der STOLTZHIRS Purger ze Aufpurch, vergihe offenlichen an difem brief allen den die in anfehent oder hörent lefen. Daz ich mit verdahtem mute vnd mit guter vorbetrahtung vnd mit *Heinr.* vnd *Hanfen* miner fun vnd aller andern miner erben vnd beften friwnd rat gunft vnd gutem willen minir Gute als fi hernach gefchriben ftaund. Daz ift ain halbhube div gelegen ift datz *Bobingen.* die div *Geburin* da bowt, vnd min erblehen waz von dem Gotzhus fant *Vlrich* vnd fant *Affren* ze Aufpurch iaerclichen vmb fünf vnd zwaintzig fchilling Aufpurger phennig die man demfelben Gotzhous darus geben mufs. Vnd gilt div halbhube elliv iar zwen fcheffel kerns zwen fcheffel roggen zwen fcheffel habern Aufpurger mezze. fünf fchilling pfenning zwu gens vier herbfthünre. zwai vafnaht hünre vnd hundert ayer. Vnd ouz dem erblehen daz auch div *Geburin* da felben da baut da davon fi mir iaerclichen geben folt vierdhalben fcheffel kern der gehörent an daz Gotzhus fant *Vlrichs* vnd fant *Affren* ze Aufpurch zwelff mutt. Daz vbrig. vnd drie fchilling phenning. vnd zwai vafnaht hünre. Vnd darzu min vogtay vber div felben zwai gute. als ich fie biz her braht haun. Vnd fwaz auch zv den vorgenanten guten alle gehörent ze dorff ze velde an Eckern an wifen an wazzer an waide an holtz befuhtz vnd vnbefuhtz fwie ez gehaizzen ift, mit allen den rehten vnd nutzen vnd fi geltent mit clainem vnd mit grozzen. Vnd als ichs vnd min erben mit nutz vnd mit gewer biz her inn gehebt vnd genozzen haben. für ledigiu vnuerchummertiv gute rehte

vnd

vnd redlichen verchauft vnd geben haun. Minem lieben vettern *Aulbrehten* dem *Stolzhirs* burger ze Aufpurch. Frawen *Annen* finer wirtin vnd allen iren erben oder fwem fis hinna für gebent verchauffent, fchaffent oder' lazzent ze habent vnd ze niezzent ewiclich vnd geruwclichen, Vmb hundert pfunt vnd driv pfunt guter vnd gaeber haller. die ich berait von in darumb empfangen haun. Vnd an minen vnd miner erben nutz gelaet haun. Vnd haben ich vnd min fun *Heinr.* vnd *Hans* vnd vnfer Erben in vnd iren erben, div vorgenanten gute vnd elliv vnfriv reht daran vfgeben. Vnd haben vns ir verzigen mit gelerten worten. Vnd verzihen vns offenlich mit difem brief aller der rehte vnd nutze die wir daran gehabt haben oder wönten ze haben für vns vnd alle vnfer erben vnd nachkomen als man fich fogtane gute durch reht vnd billich verzihen fol vnd als man fi vfgeben fol nach der ftet reht ze Aufpurch vnd nach dez landes reht Vnd fullen ich vnd min erben in vnd iren erben div vorgenant gute elliv ftaeten vnd vertigen vnd ir rehte gewern fin für alle Anfprache alz man fogtaniv gute vnd erblehen. durch reht ftaeten vnd vertigen fol nach difer ftet reht ze Aufpurch vnd nach dez landes reht. Vnd haun in darüber ze rehtem gewern gefetzt zu mir vnuerfchaidenlich den vorgenanten *Hainrichen* den *Stoltzhirs* minen fun burger ze Aufpurch mit der befchaidenhait ob in die vorgenanten Gute vnd miniv reht daran von iemend anfpreche würden mit dem rehten in den zilen vnd man fogtaniv gut vnd erblehen nach der ftet reht ze Aufpurch vnd nach dez landez reht ftaeten vnd vertigen fol dieselben Anfprache alle fol ich vnd der vorgenant Gewer vnd vnfer erben in ze hant vfrihten vnd entlöfen aun allen iren fchaden. Taeten wir dez niht fwaz fi der anfprache denn fchaden naemen. den fol ich vnd

der

der vorgenant Gewer vnd vnſer erben in auch ze hant allen abtun vſrihten vnd gelten aun allen chrieg vnd aun alle widerrede. Vnd dez ze einem waren vnd ſtaeten vrchunde gib ich in diſen brief verſigelt vnd geueſtent mit ſinem Inſigel a) daz daran hangt. Darunder ich vorgenanter *Heinr.* der *Stoltzhirs*, ſin ſun mich binde mit minen triwen war ze halten vnd laiſten ſwaz da vor geſchriben ſtat wan ich aigens Inſigels niht enhaun. Dez ſint geziug *Herbort Rüdigers* dez *Langenmantels* ſaelig tohterman *Hainr. Herbort* ſin bruder *Chunr.* der *Langenmantel* hern *Hanſen* ſaelig ſun. *Johans* der *Schongawer* vnd ander genug. Do daz geſchach. do zalt man von Chriſtes geburt driutzehen hundert iar vnd in dem vierden vnd viertzgoſtem Jar an dem maentag in der erſten vaſtwochen.

a) Sigillum illaeſum. Tab. II. N. X. inuenitur.

b) 22. Februarii.

Num. LXXVII. Venditio aduocatiae in Kizigkofen. Anno 1344.

EX ORIGINALI.

In Gotes namen Amen. Ich EBERHART von RORBACH Ritter vergihe vnd tun chunt offenlichen mit diſem brief für mich vnd alle min erben allen den die in anſehent oder hörent leſen. Daz ich mit verdahtem mute vnd mit guter vorbetrahtung vnd mit frawen *Beatrix* miner elichen wirtin. vnd anderr aller miner erben vnd friwnd rat gunſt vnd gutem willen mein vogtay, div ich hete vber ſant Vlricher hof ze *Oſtern Chutzenchouen*

zenchouen u) der da gehaizzen ift. dez *Pruggers* hof vnd den auch *Herman* der *Prugger* da bowt, div iaerclichen giltet drie vnd zwaintzig fchilling Aufpurger phenning ain fcheffel habern vnd ein hun vnd div auch min rehtes aigen waz. Vnd darzu der vorgenanten *Herman* den *Prugger* frawen *Kunigunden* fin wirtin *Margreten* ir baider tohter vnd elliv diu Kynde vnd erben diu hinna für ewiclichen von denfelben dreiu menfchen choment diu auch min rehtes aigen waren. Die felben vorgenanten vogtay vnd div drie menfchen vnd elliv div Kynde vnd erben div hinna für ewiclichen von in choment mit allen den rehten vnd nutzen clainen vnd grozzen. Als fi min vordern faelig ich felbe vnd min erben bizher an difen huitigen tag braht vnd genozzen haben für ledigiu vnuerchümmertiv. lüte vnd gute. vnd für rehtiv aigen friv vnd vnuogtbrw reht vnd redlichen verkauft vnd geben haun. den erwirdigen Geiftlichen herren — — dem Abte vnd gemainclichen Conuente dez clofters ze fant *Vlrich* vnd fant *Affren* ze Aufpurch vnd allen iren nachkomen ze habent vnd ze niezzend ewiclichen vnd geruwiclichen ze rehtem aigen. Vmbe fehtzig pfunt guter vnd gaeber Aufpurger phenning die ich berait von in darumb eingenomen vnd enpfangen haun vnd an minen vnd miner erben nutz gelaet haun. Vnd haben ich vnd fraw *Beatrix* mein wirtin vnd vnfer erben den vorgenanten herren — — dem Abte vnd dem Conuente gemainiclich vnd dem Gotzhus ze fant *Vlrich* vnd fant *Affren* ze Aufpurch vnd allen iren nachkomen die vorgenanten vogtay vnd die lute vnd elliv die Kynde vnd erben diu hinna für ewiclichen von in choment vnd der felben lute vnd irr Kynde libe vnd gute ze rehten aigen vfgeben mit frier hant vf des Ryches ftrazze. Vnd haun mich ir verzigen vnbetwungenlich vnd mit gelerten worten

ten Vnd verzihe mich offenlichen mit disem brief aller der rehte vnd nutze. die ich daran gehaben mohte oder wönt ze haben für mich vnd alle min erben vnd nachkomen, als man sich aigens vnd aigne lute durch reht vnd billich verzihen sol vnd als man ez vfgeben sol nach aigens reht vnd nach des landes reht. Also daz weder ich noch min wirtin noch dchain vnser erbe noch nachkomen fur baz ewiclichen nach der vorgenanten vogtay noch nach den obgenanten lute noch nach allen den Kynden vnd erben diu hinna für ewiclichen von in choment weder nach ir libe noch nach irem Gilte. chain reht noch chain Ansprache nimmer mer gehaben sullen noch enmügen weder mit geistlichem noch weltlichem rehten noch mit herren noch fryunde hilff noch mit chainerlei sache daz in vnd irem Gotzhus vnd allen iren nachkomen daran hinna für ewiclichen ze schaden chomen müge vnd mir vnd minen erben vnd nachkomen ze nutze vnd sullen wir auch fürbaz ewiclichen mit der vogtay noch mit den lüten noch mit ir libe noch mit ir gute nihtz mer ze tun noch ze schaffen haben weder mit Gerihte noch mit bestuiren noch mit dchainer andern sachen haimlich oder offenlichen. Vnd sunderlichen vergihe ich vorgenanten frawe *Beatrix* hern *Eberhartz* von *Rorbach* elichiv wirtin auch an disem brief daz der vorgeschriben chauf beschehen ist mit minen rat vnd mit miner gunst vnd gutem willen. vnd haun auch gelobt vnd gehaizzen mit minen trwen an eins rehten aides stat. daz weder ich noch anders niemen von minen wegen herren friwnde oder lantlüte auch fürbaz ewiclich nach der vorgenanten vogtay noch nach den lüten noch nach ir libe noch nach irem gute chain rehte noch chain Ansprach nimmer mer gehaben sol noch enmag weder von hamstwr noch von Morgengab noch von widerlegung noch von Erbscheft

scheft wegen noch mit dchainem andern sachen weder vor geistlichem oder weltlichem rehten vnd haun ich mich auch der vorgenanten vogtay vnd der Lüte vnd ir libs vnd ir gutes verzigen vnd haun si vfgeben mit sogtanen gelerten worten vnd in der wis. als sich ein frawe irr hainstwr Morgengab widerlegung vnd erbscheft an aigen vnd an aigenen lüten durch reht vnd billich verzihen vnd vfgeben sol nach des landes reht. Also daz div vorgenante vogtay vnd die lüte fürbaz ewiclichen dez vorgeschriben Gotzhouss vnd aller irer nachkomen rehtes aigen sint vnd min vnd miner erben vnd nachkomen niht. Vnd daz ich daz war vnd staet haltend vnd laistend sie dez bind ich mich ze vrchunde vnder div Insigel diu hernach geschriben staund. Vnd also sol ich *Eberhard* von *Rorbach* vnd min erben in vnd irem Gotzhous, vnd iren nachkomen die vorgenanten vogtay vnd die Lüte staeten vnd vertigen vnd ir rehte Geweren sin. für alle ansprach. als man aigen vnd aigen lüte durch reht staeten vnd vertigen sol nach aigens reht vnd nach des Landes reht vnd darumb haun ich in ze burgen gesetzt zu mir vnd minen erben vnuerschaidenlichen herrn *Swiggern* von *Mindelberch*, *Winharten* von *Rorbach* minen vettern Ritter. *Eberharten* von *Schönnegg* vnd *Chunraden* von *Haldenberg* mit der beschaidenhait ob in div vorgenant vogtay vnd die lüte von iemend anspreche würden mit dem rehten in den zilen vnd man aigen lüte nach aigens reht vnd nach des landes reht staeten vnd vertigen sol. oder ob si von mir oder von minen erben daran geirret wurden mit welchen sachen daz beschaehe die selben Ansprach vnd Irsälung alle sol ich vnd min erben vnd die vorgenanten burgen in ze hant nach irr manung in dem naehsten manot gar vnd gentzlichen vsrihten vnd entlösen nach dez landes reht aun allen iren schaden

den. Taeten wir des niht. so habent si gewalt die vorgenanten burgen alle darumb ze manen. Vnd die sullen in dann ze hant so si gemant werdent vnuerzogenlichen ein varen vnd laisten in der Stat ze Auspurch in eins erbern Gastgeben hous Aun geuaerd in rehter gisellscheft Vnd sullen mit ein ander nimmer vs der laistung chomen biz daz die vorgenanten herren vnd ir Gotzhus gar vnd gentzlich vsgeriht vnd entlöste werdent aller der Ansprach vnd Irsalung darumb si gemant habent vnd auch allez dez schadens dez si der Ansprach vnd der Irsalung aller genomen heten mit geistlichem oder weltlichem rehten. Gieng in auch in der frist vnd man aigen nach dez landes reht staeten vnd vertigen sol der vorgenanten burgen ainer oder mer ab von welhen sachen daz beschaehe dez got niht enweile so sol ich oder min erben in ze hant darnach in dem naehsten manot ie ain andern als guten burgen setzen den sie genement. Taeten wir des niht so havnd si gewalt der andern burgen zwen darumb ze manen die da beliben sint vnd die sullen in dann aber ze hant ein varen vnd laisten ze Auspurch in dem vorgeschribnen rehten als lang biz daz in ie ain ander als guter burge gesetzt werde als der in denn abgegangen ist, Wölten auch die burgen mit ir selbs liben niht laisten. so habent si gewalt ir ieclicher einen erbern Kneht mit einem pfaerde an sin stat in die laistung ze legen vnd sullen in die dann laisten in allem dem rehten als ob die burgen selb da waeren. Daz in daz allez staet vnd vnzerbrochen belibe. darumb haun ich in geben disen brief versigelt vnd geuestent mit minem Insigel vnd mit der vorgenanten burgen Insigel *b*) div elliv daran hangent. Do daz geschach do zalt man von Christes geburt driutzehenhundert Jar vnd darnach in dem

vierden

vierden vnd viertzgoſten Jar an dem naehſten Mentag nach ſant Ambroſius tag. c)

a) *Groſskitzighofen* in Capitulo Schwabmenching.

b) Sigilla omnia praeter *Winhardi* de *Rorbach*, illaeſa extant et T. II. N. XI, XII. T. III. N. I. occurrunt. c) 12. Aprilis.

Num. LXXVIII. Litterae reuerſales. Anno 1344.

EX ORIGINALI.

Ich LAZERIE von TRVNS vergich offenlich an diſem brief für mich vnd für mein Erben. Daz ich auf div gut vnd vogtay div ſand *Vlrihz* Gotzhaus von Auſpurch an gehörent vnd div gelegen ſint dátz *Truns* a) wie div wenant ſint es ſey gut vogtay oder laevt daz ich darauf chainerlaye anſprach niht han noch haben ſol mit dehainen ſachen fürpaz wan ſand Vlrichs Gotzhaus darvmb ein gut hantfeſt hat vermalen von meinen saeligen vater dem got genaedich ſey vnd ze ainem mereren weſtaetigung gib ich im diſen brief vnd peſtaet im da mit div voder hantfeſt div dez vorbenanten ſant Vlrichs gotzhaus dar vmb hat von meinen saeligen vater vnd ſol ich noch mein erben fürpaz auf div vorbenanten gut vogtay vnd Laevt gen ſand *Vlrichs* gotzhaus chain anſprach noch chain vingerzaig nymmer gehaben noch gewinnen mit worten noch mit werchen noch mit dchainen ſachen. vnd darvber ze einer vrchund der warhait ſo gib ich im diſen brief verſigilten mit *Sygiherts* dez *Chelben* anhangendem Inſigil im an ſchaden. wan er itz durch meinerpet willen an diſen brief gehanget hat. Dez ſint

 gezivch

gezivch her *Chvnr.* der *Helblinch* von Strasfrid her *Peter* von *Scheman.* h. *Fridreich* von *Planchirchen Chvnr.* der *Chamer* von ſand *Marteinsperg* vnd ander erbaer laevt genvch. Daz iſt geſchehen nach Chriſtez gepurt drivzehen hvndert iar darnach in dem vier vnd vierzigiſtem Jar dez Naechſten Maentags nach ſand Laerenzen Tag.

a) Truns in comitatu Tirolenſi.

b) Sigillum illaeſum Tab. III. N. II. occurrit.

Num. LXXIX. Conuentio cum monaſter. Weingartenſi. Anno 1344.

E x O r i g i n a l i.

CUNRADUS diuina miſeracione Abbas. Totusque Conuentus Mon. in *Wingarten* ordinis ſci. *Benedicti* Conſtant. Dyoceſ. Omnibus preſencium inſpectoribus ſubſcriptorum noticiam cum ſalute — — Nouerint vniuerſi quos noſcere fuerit opportunum quod nos noſtrum. que mon. ac venerabiles in Xpo — — Abbas et Conuentus Mon. ſanctorum *Vdalr.* et *Aufre.* in Auguſta prelibati ordinis. quo ad Mancipia infra ſcripta videlicet — — *Irmengardim* dictam *Kolerin* — — *Andream* et *Johem* filios eius. ac *Annam* — — *Adelheidem* — — *Elizabet* et *Vrſulam* filias ipſius nobis veſtrisque communiter pertinentia — — ac eciam quo ad ipſorum poſteritatem genitam ſeu in futurum procreandam, Societatem, vulgo ain *gemainde* in ſimul contraximus et iniuimus ac per preſentes contrahimus et inimus. ac contracta fore legitime publice profitemur — — In quorum

Euiden-

Euidenciam atque Robur inviolabile prefatis Abbati et Conuentui, presentes sigillis nostris a) tradimus communitas. Datum in Wingarten, Anno dni — — M.CCC.XL. quarto in die beate Katherine virginis.

a) Sigilla sunt illaesa.

Num. LXXX. Venditio iuris cuiusdam. Anno 1345.

EX ORIGINALI.

Ich THOMAN vnd ich GOTFRID von HASLACH geprüder Tven chvnt vnd verichent offenlich an disem brief allen den die in ansehent lesent oder hörent lesen. Vmb die genande vnd gewonhait, die vnsern vordern vnd wir gehebt habent von dem Erwürdigen gotzhus ze sant *Vlrich* vnd ze sant *Affren* ze Auspurch, das man vnsern vordern vnd vns alliärlich solt geben zwen polsterschuh von dem selben gotzhus von genanden vnd von dchainem reht, der selbo schuh ist vns an geuallen das fierden tail von gewonhait vnd och von genanden, die selben gewonhait vnd genanden haben wir geben ze chouffend dem vorgenanten gotshus mit allen rehten vmb sibenzehen schilling pfennig gäber vnd guter Chostentzer münzz, der wir nutzlich gewert sient. Vnd darvmb verzihen wir vns vnd alle vnser erben gen dem vorgenanten Gotshus aller der vorgenanten reht gewonhait vnd genande, die wir ie daran gewinnen an den vorgenanten Polsterschuchen oder noch haben mohtent es wär vff gaistlichem oder vff weltlichem geriht vnd an allen den steten da wir dem vorgenanten gotshus den vorgenanten chouff

mohten

mohten vberuaren oder gebrechen. Vnd verichent och das wir vnd vnser erben des vorgenanten gotshus reht geweren sulen sin vff allen rehten vmb den vorgenanten chouff, Vnd wär das dem vorgenanten Gotshus das vorgenant fierdentail der schuch, was die an gelt vnd an pfenningen bringen mohtent an chouff von iemant anspra̋chig wurde mit den rehten, darumb sulen wir das vorgenant gotshus verstan vnd versprechen vnd ledig machen an allen schaden vff allen rehten. Vnd des ze ainem waren vnd' stäten vrchund von vns vnd och von allen vnsern erben so geben wir dem vorgenanten Gotshus disen brief versigelt vnd geuestent mit vnsern aigenen Insigeln *b*) ze ainem waren vnd staeten vrchund alles des vnd da vorgeschriben stat, Der brief wart geben in dem Jar do man zalt von Christes geburt driutzehenhundert iar vnd darnach in dem funf vnd fiertzigosten iar in der Osterwocheh.

a) Jus pellicea et calceamenta hyemalia petendi a monasterio S. *Vdalrici* et S. *Afrae* plures familiae, et etiam officiales cathedralis ecclesiae et Episcopi gaudebant. V. M. B. VXXII I. p. 208.

b) Sigilla Tab. III. N. III. reperiuntur.

Num. LXXXI. Litterae reuersales censum concernentes. Anno 1345.

Ex Originali.

Ich Salme die Salmerin Priorin vnd mit mit der gemain Conuent dez Closter ze sant *Margareten a*) in der Staet ze Auspurch vergehen vnd tun kant offenlich an disen brief allen den

die

die in lesent sehent oder hörent lesen daz wir vnd all vnser nachkomen elliu iar iärclich vnd ewiclich schuldik sien vnd auch geben sullen den erbern vnd Gaistlichen mannen her *Chunraden* dem *Winkler* Abbt vnd gemainclich dem Conuent dez Closters ze sant *Vlrich* vnd sant *Afren* in der Stat ze Auspurch. allen den hawe zehenden der geuallen sol oder mag von vnsern anger der an dem Lech gelegen ist zwissen her *Chunratz* dez *Langen* saeliges anger vnd *Johans* des *Langenmantels* anger der anger vnser vnd vnsers gotzhus rehtes aigen ist. Vnd sullen auch dem vorgenanten Gotzhus ze sant *Vlrich* vnd sant *Afren* denselben zehenden elliu iar aun geuaerd vnd auch wenn si sin niht enbern wellent gar vnd gaentzlich geben. Vnd das daz dem vorgenanten gotzhus steit belib vnd vnzerbrochen wert geben wir in disen brief versigelten vnd geuestet mit vnserm Insigel daz daran hangot. Der brief wart geben do man zalt von Cristes geburt driutzehen hundert iar vnd darnach in dem fünf vnd vierzigostem iar an sant Peters tag. *b*)

a) Sigillum illaesum. Tab. III. N. IV.

b) S. Petri festum ad vincula prima Augusti. V. Helwig Zeitrechnung.

Num. LXXXII. Litterae reuersales. Anno 1345.

EX ORIGINALI.

Ich WILHALM von VILIBACH vergich vnd tun kunt an disem brief allen den die in lesent sehent oder hörent lesen daz ich verriht bin aller schach mit dem erbern Gaistlichen herren herrn hern *Vlrichen* dem Kuſter von ſant *Vlrich* vnd ſant *Afren* in der ſtat ze Auſpurch vmb daz gut daz ze *Rietzend* gelegen iſt vnd in dez vorgenantens Kuſters Kuſtrie gehört ze ſant *Vlrich* vnd ſant *Afren* ze Auſpurch mit der beſchaidenhait daz ich daz ſelb gut haben ſol von dem vorgenanten Kuſter ze ainem rehten hubreht all die wil ich leb vnd auch alle die wil ich ez verweſen mag vnd verdienen Vnd ſol auch im vnd allen ſinen nachkomen in die vorgenanten Kuſtrie ze ſant *Vlrich* vnd ſant *Afren* ze Auſpurch geben vnd antworten elliv iar iarclich von dem ſelben gut ze rehtem gelt zwiſchen ſant *Michels* tag vnd ſant *Martins* tag anderthalben ſchoffel roggen anderthalben ſchoffel habern fünf ſchilling pfennig vier hüner. taet dez niht, ſo ſol daz ſelb gut dem egenanten Kuſter oder ſinen nachkomen von mir vnd minen erben los vnd ledig ſin aun allen krieg vnd widerred Ez wer auch denn ob daz beſeich dez got niht enwell daz biſazz hagel oder lantznot kom ſo ſullen wir im die gnad tun die ander herren iren hinderſaſſen hinder im vnd vor in tunt Man ſol auch wizzen ſwenn ich niht enbin daz denn dez ſelb gut los vnd ledig ſol ſin von allen minen erben vnd nachkomen vnd ſullen fürbaz darnach kain Anſprach haben weder wenig noch vil wan alſ wen wir mügen gewinnen von ains Kuſters gnaden von ſant *Vlrich* vnd ſant *Afren* ze Auſpurch der rehtes aigen daz vorgenanten gut iſt. Vnd daz daz dem Kuſter dez egnanten gotzhus ze ſant *Vlrich* vnd ſant *Afren* vnd ſinen nachkomen ſtett belib vnd vnzerbrochen wert geben wir in diſen brief verſigelten vnd geueſtet mit min ſelbes Inſigel *Wilhalmes* von *Vilibach* mit mins Swehers Inſigel *Chunratz* dez *Schragen* vnd mit *Chunratz*. Inſigel von *Gablenbach* diu elliu driu daran gehangent. a) Vnd dez ſint geziug her *Johans* der *Schongawer Hainrich* der *Schongawer* vnd

vnd *Hainrich* der *Holl* burger ze Aufpurch vnd ander erberr lüt genug Daz geschach do man zalt von Christes geburt driuzehen hundert iar vnd in dem funf vnd vierzigostem Jar an sant Jacobes Abent.

a) De sigillis secundum sc. *Schragii* deest, primum et tertium Tab. III. N. V. VI. inueniuntur.

Num. LXXXIII. Venditio mancipiorum. Anno 1345.

Ex Originali.

Ich Adelhait *Hainrich* des *Münßärs* des Statammans ze Chempten säligen wirten. Tvn chvnt vnd vergich offenlich an disem brief allen den die in ansehent oder hörent lesen. Das ich mit gutem willen mit verdauhtem mut vnd reht vnd redlich hab ze chouffend geben den ersamen Lüten *Chunrat* dem *Härtzen* von *Greggenhouen* a) *Berchtolt Mesnaneh* burger ze Chempten, *Hainrich* dem *Weber* von *Uberch* an des Erwirdigen gotshus stat des gotshus ze Aufpurch sant *Vlrichs* vnd sant *Affren*, min lüt die hernach geschriben stant mit ir libe vnd mit ir gut — — des *Rötenbergers* des *Krägers* säligen svn, *Hainr.* *Wisßkopf* *Friderich* sinen Pruder vnd *Elisabeth* ir baider. swester, *Werinher* maister. *Wernhers* säligen svn von *Wangritz*. *Mähthilt* der *Hvmblin* tohter, vnd iriv Kint, die si hut ze tag hat, bi *Hansen* dem Smid von Ymendorf oder noch hernach gewinne vmb driutzehen pfund pfenning gäber vnd guter Chostentzer münz, der si mich nutzlich vnd gäntzlich gewert habent nach minen nutz vnd nach willen. Ich sol och derselbe lüt vnd gut ir vnd och des vorgenanten gotshus rehter gewer sin nach dem rehten, vnd och des chouffs, vnd hab in darvmb zv mir ze ainer merer vnd bezzer sicherhait reht vnd redelich vnd vnuerschaidenlich ze rehten gewern geben die ersamen lüt. hern *Hartman* von *Hirsdorf* Ritter, min lieb svn *Chunrat* vnd *Hainrich Chunrat Malsselstains* säligen svn, also vnd mit der beschaidenhait, ob in dieselben lüt vnd ir gut, von iemant ansprächig werdent mit dem rehten ee. das si besitzzent mit dem rehten darvmb sol ich vnd min geweren, si verstan versprechen vnd vsrihten, an allen iren schaden, baidiv vff gaistlichem vnd och vff weltlichem geriht, vnd si der ansprach ledig vnd los machen an allen schaden. Tätint aber wir des nit vnd müstent si sich selber verstan vnd versprechen chöment si da von in chainen redelichen schaden, oder ob in der selbe lüt oder gut iht an behebt wird mit dem rehten das sulen wir in vs rihten an allen iren schaden, vnd habent och vollen gewalt vns dar vmb ze nöten mit clag oder an clag vnd über alle puntnust vnd gesetzt vntz vff die stunde das in das gäntzlich wirt vsgeriht an allen schaden. Vnd hab in och dieselben lüt vnd ir gut vnd mit allen rehten geuertiget vnd in ir gewalt braht, mit des Erwirdigen herrn hant, Abt *Burchartz* des gotshvs ze Chempten, darnan si och durch reht lehen sint, mit der beschaidenhait, das si vnd ir Erben der selbo lüt vnd gvt, truiwe trager sulent sin, des vorgenanten Gotshus ze Augspurch sant *Vlrichs* vnd sant *Affren*. Vnd des ze ainen waren vnd offen vrchund von mir vnd von minen erben, vnd och von minen vorgenanten geweren, so gib ich den vorgenanten *Chunrat* dem *Hürtzen*, *Berchtolt Mesnanch*, *Hainr.* dem *Weber* iren erben, vnd och dem vorgenanten gotshus ze Augspurch sant *Vlrich* vnd sant *Affren*, disen brief versigelt vnd geuestent, mit des vorgenanten

genanten Abt *Burcharts* ze Chempten Insigel vnd mit mines gewereu Insigel hern *Hartmans* von *Hirsdorf b*) vnder div baidiv ich vnd och min svn vns willenclich vnd vnbetwngenlich gebunden habent mit vnsern triwen, alles das ze haltent vnd ze laistend vnd hie vorgeschriben stat. Wir BURCHART von Gotes genanden Abt ze Chempten veriehent an disem brief, das dirr chouff mit vnserm willen vnd mit vnser hant geschehen ist, vnd das och wir die selben lüt vnd ir gut mit den vorgenanten rehten verlihen habent vnd verlihent mit disem brief, vnd des ze vrchvnd so henchen wir vnser Insigel an disen brief, des chouffs vnd der sache sint geziug *Berchtols* der *Motzt*, *Hiltbrant* der *Jäger*, *Walther Löbelin*, *Herman* der Amman von Maisselstain, *Herman* der *Smid* da selbent, *Hainrich* der *Smide* da selbent, *Hainrich Tiuffelin* da selbent, *Johans Notze* der Schriber vnd sus vil erber lüt genug, die es sahent vnd horent. Der brief war geben in dem Jar do man zalt von Christes geburt Driutzehenhundert iar vnd dar nach in dem fünf vnd fiertzigosten iar nach sant *Turbans* tag an dem nähsten fritag.

a) V. Supra N. I.

b) Sigillum Hirsdorfii Tab. III. N. VII. occurrit.

Num. LXXXIV. Venditio decimarum Bobingae. An. 1346.

EX ORIGINALI.

Ich JACOB der STRELER burger ze Auspurch Tvn kunt allen den die disen brief ansehent, oder hörent lesen, daz ich mit

verdach-

verdachtem mut. vnd mit guter vorbetrahtung, vnd mit frawen *Adelhaid*. n miner wirtin vnd anderr miner Erben rat gunst vnd mit gutem willen miniv driv tail des zehenden der gelegen ist ze *Bobingen* den man iaericlich git vz dem hof den *Pratzler* da bowet ze Bobingen, vnd swaz av dem selben minen driu tailen gehört besuhtz vnd vnbesuhtz. die min rehtes Lehen gewesen sint von minem gnaedigen herren dem Bischof ze Auspurch. Vnd auch mit allen den rehten. vnd nutzen vnd ich die selben. driv tail mins zehenden mit nützlicher gewer herbraht, vnd genozzen han. reht vnd redlichen verkouft vnd geben. han. ze rehtem Lehen vnd für ain lediges fryes vnd vnbekümmertz gut. der erbern frawen *Agnesen der Hangenorin Marquartz* des *Hangenors*. saelig witiben burgerin ze Auspurch. vnd allen iren erben oder swem sis hinna für gebent verkouffent, schaffent oder lazzent ze haben vnd ze niezzen ewielichen vnd gerwiclichen vmb sehtzehen pfunt Auspurger pfenning minder fünftzehen pfenning, die ich berait von ir dar vmbe enphangen vnd ingenomen han. vnd an minen vnd miner erben nutz gelaet han. Vnd also han ich vnd min erben ir vnd iren erben div egenanten driv tail des zehenden vfgegeben in vnsers gnaedigen lehenherrens hant, vnd haben geschaft daz in Bischof HAINRICH ze Auspurch die driv tail des egenanten zehenden ze rehtem lehen verlihen hat. Vnd haben vns ir verzihen mit gelerten worten vnd verzihen vns offenlich mit disem gagenwürtigen brief für vns vnd. alle vnser erben aller der reht die wir daran gehabt haben oder wänten ze haben, als man sich lehens durch reht. verzihen vnd vfgeben sol nach lehensreht vnd nach des landes reht. Vnd also sol ich vnd min erben ir vnd iren erben. div driv tail des obgenanten zehenden staetigen. vnd vertigen für alle Anspraeche

vnd

vnd ir reht geweren sin, als man lehen durch reht staetigen vnd vertigen sol nach lehens reht vnd nach des landes reht. Vnd darvmb ze ainer merern sicherhait setz ich in zv mir ze ainem rehten geweren vnuerschaidenlich minen Swäger *Stephan* den *Becken* von Smiehun burgern ze Auspurch mit der beschaidenhait, ob in die driv tail des obgeschriben zehenden von iemant anspraeche wurden mit dem rehten vnd in den zilen als man lehen durch reht staetigen vnd vertigen sol. nach lehens reht vnd nach des landes reht die selben anspraeche alle sol ich min erben vnd min vorgenant gewer in zehant verrichten. vnd entlösen gar vnd gentzlichen an allen iren schaden. Taeten wir des nicht swaz si derselben anspraeche danne schaden nement denselben schaden sullen wir in allen abtun. vnd vsrichten avn allen krieg. vnd widerrede. Vnd daz daz also staet belibe vnd vnzerbrochen darvmbe gib ich in disen brief versigelten mit der Stat ze Auspurch Insigel vnd mit minem aigen Insigel div baidiv dar an hangend. *a*) So verbinde ich vorgenanter *Beck* von Schmiehun mich mit minen trwen in Aydes wyz vnder diser stat ze Auspurh gagenwirtiges Insigel alles daz staet ze halten vnd zehaben daz hieuor von mir in disem brief geschriben stat wann ich aigens Insigels nicht enhan. Des sint gezvge her *Chunrat* der *Waelser* her *Johans* der *Langenmantel* hern *Rudigers* saeligen svn. die do Burgermaister waren. her *Herbort*, her *Johans* der *Vögelin* hern *Wernhers* svn. her *Hainrich* der *Bache* vnd ander erber lüt genug. Der brief ist geben nach Christes geburt Drivtzehenhundert Jar vnd därnach in dem sehsten vnd viertzigosten Jar an sant Valentins tag. *b*)

a) Sigilla sunt nimis attrita. *b*) 14. Februarii.

Num. LXXXV.

Num. LXXXV. Venditio decimae Bobingae. Anno 1346.

EX ORIGINALI.

Ich *Johans* der *Straeler* von *Röhishouen* Tvn kvnt allen die disen brief ansehent, oder hörnt lesen, daz ich mit verdahten mut vnd mit guter vorbetrahtung vnd mit aller miner Erben vnd besten fründe rat gunst vnd gutem willen. min viertail des zehendes der gelegen ist ze *Bobingen* den man iaericlich git vz dem hof den *Pratzler* da bowet ze Bobingen vnd swaz zv dem selben minen viertaill gehort besuhtz vnd vnbesuhtz, daz min rehtes lehen gewesen ist von minem genaedigen heren dem bischof ze Auspurch, vnd auch mit allen den rehten vnd nutzen, vnd ich daz selbe viertail mins zehenden mit nutzlicher gewer her braht vnd genozzen han, reht vnd redlichen verkouft vnd geben han ze rehtem lehen, vnd für ain lediges fryes vnd vnbekummertz gut der erbern Frawen. Frawen *Agnesen* der *Hangenörin Marquartz* des *Hangnorr* saelig Witiben burgerin ze Auspurch vnd allen iren erben oder swem sis hinna für gebent verkouffent schaffent oder lazzent ze haben. vnd ze niezzen ewiclichen. vnd gerwiclichen vmb fünf pfunt pfenning vnd vmb dri vnd sehs schilling pfenning die ich berait von ir darvmbe enphangen vnd in genomen han, vnd an minen vnd miner Erben nutz gelaet han. Vnd also han ich vnd min erben ir vnd iren erben daz egenant viertail des zehenden vfgeben. in vnsers genaedigen Lehenherrens hant, vnd haben geschaft daz in Bischof *Hainrich* ze Auspurch daz viertail des egenanten zehenden ze rehtem lehen verlihen hat. vnd haben vns sin verzihen mit gelerten worten. vnd verzich mich offenlich mit disem gagenwirtigen brief für mich vnd alle min erben. aller der reht die wir daran gehabt haben oder wänten

ze

ze haben als man fich lehens durch reht verzihen vnd vfgeben fol nach lehens reht vnd nach des landes reht, vnd alfo fol ich vnd min erben ir vnd iren erben daz viertail des obgenanten zehenden ftaetigen vnd vertigen für alle Anfpraech, vnd ir reht geweren fin als man lehen durch reht ftaetigen vnd vertigen fol. nach lehens reht vnd nach des landes reht. Vnd darvmb ze ainer merem ficherhait fetzt ich in zv mir ze ainem gerehten geweren vnuerfchaidenlich minen lieben bruder *Jacob* den *Straeler* burgern ze Aufpurch mit der befchaidenhait, ob in daz viertail des obgenanten zehenden von iemant anfpraeche wurden mit dem rehten vnd in den zilen als man lehen durch reht ftaetigen vnd vertigen fol nach lehens recht vnd nach des landes reht die felben Anfprache alle fol ich min erben vnd min vorgenanter gewer in ze hant verrihten. vnd entlöfen gar vnd gantzlichen avn allen iren fchaden: Taeten wir des nicht fwaz fi derfelben anfprache danne fchaden nement den felben fchaden fullen wir in allen abtun vnd vfrihten avn allen chrieg vnd widerrede. Vnd daz daz alfo ftaet belibe, vnd vnzerbrochen darvmbe gib ich difen brief verfigelten mit minem aigen Infigel vnd mit mins vorgenanten bruders vnd gewerens Infigel div baidiv daran hangent. *a*) Des fint gezuge her *Chunrat* der *Waelfer* her *Johans* der *Langenmantels* hern *Rudigers* des *Langenmantels* faeligen fvn die do burgermaifter waren. her *Herbort*. her *Johans* der *Vögelin* hern *Wernhers* fvn. her *Hainrich* der *Bache*, vnd ander Erber lüt, genug. Der brief ift geben nach Chriftes geburt Drivtzehen hunder Jar vnd darnach in dem fehften vnd viertzigoften Jar an fant Valentins tag.

a) Primum Sigillum Tab. III. N. VIII, exhibitum eft illaefum; fecundum periit.

Num. LXXXVI.

Num. LXXXVI. Recognitio curiae August. Anno 1346.

EX ORIGINALI.

Nos Judices Cur. Aug. recognoſcimus et conſtare volumus preſentium inſpectoribus vniuerſis. Quod *Hainricus* dictus *Rüplin* ciuis Auguſten. conſtitutus coram nobis confitebatur pro ſe *Guta* ſua vxore, et ſuis heredibus, quod in ſubſcriptis bonis ſitis in *Rainwiler* pertinentibus Monaſterio ſanctorum *Vdalrici*, et *Afre* in Aug. pleno iure nil plus iuris ipſis competat quam infra ſcripto inſtrumento plenius continetur. Wir *Chunrad* von Gotz genaden Abbt, her *Berchtold* der Prior, vnd mit vns der gemain Conuent dez Cloſters ſant *Vlrich* vnd ſant *Afren* in der ſtat ze Auſpurch. veriechen vnd tvn kunt offenlich, an diſem brief allen die in leſent ſehent oder hörent leſen, daz wir mit gemaynen raut, vnd mit guter vorbetrachtung, da wir alle in vnſerm Capitel ze ſamen komen, reht vnd redlich verlichen haben der erbern vnd beſchaiden frawen frawen *Guten* der *Rüplinin* hern *Hainrichs* des *Rüplins* Wirtin burger ze Auſpurch. vnſer gut daz gelegen iſt ze *Rainwiler* daz ie vnſer vnd vnſers gotzhus rehtz aigen geweſen iſt, mit allem dem, daz darzu gehört, ez ſi ze dorf, ze veld, an Aekkern, an wiſmat, an holtzmarch, oder ſchwa ez gelegen ſi, ze ir ſelbes aynigen lip, daz iſt der vorgenanten *Guten* der *Rüplinin* lip, mit der beſchaidenhait, daz ſi vns vnd vnſerm gotzhus, elliv iar da von geben ſol, vier ſcheffel roggen, Auſpurger mezz als ez von alter her komen iſt. Man ſol auch wizzen, wenn die vorgenant *Gut* die *Rüplinin* nit eniſt, alſo daz ſi dot iſt, daz denn daz vorgenant gut, vns vnd vnſerm Gotzhůs los vnd ledig ſol ſin, von allen iren erben avn allen krieg, vnd widerred. Vnd daz ir daz alſo ſtaet belib, vnd niht vergezzen

werd

werd, geben wir ir disen brief versigelt, vnd geuestent, mit vnserm, vnd vnsers Conuentz Insigel, div baidiu daran hangent. Dez sint geziug her *Chunr.* der *Bart* vnser Custer, her *Rudiger Banwolf* vnser Oblaier, her *Renhart* der *Fuhs*, her *Johans* von *Vischach* Priester vnd Herren vnsers Conuentz. her *Johans* der *Langenmantel*, her *Chunrad* der *Minner* burger ze Auspurch. vnd ander erberr Lüt genug. Daz geschach do man zalt von Christes geburt driuzehen hundert iar vnd darnach in dem sechs vnd viertzigostem iar, an dem naechsten Frytag vor dem Palm tag. *a*) In cuius recognicionis euidenciam presentes dedimus sigillo nostro *b*) fideliter roboratas. Datum et Actum Auguste anno predicto. X. Kln. Maii.

a) Septima Aprilis. *b*) Sigillum curiae illaesum.

Num. LXXXVII. Venditio hubae in Finningen. An 1346.

Ex Originali.

Ich Vlrich der Schenk von *Witeslingen*. mit mir. *Elzbeth.* min elichiu husfrau. veriehen offenlichen an disem brief fur vns. vnd alle vnser erben. vnd tun kunt. allen den. di disen brief sehent. lesent. oder hörent lesen. Daz wir reht. vnd redlich. verkauft haben vnd ze kauffen geben haben. Dem Erberen beschaiden man. *Chunraden* von *Ersslingen*. vnd allen sinen Erben. vnser hvb. ze *Herunfinningen a*) gelegen. di da selbs but *Hainrich* in der hub vnd swaz darzv gehört. besuht. vnd. vnbesuht. in dorf. vnd in velde. ze holtz. ze waser. ze wisen.

vnd ze waid. mit allen rehten. nutzen. vnd gewonheiten. di darzv gehörent. für an rehtz ledigs lehen. vmb niuntzg phvnt geber vnd guter haller. der er vns. gentzlich. vnd gar gewert hat. Wir sulen im. vnd sinen erben. auch di vor benenten hvb. steten. vnd vertigun. mit dem rehten. wau siu in ansprech wirt. es si von gaistlichem. oder weltlichem geriht. nach des landens reht. alz sitlich. vnd gewonlich ist. vnd alz lehens reht ist. Tetten wir. oder vnser erben des nit. also in den weg. wer ob es ze schulden köm. Daz div obgenant hvb. von iemen ansprech. oder geirt wurd. vertreten. vnd rihten wir. dann im. oder sinen erben vngeuarlichen. vnd aun alles verziehen nit gentzlichen vss. diselben ansprach. vnd irrung mit dem rehten. swenn wir sint ermant worden. dar nach ze hant in dem nehsten manod. so hat er. oder sin erben. vns oder vnser erben. vollen gewalt an ze grifen. an vnsern lüten vnd gvten. vnd gewalt. vns ze nöten vnd ze phfenden. swau si hin went. alz lang. vnd alz vil. bizz in. mit dem rehten vssgeriht wirt. wau siu diu obgenent hvb. ansprech ist worden. ich obgenantiu *Elzbeth*. verzich mich auch an disem brief. aller der ansprach. vnd alles des rehten. Daz ich bizz her gehebt han. oder fürbaz gehaben solt han. baidiu von miner hainstiur. vnd morgengaub wegen. hintz der vorgeschriben hvb. Wann daz ich. di benenten hvb reht vnd redlich. verkaft han. mit minem obgenanten wirt. *Vlrichen* dem *Schenken*. für vnser baider erben ietwedrunt halb für an rehtz ledigs lehen, alz vor geschriben stat. Daz ditz alles. also. stet. gantz. vnd waur blib. des gib ich. vorbenenter *Vlrich Schenk*. mit mir. min obgenantiu wirten *Elzbeth*. im dem vorgeschriben *Chunraden Ereslingen*. vnd allen sinen erben mit vnser baider Insigel *b*) versigelten. Disen brief der geben ist. nach Cristes geburt. driuzehen hvndert Jar

vnd

vnd in dem fehs vnd viertzgoften Jar. an dem nehften Samstag. vor fant. Vites tag. c)

a) Herren - feu - Vnterfinningen in praefectura Hoechftad.
b) Sigilla funt illaefa. c) Decima Junii.

Num. LXXXVIII. Venditio Curiae in Wengen. Anno 1347.

Ex Originali.

In Gotes namen Amen. Ich Wilhalme von Vilibach. vnd ich Nyclaus von Vylibach fin bruder *Claufen* von *Vylibach* faeligen fun veriehen offenlichen an difem brief vor allen den die in anfehent oder hörent lefen Daz wir mit veraintem mute vnd guter vorbetrahtung vnd mit rat willen vnd gunft frawen *Margreten* min vorgenanten *Wilhalms* von *Vilibach* elichiv wirtin vnd anderr aller vnferr erben vnd beften friund, vnfern hof der gelegen ift datz *Wengiv* a) den — — der *Mülich* da bowt vnd iaerlichen gilt vier fchöffel roggen, dire fchöffel habern, ain metzen öls Aufpurger mezze zehen fchilling Aufpurger pfenning ze wifgelt, drie fchilling pfenning für käs zwaygens aht hüner hundert ayer vnd zwelf pfenning ze wifat. Vnd vnfer hub datz Wengiv die auch der vorgenant *Mülich* da bowt vnd iaerlichen gilt anderthalben fchöffel Roggen, anderthalben fchöffel habern Aufpurger mezze vier fchilling Aufpurger pfenning fünftzig Ayer vnd fehs pfenning ze wifat div gut baidiv vnfer rehtes aigen waren, vnd fwaz auch zu den vorgenanten Guten baiden gehört in dorff oder ze veld an aekkern an wisen, an wazzer an waid, an holtz an Geraeut' ze wegen ze prugg oder ze Stegen besuhtz vnd vnbesuhtz swie ez gehaizzen ist, ez si an disen brief benennt oder niht mit allen dem rehten vnd nutzen, vnd diensten vnd gülten, vnd si geltend mit clainem vnd mit grozzem vnd mit besetzen vnd entsetzen, mit vasnaht hünren vnd mit aller gemainsamin, als si vnser vor dem saelig vnd wir mit nutzlicher gewer, von reht vnd gewonhait biz her vf disen hiutigen tag braht gehabt vnd genozzen haben für ledigiv vnuerchummertiv friv vnd vnuogtbaeriv Gut vnd ain rehtes aygen reht vnd redlichen verchauft vnd geben haben, dem erbern mann *Hainrichen* dem *Pregler* burger ze Auspurch frawen *Agnesen* siner elichen wirtin. vnd allen iren erben vnd nachkomen ze rehtem aygen oder swem sis hinna für gebend verchauffent schaffent oder lazzent ze habend vnd ze niezzend ewiclichen vnd geruwiclichen vmb hunndert pfunt pfenning saehtzehen schilling vnd zehen pfenning guter vnd gaeber Auspurger pfenning die wir berait von in darumb in genomen vnd enpfangen haben vnd an vnsern vnd vnserr erben nutz gelaet haben, Vnd haben wir vnd vnser erben. dem obgenanten *Hainrichen* dem *Pregler* frawen *Agnesen* siner elichen wirtin, vnd allen iren erben vnd nachkomen, div vorgenanten gut baidiv, vnd swaz darzu gehört ze rehtem aygen vfgeben mit frier hant vf dez Richs strazze vnd haben vns ir verzigen vnbetwngenlichen vnd mit gelerten worten, vnd verzihen vns offenlichen mit disem brief aller der reht vnd nutze, die wir daran gehebt haben oder waunden ze haben für vns vnd alle vnser erben vnd nachkomen, als man sich aigens durch reht vnd billichen verzihen sol, vnd als man ez vfgeben sol nach aygens reht vnd nach dez Landes reht vnd gewonhait. Also daz wir noch dchain

vnser

vnser erben noch nachkomen furbaz ewiclichen chain reht noch chain ansprach, darnach nimmer mer gehaben sullen noch en. mügen weder mit gaistlichem noch weltlichem rehten noch mit herren noch friund hilff noch rat, noch mit chainerlay sache, daz in vnd allen iren Erben vnd nachkomen daran hinna für ewiclichen ze schaden komen müg vnd vns vnd vnsern erben vnd nachkomen ze nutze. Vnd sunderlichen vergihe ich vorgenantiv *Margret Wilhalms* von Vilibach elichiv wirtin auch an disem brief daz der vorgeschriben chauff beschehen ist mit minem rat vnd mit miner gunst vnd gutem willen, vnd haun auch gelobt vnd gehaizzen mit minen trwen an ains rehten aydes stat daz weder ich noch anders niement von minen wegen herren friund oder Lantlüte fürbas ewiclichens nach den vorgenanten Guten baiden noch nach elliv div Vnd darzu gehört chain reht noch chain Ansprach nimmer mer gehaben sol noch enmag weder von hainstiwr noch von Morgengab, noch von widerlegung, noch von Erbschaeft wegen, noch mit dchainen andern sachen, weder vor Gaistlichem noch weltlichem rehten, vnd haun ich mich auch der vorgenanten Gut baider, vnd swaz ich rehtz oder nutzs daran hett oder waund ze haben gentzlichen vnd gar verzigen. vnd haun si vfgeben vf des Richs strazz, mit sogtanen gelerten worten, Vnd in der wis, alz sich ain frawe ir hainstiwr, Morgengab, widerlegung oder Erbscheft an aygen durch reht vnd billichen verzihen vnd vfgeben sol nach dez landes reht vnd gewonhait also daz div vorgenanten Gut vnd swaz darzu gehört fürbaz ewiclich *Hainrichs* des *Preglers* frawen *Agnesen* siner elichen wirtin vnd aller ir Erben vnd nachkomen rehtes aygen sint vnd min vnd miner erben vnd nachkomen niht Darzu sullen wir die vorgenant *Wilhalm* vnd *Nyclaus* von *Vilibach* noch dchain vnser erben

noch

noch nachkomen auch fürbas ewiclichen mit dem vorgenanten Guten baiden, noch mit elliv div vnd darzu gehoret noch mit den läten die daruf sitzent nihtz mer ze tun noch ze schaffen haben weder mit bestiwrn noch mit Geriht noch mit vogtreht noch mit dchainen andern diensten, oder rehten innrehalben dez Ethers oder vsserhalben, Vnd also sullen wir vnd vnser erben in vnd iren erben div vorgenanten Gut baidiv vnd swaz darzu gehört staeten vnd vertigen vnd ir reht Geweren sin, für alle ansprach, Als man aygen durch reht staeten vnd vertigen sol nach aygens reht vnd nach dez landes reht vnd gewonhait Vnd darumb haben wir vnd vnser erben in vnd iren erben ze Burgen gesetzt *Chunraden* den *Schragen* von Emersacher vnsern Sweher, *Syfriden* von *Vilibach* gesezzen ze Vilibach, vnd *Aulbrehten* von Vilibach *Hegans* saeligen sun alle vnuerschaidenlichen vnd mit der beschaidenhait ob in div vorgenanten Gut baidiv oder in antweders vnd swaz darzu gehört von iemend ansprech wurden mit dem rehten in den zilen vnd man aygen durch reht staeten vnd vertigen sol nach aygens reht vnd nach dez landes reht vnd gewonhait, oder ob si von vns oder von vnsern erben daran geirt wurden mit welchen sachen daz beschaeh die selben Ansprach vnd Irsalung alle sullen wir vnd vnser erben vnd die vorgenanten Burgen in ze hant nach ir manung in dem naehsten manot gar vnd gentzlichen vsrihten vnd entlösen nach dez landes reht aun allen iren schaden. Taeten wir dez niht so habend si oder ir erben gewalt die vorgenanten burgen alle darumb ze manen, swenn si wend, vnd swann die gemant werdent so sullen si in ze hant vnd vnuerzogenlichen in varen in die Stat ze Auspurch in ains erbern Gastgeben hous vnd sullen in darinnen laisten aun geuaerd in rehter Gysel-

scheft,

scheft, vnd sullen alle mit anander nimmer vz der laistung komen, biz daz *Hainrich* der *Pregler* frawe *Agnes* sin elichiv wirtin vnd ir erben gar vnd gentzlichen vsgeriht vnd entlöst werdent aller der Ansprach vnd Irsalung darumb si gemant habend, vnd alles dez schadens dez si der Ansprach vnd der Irsalung aller genomen hetten mit Gaistlichem oder weltlichem rehten. Waer auch daz die Burgen mit ir selbs liben niht laisten wölten oder mohten, so habend si gewalt ir iecliecher ain erbern Kneht mit ainem pfaert an sin stat in die laistung ze legen vnd sullen in dann die laisten in allem dem rehten als ob die Burgen mit ir selb liben da waeren. Waer auch daz in die vorgenant Burgen niht ze hant nach irr manung laisten in allem dem rehten, als da vorgeschriben stat, so habend si oder ir erben vollen gewalt vnd reht, vns vnd die vorgenanten burgen alle darumb ze nöten vnd ze pfenden an vnsern lüten vnd guten, wre oder wa si mügen vf dem Land oder in steten, aun alle clag vnd aun alles reht, vnd si oder swer in dez hilfft, tund daran niht wider vns noch wider dchainen geriht noch wider dem Lantfrid, vnd der Buntnuzze die heren vnd stet ietzunt gesetzt habend oder fürbaz setzent vnd mügen daz wol tun als lang vnd als vil biz daz in alles daz vsbraht vnd volfürt wirt daz da vorgeschriben stat. Waer auch daz der vorgenanten bürgen ainer oder mer sturben dez Got niht enwelle oder von dem land furen in der frist vnd in den Zilen vnd man aygen nach dez Landes reht staeten vnd vertigen sol, so sullen wir oder vnser erben in ze hant darnach in dem naehsten manot ie ain andern als guten vnd als schidlichen Burgen setzen als der in abgegangen ist. Taeten wir dez niht so habend si gewalt, die andern da beliben Burgen ze manen, vnd die sullen in denn aber ze hant in varen vnd laisten ften in der ftat ze Aufpurch in dem vorgefchriben rehten alz lang biz daz in ie ain ander als guter Burg gefetzt werd, alz der in abgegangen ift. Daz in daz alles ftaet vnd vnzerbrochen belibe, darumb haben wir in geben difen brief verfigelt vnd geueftent mit vnfern vnd der vorgenanten Burgen Infigeln div elliv daran hangent *b*) Darunder ich vorgenantiv *Margret Wilhalms* von *Vilibach* elichiv wirtin mich bind mit minen trwen war ze halten vnd ze laiften fwaz da vorgefchriben ftat. Vnd wir die vorgenanten Burgen veriehen auch der vorgefchriben Burgfcheft alle vnuerfchaidenlichen an difem brief vnd geloben bi vnfern guten trwen, alles dez ftaet ze halten vnd auch ze volfüren vnuerzogenlichen fwaz hie vor von vns gefchriben ftat, vnd haben dez ze vrchund vnfer ieclich fin Infigel an difen brief gehangen. Dez fint geziug der Pfarrer von Weftendorff *Sytz* der Maier, *Vlrich* der Judenfchriber, *Herman* der *Muntzinger*, *Syfrit* der *Gailfus*, *Vlrich Epfenhoufen* vnd anderr erber lüt genug. Do daz gefchach do zalt man von Chriftes geburte Driutzehenhundert Jar vnd in dem Sibenden vnd viertzgoftem Jar an fant Mathyas abent dez zwelfpoten.

a) Weigen. *b*) Sigilla quatuor priora attrita, quintum deeft.

Num LXXXIX. Renuntiatio iuris patronatus. Anno 1347.

EX ORIGINALI.

Ich ARNOLD der KAMERER von *Wellenburch* Ritter vergich für mich vnd alle min erben vnd tun chunt offenlich mit difem brief allen den die in lefent fehent oder horent lefen vmb die Lehen-

Lehenſchaft dez Kirchenſatz ze *Wiht a*) die Kirch hie ze Auſpurch in dem Biſtum gelegen iſt. Daz ich vnd min erben vns dar vmb gar vnd gantzlich erkent haben mit der beſchaidenhait daz ich vnd all min erben vnd auch min vordern kainiu anſprach vnd reht an der ſelben lehenſchaft dez ſelben Kirchenſatz niht enhaben ſullen noch nie gehabt haben ſiet der zit alſ ſich min vodern verzigen der ſelben reht von der ſelben lehenſchaft wegen der ſelben Kirchen ze Wiht. Ich vergich auch mit diſem offen brief ſwaz ich han getan gein *Herman* von *Wal* gen ſinem ſun vnd gen ſinem Vetern dem Chorherren von Auſpurch genant von *Wal* von der lehenſchaft wegen der ſelben vorgnanten Kirchen ze Wiht daz ich daran niht reht getan han. Wan ich daz han getan mit gewalt freuentlich vnd aun reht Vnd wan ich min vodern vnd min erben an der ſelben lehenſchaft dez vorgnanten Kirchenſatz nie kain reht gewinnen noch kain reht gehebt haben noch in kainer ſtillen gewer weder ich noch min vodern noch min erben nie geweſen ſien die vorgnanten Kirchen ze Wiht ze verlihen vnd auch noch in kainer gewer ſien Vnd wan ich vnd min erben ſennlichiv vrkund geſehen haben die der Abbt vnd daz Gotzhus ſant *Vlrihs* vnd ſant *Afren* ze Auſpurch vmb die ſelben lehenſchaft dez ſelben Kirchenſatz inn haut Vnd auch ſin wol vnderwiſet ſien vnd vns ſin ervarn haben Vnd auch dar vmb daz mir daz vnd minen vodern vnd auch minen erben an vnſerr aller ſel kainen ſchaden bringen müg noch enthunn So wider tun ich für mich vnd alle min erben vnd vodern Vnd wider ruff die ſelben lehenſchaft der ſelben Kirchen ze Wiht die lehenſchaft ich aun reht getan han *Hermans* ſün von *Wal* vnd ſinem vetern dem Chorherren von *Wal* ze Auſpurch der *Hermans* ſun von *Wal* die ſelben Kirchen tragen ſolt han Vnd wider tun auch die ſelben lehenſchaft der ſelben Kirchen ze Wiht mit worten vnd mit werchen alſ ez denn aller beſt nach Gaiſtlichem vnd nach weltlichem rehten Kraft mag gehaben Vnd darvmb erkenn ich mich vnd alle min erben mit mit diſem offen brief daz div vorgenant lehenſchaft vnd der Kirchenſatz der oftgnanten Kirchen ze Wiht diu kirch hie in dem Biſtum ze Auſpurch gelegen iſt niemant anderz zu gehört mit aller ehaftin vnd mit allem rehten vnd gewalt die ſelben vorgnanten Kirchen ze Wiht ze verlihen denn dem Gotzhus vnd dem Abbt ze ſant *Vlrich* vnd ſant *Afren* ze Auſpurch die den ſelben Kirchenſatz vnd die lehenſchaft lang zit her in guter nutz vnd gewer braht habent Vnd daz daz dem vorgnanten Gotzhus ſteit belib vnd vnzerbrochen wert gib ich im diſen brief verſigelten vnd geueſtct mit minem Inſigel daz daran hangot. *b*) Dez ſint geziug her *Hainrich* der *Stoltzhirs* her *Chunrat* von *Munchen Hainrich* der *Stolzhirs* ſiner Tohtherman burger ze Auſpurch vnd anderr erberr lüt genug. Daz geſchach do man zalt von Chriſtes geburt driutzehen hundert Jar vnd darnach in dem ſibenden vnd vierzigoſtem iar an vnſer frawen tag alſ ſi geborn wart.

a) *Weiht.*

b) Sigillum optime conſeruatum Tab. III. N. IX. repraeſentat.

Num. XC. Venditio Curiae in Wengen. Anno 1348.

EX ORIGINALI.

In Gotes namen Amen. Ich *Wylhalms* von *Vylibach* vnd ich *Nyclaus* von *Vylibach* ſin bruder geſezzen ze Ryetzent Veriehen

vnd

vnd tun kunt offenlich an disem brief allen den die in ansehent oder hörent lesen. Daz wir mit veraintem mute vnd guter vorbetrahtung vnd mit rat willen vnd gunst, frawen *Margreten* min vorgenanten *Wylhalms* von *Vylibach* elichiv wirtin vnd anderr aller vnserr erben vnd besten friund, vnsern hof der gelegen ist, datz Wengiv a) den *Vlrich* der *Wundrer* da bowet vnd iaericlichen giltet vier schöffel Roggen vier schöffel habern Auspurger mezze zehen schilling Auspurger pfenning, zwu Gens, aht Hünre, hundert ayer vnd zwelf pfenning ze wisat der vnser rehtes aygen was, vnd swaz darzu gehort in dorff oder ze veld an aeckern, an wisen, an wazzer, an waid, an holtz, an getaut, besuhts vnd vnbesuhts, swie es gehaizzen ist, Es si an disem brief benennt oder niht, mit allen rehten vnd nutzen, vnd er gilt mit clainem vnd grozzen, vnd mit besetzen vnd entsetzen, vnd als in vnser vordern saelig vnd wir mit nutzlicher gewer, von reht vnd gewonhait, biz her vf disen hiutigen tag, braht, gehebt, vnd genozzen haben für ain ledigs vnuerkümmerts fries, vnd vnuogtbaers Gut vnd ain rehtes aygen reht vnd redlichen verkauft, vnd geben haben dem erbern mann *Chunraden* dem *Vytel* burger ze Auspurch, frawen *Annen* siner elichen wirtin, vnd allen iren Erben vnd nachkomen ze rehtem aygen oder swem si in hinna für gebent verkauffent, schaffent oder lazzent ze habend, vnd ze niezzend ewiclichen vnd geruwiclich vmb funf vnd Nyuntzg pfunt guter vnd gaeber haller, die wir berait von in darumb enpfangen haben, vnd an vnsern vnd vnserr erben nutz gelaet haben. Vnd haben wir vnd vnser erben in vnd allen iren erben vnd nachkomen, den vorgenanten hof, vnd swaz darzu gehört, ze rehtem aygen vf geben mit frier hant vf des Reychs strass, vnd haben vns sin verzigen.

 vnbet-

vnbetwungelichen. vnd mit gelerten worten, vnd verzihen vns offenlichen mit disem brief, aller der reht vnd nutze. die wir daran hetten, oder wönden ze haben, für vns, vnd alle vnser erben vnd nachkomen als man sich aygens durch reht vnd billich verzihen sol, vnd als man es vfgeben sol, nach aygens reht vnd nach dez landes reht vnd gewonhait Also daz wir noch dchain vnser erben noch nachkomen furbas ewiclichen, chain reht noch chain ansprach, darnach nimmer mer gehaben sullen, noch enmügen weder mit Gaistlichem, noch weltlichem rehten, noch mit herren noch friund hilff noch rat noch mit chainerlay sache. Vnd sunderlichen haun ich vorgenantiv *Margret Wilhalms* von *Vylibach* elichiv wirtin, auch gelobt vnd gehaizzen mit minen trwen in aydes wis, daz weder ich, noch dchain min erben, noch anders niement von minen wegen. fürbas ewiclichen nach dem vorgenanten hof, noch nach elliv div vnd darzu gehört, chain reht noch chain ansprach nimmer mer gehaben sol noch enmag, weder von hainstiwr noch von Morgengab noch von widerlegung, noch von Erbscheft wegen. noch mit dchainen andern sachen, weder vor gaistlichem noch weltlichem rehten, vnd haun ich mich auch des vorgenanten hofs verzigen vnd haun in vfgeben vf des Reychs strazze mit sogtanen gelerten worten vnd in der wis als sich ain frawe irr hainstiwr Morgengab, widerlegung vnd erbscheft an aygen durch reht vnd billich verzihen vnd vfgeben sol nach des landes reht vnd gewonhait vnd bind mich dez ze vrkund vnder div Insigel div hernach geschriben staund. Vnd also sullen wir vnd vnser erben in vnd iren erben den vorgenanten hof vnd swaz darzu gehört staeten vnd vertigen. vnd ir reht Geweren sin für alle ansprach. Als man aygen durch reht staeten vnd vertigen sol, nach aygens reht vnd

nach

nach dez landes reht vnd gewonhait Vnd darumb haben wir in vnd iren erben ze burgen gesetzt zu vns vnd vnsern erben vnnerschaidenlichen *Chunraden* den *Schragen* von Emersaker vnsern Sweher *Aulbrehten* den *Schragen* sinen sun vnsern Swager, vnd *Aulbrehten* von *Vylibach* genantz *Hegow*, mit der beschaidenhait, ob in der vorgeschriben hof, vnd swaz darzu gehört von iement ansprech wurd mit dem rehten in den zilen vnd man aygen durch reht staeten vnd vertigen sol nach aygens reht, vnd nach dez landes reht vnd gewonhait, oder ob si von vns oder von vnsern Erben daran geirrt wurden, mit welhen sachen daz beschaehe. die selben ansprach vnd Irsalung, der si ainiv oder mer sullen wir vnd vnser erben vnd die vorgenanten burgen in ze hant nach irr manung in dem naehsten manot gar vnd gentzlichen vsrichten vnd entlösen nach dez landes reht aun allen iren schaden. Taeten wir dez niht so habend si gewalt die vorgenanten burgen alle darumb ze manen swenn si wend, vnd swann die gemant werdent, oder als manger ir gemant wirt, die sullen in ze hant vnd vnuerzogenlichen in varen in die stat ze Auspurch in ains erbern Gastgeben hous. vnd sullen in darinne laisten aun geuaerd in rehter Gyselscheft, vnd welher selb niht laisten wölt, der sol ain erbern Kneht mit ainem pfaert an sin stat in die laistung legen vnd sullen also nimmer vs der laistung komen byz daz *Chunrat* der *Vytel* frawe *Anna* sin wirtin vnd ir erben gar vnd gentzlichen vsgeriht vnd entlöst werdent aller der ansprach vnd Irsalung, darumb si gemant habend, vnd auch allez dez schadens dez si der ansprach vnd der Irsalung aller genomen hetten mit Gaistlichem oder weltlichem rehten. Waer auch daz in die vorgenanten Burgen niht ze hant nach irr manung laisten als vor ist geschriben so habend si gewalt vns vnd vnser erben vnd die vorgenant burgen alle darumb ze nöten vnd ze pfenden an Lüten vnd an guten wa si mügen vf dem Land oder in steten aun aile clag vnd aun alles reht vnd tund daran niht wider dehainen Geriht noch wider dem Lantfrid. vnd mügen daz wol tun als lang vnd als vil, biz daz in alles daz vsbraht vnd volfürt wirt, daz da vorgeschriben stat. Gieng in auch in der frist vnd man aygen nach dez landes reht vertigen sol der vorgenanten burgen ainer oder mer ab von welhen sachen das beschaehe dez Got niht enwelle oder von dem Land furen so sullen wir oder vnser erben in ze hant darnach in ainem manot ie ain andern als guten burgen setzen als der in abgegangen ist. Taeten wir oder vnser erben dez niht, swelh ander da beliben burgen si denn darumb ermanent die sullen in ze hant aber in varen vnd laisten in der Stat ze Auspurch in dem vorgeschriben rehten als lang biz daz es beschiht. Daz ir daz alles staet vnd vnzerbrochen belibe darumb haben wir in geben disen brief versigelt vnd geuestent mit vnsern vnd der vorgenanten burgen Insigeln div elliv daran hangent *b*) Do daz geschach do zalt man von Christes geburt Driutzehen hundert Jar vnd darnach in dem Aht vnd viertzgosten Jar an sant Gregorien tag in der vasten.

a) Wengen vt supra.

b) Sigilla omnia integra quidem, sed nimis attrita conspiciuntur; de quibus tertium Tab. III. N. X. delineatum exhibetur.

Num. XCI.

Num. XCI. Venditio prati. Anno 1348.

EX ORIGINALI.

Ich JOHANS der SCHONGAWER burger ze Aufpurch *Ann* min elichiu wirtin vergehen fur vns vnd all vnfer erben vnd tun chunt offenlich mit difem brief allen den die in lefent fehent oder hörent lefen Daz wir mit gemainem rat gunft vnd gutem willen aller vnferr erben vnd friunt reht vnd redlich verkauft vnd geben haben den erfamen vnd Gaiftlichen herren hern — —. *Chunraden* Abbt vnd dem Conuent dez gotzhus fant *Vlrichs* vnd fant *Afren* ze Aufpurch vnd allen iren nachchomen. ain Wife vnd fwaz darzu gehört alf fi mit marchen vf bezaichent ift die wife oberthalb dez dorff ze *Geggingen a*) gelegen ift vnd obnan ftozzet an dez Widemhoff wif von Inningen vnd da nebnan ze ainer fiten ftozzet an vnfers herren dez Bifchoff wif von Aufpurch vnd anderthalb darnebnan ftozzet vf die Sinchhalt *b*) vnd an Spitaeler wif vnd da hindnan ftozzet vf dez Maiers wif ze Geggingen die wife dez vorgenanten Abbtz vnd dez Gotzhus ie rehtz aigen gewefen ift Vnd die wif ich vnd min erben von dem vorgenanten Gotzhus ze fünf liben biz her gehabt haben alf die brief feiten die ich vnd min erben von irm Gotzhus inn hetten Vnd alfo haben wir dem vorgenanten Abbt vnd dem Gotzhus fant *Vlrichs* vnd fant *Afren* die felben fünf lib die ich vnd min erben hetten an der felben wif vnd auch alle diu reht die ich vnd min erben an der felben wif wanden ze haben reht vnd redlich geben vmb aun ains drifig pfunt guter vnd gaeber Aufpurger pfenning die ich berait von im vnd irm Gotzhus enpfangen han vnd an miner erben nutz geleit han mit der befchaidenhait

hait daz ich vnd all min erbin vnd nachchomen nu fürbas immer mer ewiclich chainiu reht noch ansprach an der selben wis haben sullen noch enmügen weder lützel noch vil weder haimlich noch offenlich Vnd sullen si vnd ir Gotzhus an der selben wis fürbas nimmer mer geengen weder mit Gaistlichem noch weltlichem rehten noch mit chainerslaht sach daz in vnd irm Gotzhus an der selben wis schaden bringen chunt oder müg Wan daz si vnd ir Gotzhus die selben wis ewiclichen vnd gerubiclichen fürbas niezzen vnd haben sullen als andriu iriu aigen gut aun allen krieg vnd widerrede Vnd daz in daz alfo steit belib vnd vnzerbrochen wert geben wir in disen brief versigelten vnd geuestet dez ersten mit minem Insigel vnd mit hern *Hainrichs* dez alten *Portners* Insigel der ez durch miner bet willen daran gehangen hat im vnd sinen erben aun schaden mir ze ainer ziugnuss die vorgeschriben schach war ze lazzen vnd steit ze halten diu Insigel baidiu daran hangent c) Dez sint geziug *Chunrat* der *Minner* *Chunr.* der *Langemantel*, *Hainrich* der *Schongower* *Vlrich* der *Bitzlin* burger ze Augspurch *Vlrich* der *Hörner* vnd *Chunr.* dez vorgnanten Abbt Schriber die all bi dem kauff waren vnd ander erberr lüt genug Daz geschach do man zalt von Christes geburt driutzehenhundert Jar vnd darnach in dem aht vnd viergigostem Jar an der Mittichen vor dem hailigen Pfingsttag. d)

a) Oppidum haud procul ab Augusta. b) Sinkel.

c) Sigillum Schongaueri Tab III. N. XI. d) 4. Junii.

Num. XCII.

Num. XCII. Litterae reuersales. Anno 1348.

Ex Originali.

Ich HAINRICH der HERBORT burger ze Aufpurch *Hainrich* der Junger min fun vnd *Jos. Hanfen* mins funs fun vergehen für vns vnd all vnfer erben vnd nachchomen allen den die difen brief fehent oder horent lefen Daz wir an den hufern Garten vnd höffchachen daz gehaizzen ift vf dem Wier, vnd gelegen fint bi dem Spital vnd dez gotzhus fant *Vlrichs* vnd fant *Afren* rehtz aigen fint vnd in ir Oblay gehörent. chainiu andriu reht daran haben noch gehaben mugen Wan daz wir vnd vnfer erben die felben hufer Garten vnd hoffchach haben von dem ietzo genanten gotzhus ze drien liber als wir vns da vor benemt haben Vnd fullen auch die felben hufer garten vnd hoffchach haben vnd niezzen gerubiclich die wil wir drie lib leben oder vnfer ainer lebt. Alfo daz wir elliu iar iarclichen geben fullen dem vorgnanten Gotzhus fant *Vlrichs* vnd fant *Afren* in ir Oblay vf fant Gallen tag aht tag da vor oder aht tag darnach ain pfunt guter vnd gaeber aufpurger pfenning nach liptinges reht vnd als die brief fagent die wir dar vmb von irm Gotzhus inn haben. Man fol auch mer wizzen befcheich ain dinch daz wir vnfer alt brief funden die wir auch vber daz felb liptinge hetten von dem felben Gotzhus die brief wir aun all geuaerd verlorn haben daz denn die felben brief vnd all brief fürbas chain craft haben fullen noch enmügen wan allain der brief da da vnfer vorgnanten drie lib an gefchriben ftant, Mer fol man wizzen fwenn wir drie lib daz bin ich *Hainrich* der *Herbort Hainrich* der Junger min fun vnd *Jos Hanfen* mins funs fun abgeftorben vnd nimmer enfien daz denn die vorgnanten huser Garten vnd hoffsbach dem vorgnanten gotzhus sant *Vlrichs* vnd sant *Afren* ledig vnd los sullen sin von vns vnd allen vnsern erben aun allen krieg vnd widerrede Vnd daz daz dem vorgnanten gotzhus steit belib vnd vnzerbrochen wert geben wir im disen brief versigelten vnd geuestet dez ersten mit minem Insigel *Hainrichs* dez *Herborten* daz daran hanget vnd mit mins bruder Insigel *Herbortz Herbort a*) daz auch daran hanget Vnd ich *Herbort Herbort* wan ich an dem selben liptinge dar vber die brief aun gevaerd verlorn sint auch minen lib heit vergihe fur mich vnd all min erben vnd verzihen vns auch daz wir fur bas chain ansprach noch chain reht nimmer mer haben sullen noch enmugen Vnd bescheich auch daz man die alten brief fund daz denn die selben brief mir noch minen erben furbas chainen nutz bringen chunden noch enmachten noch chain craft Dez sint geziug *Chunrad* der *Minner Chunrad* der *Aunsorg Hans* der *Langemantel Chunrat* sin bruder *Hans* der *Vögtlin* burger ze Auspurch vnd anderr erberr lüt genug Daz geschach do man zalt von Christes geburt driutzehen hundert Jar vnd darnach in dem aht vnd vierzigostem Jar an sant Mangen tag. *b*)

a) Sigilla paululum laesa Tab. III. N. XII. conspiciuntur.

b) Sexta Septembris.

Num. XCIII. Litterae feudales. Anno 1348.

EX ORIGINALI.

In Gotes namen Amen. Wir LUPPOLT *a*) von gotes verhenknusse Bropst vnd der Conuent gemainclich des closters ze sant

Görgen

Görgen vzzerhalb der mur ze Auſpurch *b*) Tun kunt mit diſem brief allen den die in ſehent oder hörent leſen, Das wir einmuteclich mit guter vorbetrahtung in vnſerm capitel da wir nauch gewonhait mit belütet gloggen beſamend waurén vnſer holtzmark halbe ze *Lüttershouen b*) geſtozzen ainhalb vff das veld vnd anderhalb an hern *Hainrichs* des *Portners* holtz die vormauls der *Wizze* von vnd vnſerm gotzhus geliben gehebt haut, vnd der ſelben holtzmarke den andern halben tail von vns habent die *Schnider* ze Lüttershouen die ſelben halben holtzmark beſucht vnd vnbeſucht mit allen nutzen vnd rehten cleinen vnd grozzen, als ſie vnſer vordern vnd wir bis her brauht vnd genozzen haben, haben wir gelihen vnd geben *Hainrichen* den *Papenhain* vnd ſinen erben ze ſechs liben, das iſt frow *Geſa* ſin elichiu wirtin, *Hainrich* ſin ſun bi der erren frowen saeligen, *Hainrich* vnd *Martin* ſin ſun, vnd *Ann* ſin tohter bi der vorgenanten ſiner frowen *Geſen*, vnd *Andres* ſiner tohter ſun nauch lipptings reht reht ze habend vnd ze nieſſend all die wil der vorgenant liber einer lebt oder ſie alle mit der beſchaidenhait das der vorgenant *Hainr. Papenhain* ſol geben oder ſwen er das vorgenant halbs holtz vff ſinin reht ſchaffe oder gebe der ſelb ſol geben da von aelliu iaur ze zins vns vnd vnſerm gotzhus ſechs ſchilling güter auſpurger vf ſant Michels tag aht tag da vor oder aht tag dar nauch beſchaich es niht ſo wair vns vnd vnſerm gotzhus das oftgenant holtz mit reht ledig vnd los worden aun all widerred Es ſol auch der vorgenant *Andres* ſinen lib aun ſchaden tragen vnd da mit der vorgenant *Hainrich Papenhain* oder ſin erben niht irren weder mit vfgeben noch mit keinerley ſache, Diſer ſache ze einer waurheit geben wir im diſen brief mit vnſerm inſigel vnd mit vnſers Conuents inſigel geueſtent vnd beſigelt diu baidiu daran

 hangent

hangent c) Des sint geziug her *Berchtolt* der *Töbelin* her *Syfrid* her *Hans* der *Hesse* her *Andres* her *Cunrad* der Tegan, priester vnsers Conuents vnd ander erber Lüt genug. Ditz beschach do man zalt von gotes geburd driuzehenhundert iaur vnd in dem aht vnd viertzigosten iaur an sant Matheus Aubent zwelfboten.

a) Luipoldus seu Leutboldus Leopoldus.

b) *Leutershofen* prope Wellenburg.

c) Sigillum primum abruptum, secundum laesum.

Num. XCIV. Venditio decimarum Bobingae. An. 1350.

Ex Originali.

In Gotes namen Amen. Ich *Rudiger* der *Langenmantel* hern *Rudigers* des *Langenmantels* seligen Sun burger ze Auspurg vnd ich *Elsbet* sin elichiu husfraw vergehen offenlich an disem brief allen den die in ansehent oder hörent lesen, Daz wir mit veraintem mut vnd guter vorbetrahtung, vnd mit rat vnd willen vnd gunst, aller vnser erben vnd besten friund vnsern zehenden datz *Bobingen*, der da gat vs des *Wolfartz* hub da *Pfiffelman* vf sitzet vs — — des *Rappolts* hub, da der *Lacher* vf sitzet vz dez *Raunspurgers* hub da der *Munchmayr* vffitzt, vs des *Hailigrabers* hub da — — der *Altmair* vf sitzet, vs *Wisenbachs* hub, da der *Salb* vffitzet vnd vs des *Minners* hub da vz *Maier* vffitzet, vnd gand die selben zwu hub iaerlich ze weschel. Darnach vs der Korherren halber hub da der *Kuschinkel* vffitzet, vs hern *Wickmans* des Vicariers halber hub, da —

da — — der *Pfaw* vflitzt, vnd vs Kathriner anderhalber hub, da der *Wind* vflitzt, vnd der vnſer rehtes lehen waz. von dem Gotzhus vnd dem Pyſtum ze Auſpurg aun ſwaz ſin gat vs Kathrinen anderhalben hub, die iſt lehen von hern *Vlrichen* dem *frawzz*. Den ſelben vorgenanten zehenden datz *Bobingen*, alz er vns vs den vorgeſchriben huben da ſelben von reht an gehort, mit allen rehten vnd nutzen vnd er giltet mit clainem vnd grozzem, mit beſetzen vnd entſetzen, vnd als in vnſer vordern ſaelig vnd wir mit nutzlicher gewer, von reht, vnd von gewonhait, bisher vf diſen hiutigen tag braht gehebt vnd genozzen haben, für ain lediges vnuerkummertz fries vnd vnuogtbers Gut, vnd ain rehtes lehen, reht vnd redlichen verkauft, vnd ze kauffen geben haben, den Erbern lüten *Johanſen* dem *Hanganor* vnſerm Tohterman frawen *Annen*, vnſer tohter ſiner elichen houffrawn, vnd *Marquarden* dem *Hanganor* ſinem bruder burger ze Auſpurg, frawen *Gerdruden* ſiner elichen houffrawen, vnd allen iren erben, vnd nachkomen ze rehtem Lehen, oder ſwenn ſi in hinnan für gebent, verkauffent, ſchaffent oder lazzent, ze habent vnd ze niezzend, ewiclich vnd geruwiclich, vmb hundert pfunt vnd Sibentz phunt guter vnd gaeber Auſpurger phenning, die wir bereit von in darumb eingenomen vnd enphangen haben, vnd an vnſern, vnd an vnſerr Erben nutz gelaet haben, vnd haben wir vnd vnſer Erben, in iren erben vnd iren nachkomen, den vorgenanten zehenden, ze rehtem Lehen, vfgeben, in vnſrer gnaedigen Lehenherrn hant — — Byſchof MARQUARTZ *a*) ze Auſpurg, vnd hern *Vlrichs* des frazz, vnd haben geſchaft, Daz in der ſelbe zehende von vnſern egenanten Lehenherrn verlihen iſt ze rehtem Lehen, Wir haben vns auch des vorgenanten zehenden gentzlich vnd gar verzigen vnbetwungenlich, vnd

mit

mit gelerten worten, vnd verzihen vns offenlich mit disem brief, aller der rehte vnd nutze, die wir daran heten oder wonden ze haben fur vns vnd alle vnser erben vnd nachkomen, als man sich Lehens durch reht vnd billich verzihen sol, vnd als man es vfgeben sol, nach Lehens reht, nach diser stet reht hie ze Auspurg, vnd nach des Landes reht, Also daz wir noch dehein vnserr erbe, noch nachkomen, noch anders niemend von vnsern wegen fürbaz ewiclich chain reht noch chain ansprach, darnach nimmer mer gehaben sullen, noch enmügen. weder mit gaistlichem noch weltlichem rehten, noch mit kainerlay sache, vnd sunderlich sol ich vorgenant *Elsbet*, *Rudgers* des *Langenmantels* elichiv hvsfraw chain ansprach, darnach nimmer mer gehaben noch gewinnen weder von hainstiur noch von morgengab noch von widerlegung noch von Erbschaft wegen noch mit deheinen andern sachen weder vor gaistlichem noch weltlichem rehten. Vnd also sullen wir vnd vnser erben, in vnd iren erben, den vorgenanten zehenden, staeten vnd vertigen vnd ir reht geweren sin, für alle ansprach, als man Lehen durch reht staeten vnd vertigen sol, nach Lehens reht, nach diser Stet reht hie ze Auspnrg, vnd nach des Landes reht, Vnd darumb haben wir in vnd iren erben ze Burgen gesetzt, zu vns vnd vnsern erben, vnuerscheidenlich, *Herworten* hern *Rudigers* des *Langenmantels* seligen Tohterman. burger ze Auspurg, mit der beschaidenheit, ob in der vorgenante zehende von iemend ansprech wurd mit dem rehten in den zilen vnd man Lehen nach diser staet reht hie zeAuspurg vnd nach des Landes reht, staeten vnd vertigen sol, oder ob si von vns oder von vnsern erben daran geirret wurden, mit welhen sachen daz beschaech die selben ansprach vnd Irrsalung der si ainiv oder mer, sullen wir vnd vnser erben vnd der

vorgenant

vorgenant burge mit dem rehten in ze hant nach irr mannung in dem naehsten manot gar vnd gentzlich vsrihten vnd entlösen, aun allen iren schaden, Taeten wir des niht, swaz si der ansprach, oder der irrsalung dann fürbas schaden naemen mit Gaistlichem oder weltlichem rehten, Den selben schaden sullen wir vnd vnser erben, vnd der egenant Burge in ouch ze hant allen abtun vnd vsrihten aun allen iren schaden, vnd aun allen crieg vnd widerred, Des ze vrkund gib ich in disen brief versigelten mit der Stat ze Auspurg Insigel mit minem Insigel, vnd mit mins vorgenanten Burgen Insigeln die elliv daran hangent *a*) Des sint geziug her *Chunr.* der *Aunsorg* her *Johans* der *Rappot* die do der Stat Pfleger warn, her *Joh.* der *Vögelin* hern *Wernhers* seligen sun, her *Fridrich* der *Appoteker* vnd ander erber Lüt genug, Daz geschach nach Cristes geburt Driutzehen hundert iar, dar nach in dem fünftzigosten Jar an sant Lucien Abent.

a) Sigilla sunt illaesa.

Num. XCV. Renuntiatio iuris patronatus. Anno 1350.

EX ORIGINALI.

Ich HAINRICH von WAL Korherr ze dem Tum ze Auspurch vnd ich BAERTELIN von WAL Ritter vnd ich BAERTELIN von WAL sin sun vergehen vnd tun chunt offenlich mit disen brief für vns vnd all vnser erben vnd nachchomen allen den die disen brief lesent sehent oder hörent lesen vmb die Lehenschaft der

der Kirchen vnd dez Kirchensatz ze *Wiht a)* die Kirche hie ze Auspurch in dem Bystum gelegen ist daran wir reht wanden ze haben von dez Erbern vesten Ritters wegen hern *Arnoltz* saelig dez *Kameers* der vns die selben Kirchen ze Wiht vnd denselben kirchensatz geben heit Erkennen wir vns offenlich vnd vnuerschaidenlich mit diesem brief daz wir an der selben Kirchen ze Wiht vnd an dem selben Kirchensatz kainiu reht noch ansprach niht fürbas haben sullen weder haimlih noch offenlich weder mit geriht noch aun geriht noch mit chainen sachen mit der beschaidenhait Daz der Ersamen Gaistlich herr Abbt *Chunrad* von sant *Vlrich* vnd sant *Afren* ze Auspurch vnd daz selb Gotzhus vnd all ir nachchomen die selben Kirchen ze Wiht vnd denselben Kirchensatz sullen fürbas haben vnd niezzen ewiclich vnd gerubiclich als ir rehtz aigen vnd als sis von alter herbraht habent nach irr brief saget also daz der vorgenant Abbt *Chunr.* vnd daz Gotzhus vnd ir nachchomen die selben Kirchen ze Wiht sullen haben vnd niezzen mit allen rehten vnd nutzen clainen vnd grozzen mit Lehenschaft vnd mit aller ehaftin die dar zu gehört Vnd sullen wir all vnser erben vnd nachchomen kain ansprach noch reht an der selben Kirchen ze Wiht vnd an den selben Kirchensatz haben noch enmugen wan wir nie kain reht daran gehebt haben. Wir verzihen vns auch mit disem brief vnbetwngenlichen aller der reht vnd Ansprach die wir an der selben Kirchen ze Wiht vnd an dem Kirchensatz gehebt haben oder wanden ze haben Vnd swaz wir haben getan von Lehenschaft wegen von gewer wegen die wir daran wanden ze haben daz wir daz haben getan fraeuenlich vnd aun reht Vnd wider tun auch daz selb für vns vnd all vnser Erben vnd nachchomen, alles daz daz wir mit der selben Kirchen ze Wiht

vnd

vnd mit dem Kirchenfatz getan haben ez fi mit worten mit werchen alf ez denn aller beft nach gaiftlichem vnd weltlichem rehten kraft gehaben mag Vnd fwaz wir oder vnfer erben vnd nachchomen brief haben oder hernach funden wurden fi ftunden von dem *Kamerer* faelig wegen oder von anderr lüt wegen die felben brief fullen vns chainen nutz bringen an der Kirchen vnd den Kirchenfatz ze Wiht vnd fullen dem vorgenanten Abbt dem Gotzhus vnd iren nachchomen chainen fchaden bringen Vnd alfo fol die felb Kirch ze Wiht vnd derfelb Kirchenfatz mit allem reht vnd gewalt die felben Kirchen ze verlihen fürbas niemant zu gehören denn dem Abbt vnd dem Gotzhus ze fant *Vlrich* vnd fant *Afren* ze Aufpurch vnd allen iren nachchomen vnd fol daz fin mit allen rehten Ehaftin vnd gewalt die darzu gehörent alf fiz nach irr brief fag die fi habent von Byfchoffen vnd von her *Arnolden* faelig dem *Kamerer* mit nutzlicher gewer biz her braht habent. Vnd daz daz dem oftgenanten Gotzhus vnd allen iren nachchomen fteit belib vnd vnzerbrochen wert Geben wir in difen brief verfigelten vnd geueftet mit vnferr aller drier Infigel *b*) die wir daran gehangen haben difiu fache fteit ze halten. vnd war ze lazzen. Dez fint geziug her *Engelhart* von *Entzberch* Tumbropft ze Aufpurg. h. — — von *Gerenberch* *c*) Tegan ze Aufpurch. h. — — der *Hochfahz* Chufter *d*) her — — von *Stainhaim* h. *Chunr.* der *Purggraf* Korherren ze dem Tum her *Herbort Herbort Chunr.* der *Minner Chunr.* der *Anforg* burger ze Aufpurch vnd anderr erberr lüt genug Daz gefchach do man zalt von Chriftes geburt driutzehen hundert Jar vnd dar nach in dem fünfzigoftem Jar an fant Lucien tag.

a) Weiht.

 b) De

b) De Sigillis illaesis, sibique similibus vnum Tab. IV. N. I. occurrit.

c) *Conradus.*

d) Custos ille Khammio ignotus.

e) *Sifridus.*

Num. XCVI. Venditio decimarum Bobingae. An. 1351.

EX ORIGINALI.

Ich LVUGART *Marquarts* dez *Kaltsmits* saelig Witibe burgerin ze Auspurch vnd ich *Hainrich* der *Kaltsmit* ir Sun veriehen offenlich an disem brief allen den die in ansehent oder hörent lesen Daz wir mit veraintem mut vnd guter vorbetrahtung vnd mit rat vnd willen aller vnserr erben vnd friund vnsern zehenden datz *Bobingen* der da gat vs ainer halben hub da selben, div der Gaistlichen frawen ze dem *Stern* ze Auspurch ist, vnd die ietzunt da bowet der alt *Lacher* derselben vorgeschriben zehenden, der vnser rehtes Lehen was von vnserm gnaedigen herren Byschof MARQUART ze Auspurch vnd von sinem Gotzhous, mit allen rehten vnd nutzen, vnd er gilt mit clainem vnd grozzem, vnd als wir in mit nutzlicher gewer von reht vnd von gewonhait biz her braht vnd genozzen haben für ain ledigs vnuerkummerts fries vnd vnuogtbaeres Gut vnd ain rehtes Lehen reht vnd redlichen verkauft vnd geben haben den erbern lüten *Johansen* dem *Hanganer* frawen *Annun* siner elichen housfrawen, *Marquarten* dem *Hanganer* sinem bruder, frawen *Gerdruden* siner elichen housfrawen burger ze Auspurch, vnd allen iren Erben vnd nachkomen ze rehten lehen, oder

swem

ſwem ſi in hinnafür gebent, verkauffent, ſchaffent oder lazzent, ze habend vnd ze niezzend, ewiclich vnd geruwiclich vmb Nündhalb pfunt guter vnd gaeber Auſpurger pfenning die wir berait von in darumb in genomen vnd enphangen haben, vnd an vnſern vnd vnſerr Erben nutz gelaet haben, Vnd haben wir vnd vnſer erben in vnd iren erben den vorgeſchriben zehenden vſgeben in vnſers vorgenanten gnaedigen Lehenherren hant, vnd haben geſchaft, daz in der ſelb zehend verlihen iſt ze rehtem Lehen. Wir haben vns auch des vorgenanten zehenden verzigen, vnbetwungenlich, vnd mit gelerten worten für vns vnd aller vnſer erben vnd nachkomen, als man ſich Lehens durch reht vnd billich verzihen vnd vfgeben ſol nach Lehens reht, nach des Landes reht, vnd nach diſer Stet reht hie ze Auſpurch, Wir ſulen auch des vorgeſchriben zehenden ir reht gewern ſin, vnd ſtaeten vnd vertigen für alle Anſprach, div mit dem rehten daran beſchiht nach Lehens reht nach des Landes reht vnd nach diſer Stet reht hie ze Auſpurch. Vnd würd in der vorgeſchriben zehend darüber von iement Anſprech mit dem rehten in den zilen, vnd man Lehen nach dez Landes reht vnd nach diſer Stet reht hie ze Auſpurch, ſtaeten vnd vertigen ſol die ſelben Anſprach ſulen wir vnd vnſer erben in ze hant nach irr manung in dem naehſten manot gar vnd gentzlichen vfrihten vnd entlöſen aun allen iren ſchaden Taeten wir dez niht ſwas ſi der anſprach, dann fürbas-ſchaden naemen den ſulen wir in auch ze hant allen abtun vnd vfrihten aun allen krieg vnd widerred, Vnd dez ze vrkund geben wir in diſen brief verſigelt vnd geueſtent mit der Stet ze Auſpurch clainem Inſigel daz daran hangt *a*) Dez ſint geziug her *Herwort*, her *Johans* der *Vögelin* hern *Wernhers* ſaelig ſun die do Bürgermaiſter ze Auſpurch waren. her *Johans* der *Langenmantel*

tel hern *Rudigers* saelig sun her. *Hainrich* der *Vögelin* dez *Welsers* saeligen Tohterman vnd anderr erberr lüt genug Do daz geschach do zalt man von Christes geburt driutzehen hundert Jar vnd darnach in dem ain vnd füntzgosten. Jar der naehsten mitwochen vor sant Agnesen tag. *b*)

a) Sigillum interiit. *b*) 19. Januarii.

Num. XCVII. Venditio prati Augustae. Anno 1351.

Ex Originali.

Ich *Herman* der *Frutinger*, vnd ich *Herman* der *Burer* sin Swager veriehen offenlich an disem brief vmb den anger, der vnser lipting ist von dem Gotzhous ze sant *Vlrich* vnd sant *Affren* ze Auspurch vf ain lip daz ist *Agnes* div *Pomairin* der *Pfosten* housfrawe vnd der gelegen ist by sant *Seruacien a*) vnd des sehs Tagwerch sint verjehen wir daz wir mit veraintem mut vnd guter vorbetrahtung vnd mit rat vnd willen aller vnserr erben dez selben vorgeschriben angers driv Tagwerch als si ietzunt mit marcken vsbezaichent sint mit allen rehten vnd nutzen als wir div selben driv tagwerch her braht haben, vnd elliv vnsriv reht daran reht vnd redlichen verkauft vnd geben haben vnserm gnaedigen herren dem Abt vnd gemainclich dem Conuente dies Closters ze sant *Vlrich* vnd sant *Affren* ze Auspurch vnd allen iren nachkomen ze habend vnd ze niezzend ewiclich vnd geruwiclich als ir aigenlich Gut, Vnd darumb habend si vns geben fünfzehen pfunt guter vnd gaeber haller der wir gentzlich vnd gar gewert sien Wir haben in auch div

driv

driv tagwerch des vorgeschriben Angers vnd elliv vnsriv reht daran vfgeben vnd haben vns ir verzigen für vns vnd alle vnser erben vnd nachkomen vnd sullens in staeten vnd vertigen vnd ir reht Gewern sin für alle ansprach nach diser Stet reht hie ze Auspurch, Vnd wurden si in darüber von iement ansprech mit dem rehten swaz si des schaden naemen den suln wir in auch abtun aun allen krieg vnd widerred, Vnd dez ze vrkund geben wir in disen brief versigelten mit vnser baider Insigeln div daran hangent *b*) Der geben ist an sant Gregorien tag in der vasten Do man zalt von Christes geburt driutzehen hundert iar in dem ain vnd fünftzigosten Jar.

a) Extra portam rubeam versus Fridbergam.

b) Sigilla illaesa.

Num. XCVIII. Sententia pascuum concernens. An. 1351.

Ex Originali.

Ich Chunrad der Aunsorg burger zu Auspurch vnd ich Chunrad der Chuntzelman siner Tohter wirt vergehen vnd tun chunt offenlich mit disem brief allen den die in lesent sehent oder horent lesen daz für vns chom ze *Berchain a*) da wir ze geriht gesezzen waren als gewonlich ist vnd als her an vns braht ist der erber vnd beschaiden man *Hainrich* der *Wartberger* ze *Berchain* vnd clagt mit fürsprechen von der gemain dez dorffes ze Berchain hintz *Sitzen* dem *Risen* der da sitzet vf dem Gut daz dez Closters sant *Vlrichs* vnd sant *Afren* ze Auspurch rechtz aigen ist vnd clagt also hintz *Sitzen* dem *Risen*.

sen der hette ian zwe Slawe der ainiu gelegen ist oberthalb dez dorffes ze Berchain vnd hat aht Tagwerch so stozzet diu ander slawe vf Annhuser weg der sint zwai Tagwerch vnd sprach also daz *Sitz* der selb *Rise* die selben zwe slawe heit im gehebt wider Got vnd daz reht wan si an dem dritten Jar gemainiu vihewaid solten sin Da stunt der *Sitz* der *Rise* vnd siner herschaft Amptman der *Hans* von *Vischach* vnd antwrten der clag mit fürspreichen vnd Sprachen also Si heiten die selben zwo slawe herbraht mit nutzlicher gewer lenger denn dez Landes reht weir vnd begerten da ervaren an ainer vrtail wie si da für stan solten Da wir die clag baidenthalb vernamen da fragten wir gemainclich iedenman besunder vf den aid waz si dar vmb reht dûhte da wart ertailt mit der merern volg daz man solt nemen ain kuntschaft vf drie der eltosten in dem dorf ze Berchain vnd solten darvmb sagen vf ir aide waz in darvmb wizzent vnd chunt weir Da wrden drie benemt vnd gefragt vnd swen darvmb die warhait ze sagen der stunden zwen darmit ir starchen Aid vnd Sprachen also in weir darvmb weder chunt noch wizzen vnd chunden sich darvmb auch nihtz verdenchen Da sich die zwen da von nu gezogen heiten Da stunt dar *Sitz* der vorgenant *Rise* vnd her *Hans* von *Vischach* siner herschaft amptman für die selben zwo slawe vnd verspracben die vnd behuben die mit dem rehten Also daz si fürbas ewiclich niemant dar an irren noch engen sol wan siz bürbas ewiclich vnd gerubiclich haben vnd niezzen sullen als andriu iriu Gut aun allen krieg vnd widerrede vnd begerten auch da ervaren an einer vrtail man geib in billichen dez selben ainen brief der wart in ertailt Vnd also haben wir in geben disen brief versigelten vnd geuestet mit vnser baider Insigel *b*) vns vnd vnsern erben aun schaden niw ze ainer waren

ziugnuzz

ziugnuzz der vorgeschriben vrtail Dez sint geziug *Vlrich* der *Batzenhouen* ze Berchain *Haintz* der *Maier* ze Geggingen *Vtz* dez selben Maiers bruder *Hainrich* der *Schuster* von Inningen *Haintz* der *Raiger* von Geggingen *Vlrich* der *Bühler* von Husteten der *Haintzelman* da selben vnd anderr erberr lüt genug Daz geschach do man zalt von Christes geburt driuzehen hundert Jar vnd darnach in dem ainem vnd fünfzigostem Jar an dem naehsten Suntag nach der hailigen tag Processi et Martiniani.

a) Berkheim prope Wellenburg in praefectura Gegging.

b) Sigilla illaesa Tab. IV. N. II. III. occurrunt.

Num. XCIX. Venditio Bonorum quorumdam Finningae. Anno 1352.

Ex Originali.

Ich Chunrat Vinninger vergich vnd tun kunt offenlich an disem brief für mich vnd all min erben, das ich mit guter vorbetrahtung mit raut willen vnd gunst miner frund vnd miner erben, dem erber man *Vlrichen Rembot* burger ze Laugingen, vnd allen sinen erben ze kaufen haun geben zu ainen stäten redlichen kauf, diu gut diu hie nauch gescriben staunt, den hof ze *Vinningen*, vnd vier vnd zwaintzig Juchart vf dem gut ze *Zwislingen* als si der *Schwetzhaimer* genent haut der gilt nün malter Roggen vier malter Kerns vier malter Gersten nün malter habern höstetter mess, fünf schilling vnd zwai pfunt haller zwen Schilling haller ze wisat hundert aier sehs herbsthünr ain vasnahthun. Vnd die Seld da der *Düschler* vflitzt, diu gilt vier vnd fünf schilling haller, ain viertel öls sehs haller ze

Wihen-

Wihennähten, drifig aier ze Oftren zwai herbfthünr ain vafnaht hun, Vnd ain hofftat, da diu *Roffdafcherin* vff fitzt diu gilt zwen vnd driffig haller fehs haller ze Wihennahten drifig aier ze Oftren zwai herbft hünr, vnd ain Vafnaht hun, Vnd ain Seld, da diu *Schüflin* vf fitzt, gilt dri fchilling haller, fehs haller ze Wihennähten, drifig aier ze Oftren zwai herbfthünr vnd ain vafnaht hun. Vnd ain hofftat da *Sibotin* vff fitzt, gilt vier fchilling haller fehs haller ze Wihennähten, drifig aier ze Oftren zwai herbfthünr vnd ain Vafnaht hun, vnd alfo fol er vnd fin erben, das vorgefchriben gut alles inne haben, niefen vnd befitzen, eweclich vnd geruclich mit allen nutzen rehten vnd geniefen, die dar zu gehörent, ze holtz ze veld, an akkern, an wifen, an waffer an waid befuchts vnd vnbefuchts fwie das fi benempt, vnd auch in allen den rehten, als ich vnd min fordern das felb gut inne gehebt vnd genoffen haben, darzu han ich, im vnd finen erben, das vorgefcriben gut geben für ain vnuerkumerts lediges aigen, vnftürber vnd vnuogtber, aun allain das dorfgeriht, das vmb ich von im gentzlich gewert bin fünf vnd ahtzig pfunt pfennig die ich berait von im enpfangen haun, vnd zu ainer beffer ficherhait haun ich im vnd finen erben zu mir vnd zu minen erben ze rehten burgen gefetzt die erfam manne hern *Hainrichen* von *Swenningen* Ritter vnd *Hainrich* von *Swenningen* finen Sun. *Claufen* von *Augfpurg* ze Witiflingen gefeffen vnd *Chunr.* von *Burgau* von Glett, all vnuerfchaidenlich mit der befchaidenhait, wär ob er oder fin erben von mir oder von miner erben wegen geirrt oder gehindert wurden an den vorgefchriben guten oder ob in diu vorgefchriben gut von vnfer wegen, anfprechig wurden, es wär von Gaiftlichen oder weltlichen Gerihten oder Lüten, das fuln wir in gentz-

gentzlichen vnd gar vſrihten, vnd vertigen, aun allen iren ſchaden nauch aigens reht vnd nauch des lands reht, Geſcheh das nit ſo haunt ſi vollen gwalt die vorbenant burgen ze manen ze hus ze hof oder wie ſi anders went, vnd die ſulnt in alle nauch der Manung vnuerzogenlich vnd aun alle widerred in den nehſten aht tagen nauch der manung in varen ze Laugingen oder ze Gundelfingen in aines erbern wirts huſ, vnd ſuln da laiſten in rehter Giſelſchaft vngeuarlich, ir ieglicher mit ſin ſelbs lib, oder ie an ains burgen ſtat, ain kneht mit ainem Maiden, in dem ſelben reht, vnd ſulnt vſſ der laiſtung niemer komen bis im vnd ſinen erben, diſſ alles werd volbraht, vnd vſgeriht das hie vorgeſcriben ſtaut, Gieng der burgen ainer ab oder me, da Got vor ſi, oder fur von dem Land ſaetzten wir in ie ainen andern als ſchidlichen nit in den nehſten Manot dar nauch wenn wir des von in ermant wurden, ſo ſulnt in die ander beliben burgen inuaren laiſten in allem vorgeſcriben reht bis das geſcheh ſwan in die burgen nit laiſten in allen vorgeſcriben reht, ſo haunt ſi vollen gwalt mich vnd min erben, vnd auch die vnlaiſtenden burgen, dar vmb anzegrifen ze nöten vnd ze pfenden an vnſern lüten vnd guten, wie vnd wa ſi künnent vnd mügent, als vil bis in da mit gentzlich werd volbraht, vnd gelaiſt allen das hie vorgeſcriben ſtant, vnd mügent das tun, ſi vnd all ir helfer aun alſſ engaltnuſſ Gaiſtlichs vnd weltlichs Gericht. Das im vnd allen ſinen erben, diſſ alles ſtät vnd waur belib, gib ich in diſen brief beſigelten mit minem aigen Inſigel vnd mit der vorbenant burgen aller aigen Inſigel diu gehenkt ſint an diſen brief *a*) der geben wart nauch Criſtes Geburt drüzehen hundert Jaur der nauch in dem zwai vnd fünftzgoſten Jaur an dem Durnſtag nauch dem Obroſten. *b*)

 a) Sigil-

a) Sigillum primum et quintum desunt. Tria nimium attrita sunt. Secundum Tab. IV. N. IV. occurrit.

b) Festum Epiphaniae Domini ita Germani nominare solebant. Dies Jovis illo anno erat undecima dies Januarii.

Num. C. Sententia censum concernens. Anno 1352.

EX ORIGINALI.

Ich *Burkhart* von *Mansperg* Ritter vogt ze Auspurg vergih vnd tun kunt offenlich an disem brief Daz für mich kom vf daz *Dinckhus a)* ze Auspurg, da ich ze geriht sas, vnd da der Ratgeben vnd der burger genug engagen waren *Chunradus* des Abts Schriber ze sant *Vlrich* vnd laet für mit fürsprechen vnd Sprach Es giengen all Jar driu pfunt haller gelts vs *Hansen Maemmings* des *Beckn* hus hoffach vnd Bumgart, vnd vs swas darzu gehört daz gelegen ist, hie ze Aufpurg vnder den *Beckn* zwischen *Wernhers* des *Winden* vnd *Vtzen* des *Syboten* huser vnd hoffachen ze sel gernet an sant Jacobs lieht vnd in sin Cappell ze sant *Vlrich* die solt er oder in swes gewalt, daz selb hus hinna für kom all Jar darus geben daz erst pfunt haller vf sant Michelstag daz ander ze der Lichtmesse vnd das dritt pfunt vf sant Görge tag, vnd die het er noch niht gegeben, vnd clagt darumb hintz im an hern *Hansen* von *Vischachs* stat ains heren ze sant *Vlrich*, der der selben Capell pfleger, vnd auch verweser ze derselben zit was; des antwurt der vorgenant *Hans* der *Maemminck*, mit fürsprechen vnd Sprach,

er

er. leugnoti niht, es giengen div driv pfunt guter haller gelts vs finem hus an daz vorgenant Licht, vnd folt fich daz hus, auch darumb nicht veruallen, aber er folt daz erft pfunt geben vf fant Martins tag, daz ander vf die Lichtmeffe vnd daz dritt pfunt ze fant Georgen tag, vnd daz wolt er auch gern tun, vnd alz man in da angeclagt hett, vmd daz ain pfunt daz er noch nicht gegeben hett, fprach er, des waer er im niht fchuldig, bis daz fant Görgen tag köm, da fi nu alfo ir clag vnd antwurt fürgelegt hetten ze baider fitt, Do war gefraugt vnd mit der merern volg all vmb vnd vmb vf den ayd ertailet, getörft er ze den hailigen für daz ain verfezzen pfunt bereden vnd daz er auch div driv pfunt haller gelts, all Jar geben folt alz er benennet hett, daz erft pfunt ze fant Martins tag, daz ander vf die Lichtmeffe, vnd daz dritte ze fant Görgen tag des folt er billich geniezzen in bezivgte dann der vorgenant *Chunradus* eins andern. Do div vrtail geuiel, da wolt in *Chunradus* niht beziugen, da hub der *Haemming* vf vnd fwur ze den hailigen ainen gelerten ayd mit vf gebotten vingern, daz dem alfo waer, alz im da vor ertailet ward, vnd alz er auch mit fürfprechen fürgelegt hette, Vnd da er alfo gerihtet hett, baten fi ze beder fitt, ob man, ir ieglichen des iht billich ainen brief geben folt, die wurden in auch ertailet, Vnd darumb daz ditz Gerihts, alfo ftait vnd vnuergeffen belib, gib ich dem vorgenanten hern *Hanfen* von *Vifchach* difen brief verfigelten mit mine Infigel daz daran hanget *b*) Des fint geziug her *Johans* der *Langemantel* hern *Rudigers* feligen fun, her *Heinrich* der *Vögelin* des *Waelfers* feligen Tochterman die do der Statpfleger warn her *Chunrat* der *Minner*, her *Heinrich* der *Ruplin* vnd ander erber Lüt genug. Daz gefchach nach Criftes geburd drivtzehen hundert Jar darnach in dem zway vnd fünftzigostem Jar an dem naehsten Aftermontag vor sant Gregorien tag. c)

a) Rathaus. b) Sigillum illaesum Tab. IV. N. V.

c) 6. Martii.

Num. CI. Venditio Aduocatiae in Reinweiler. An. 1352.

Ex Originali.

Ich *Ott* der *Vetter* vnd ich *Vlrich* der *Vetter* burger ze Werd vergehen für vns vnd all vnser erben vnd nachchomen vnd tün chunt offenlich mit disen brief allen den die in lesent sehent oder hörent lesen Daz wir mit verdahtem mut vnd guter vorbetrahtung vnser Vogtay ze *Rainwiler* diu vnser aigen waz diu vns iaerclichen da giltet ain schaf habern Auspurger mess vnd sehss pfenning mit allen den rehten vnd nutzen als wir die selben vogtay her braht vnd genozzen haben. reht vnd redlich verkaft vnd geben haben dem Ersamen vnd Gaistlichem herren hern *Chunraden* Abbt vnd dem Gotzhus sant *Vlrichs* vnd sant *Afren* ze Auspurch vnd allen iren nachchomen vmb aht pfunt guter vnd gaeber Auspurger pfenning die wir berait von in enpfangen haben vnd an vnsern vnd vnserr erben nutz geleit haben, Vnd also verzihen wir vnd vnser erben aller der reht die wir an der selben vogtay ze Rainwiler hetten offenlich mit disem brief vnd sullen in auch die selben vogtay steiten vnd vertigen für all ansprach die mit dem rehten daran geschehen maehten nach dez lantz reht Vnd also sol der vorgnant Abbt *Chunrat* vnd sin Gotzhus vnd all ir nachchomen die

die vorgnanten vogtay mit allen den rehten vnd nutzen als wir si herbraht vnd genozzen haben furbas haben vnd niezzen ewiclich vnd gerubiclich nach dez lantz reht Vnd darvber setzen wir in zu vns ze burgen vnuerschaidenlich her *Chunraden* den *Minner* burger ze Auspurch hern *Chunraden* den *Vettern* Amman ze Werd vnd hern *Johansen* den *Vettern* burger ze Werd mit der beschaidenhait ob in oder iren nachchomen diu vorgnant vogtay von iemant mit dem rehten ansprach wrde in den ziten vnd man vogtay mit dem rehten vertigen sol nach dez lantz reht der selben ansprach sullen wir si entlosen vnd vsrihten swenn wir darvmb gemant werden darnach in dem naehsten manot Taeten wir dez niht so hant si gewalt ze manen vns vnd die vorgnanten burgen vnd sol in der *Minner* laisten ze Auspurch mit ainem erbern kneht in ains erbern Gastgeben hus vnd sullen wir vnd *Chunrad* der *Amman* vnd *Johans* der vorgnant *Vetter* burger ze Werd laisten ze Werd vnser ieglicher mit ainem erbern kneht in ains erbern Gastgeben hus vnd sullen vs der laistung niht chomen aun vrlaub biz daz si der selben Ansprach vsgeriht vnd entloset werden gar vnd gaentzlich vnd aun iren schaden. Gieng in auch der burgen ainer oder mer ab da Got vor sie in den ziten vnd man vogtay nach dez Lantz reht vertigen sol so sollen wir in ze hant darnach in dem naehsten manod als mangen andern vnd als guten burgen setzen als der oder die gewesen sient die in abgangen waeren Taeten wir dez niht so hant si aber gewalt ze manen vns oder vnser erben vnd die belibenen vnd sol in vnser ieglicher vnuerzogenlichen laisten in den vorgeschriben rehten biz in daz auch geschiht Daz daz alles steit vnd gantz belib darvmb geben wir dem vorgenanten abbt *Chunraten* vnd sinem Gotzhus vnd allen iren nachchomen ze ainem waren

vrkund

vrkund vnd ficherhait difen brief verfigelt vnd geueftet mit minem *Otten* dez *Vettern* Infigel vnd mit der vorgnanten burgen Infigel diu elliu daran hangent *a*) Vnd wan ich *Vlrich* der *Vetter* aigen, Infigel niht enhan verbind ich mich vnder difiu gagenwirtigiu Infigel mit minen trwen ze halten vnd ze laiften fwaz hie vor an difem brief gefchriben ftat Dez fint geziug *Herbort Herbort Hans* der *Langemantel Hainrich Hürnuff Hans Hürnuff* burger ze Aufpurch vnd anderr erberr lüt genug Daz gefchah do man zalt von Criftes geburt driutzehenhundert Jar vnd darnach in dem zwai vnd funftzigoften Jar an dem naehften fritag nach dem Pfingftag. *b*)

a) Sigilla funt nimium laefa. *b*) Prima Junii.

Num. CII. Commutatio cum monafterio S. Georgii. Anno 1352.

EX ORIGINALI.

Wir *Gebhart* von Gottes gnaden Probft dez Clofters ze fant *Georien* viferhalb der Rinchmur der Stat ze Aufpurch, vnd aller Conuent da felben. Veriehen vnd tuen kunt offenlichen mit difem brief. Daz wir mit verdahtem mut, vnd guter vorbetrahtung, da wir alle in an andern wauren in vnferm Capitel als fitlich vnd gewonlich ift, reht vnd redlichen gemacht vnd getan haben ainen waehfel zwifchen vnfer vnd vnfers gotzhus von ainem tail. Vnd dez erfamen Gaiftlichen herren hern. *Chunratz* dez Abbtz vnd dez Conuentz ze fant *Vlrich* vnd fant *Afren* ze Aufpurch von dem andern tail. Der waehfel gefche-

gefchehen ift von ains hus hofftat, vnd fwaz darzu gehört befuhts vnd vnbefuhts, fwie ez gehaizzen ift. Wegen daz gelegen ift an der engen Kirchgazzen vnd ainhalb ftozzet an den Mairhof dez vorgenanten Gaiftlichen hn, hn *Chunr.* dez Abbtz vnd dez Conuentz ze fant *Vlrich* vnd fant *Afren* vnd anderhalb ftozzet an *Dyetrichen* den *Wabner* vnd den *Chunrad Vogt* der Karrer burger ze Aufpurch hat ze ainem rehten Erblehen von vns vnd vnferm gotzhus vnd daz auch vnfer vnd vnfers Gotzhus biz her rehtz aygen gewefen ift vnd iaerlich vnferm Gotzhus davon git fehs vnd zwaintzig guter vnd gaeber Aufpurger pfenning Vnd von ains garten wegen der gelegen ift vf der Infel *a*) bi hufteter Tor vnd iaerlich gilt vier fchilling gaeber Aufpurger pfenning dem egenanten hern hern *Chunr.* dem Abbt vnd dem Conuent ze fant *Vlrich* vnd fant *Afren*, vnd ftozzet ainhalb vf den Burchgraben vnd anderhalb an *Chunratz* dez *Chormanns* garten diu aygenfchaft gehört ze dem *hailigen Crutz* ze Aufparch. Vnd alfo haben wir denfelben waehfel gemacht vnd getan zwifchan vnfer gotzhufer baider mit fogtainer befchaidenhait, daz wir dem oftgenanten hern hern *Chunr.* dem Abbt vnd dem Conuent ze fant *Vlrich* vnd fant *Afren* vnd iren nachkomen geben haben die Aygenfchaft, hus, hofftat, vnd fwaz darzu gehört als ez mit marken vfbezaichet ift vnd bevangen für ain fries lediges vnuerkumertz aygen furbaz ze haben vnd ze niezzen ewiclich vnd geruwiclich mit allen den rehten vnd nutzen die dazu gehörent oder hinnafür da von komen mügen, als andriu irs gotzhus gut, vnd als wir ez biz her genozzen haben. Vnd verzihen vns auch für vns vnd für vnfer nachkomen der vorgenante Aygenfchaft hus hofftat vnd fwaz darzu gehört vnbetwngenlichen vnd geben ez vf dem oftgenanten hern hern *Chunr.* dem Abbt vnd

dem

dem Conuent ze fant *Vlrich* vnd fant *Afren* vnd allen iren nachkomen, als man fich aygens von reht verzihen fol, vnd alz ez nach dem rehten aller beft kraft vnd macht gehan mag vnd fullen auch dem egenanten gotzhus ze fant *Vlrik* vnd fant *Afren* die felb Aygenfchaft hus, hofftat, vnd fwaz dar zu gehört ftaetigen vnd vertigen für alle anfprach die mit dem rehtem daran gefchehen meht, Wann fi vns vnferm Gotzhus dar vmb geben hant den vorgenanten garten vnd die felben Aygenfchaft der gelegen ift vf der Infel bi hufteter Tor vnd iaerlich gilt vier fchilling Aufpurger pfenning Vnd befchaehe daz dem vorgenanten Gotzhus oder iren nachkomen das vorgenante hus vnd hofftat vnd die Aygenfchaft anfprach wurd mit den rehten in den zilen, als man aygen von reht ftaetigen vnd vertigen fol nach difer ftet reht diefelben Anfprach alle fullen wir oder vnfer nachkomen in vnd allen iren nachkomen verzihten vnd entlofen fwenn fi vns fin ermanent vnd fullen daz tvn vnuerzogenlichen aun alle widerred, vnd fwaz fi auch der felben Anfprach fchaden naement, ez fi mit geriht oder aun geriht den fullen wir in allen abtun gar vnd gaentzlichen aun alle krieg vnd widerred, Taeten wir dez niht fo hant fi oder ir nachkomen vns oder vnfer nackkomen darvmb ze nöten mit der rehten als vetr fi chünnen vnd mugen Vnd fullen daz tun als lang vnd als vil biz in daz allez vollfürt wirt, daz in hie vorgefchriben ift, vnd auch in ir fchad abgeleit wirt den fi fin genomen habent, Daz in daz allez ftaet vnd vnzerbrochen belib. darumb geben wir in difen brief verfigelten vnd geueftent mit vnferm vnd mit vnfers Conuents Infigeln die baidiu daran hangent *b*) Dez fint geziug. her *Liupolt* her *Haier*. der *Amman*. her *Syfrit* her *Hans*. Her *Rupreht*. Priefter vnfers vorgenantes Clofters. Daz gefchach, do man zalt von

Kriftes

Kristes geburt dreutzehenhundert Jar in dem zwai vnd fünfzigosten Jar an sant Jacobs abent dez zwelfboten.

a) Insula erat rubram inter et Goeggingensem portam.

b) Sigilla sunt illaesa.

Num. CIII. Litterae reuersales monasterii S. Crucis. Anno 1358.

Ex Originali.

In Gotez namen amen. Wir Vlrich von Gotez verhengnuzz Probst dez Gotzhus ze dem *hailigen Cruiz* der Stat ze Auspurch verichen offenlich an disem brief allen den, die in ansehend oder hörend lesen. daz wir mit verainten mut vnd guter vorbetrahtung vnd rat vnsers Capitels da wir alle ze samen komen wann mit belüter gloggen az sitlich vnd gewonlich ist vberain komen sien. wan wir von Probst *Arnold* selig vnserm vorvaren niht solchez gutz vorderen noch dem Gotzhus gelazzen het damit wir vns besachen vnd besorgen möhten. vnd wir auch grozzen schaden mit minderen vnsers Gotzhus gern behütin vnd fürkomin swa wir mugin. haben wir ze kauffen geben reht vnd redlichen dem erbern wisen man Maister *Rüdiger* dem *Artzat* ze rehtem aygen vnsern hoff ze *Baitenbuch* a) der jerlich gilt zwen schöffel Roggen zwen schöffel habern, ainen metzen ölz hundert ayr. aht schilling pfenning ze wisgelt. vier herbsthüner ainen schilling pfenning ze

 wisatt.

[illegible] vnd ain faznahthun. Vnd vnser hoff ze [illegible] b) der ierlich gilt zwen schöffel Roggen aht schilling pfenning ze wisgelt vnd ain faznahthun die zwen hoff vnd swaz darzu gehört besuchtz vnd vnbesuchtz swie ez genaizzen ist mit allen nutzen vnd rehten alz wirz vnd vnser vordern mit nutzlicher gwer bis her gehebt vnd gebraht haben mit besetzen vnd entsetzzen vmb hundert pfunt haller der wir gar vnd gentzlichen gewert sien. Vnd haben die selben hundert pfunt haller geben vnserm gnedigen herrn Bischoff *Marquart* ze Auspurch für div reht die er an vns het ze sprechen von vnser bestetung wegen. Wan auch der vorgenant Maister *Rischards* der *Artzat* sich vff daz ewig leben besorget hat. dar vmb hat er die selben zwen höff mit allen nutzen Gülten vnd rehten alz vorgeschriben stat geben vnd geschaft durch Got vnserm Conuent in ir oblay. Mit der beschaidenhait daz si auch durch Got vnd durch siner sel hail vnd aller siner vordern sel ain ewig Mess haben sullen in vnserm Gotzhus vff sant *Blasius* altar als der brief set den er von vns vnd vnserm Conuent dar vmb hat. Ez ist auch met ze wizzen daz wir vnd vnser nauchkomen die vorgeschriben zwen höff vertigen sullen vnserm Conuent nauch dez lands reht vnd nauch der Stet reht als man aygen billichen vertigen sol aun allen iren schaden. Daz in daz allez stet belib vnd nit zerbrochen werd geben wir vnserm offgenanten Conuent disen brief besigelten vnd geuestendt mit vnsers gnedigen herrn Insigel Bischoff *Marquartz* ze Auspurch vnd mit vnserm Insigel div baidiv offenlich daran hangend c) Der geben ist do man zalt von Gotz geburt driwzehenhundert Jar dar nauch in dem ahtzehenden vnd fünfzigostem Jar an dem nehstem Samztag vor sant Erasmes tag dez hailigen Bischoffs. d)

a) In

a) In praefectura Zusmarshusa.
b) Maygründel in eadem.
c) Sunt laesa.
d) 2. Junii.

Num. CIV. Litterae reuersales. Anno 1359.

EX ORIGINALI.

In Gotes namen Amen. Ich Swester ADELHAIT diu *Auspurgerin* Maistrin vnd gemainolich der Conuent dez hous *bruder Arnolt a)* Tuen kunt vnd veriehen mit disem brief Daz wir mit veraintem mut vnd guter vorbetrahtung vnsern flaecken der gelegen ist neben vnserm hous ienhalben dez Lechs an vnserm Anger zwischen der von *Argaun* anger vnd der *Langenmautlin* anger. vnd swaz darzu gehört alz der selb flaeck ietzunt a'lumb vnd vmb mit marken vsbezaichent vnd gemercht ist. Gelihen haben dem erbern mann *Chunraden* dem *Bengel* burger ze Auspurch ze zwain liben daz ist ze *Hansen* lip vnd ze *Hainrichs* lip siner sun ze den zwain liben ze habend vnd ze niezzend geruwiclich die wil der selben zwair lib ainer oder si baid lebend nach liptings reht Mit der beschaidenhait daz si vns vnserm Conuent vnd vnser nachkomen da von geben sullen elliv Jar ze zins an sant Michelstag oder in naehsten aht tagen da vor oder in den naehsten aht tagen darnach fünf schilling gaeber Auspurger. pfenning nach liptings reht Taeten si des niht so ist vns vnserm Conuent vnd vnsern nachkomen der vorgeschriben flaeck vnd swaz darzu gehört darumb mit reht vnd aun alle widerred zinsuellig worden vnd veruallen si sullen auch

 den

den flaecken beſchütten vnd tungen vnd daz haew derab füren über vnſern anger vngeuarlich ze rehten mit als ſitlich vnd gewonlich iſt. Ez ſullen auch die obgenanten zwen lib *Hans* vnd *Hainrich Chunraden* den *Bengel* iren vater ir lib an dem vorgeſchriben flaecken ze triwen tragen vnd aun ſchaden vnd ſulen in daran nihtz irren wieder mit vfgeben noch mit verkauffen noch mit verwehſlun noch mit chainerlay ſach ſwaz er vf ir zwen lib damit tun oder ſchaffen wil by geſundem Lib oder an ſiechbett vnd ſwann die vorgenant zwen lib nimmer enſind vnd baid abgeſtorben ſo iſt vns vnſerm Conuent vnd vnſern nachkomen der vorgeſchriben flaeck vnd ſwaz darzu gehört aber ledig worden aun alle widerred vnd anſprach aller irr erben vnd nachkomen. Vnd dez ze vrkund geben wir in diſen brief verſigelt vnd geueſtent mit vnſers Conuents Inſigel *b)* daz daran hangt. Der geben iſt an ſant Margreten tag nach Chriſtes geburt Driutzehen hundert Jar vnd in dem Nünden vnd fünftzgoſten Jar.

a) V. Vol. XXII. p. 129. *b)* Sigilla illaesa.

Num. CV. Fundatio oblationum. Anno 1362.

EX ORIGINALI.

In Gotez namen Amen. Wir JOHANNES *a)* von gotez genaden Abt. her *Chunrat* der Prior vnd mit vns gemainclich der Kouent dez Kloſters ſant *Vlrichs* vnd ſant *Afren* in der Stat ze Auſpurg vergehen offenlich mit diſem brief vnd tun kunt allen den die in anſehent oder hörent leſen. Daz her *Johans* der

der *Hunsteter* vnser Liutpriesten *b*) mit vns geschaffet vnd geordnet hat. vnd vns dar vber getavn hat daz vns alle wol genügt. ze ainem hail seiner sel. vnd in den eren der hailigen fünf wunden vnsers herren. daz wir aus vnserm oblay immer ewiclich geben sullen alle wochen an den freytag fünf gut vnd gaeber Auspurger phenning. ainen phenning vf den fronaltar ze der Fronampt. den andern vf sant *Afren* alter ze der messe. den dritten vf den obern sant *Vlrichs* alter ze der herren messe. den vierden vf aller hailgen alter vf dem estrich ze der messe. vnd den fünften vf dez Liutpriesters alter ze der frümesse. Vnd wenn wir daz versaessen vierzehen tag. also daz wir zwo wochen nach ain ander die selben fünf phenning nit geben haeten. so sullen wir der zaech von denselben zwo wochen der phenning veruallen sein vnd geben aun allen krieg vnd widerred. alz oft vnd alz dik wir zwo wochen an ainander versampt haben. Waer aber daz wir avn gevaerd daz versambten ain wochen oder mer die nit an ainander waeren daz wir die selben fünf phenning nit engaeben alz vorgeschriben stat so sullen wir daz selb daz wir versambt haben ervollen in der naesten wochen darnach. vnd taeten wir dez nit so waeren aber die versamten phenning veruallen in vnser zaeche aun allen krieg. vnd widerred. Vnd dez ze vrkund haben wir im disen brief versigelt vnd geuestend mit vnserm vnd dez Conuentz Insigeln div baydiv daran hangent. *b*) Dez sint gezivg. her *Fridrich* von *Gomeringen* vnser Custer. her *Hans* der *Weinman*. her *Wilhalm* von *Klapphenberg*. her *Chunrat* von *Nortenberg* alle priester vnd herren vnsers Couentz. *Albreht* von *Vrschach* vnser bruder. *Arnold* vom *Hof* vnser diener. *Chunrat* vnser Kaelner. Maister *Johannes* vnser Schulmaister vnd ander erber laeut genug. Daz geschach do man zalt von

Cristes

Criftes geburd drivzehenhundert Jar vnd darnach in dem zway vnd Sechtzigoften Jar an dem naeften Mentag vor fant Jacobs tag. *c*)

a) Parochus, Plebanus.

b) Sigilla funt paululum laefa. *c*) 18. Julii.

Num. CVI. Venditio decimarum in Elgau. Anno 1363.

EX ORIGINALI.

In Gotez namen Amen. Ich MARGRET die *Waelfchweinin*, *Vlrichs* des *Waelfchweins* felig Witib. Vnd ich *Jos*. ir Sun vnd ich *Ann* vnd *Walpurg* ir töhter vergehen offenlich mit difem brief für vns vnd alle vnfer erben vnd tun kunt allen den die in anfehent oder hörent lefen. Daz wir mit verdachtem mut vnd mit guter vorbetrahtung vnd mit rat willen vnd gunft vnferr beften frivnt vnd vnfers gnaedigen herren *Seyfrids* des *Druchfezzen* den zehenden den wir haben ze lehen von dem vorgenanten *Seyfriden* dem *Druchfezzen*. der da gat vs dem hof ze *Elgen* *a*) den etwenn *Hainrich* der *Vetter* da bavt vnd der rehtz aygen ift der erbern herren ze fant *Vlrich* vnd ze fant *Afren* ze Aufpurg. reht vnd redlich geben haben ze kaufen mit allen rehten vnd nutzen die wir daran haben oder wavnten ze haben von dem egenanten herrn *Seyfriden* dem *Druchfen* *b*) der auch feiniv reht vnd die aygenfchaft mit vns verkauft hat den obgenanten gaiftlichen herren vnd dem Conuent ze fant *Vlrich* vnd ze fant *Afren* in der Stat ze Aufpurg vmb zwaintzig phunt guter vnd gaeber phenning der wir gar vnd gentzlich

gentzlich von in gewert feyen. vnd alfo fullen wir in den felben zehenden ftaeten vnd vertigen in der zeit, vnd in den rehten alz man lehen von reht ftaeten vnd vertigen fol nach dez lands reht vnd nach der Graffchaft reht da er inn gelegen ift aun allen iren fchaden vnd ward er in von iemant anfprach in den ziln alz man Lehen vertigen fol nach dez Lands reht vnd nach der Graffchaft reht da er inn gelegen ift die felben Anfprach fullen wir vnd vnfer erben in gar vnd gentzlich aufrihten vnd entlofen avn allen iren fchaden ayn allen krieg vnd widerred. Vnd alfo verzeichen wir vns fein vnd geben in vf vnbetwungelich mit freyer hand alz man fich lehens billich verzeihen fol nach dez landsreht. vnd antwurten den in in ir oblay mit allen rechten vnd nutzen die darzv gehorent ez fey ze veld ze dorf ze waffer ze waid ze holtz oder wie daz ghaiffen fey. vnd möchten wir ins nit gefertigen in den ziln alz vorgefchriben ift vnd alz wir in billich vertigen fullen welhen fchaden fy naemen ez waer an Juden an Kriften mit botenlon mit nach raifen mit verfölden oder wie daz gehaiffen waer den fullen wir in gar vnd gaentzlich aufrichten vnd entlöfen avn allen krieg vnd widerred. vnd befchaech dez nit. fo möchten fy vns phenden vnd nöten an laeuten an guten in fteten ze veld in dörfern oder wa fy fein zv möchten komen, vnd taeten daran dehain gericht wider dehainen lantfrid noch buntnuzz der herren oder der Stet noch wider iemant anders, vnd mügent daz tvn fy felb oder ir boten frivat oder ir gefellen alz lang vnd alz vil bis daz in der zehend geuertigt wurd vnd fy fchadens vnd hauptgutz gar vnd gentzlich vfgeriht vnd bezalt wurden — Vnd daz in daz allez ftaet vnd vnzerbrochen beleib haben wir in geben difen brief verfigelt vnd geueftent mit vnfers genaedigen herren hern *Seyfrids* des

Druchfez.

Druchsezzen Insigel *c*) daz er durch vnser bet willen daran gehenkt hat. vnd darvmb auch daz er die aygenschaft dez selben zehenden den vorgenanten herren auch verkauft hat als der brief saet den sy von im darvmb inn habend. vnd daz wir auch aygens Insigels nit enhaben vnd darvmb binden wir vns dar vnder mit vnsern triven staet ze halten vnd ze laisten alz daz da vor geschriben stat. Daz geschach an sant Gregorien tag in der vasten nach Cristez geburd drivtzehen hundert Jar vnd darnach in dem drey vnd sechtzigosten Jar.

a) *Eigen* vt Sup. N. XIVI. p. 69.

b) *Truchsess* von *Küllenthal*. V. Sup. N. LI.

c) Sigillum periit.

Num. CVII. Renuntiatio feudalis iuris. Anno 1363.

Ex Originali.

Ich Syfrit der *Truchsazz* von *Küllental* Tun kunt allen den die disen brief an sehent oder hörent lesen vmb den zehenden dats *Eigen* — — der da gat ous sant Vlriches hof. da selben. da etwenn *Hainz* der *Kitzer* vffazs. vnd von mir ze lehen gieng vnd den mich div *Watschwinin* von mir ze lehen enpfangen haet div in nu fürbaz. Gén den gaistlichen herren dez Gotzhous ze sant *Vlrich* vnd sant *Affrin* ze Auspurg mit miner gunst vnd gutem willen in ir oblay ze rehtem aygen verkauft vnd geben hat. Darumb vergibe ich an disem brief fur mich vnd min erben. daz ich angesehen haun sogtan triwe vnd fryuntschaft die mir die selben herren des vorgeschriben

Gotzhous.

Gotzhous. dick vnd oft getaun vnd erzaigt habent vnd noch tunt Vnd haun mit verdahtem mut vnd guter vorbetrahtung den selben vorgenanten zehenden datz *Elgen* von der obgenanten *Watlschwinin* vnd von iren erben vfgenomen. Vnd haun in durch gotz willen mit allen rehten vnd nutzen reht vnd redlichen den vorgeschriben Gaistlichen herren ze sant *Vlrich* vnd sant *Affren* ze Ausspurch vnd allen iren nachkomen. in ir oblay geaygent vnd offenlich mit disem brief aygen. vnd ze rehtem aygen vf gib für mich vnd alle min erben vnd nachkomen ze habent vnd ze niezzent ewiclich vnd geruwiclich alz ir aygenlich gut oder wem sie in gebent schaffent oder lauzzent also daz si vnd ir nachkomen nu fürbaz ewiclich mit dem vorgeschriben zehenden tun vnd schaffen mügen waz sie wellent vnd an iren frum vnd nutz keren wie si wend als ir rehtes fries aygen. Vnd sol weder ich noch dehain min erbe oder nachkomen niemant anders von minen wegen herren. frynnd oder lantlüt auch hinafür ewiclich. hintz den vorgeschriben gaistlichen herren. hintz irem Gotzhous noch hintz iren nachkomen. Nach dem selben vorgenanten zehenden. datz *Elgen.* noch nach der aygenscheft daran noch nach allen den rehten. vnd nutzen diensten ehaftin vnd Gewonhaiten die ich daran haett oder wond ze haben. von aygenscheft oder von manscheft wegen mit lehen oder mit andern sachen. chain reht noch chain ansprach nimmer mer gehaben noch gewinnen mit kainerlay sache an dehain stat noch vor dehainem geriht geistlichem oder weltlichem. wann ich mich dez selben zehenden. vnd aller der reht manscheft vnd aygenscheft die ich daran gehabt haun. vnbetwungenlich in ir oblay verzigen vnd vfgeben haun. für mich vnd alle min erben vnd nachkomen. Ich sol auch der aygenscheft dez vorgeschriben zehenden ir rehter

 gewer

gewer ſin vnd ſtaeten vnd vertigen für alle anſprach div mit dem rehten daran beſchiht nach aygens reht vnd nach dez landes reht Vnd dez ze ainem waren vnd ſtaetem vrchund gib ich in irem Gotzhous vnd iren nachkomen diſen brief verſigelt vnd geueſteht mit minem aygen Inſigel. daz daran hanget *a*) Der geben iſt an ſant Gerdruden tag in der vaſten *b*) Do man zalt von Chriſtes geburt driützehen hundert Jar vnd in dem dritten vnd ſechtzgoſten Jar.

a) Sigillum eſt valde laeſum. *b*) 17. Martii.

Num CVIII. Venditio hubae Finningae. Anno 1363.

Ex Originali.

Ich VLRICH von BACH Ritter Tun kunt vnd vergih offenlich mit diſem brief für mich, all min erben vnd Nachkomen vor allen den die in anſehend, oder hörend leſen, daz ich mit verdauhtem mut, vnd guter vorbetrahtung, min aigenſchaft vnd reht, die ich haun an der hube ze *Vinningen a*) die *Sifrid* der *Vinninger* von mir ze lehen het, reht vnd redlich verkauft haun, vnd ze kauffen geben für ains freis vnd vnuerkümertz aigen, dem veſten Mann *Chunraden* von *Erſingen*, vnd ſinen erben vmb zwai vnd zwaintzig pfunt guter vnd geber haller die er mir berait darumb hat geben, ze haben vnd ze niezzen geruwiclich, alz ir aigenlich Gut, aun aller meniclichs, vnd Gaiſtlichs oder weltlichs gerihts irren vnd hindern, vnd ſulen ich vnd min erben dem vorgenanten *Chunr.* von *Erſingen* vnd ſinen erben die obgeſchriben aigenſchaft, vnd reht, der ſelben

hube,

hube, mit aller zugehört, ſtaeten, vertigen, vnd verſprechen mit dem rehten für alle anſprach, die in daran beſchaehen möht oder beſchach, vnd alz man ſemlichiu Gut, durch reht vertigen vnd verſprechen ſol, vnd mag. Vnd darumb ze bezzer ſicherheit, haun ich in ze Burgen geſetzt die erbern Mann hern *Fridrichen* den Tegan ze Dilingen vnd *Egloffen* von *Wiſenbach*, baid vnuerſchaidenlich, mit der beſchaidenheit, ob daz wer, daz in diu obgeſchriben aigenſchaft, vnd diu reht der vorgenanten hube von iemant anſprech wrde, oder ob ſi daran geirrt wrden, die ſelben anſprech vnd irſalung ſulen ich vnd min erben in nach irer manung in ainem Monat vertraeten vertigen vnd entlöſen mit den rehten aun iren ſchaden. Taeten ich oder min erben dez niht, ſo habent ſi gewalt die vorgenant Bürgen ze manen, vnd die ſulln, nach der manung ſelb, oder für ieden ain kneht mit ainem pferd, ein faren in die Stat ze Dilingen in ains erbern Gaſtgeben hus vnd laiſten in reht geiſelſchaft, vnd aun vrlob niht vs der laiſtung komen biz daz in diu Anſprach vnd irſalung darumb ſi gemant heten vſgetragen vnd geuertigt werdent aun iren ſchaden. Wer ach dez in die vorgenant burgen daz laiſten verzugen ſo hant ſi vnd ir helffer gewalt, die burgen darumb ze nöten vnd an ze griffen an Lüten vnd Guten, wie oder wa ſi mugent, vnd tund daran niht wider vns noch die ſelben burgen, noch wider niemant anders. vnd tun daz wol alz lang, vnd alz vil biz daz ſi laiſtend vnd volfurent, daz hie vorgeſchriben iſt. Gieng in der vorgenant burgen ainer ab, dez got niht enwell, ſo ſulen ich vnd min erben in ainen andern ſetzen nach irer manung inner vierzehen tagen, beſchach dez niht, ſo ſol in der beliben burg aber ein faren vnd laiſten in dem vorgeſchriben rehten, alz lang biz ez beſchiht. Vnd dez ze Vrchund gib

gib

gib ich vnd min erben In disen brief versigelt vnd geuestent mit minem aigen vnd der obgenanten burgen Insigeln diu daran hangent, *b*) Der geben ist do man zalt von Christes geburt driutzehen hundert Jar, vnd in dem dritten vnd saehtzigostem Jar an sant Johans Abent ze Sunnwenden. *c*)

a) Finningen.

b) De sigillis paululum laesis, primum et tertium Tab. IV. N. VI. VII. occurrunt.

c) 23. Junii.

Num. CIX. Renuntiatio iuris feudalis. Anno 1363.

EX ORIGINALI.

In Gotes namen Amen. Wir HAINRICH von Gotes genaden Abt dez Gotzhous ze Kemptun Vnd wir der Conuent gemainclich dez selben Gotzhous Tuien kunt vnd veriehen offenlich mit disem brief für vns vnd für all vnser nachkomen. allen den die in ansehent oder hörent lesen, daz wir mit verdauhtem mut, vnd mit guter vorbetrahtung vnd mit raut. willen. vnd gunst. da wir all ze samen waren komen. als sitlich vnd gewonlich ist; durch flizziger bet willen. die friuntschaft vnd die genaud getaun haben. den Ersamen herren hern *Johansen* Abt. vnd dem Conuent gemainclich. dez Gotzhous ze sant *Vlrich* ze Augspurg vnd allen iren nachkomen, daz wir vns der lehenschaft an der hub ze *Stetwang* *a*) die *Hartman* hiut ze tag da buet, vnd gilt iärlich sechs mezzen kerns vier vnd zwaintzzig metzzen habern. vnd sechtzzig phenning vnd swaz

zu

zu der selben hub gehöret. besuchts vnd vnbesuchts, swie ez gehaizzen oder genant ist, vnd die *Autbrethe* von *Vischach* dez vorgenanten herren Abt *Johans* bruder von vns vnd von vnsern Gotzhous ze lehen gehebt haut, vnd haut si nu den vorgenanten herren in ir oblay durch siner sel willen geben vnd geordnut, vnd diu auch von vns vnd. von vnserm Gotzhous rehtes lehen gewesen ist biz vf disen hiutigen tag, reht vnd redlich verzigen haben. vnd verzihen auch mit disem brief für vns all vnser nachkomen. vnd für vnser Gothouff vnd die selben vorgenant hub mit allem dem daz darzu gehöret. haben wir den vorgenanten herren dez vorgenanten Gotzhous ze sant *Vlrich* ze Ausspurg vnd allen iren nachkomen recht vnd redlich gelihen vnd gelauzzen in ir oblay. fürbaz ewiclich ze ainem rehten zinslehen von vns. allen vnsern nachkomen vnd von vnserm Gotzhous, Mit der beschaidenhait vnd mit dem gedinge. daz si vnd all ir nachkomen ous irem oblay vns allen vnsern nachkomen vnd vnserm Gotzhous von der selben vorgenant hub iärclich geben sullen ze zins ain phunt wachs Kempter gewäges her gen Kemptun in ains Abt kamer vf sant Johans tag ze Sunwenden. acht tag da vor oder acht tag dar nach. Taeten si dez nit so haben wir all vnser nachkomen, vnser amptlüt oder vnser helfer die wir dez bitten vollen gewalt vnd recht, si all ir nachkomen. vnd ir oblay dar vmb ze nöten vf der vorgenant hub aun clag mit clag aun gericht mit gericht Gaistlichen oder weltlichen oder ze phenden vf der selben hub. wie oder wa vnd wa hin wir mügen oder wellen. vnd wir, vnser amptlüt. vnd die vns durch vnser bet willen dez helfent. tuien daran nit wider dem Lantfrid noch wider dehainem gerichte. vnd den bunden. die der Kayser. die herren vnd die stet. ietzzo gesetzt haund, oder noch

fürbaz

fürbaz fetzzend a) Vnd komen wir der notung ze redlichem schaden von clag. von zerung. von bottenlon. von phandung. oder von welchen redlichen sachen daz beschaech, den selben schaden sullen si. ir nachkomen. ous irem oblay von der vorgenanten hub, vns allen vnsern nachkomen. vnd vnserm Gotzhous gentzlich vnd gar abtun vnd ousrichten. vnd darvmb behaft sin. als vmb den vorgeschriben zins. Beschaech aber dez allez nit. so haben wir. all vnser nachkomen vnsere amptlüt oder helfer vollen gewalt vnd recht si. all ir nachkomen. vnd ir oblay darvmb ze nöten. vf der obgenanten hub in dem vorgeschriben rehten. vnd mügen daz tun! als lang vnd als vil. biz daz wir oder vnsere nachkomen. vnd vnser Gotzhous. dez zins der vns dehn ous legt. vnd dez schaden den wir sin genomen haben gentzlich vnd gar gericht vnd gewert wurden. von allen vnsern schaden, Vnd dez allez ze ainem waren vrkund geben wir in disen brief versigelt vnd geuestent mit vnserm vnd mit vnsers Conuentes Insigeln. diu baidiu dar an hangent b) Daz geschach do man zalt von Cristes geburt driuzehen hundert Jar vnd dar nach in dem dri vnd sechsgosten Jar. an dem nächsten mentag. nach sant Michels tag. c)

a) Stettwang in praefectura Kaufburana.

b) Sigilla perierunt. c) 2. Octob.

Num. CIX. Venditio hubae Wollishusae. Anno 1363.

Ex Originali.

In Gotes namen Amen. Ich GEORG von AERESINGEN. Tun kunt vnd vergih offenlich mit disem brief vor allen den die in in ansehent oder hörent lesen. Daz ich mit verdahtem mut vnd guter vorbetrahtung vnd mit rat willen vnd gunst miner erben vnd besten friund. Min hub div gelegen ist datz *Wollamshousen* in der Reyschenaw. *a*) die der *Schneyder* von Wollamschousen da inn haut vnd iaerclich da von git ze gewonlicher gülte. zwen Scheffel Roggen, vnd zwen scheffel haberñ Auspurger mezze nach herrengült reht div min rehtes aigen waz. vnd ist vogtbaer gen der herschaft von *Hattenberg* Vnd mit hofstat datz *Wollamshousen* da der vorgenant *Schneyder* ietzunt vf sitzt vnd iaerclich da von git ainen metzen öls sechtzg Auspurger pfenning vnd ain vasnaht hun. div auch min rehtes aygen waz. vnd ist vnuogtbaer. Die selben vorgenant hub vnd die hofstat datz *Wollamshousen*. vnd waz zu den Guten baiden gehört in dorff oder ze vaeld. an aeckern an wisen. an wazzer an waid an holtz an geraeut. an besuhtem oder vnbesuhtem wie ez gehaizzen oder genant ist. Ez sie an disem brief benent oder niht vnd auch mit allen rehten vnd nutzen diensten vnd gülten. vnd div gut baidiv geltent an clainen oder an grozzen mit besetzen vnd entsetzen vnd auch mit aller Ehaftin vnd gemainsamin alz sie min vater saelig von dem ich sie geerbt haun her an mich vnd ich vnd min erben mit nutzlicher gewer von reht vnd von gewonhait biz vf disen hiutigen tag braht gehebt vnd genozzen. haben für ledigiv vnuerkümmertiv gut vnd ain rehtes aygen. reht vnd redlichen. verkauft vnd geben haun Minem Genaedigen herren hern *Johansen* von Gotes genaden Abt. vnd gemainclich dem Conuent dez closters ze sant *Vlrich* vnd sant *Affren*. ze Auspurch vnd allen iren nachkomen. ze rehtem aygen, oder wem sis hinnafür gebent verkauffent schaffent oder lauzzent ze habend vnd ze niezzend. ewiclich vnd geruwiclich. alz ir aigenlich

aigenlich gut Vnd haund mir darvmb geben vier vnd zwaintzig pfunt gut vnd gaeber Auſpurger pfenning der ich gentzlich vnd gar gewert vnd bezalt bin vnd an minen vnd miner erben nutz gelaet haun. Vnd haben ich vnd min erben minem vorgenanten herren dem Abt vnd ſinem Conuent irem Gotzhous vnd iren nachkomen die vorgenant hub vnd die hofſtat vnd waz darzu gehört ze rehtem aygen vfgeben mit frier hant vf dez Reichs ſtrauzz. vnd haun mich ir verzigen vnbetwungenlich vnd mit gelerten worten für mich vnd alle min erben vnd nachkomen alz man ſich aigens durch reht vnd bilich verzihen ſol vnd alz man ez vfgeben ſol nach aigens reht vnd nach der Grafſchaft vnd dez landes reht vnd gewonhait da ez inn gelegen iſt alſo daz weder ich noch dehain min erbe oder nachkomen niemant ander von minen wegen herren friund oder lantlüt fürbaz ewiclich kain reht noch kain anſprach. darnach nimmer mer haben ſulen noch enmügen in dehain wis weder vor gaiſtlichem oder weltlichem rehten. Vnd alſo ſulen ich vnd min erben der vorgeſchriben hub vnd der hofſtat datz *Wollemhouſen* vnd waz darzu gehört ir reht gewern ſin vnd ſtaeten vnd vertigen für alle anſprach die mit dem rehten daran. beſchiht nach aigens reht vnd nach der Grafſchaft, vnd dez landes reht vnd gewonhait da ez inn gelegen iſt. Vnd haun in darüber ze ainer bezzern ſicherhait zu mir vnd zu minen erben vnuerſchaidenlich ze rehtem Gewerea geſetzt Minen lieben bruder hern *Chunraden* von *Aerſingen Kirchherr. b*) ze Ottmaringen Mit der beſchaidenhait ob in div vorgeſchriben Gut ir aintweders oder ſie baidiv vnd waz darzu gehört von iemant anſprach wurden mit dem rehten in den zilen vnd man eygen durch reht ſtaeten vnd vertigen ſol nach aigens reht vnd nach der Grafſchaft vnd dez landes reht vnd

gewon-

gewonheit da ez inn gelegen iſt oder ob ſie von mir oder von minen erben daran geirrt wurden mit welhen ſachen daz beſchaeh. Die ſelben anſprach vnd irſalung der ſie ainiv oder mer ſulen ich vnd min erben vnd der vorgenanten gewer in ze hant nach irr manung. in dem naechſten manot mit dem rehten vſrichten vnd entlöſen aun allen iren ſchaden. Taeten wir dez niht ſo habent ſi gewalt mich oder den vorgenanten Gewern ze manen. vnd we derer dann gemant wirt der ſol in vnuerzogenlich ein varen vnd laiſten ze Auſpurg in ain erbern offen gaſtgeben hous aun geuerd in rehter geyſelſcheft vnd welher ſelb niht laiſten wölt der ſol ain erbern kneht mit ainem pfaert an ſin ſtat in die laiſtung legen. Vnd ſulen alſo nimmer ouz der laiſtung komen biz daz min vorgenanter herr vnd ſin Conuent aller der anſprach vnd irſalung darumb ſie gemant habent vnd waz ſie der ſchaden genomen haeten. gentzlich vnd gar vſgeriht vnd entlöſt werdent aun allen iren ſchaden. Wolten wir in daz verzichen ſo mügen ſie mich min erben vnd den vorgenanten gewern darumb nöten mit geiſtlichem oder weltlichem rehten. oder pfenden an lüten vnd an guten wie oder wa ſie wend vf dem land oder in ſteten. alz lang vnd alz vil biz daz in vnuerzogenlich vnd aun iren ſchaden vſbraht vnd vollfürt wirt daz da vor geſchriben ſtat. Vnd tunt daran niht wider vns noch wider dehainen geriht noch wider den Lantfrit vnd der buntnuzz noch wider niemant anders. Vnd des ze ainem waren vnd ſtaeten vrkund gib ich minem obgenanten herren dem Abt vnd ſinem Conuent vnd allen iren nachkomen diſen brief für mich vnd alle min erben vnd nachkomen verſigelt vnd geueſtent mit minem vnd dez vorgenanten Gewern Inſigeln diu baidiv daran hangent *c*) Dez ſint gezing *Aulbreht* von *Viſchach. Hainrich* der *Zwaerger. Arnolt Imhof*

Vlrich der Judenschriber vnd andern erbern lüt genuͦt. Dis geschach vnd wart der brief geben des achtoden tags nach sant Michelstag *d)* Do man zalt von Christes geburt driutzehen hundert Jar vnd in dem dritten vnd Sechtzgosten Jar.

a) *Wolleshausen* ad amnem Schmutter.

b) Ita Parochi nominabantur.

c) De sigillis laesis, et sibi similibus vnum Tab. IV. N. VIII. adparet.

d) Sexta Octobris.

Num. CXI. Litterae reuersales Conradi de Erringen. Anno 1364.

Ex Originali.

Ich Conrat der Erringer ze Schondorff gesezsen. Tun kunt vnd vergih offenlich mit disem brief für mich vnd für min erben. Daz ich die lehenschaft vnd diu lehen diu hete vnd gehept han ze *Norndorf a)* von den herren ze sant *Vlrich* ze Auspurg vnd darvmb ich iren guten brief hete — — Daz ich der mich vnd min Erben verzih vnd verzigen han — — gen *Cuntzen* dem *Sleuzsen* dem *Murer* genant, vnd gen *Georgen* sinem Swager von *Luterbach* genant aller der reht vnd ansprach die ich vnd min erben daran heten vnd gehept haben Darvmb Lieben min gnedigen herren bit ich mich daz ir diu vorgenant lehen furbaz lihent minen Vettern oder wem sie haissen. vnd dar an tut ir nit wider mir noch wider kainen miner Erben Vnd dez ze vrkund vnd sicherhait gib ich der vorgenant. *Chunr. Erringer* disen brief dem vorgenanten *Cuntzen* dem

Slayssen

Sleyssen — — vnd *Giorgen* von *Luterbach* versigelt mit minem aygen Insigel daz hie an henget *b*) mich vnd min erben ze vbersagen aller vorgenant dinge. Der brief waurt geben an der Mitwochen in der Pfingstwochen *c*) Do man zalt von Gotes geburt driutzehen hundert iar vnd dar nach in dem vier vnd sechtzigostem iare.

a) In ditione Fuggeri. *b*) Sigilla periere. *c*) 15. Maii.

Num. CXII. Conuentio Aduocatiam Kitzenhofae concernens. Anno 1365.

Ex Originali.

Ich Hainrich der Brobst von Grabun: vnd ich *Adelheit* sem elichiv wirtin. vergehen offenlich mit disem brief für vns vnd alle vnser erben. vnd tun kunt. allen den die in sehent oder hörent lesen. vmb den Stoz den wir gehebt haben. an daz Gotzhaus ze sant *Vlrich* ze Aufspurg. von der vogtay wegen. vf dem hof ze *Kützehouen a*) daz wir dez selben stotz vnd irrsalung lieblichen vnd frivntlichen verricht seyen Mit der beschaidenhait daz vnser genaediger herr Abt *Johans* dez vorgenanten Gotzhaus. vnd sein nachkomen, darumb geben sullent. *Hainrichen* dem *Kargen* burger ze Aufspurg naeun phunt guter vnd gaeber Aufspurger phenning vf die vier tag in der vasten. die nu aller schierst koment. alz der brief saet den er von in darumb inne hat. vnd also sullen wir oder vnser erben. noch iemant von vnsern wegen. fürbas von der selben vorbenenten vogtay wegen an vnsern vorbenenten genaedigen herren vnd an sein nachkomen. noch an daz Gotzhaus nimmermer kain ansprach gehaben weder mit dem rehten. noch aun recht. vnd vnd alsp seyen wir gentzlich vnd gar verricht vmb die Ansprach vnd vmb alle die Ansprach die wir vormals an daz obgenant Gotzhaus ze sant *Vlrich* ze Auspurg ie gehebt haben, oder waunten ze haben bitz her vf disen hivtigen tag. Vnd dez ze vrkund geben wir im disen brief versigelt vnd geuestent. mit hern *Hainrichs* dez *Shnelmans* Ritters Insigel. vnd mit hern *Wolfhartz* dez *Zwaxgers* jetz phlegers ze Lantsperg Insigel. die sy baidiv durch vnser bet willen daran gehenkt haunt *b*) In selber aun schaden. vnd allen iren erben mer. diser sach ze ainer warn zivknuzz. wan wir selber aigens Insigels nit enhaben vnd darumb so verbinden wir vns darvnder mit vnser triven staet ze halten vnd ze laisten allez daz da vorgeschriben stat. Daz geschach nach Cristes geburd drivtzehen hundert Jar vnd darnach in dem fünf vnd sechtzigostem Jar. an dem naesten Samtztag nach sant Marteins tag. *c*)

a) Kizighofen V. Sup. p. 126.

b) Sigillum secundum illaesum Tab. IV. N. IX. videndum erit.

c) 15. Nouembris.

Num. CXIII. Venditio quorumdam bonorum Finningae. Anno 1365.

EX ORIGINALI.

Ich JACOB von ALTHAIN der iunge *Jacobs* sun von *Althain* ze den ziten ze Höchstetten gesezzen vergich vnd tun kunt offen-

lich

lich an disem brief für mich vnd all min erben. allen den die in ansehent lesent. oder hörent lesen: daz ich mit wolberauten mut mit güter vorbetrahtung: vnd mit raut willen vnd gunst minr nähsten frunt reht vnd redlich verkouft haun vnd ze kö-fent geben havn. dem erbern mann *Cunr.* von *Erfingen* vnd allen sinen erben oder wem er in schaffet git oder lavt minen hoff gelegen ze *Herrnuffinningen* da der *Hukheller* ze disen zi-ten vfsitzzet vnd der ze lehen gavt von dem Bistum ze Ausp-purg mit allem dem daz darzu gehört ze dorf ze velt an ak-ker an wisen an wazzer an waid an holtz an zwi an gerütt ob erd vnder erd besucht vnd vnbesucht wie ez denn gehaiz-zen ist. ez si an disem brief benennt oder niht mit allen rehten gewonhaiten gülten vnd nutzzen die havt vnd giltet die ich daran gehebt havn oder wavnd ze habent mit klainem vnd mit grozzen mit besezzen vnd entsezzen alz ich vnd min vordern in mit nutzz vnd gewer her brauht haben vnd genozzen. biz vf disen hütigen tag für ain ledigs vnuerkummertz gut vnuogt-bärs vnd vndienstbärs. Vnd dri feld die ovch darzu gehörend vnd da selbent ovch gelegen sint. vf der ainen sitzzet ze di-sen ziten der *Schmid* vf der andern sitzzet *Cunr.* der *Wiss* vnd vf der dritten etwenn gesezzen waz diu *Gygerin.* vnd havn in den vorgenant hoff mit aller zugehörd alz vorgeschriben stavt vnd ovch die ietzigen dri feld mit aller ir zugehörd geben ze haben vnd ze niesen eweklich vnd geruweklich alz ander ir gut vmb hundert vnd fünf vnd sechtzig pfunt guter haller die ich gar vnd gentzlich von in gewert bin vnd in ander min nutzz komen vnd geleit sint Vnd havn ovch den vorgenanten hoff vnd die vorgenante dri feld mit aller ir zugehörd alz vorgeschriben stavt vfgeben mit willigem mut vnbezwungen vf dez Richez stravzz mit solichen gelerten worten alz ez kraft

vnd

vnd maht havn folt vnd meht. Vnd verzih mich vnd havn mich ovch verzihen für mich vnd all min erben offenlich mit disem brief dez vorgenant hoffs vnd der vorgenant felld mit all ir zugehörd alz da vorgefchriben ftavt. alz man fich folicher gut billich vnd von reht verzihen vnd vfgeben fol navch lehens vnd navch dez landez reht, alzo daz ich noch kain min erb oder ieman anders von minen wegen fürbaz eweklich kain anfchravch noch kain reht weder gaiftlichs noch weltlichs dar zu nimmer mer gehavn noch gewinnen fullen in dehainen weg weder lützel noch vil. Vnd alzo fol ich oder min erben im oder finen erben den vorgenanten hoff vnd die vorgenante Selld mit aller ir zugehörd alz vorgefchriben ftavt. ftaeten vertigen vnd verfprechen vnd ir reht geweren darvmb fin gen allermänklich für all anfpravch diu in dar an befchächen möhte. vnd alz man fölichiu gut von reht ftäten vnd vertigen fol navch lehens vnd navch dez lanndez reht avn allen iren fchaden. Vnd darumb zu ainer guten ficherhait havn ich im vnd finen erben zu mir vnd zu minen erben ze burgen gefetzt vnuerfchaidenlich die erbern veft mann die hie navch gefchriben ftavnt Mit der befchaidenhait wär ob in der vorgenant hoff oder die vorgenant fellden oder dehain ir zugehörd ez wär klain oder grozz von iemant wurden angefprochen. wenne daz wäre in der frift vnd man folich gut von reht ftaeten vnd vertigen fol. vnd dar an geirrt wurden die felben anfpravch vnd irrung aller ir wär wenig oder vil fullen ich oder min erben im oder finen erben vzrihten vnd abtun gar vnd gentzlich avn allen iren fchaden navch lehens vnd navch dez lanndez reht. täten wir dez niht fo havnt fi gewalt vnd gut reht die hie navch gefchriben burgen alle oder alz mangen fi wellent darvmb ze manen ze hus ze hoff oder vnder augen felber

oder

oder mit iren botten oder briefen vnd die sullent in denn navch der manung in den nähsten aht tagen vnuerzogenlich darvmb invaren ze Höchsteten ze Dilingen oder ze Laugingen in der drier stett ainen in welhen si denn gemant werdent vnd sullent da laysten vngeuarlich ain reht Gyselschaft in erber offener Gastgeben wirthuser ze vailein kouf vnbedinget navch laystentz reht ieglicher mit ainem pfärt oder ie an ains burgen stat ain erber kneht in demselben rehten der selber niht laisten wölt oder möht Vnd sullent da alzo vz der laistung nimmer komen noch ledig werden. die burgen oder ir kneht denn mit dez vorgenant *Cunr.* von *Ersingen* oder siner erben gutem willen oder biz an die zit daz in alliu ansprauch vnd irrung vzgeriht vnd abgetavn wirt die si an den vorgenanten guten gehebt hetten vnd darvmb si denn gemant havnt gar vnd gentzlich avn allen iren schaden Vnd wär ob der burger dehainer alzo niht laisten wölt oder die laistung wider irem guten willen verzuge so havnt der vorgenant *Cunr.* von *Ersingen* oder sin erben vnd all ir helfer aber vollen gewalt vnd gut reht mich den vorgenanten selb scholn oder min erben vnd die vnlaistenden burgen darvmb anzegrifent zepfendent vnd ze nötent mit geriht oder aun geriht an vnsern lüten vnd guten in Stetten oder vf dem lannd wie oder wa si mügent vnd wa si hin wellent in welhez geriht oder festy si went alz lang vnd alz vil biz in alliu ansprauch bruch vnd irrung die si an den vorgegenant guten gehebt hetten gar vnd gentzlich vzgeriht vnd abgetavn wurdent aun allen iren schaden. Vnd tunt si noch ir helfer damit niht wider dehain gaistlichem oder weltlichem rehten noch wider vns oder die burgen noch wider ieman anders vnd verschulldent ovch nihtz wider dem lantfrid noch wider herren oder der Stett sätzz vnd ouch buntnuzz die ietzo

sint

ſint oder fürbaz vf geſetzt wurden noch in dehain andern weg. vnd daz ouch wir vnd die burgen eweklich avn all klag vnd avn all rauch lavn ſullen. Gieng ovch der burgen ainer oder mer ab in der friſt vnd man ſolich gut von reht ſtaeten vnd vertigen ſol da got vor ſi oder von dem lannd für. ſo ſullen wir in darnauch in dem nähſten monat nauch ir vorderung ainn. oder mer ander. alz ſchidlich burgen ſetzzen. oder ſi havnt aber gewalt vnd reht die ander beliben burgen darvmb ze manen. vnd die ſullent in denn aber vnuerzogenlich darvmb in varen layſten in allem vorgeſchriben rehten alz lang biz ez beſchiht Ich der vorgnant ſelbſchol vergih ouch für mich vnd min erben den burgen vnd iren erben von der burgſchaft ze helfent avn allen iren ſchaden. Vnd dez allez ze ainem wauren vrkunnd vnd guter ſicherhait aller vorgeſchriben ſach gib ich der vorgenant *Jacob* von *Althain* der iunge für mich vnd min erben dem vorgenanten *Cunr.* von *Erſingen* vnd ſinen erben diſen brief verſigelt vnd geueſtent mit minem vnd mit miner burgen Inſigeln *a*) Vnd wir die burgen all. alz wir hie nauch geſchriben vnd benent ſien veriehen ouch aller der burgſchaft alz von vns hievor geſchriben ſtaut vnd dez ze vrkunnd haben wir ouch vnſeriu Inſigel gehenkt an diſen brief Dis ſint die burgen die dis burgſchaft gelobt haunt vnd layſten ſullent alz hie vorgeſchriben ſtaut ob ez ze ſchullden kom *Jacob* von *Althain* ze diſen ziten ze Höchſtetten geſezzen min vatter. her *Hainr.* von *Stain* Ritter. *Herbrant* von *Stain* baid ze dem Diemenſtain geſezzen. Vnd *Vlrich* der *Merſslinger* ze diſen ziten ze Höchſtetten geſezzen. Vnd wär ob der inſigel diu an diſen brief gehenket ſint ains oder mer zerbrochen wurden avn geuärt daz ſol in ze kain ſchaden komen. Diſer brief wart geben do man zalt von Criſtez geburt driutzehen-

hundert

hundert Jar dar nauch in dem fünf vnd sechtzigosten Jar. an den wizzen Sunnentag in der vasten. *b*)

a) Quinque sigilla sunt illaesa, de quibus tria Tab. IV. N. X. XI. XII. delineata conspiciuntur.

b) Dominica prima quadragesimae.

Num. CXIV. Litterae feudales. Anno 1366.

Ex Originali.

Wir Johans von Gotes verhenknuzz Probst Vnd der Conuent gemainclich dez Closters überal ze sant *Görgen* vsserhalben der Rinkmur ze Auspurg veriehen vnd tun kunt offenlich an disem brief, daz wir mit verraintem willen vnd guter vorbetrahtung in vnserm Capitel do wir alle ze samen komen waren, alz sitlich vnd gewonlich ist vnser holtz vnd holtzmarck gelich halbes daz die *Heuelin* witib burgerin ze Auspurg auch halbes hat daz gelegen ist ze *Lüttenshouen* ze nehst an *Chunraden* dez *Aunsorgen* holtzmarck vnd swaz darzu gehöret oberde vnd vndererde mit besuchtem vnd vnbesuchtem alz ez ietzo mit marken allumb vnd vmb ist vsgezaichent vnd gemercket, vnd daz vnser vnd vnsers Gotzhuses rehtes aygen ist reht vnd redlich verlihen haben frawen *Agnesen* der *Boppenhaisin* witiben burgerin ze Auspurg ze aht liben daz ist ze ir selbs libe ze *Andrisen*, ze *Peters*, ze *Vrseln*, vnd ze *Walpurgen* irr kind liben, ze *Chunratz* dez *Völkwins* dez Goltsmids irs bruder libe, ze frawen *Annen* der *Strelerin* irr swester libe vnd ze *Walpurgen* lib irs bruder *Andrezz Völkwins* selig tohter, ze den selben

ben vorgenanten aht liben ze haben vnd ze niezzen gerûwiclich die wil ir einer oder mer, oder ſi all lebent nach liptings reht Mit der beſchaidenhait, daz ſi oder ſwem ſi iriu reht daran gebent verkauffent, ſchaffent, oder lazzent vns vnd vnſerm Gotzhuſe elliu Jare dauon geben ſullen ze zinſe ſehs ſchilling guter vnd geber pfenning vf ſant Michels tag aht tag vor, oder aht tag nach, nach liptinge reht. Teten ſi dez niht ſo iſt vns vnd vnſerm Gotzhus daz vorgenant halb holtz, vnd holtzmark, vnd ſwaz darzu gehöret darumb mit reht zinſuellig worden, vnd veruallen aun all widerred. Es ſullen auch die iüngſtgenanten dry libe den vordern fünf liben vnd iren erben, oder ſwem ſi iriu reht daran gebent ir libe an dem obgenanten lipting ze triwen tragen, vnd aun ſchaden, vnd ſúllen ſi daran niht irren weder mit vfgeben mit verkauffen, noch mit verwechfeln, noch mit dhainen andern ſachen, Dez ze vrkunde geben wir ir diſen brief verſigelten mit vnſerm vnd vnſers Conuentz Inſigeln, diu baidiu daran hangent. *a*) Dez ſint geziug her *Andres* Liupriester her *Syfrid*, her *Ruprehs*, her *Hainrich* der *Vttinger* Priester vnd herren vnſers Conuents Vnd anderr erberr lût genug. Daz geſchach nach Criſtes gepurte driutzehen hundert Jare vnd in dem ſehs vnd ſehtzigoſtem Jare an dem nehſten Afftermentage nach dem hailigen zwelſpoten tag Philippi vnd Jacobi. *b*)

a) Sigilla periere.

b) Quinta Maii.

Num. CV.

Num. CXV. Traditio. Curiae in Mairstetten. Anno 1366.

Ex Originali.

Ich Albreht von Vischach. vergich offenlich mit disem brief für mich vnd alle mein erben. vnd tun kunt. allen den die in lesent sehent oder hörent lesen Daz ich mit verdachten mut, vnd mit rat willen vnd gunst meiner besten friunt. angesehen haun. daz hail meiner sel, vnd darumb haun ich durch meiner Sel willen ze den zeiten do ich wol gesunt waz. vnd reiten vnd gaun dannocht mocht. ze Kirchen vnd ze Strazz vfgeben, vnd gib auch vf frelich vnd vnbetwungenlich mit disem brief. den hof ze *Maurstetten* a) gelegen bei der Stat ze Baeuren b) der von dem Reich mein lehen ist; meinen genaedigen herren von dem Conuent dez Closters ze sant *Vlrich* ze Auspurg in ir Oblay. Mit sogtaner beschaidenhait daz si meiner Sel darumb gutz bitten alz ich in getrav. vnd alz si mir auch darumb schuldig sint ze tun. Dez ze vrkund gib ich disen brief versigelt vnd geuestent mit meinem Insigel, daz daran hanget c) Dez sint gezivg *Arnold Imhof* mein Oehin. *Haintich* der *Pörstel* *Hainr.* der *Aengerlin* baid burger ze Auspurg. *Hainr.* der *Orgler* Kaelner dez vorgnanten Klosters ze sant *Vlrich* ze Auspurg vnd ander erber laeut genug. Daz geschach nach Cristes geburd driutzehen hundert Jar vnd darnach in dem sechs vnd sechtzigosten Jar an sant Narcissen tag dez hailigen Bischofs.

a) In praefectura Kaufbur. b) Kaufbeurn.

c) Sigillum est auulsum.

Num. CXVI. Venditio prati in Haunstetten Anno 1367.

EX ORIGINALI.

Ich HAINRICH der CRAMER by sant *Nyclaus* a) burger ze Auspurg ich *Agnes* sein elichiu wirttin, vnd ich *Vlrich*, ir sun, den si by irem vordern wirtte *Hainrichen*, dem *Cramer* selig gehabt hat, veriehen vnd tun kunt offenlich an disem briefe, daz wir mit veraintem willen, vnd guter vorbetrahtung vnd mit rat willen vnd gunst *Margareten*, *Affren*, vnd *Josen*, min *Agnesen* kinde, die ich by dem vorgenanten *Hainrichen* dem *Cramer* minem vordern wirtte selig gehabt haun, vnd aller ander vnserr erben, vnd besten friunte, Wann daz wismat by demselben minem vordern wirtte selig herkomen ist, vnseriu Ahtzehen tagwerck die gelegen sint vf dem Lechuelt hie dissehalben dez Guntzenlechs, vnd stozzent ain halben an dez Spitals wismat, vnd anderhalben an die Rorach, vnd swaz darzu gehöret an besuchtem vnd vnbesuchtem, alz si ietzo mit marcken vnd mit vndermedern allumbundumb vzbezaichent, vnd gemerket sint, vnd die vnser rehtes aygen waren reht vnd redlichen verkauft vnd geben haben für ain lediges vnd vnuerkümertes gut vnd ain rehtes aygen, *Cunraden* dem *Püttinger* dem Goltsmit burger ze Auspurg frawen *Gerdruden* siner elichen wirttin *Cunraden* dem *Swartzen* dem Weinschenken burger daselben frawen *Kathrinen* siner elichen wirttin, vnd iren Erben oder swem sis hinnafür gebent verkauffent schaffent, oder lazzent, ze haben vnd ze niezzen ewiclich vnd geruwiclich ze rehtem aygen, vmb zwelf pfunt guter vnd geber pfenninge, die wir berait von in darumb enpfangen habén vnd an vnsern, vnd vnserr erben nutz geleit haben, vnd haben wir in

vnd

vnd iren erben die vorgenant ahtzehen tagwerck a) wismatz vnd swaz darzu gehöret ze rehtem aygen vfgeben vnd haben vns ir verzigen mit gelerten wortten für vns für alle vnser erben vnd nachkomen, alz man sich aygens durch reht vnd billich verzeihen, vnd vfgeben sol nach aygens reht, nach dez Lanndez reht, do si inn gelegen sint Vnd nach dirr Stat reht ze Auspurg Also daz wir dhain vnser erbe noch nieman von vnsern wegen darnach furbaz ewiclichen nihtes mer ze sprechen haben mit dhainen sachen Vnd sullen wir ins auch also steten vnd vertigen vnd ir reht Gewern sin für alle ansprach, div mit dem rehten daran beschiht nach aygens reht vnd nach dez lanndez reht vnd gewonhait do si inne gelegen sint vnd nach dirr Stat reht ze Auspurg. Vnd wurden si in daruber von yeman ansprach mit dem rehten in den sin vnd man aygen nach aygens reht, nach dez Lanndez reht do ez inn gelegen ist Vnd nach dirr Stat reht ze Auspurg steten vnd vertigen sol dieselben ansprach vnd swaz si der schaden nemen sullen wir vnd vnser erben si vnd iren erben gar vnd gentzlichen entlösen, vnd vsrihten aun allen iren schaden. Dez ze vrkunde geben wir in disen brief versigelten mit der Stat ze Auspurg clainern insigel daz durch vnserr bet willen daran gehenkt ist by der Statt aun schaden Dez sint geziug her *Hainrich* der *Vögelin* dez *Welser* seligen tohterman, her *Cunrat* der *Rohlinger* die do der Stat pfleger waren, her *Johans* der *Vögelin* herrn *Wernhers* seligen sun, her *Rudiger* der *Rappot* vnd anderr erberr laut geziug Dez geschach nach Cristus geburte driutzehenhundert Jare vnd in dem Sibenden vnd Sechtzigostem Jare an sant Margareten tag. b)

a) Extra vrbem. b) Sigillum periit.

Num. CXVII. Venditio Census. Anno 1370.

Ex Originali.

Ich HAINTZ VON SCHELLENBERG gesessen ze Hohentan vnd ich MAERK von SCHELLENBERG vnd ich BENTZ von SCHELLENBERG vnd ich TÖLENZ von SCHELLENBERG gesessen ze Kißlegg. Wir vier von SCHELLENBERG veriehen vnd tugen chunt an disem offenn brief für vns vnd all vnser erben allen den die in sehent oder hörent lesen daz wir geltent soltent dem Erwirdigen herren Apt *Fridrichen a)* dez Gotzhus sant *Vlrichs* ze Ougspurg *b)* vnd sinem Conuent vnd dem selben sinem Gotzhus hundert phunt haller von dez selgeretz wegen hern *Heinrichs* saeligen von Rötenberg. der selben hundert phund haller haben wir den obgenanten Apt *Fridrichen* vnd sin Conuent vnd ouch sin obgenantez Gotzhus gar vnd gäntzlich gewört nach allem irem willen. Mit sogetaner beschaidenhait. daz wir in für die selben phenning vnd vmb diu selben hundert phund haller recht vnd redlich ze chouffent geben haben dri vnd drissing schilling phenning geltez guter vnd genger costentzer müntz. vff ainem hof der genant ist. der hof ze den *Reinen c)* vnd der gelegen ist in der pharr sant *Stephans* Rötenberg. vnd den *Hans* der *Haertz* hiut ze tag buwet vnd inn hat. Also daz der vorgenant *Haertz* vnd sin erben oder wer den vorgenanten hof buwet vnd inn hat dem obgenanten Apt *Fridrichen* vnd sinem obgenanten Gotzhus vnd sinem Conuent vnd allen iren nachchomun eweclichen gellis jar geben sol dri vnd drissig schilling phenning guter vnd genger Costentzer müns oder den wechsel da für der denn in dem Albgev vnd in der Stat ze Chömptun geng vnd gaeb ist ann allen iren schaden nach

rechtez

rechtez geltez reht vnd nach ditz landez recht wan och der vorgenant hof von vns durch recht lehen gewesen ist so haben wir den obgenanten Apt *Fridrichen* vnd sinem Conuent vnd sinem egenanten Gotzhus diu selben aelliu vnsriu recht vnd all vnser aigenschaft dez obgenanten hofez och recht vnd redlich ze chouffent geben in den obgenanten chovf vmb die vorgenanten hundert phund haller. Wir verzihen vns och hiut ze tag mit vrchund ditz briefs in dez vorgenanten herren Apt *Fridrichs* hand vnd gen sinem Gotzhus aller rehten ansprach vnd aigenschaft. die wir vnd vnser erben an den egenanten hof gehebt haben oder furo mit gaistlichen oder mit weltlichen gericht gehaben oder gewinnen möchten vns an allen andren steten. damit wir den vorgenanten chovf überuarn oder gebrechen möchten. Wir vnd vnser erben sulent dez vorgenanten heren Apt *Fridrichs* vnd sines Conuentes vnd aller ir nachchomen darzu irs Gotzhus recht gewern sin der vorgenanten dri vnd drissig schilling phenning geltez dar zu ditz chouffez nach dem rechten vnd nach aigens recht. Mit der beschaidenhait ob in die vorgenanten dri vnd drissig schilling phenning geltez von ieman ansspraechig werdent mit dem rechten oder in ab behebt werdent mit dem rechten oder iriu obgenantiu recht gar oder ain tail e daz sis besitzent nach dem rechten vnd nach aigens recht. daz sulent wir vnd vnser erben in vzrichten vnd wider geben gar vnd gäntzlichen aun iren schaden vnd sulent si darvmb verstan vnd versprechen vnd der Ansprach ledig machen aun iren schaden Taeten wir dez nit choment si dez ze schaden den selben schaden sulent wir in abtun aun iren schaden. vnd hant gewalt vnd recht vmb den selben schaden vnd vmb hept gut vns vnd vnser erben ze nötent ze phendent vnd an ze griffent an vnsren lüten

vnd

vnd an vnsren guten mit gaistlichem oder mit weltlichem gericht vnd an vns selber wie sie vns genöten mügent hintz vf die stund daz in von vns vnd von dem obgenanten hof aun iren schaden allez daz widerant vnd beschicht daz in an disem brief von vns verhaissen vnd verschriben ist, vnd dez ze ainem wauren offen vrchund so geben wir die vorgenanten vier von *Schellenberg* dem obgenanten gaistlichen herren Apt *Fridrichen* vnd sinem Convent vnd sinem obgenanten Gotzhus disen brief versigelten vnd geuestneten mit vnsren aigenen insigeln diu daran hangent *d*) vnder diu wir vns gebunden mit vnsern triuwen allez daz aun geuarde stæt ze haltent vnd ze laistent dez hie vorgeschriben ist. Der Sach sint geziug *Walther* von *Laubenberg* vogt ze Rotenuels *Cuntz Häertz* der Amman *Kästlin* der Amman. Der brief ist geben do man zalt von gotez geburt driuzehen hundert iar vnd darnach in dem sibentzgosten iar an sant Bartholemeus tag dez hailigen zwelfboten.

a) *Fridericus de Gummeringen.* *b*) Baumen.

c) In Algouia in praefectura Sonthofen.

d) De Sigillis tria posteriora illaesa Tab. V N. I. II. III. occurrunt.

Num. CXVIII. Renuntiatio Joan. de Hohenegg. An. 1371.

EX ORIGINALI.

Ich HANS von HOCHNEGG vergich vnd tun kunt offenlich mit disem brief für mich vnd alle min erben allen den die in ansehent oder hörent lesen, vmb aelliu diu gut *a*) diu *Hainrich* saelig

saelig von *Vischach* vnd *Albrecht* saelig von *Vischach* sein bruder gelausen haund si sien aigen oder lehen wie diu gehaissen oder genant sint. wa diu gelegen sint si sien ze Bayrn oder ze Schwaben gelegen diu der vorgenant *Albrecht* saelig von *Vischach* recht vnd redlich verschaft vnd vermachet haut ze ainem selgeraet dem Conuent gemainclich dez Closters sant *Vlrichs* ze Auspurch da si brief vnd urkund vmb habent. Wan ich an die selben vorgenant gut von *Hainrichs* vnd *Albrechts* der vorgeschriben von *Vischach* wegen etlich ansprach hett vnd wond ze haben. davon ich recht vnd redlich Gewist bin Darumb so vergich ich daz ich dhain mein erb noch nachkomen an die selben vorgenant gut. da daz vorgenant Closter brief vnd vrchund vmb hant vnd swas zu den selben guten gehört nun fürbas kain clag vordrung noch ansprach nimmer merr gehaben sullen noch enmügen in dhain weizz noch mit dhainen sachen weder mit Gaischlichem noch weltlichem rechten noch aun recht noch an daz vorgeschriben Closter von der vorgenanten gut wegen wan ich mich der vorgenant ansprach an diu obgenant gut luterlich durch gotzwillen verzigen haun dem vorgenanten Closter Dez ze vrchund gib ich dem obgeschriben Conuent vnd dem Closter gemainclich disen brief versigelt vnd geuestent mit minem aigen Insigel vnd mit mins bruder hern *Endris* von *Hochenegg* Insigel diu baidiu daran hangent der ez durch miner bett willen daran gehenkt haut in selber aun schaden nun dirr sach ze ainer ziuknuzz. Dez sint geziug hern *Hainrich* von *Wal.* hern *Hainrich* von *Knöringen.* hern *Hainrich* von *Elrbach* all. Korherren ze Auspurg vnd her *Sifrid* der *Marschalk* von *Bogsperg* Ritter. die sint taedinger gewesen sint vnd mich da von gewist haund wan si sich erkanten daz ich nit rechts darzu hett. Daz geschach nach

Criftus geburt Triutzehen hundert Jar, darnach in dem ainen vnd Sibentzigoften Jar dez nechften Sambftags vor fant Katherinen tag.

a) Bona ifta erant in fequentibus locis fcil. in Stettwang, Widermannshofen, et Trunshofen, V. Vol. XXII. p. 130.

Num. CXIX. Renuntiatio Comitis de Montfort. Anno 1373.

Ex Originali.

Ich Graff HAINRICH von MONTFORT herr ze Tettnang Tun kunt vnd vergich offenlich mit difem brief allen den die difen brief anfehent alder a) hörent lefen von der aigenfchaft wegen die ich bisher vf difen hiutigen tag gehebt han an allun der *Bentzinun* dochter von *Schofen* vnd an *Hanfen* vnd *Haintzen* irer Sunen die fi bi *Cuntzen* dem alten *Härtzen* hiut ze tag hat alder ob fi get noch berautet darvmb vergich ich daz ich die felben aygenfchaft an allen vnd iren kinden die fi itzo haut alder noch gewinnen recht vnd redlich geben haun mit dem lieb vnd mit allem rechten wie es kraft haben fol vf fant *Vlrichs* altar dez Gotzhuf ze Aufpurg alfo daz fü füro haben fol elliu diu recht bi lebendigen lib vnd och nach Tod die ander fant *Vlrichs* Alter lüt haunt alfo vnd mit der befchaidenhait fo beding ich mir daz ich vnd all min erben vber fi vnd iriv kind vnd über ir erben recht vogt fin fol als über ander fant *Vlrich* lüt die vf den vorgenant altar gehörent vnd verziech mich hiut ze tag mit difem brief gen ir vnd iren kinden aller recht vnd anfprach ich alder min erben von der

felben

selben aigenschaft ie zu innen gewunnen alder noch darzu gehan möchten es war vf gaistlichem alder vf wältlichem gericht noch an dehain an der stat da ez ir alder iren kinden ze schaden kömen möcht mit dehainen sachen Dez ze vrkunt gib ich vorgenanter Graff *Haimrich* von *Montfort* der vorgenanten allun vnd iren kinden disen brief besigelt mit minem aygen Insigel *b*) daz daran hanget der brief ist geben da man zalt von Cristz geburt triuthzehen hundert Jar darnach in dem Tri vnd Sibentzigosten Jar an Sant Gallen tag.

a) Verbum hoc *Alder* coniunctionem *oder* significare, ex contextu liquet.

b) Sigillum Comitis de *Montfort* Tab. IV. N. IV. conspicitur.

Num. CXX. Venditio dimidiae hubae etc. Bobingae. Anno 1377.

EX ORIGINALI.

Ich Fraw ANNA div MINNERIN h. *Chunratz* dez *Minners* Witwe burgerin ze Aufspurg tun kunt vnd vergich offenlich mit den brief für mich vnd für all min erben vor allen den, die in ansehent oder hörent lesen, Daz ich mit verdauhtem mut vnd guter vorbetrahtung, mit rat willen vnd gunst aller miner erben vnd besten friund, Elliv miniv reht der Gut alz si hernauch beschriben staund, daz ist ain halbhub div gelegen ist, datz *Bobingen* div min Erblehen waz von dem Gotzhus sant *Vlrich* vnd sant *Afren* ze Ausspurg iercliche vmb fünf vnd zwaintzig schilling Ausspurger pfenning, die man dem selben Gotzhus dar vz geben must, vnd gilt div halbhub elliu Jar

 zwen

zwen schöffel kerns zwen schöffel roggen zwen schöffel habern Auspurger mezz, funf schilling pfenning, zwu Gense vier herbsthünr, zway Vasnahthünr vnd hundert ayr, vnd ain Erblehen da selbun, da von man ierclichen geben sol vierthalben schöffel kerns, der gehorten an, daz vorgenant Gotzhus sant *Vlrichs* zwelf malter, daz übrig, vnd dry schilling pfenning vnd zway Vasnaht hünr mich, vnd dar zu min vogtay über div selben zway gut, alz ich si bizz vf disen hiutigen tag, in nutzlicher gewer her brauht, inne gehebt, vnd genozzen haun, reht vnd redlich vfgeben haun mit allen den rehten, div ich daran hett haben solt, oder wond ze haben, dem Ersamen herren hern *Fridrichen* von *Gumeringen* Abbt zu sant *Vlrich* vnd sant *Afren* hie ze Auspurg dem Conuent vnd dem Gotzhus da selbun vnd allen iren nauchkomen, vnd haun in die brief über die vorgeschriben Gut auch eingeantwurtet, vnd haun mich ir aller gen in verzigen mit gelerten worten für mich, vnd für all min erben vnd nauchkomen Alz man sich sogtaner Erblehen durch reht vnd billichen verzihen vnd vfgeben sol, nauch dez Landez reht da div Gut inne gelegen sint, vnd nauch dirr Stat reht ze Auspurg, Also daz ich, dehain min erb, noch niemant anders von minen wegen, dar nauch fürbazz ewiclich nihtz mer ze sprechen ze vordern noch ze clagenn haben weder mit gaistlichem noch weltlichem rehten noch mit dehainen andern sachen. Mit der beschaidenhait, daz der obgenant h. *Fridrich* Abbt, der Couent vnd daz Gotzhus sant *Vlrich* vnd sant *Afren* vnd ir nauchkomen, mir daz lipting geltz, alz si mir daz vf minen ainigen lib darvmb verschriben haund, elliv Jar vnd ierclich die weil ich leb, geben vnd antwurten sullen vf div zil vnd in der frist alz min lipting brief darvmb sagt, den ich auch von ir darvmb inne haun,

aun

aun allez widersprechen, vnd daz ditz allez also stet belib vnd niht vergezzen werd, Dez gib ich in den brief versigelt vnd geuestent mit minem anhangenden Insigel vnd mit der erbern mann *Hainrich* dez eltern *Herworten* by sant Martin gesezzen, *Rudger Rapoltz* ze den ziten der Stat ze Auspurg pfleger *Vlrichs* dez *Jungen* von *Weldun* min Oehans vnd *Hansen Langenmantels* von Radaw mins bruder Suns Insigeln, div si all durch min fleizzig bet daran gehenkt haund *a)* In selber aun schaden, niur der sach zu ainer wauren ziuknuzz, Daz geschach, do man zalt nauch Christi geburt driazehen hundert Jar vnd darnauch in dem Siben vnd Sibentzigosten Jar, an dem Aftermentag in der Palmwochen. *b)*

a) De Sigillis laesis, primum, secundum et quintum Tab. IV. N. V. VI. VII. delineata occurrunt.

b) 24. Martii.

Num. CXXI. Venditio curiae Finningae. Anno 1377.

Ex Originali.

Ich Egloff von Zauchseltingen ze Lichen gessessen vergich vnd tun kunt offenlich an disem brieff für mich vnd all min erben allen den die disen brieff sechent oder hörent lesen, Daz ich verkaufft haun vnd ze kauffen geben haun recht vnd redlich minen hoff gelegen datz *Herren vinningen* vnd den ietz buet *Haintz Hagen* vnd der ierlich giltz vier malter keren vier malter roggen vier malter gersten vier malter habern zwai viertal öls alz höfteter mes vierzehen schilling haller ze Schwin-

gült

gült a) zwo gens vier herbsthüner zwen schilling ze wichennacht vnd ain vasnachthun daz han ich für mich vnd min erben geben für aigen ze dorff ze veld ze wasser ze waid ze holtz besucht vnd vnbesucht ez si benent oder nit Dem ersamen mann *Erharten* von *Ersingen* vnd allen sinen erben vmb vierzig vnd zwai hundert phunt haller an werung der ich gentzlich vnd gar gewert vnd bezalt bin vnd die an minen vnd miner erben nutz bewent sint Darvmb verzich ich mich für mich vnd min erben aller recht vnd ansprach die ich daran gehebt han Ich vergich auch me für mich vnd min erben daz ich dez vorgenanten gutz vertigen sol dem vorgenanten *Erharten* von *Ersingen* vnd allen sinen Erben nauch aigens vnd nauch lands recht az ich ez herbraucht haun vff gaistlichen vnd vff weltlichen gerichten Vnd darvmb zu ainer mern sicherhait so haun ich für mich vnd min Erben dem vorgenanten *Erhart* von *Ersingen* oder sinen Erben ze burgen gesetzt zu vns vnuerschaidelich die erbern mann die hernauch geschriben stand mit der beschaidenhait wär ob ich oder min erben im oder sinen erben den vorgenanten hoff az vor benent ist nit vertigten so haut er oder sin erben vollen gewalt vnd recht die nauchgenanten burgen vollen gewalt vnd recht ze manen oder haizzen manen ze laisten ze hus ze hoff oder vnder augen mit boten oder mit brieffen vnd die sullen denn in den nechsten acht tagen nauch der manung vnuerzogenlich in varen laisten ze Nördlingen in erber Offer gastgeben huser ieder burg mit sin selbs lib vnd mit ainem maiden oder ainen Erbern knecht mit ainem maiden an sin stat legen in die laistung der selber nit laisten wölt oder möcht vnd sullen da also laisten vngeuarlich in rechter giselschefft vff minen vnd miner Erben schaden vnd vff der laistung nimmer komen dann

dann mit erlauben vnd guten willen dez vorgenanten *Erhartz* von *Erslingen* oder siner erben alz lang vnd alz vil biz daz im oder sinen erben der vorgenant hoff geuertigut wirt als vorgeschriben staut gentzlich vnd gar aun schaden Gieng im auch oder sine erben der burgen ainer oder mer ab da got vor si oder vom land furen so sol ich oder min erben im oder sinen erben ie alz oft ainen andern oder alz manigen schidlichen burgen setzzen alz der oder die abgangen gewesen sint in dem nechsten vierzechen tagen darnauch vnuerzogenlich. wenn wir dez von im ermant würdin-tet ich oder min erben dez nit so sullen in der oder die andern bestanden burgen in farn vnd laisten nauch irr manung in allem vorgeschriben rechten als lang biz ez beschicht Welcher auch der burgen ainer oder mer laisten vber furen vnd in nit laistin alz vorgeschriben stat den oder die selben vnlaistenden burgen haut der obgenant *Erhart* von *Erslingen* oder sin erben vollen gewalt vnd recht darvmb an ze griffen die nauchgeschriben burgen ze phenden vnd ze nöten mit gericht oder aun gericht aun all entgeltnuz vnd aun all freuel aller gericht gaistliche vnd weltlicher lantgericht landfrid buntnuz vnd gesetzt herren vnd stet die ietz sind oder fürbaz vff stunden vnd aller menclichs alz lang vnd alz vil biz daz dem vorgenanten *Erhart* von *Erslingen* oder sinen erben der vorgenant hoff geuertigut wirt alz vorgeschriben stat aun schaden. Daz sint die burgen die tun vnd az vorgeschriben stat ob ez ze schulden kumpt *Fritz* von *Emeltzhain Rudolff Vmbrait* vnd *Geori* von *Stainhain* Daz daz allez stet belib gantz vnd vnzerbrochen dez gib ich der vorgenant *Eglolff* von *Zauchelтingen* für mich vnd min erben dem vorgenanten *Erhart* von *Erslingen* vnd allen sinen Erben disen brieff versigelt mit minem aigen Insigel daz hieran hangut vnd

auch

auch mit der vorgeschriben burgen aigen insigel diu alliu hieran hangunt *b*) war vnd stet ze halten. Do daz geschach do zalt man von cristus geburt driuzechen hundert iar vnd dar nauch in dem siben vnd Sibentzgostem iar an den nechsten Fritag vor sant michels tag. *c*)

a) Wisgült.

b) Sigilla illaesa Tab. IV. N. VIII. IV. X. XI. conspici possunt.

c) 25. Septembris.

Num. CXXII. Venditio Curiae in Wengen. Anno 1378.

EX ORIGINALI.

Ich HANS der VITEL. Vergich offenlich an dem prieff daz ich mit wolbedahtem mut mit guter vorbetrahtung vnd mit raut wüllen vnd gunst aller miner erben vnd besten frund minen hoff der gelegen ist zu *Wengiu a)* den der *Müliche* ietzo buwet vnd giltet ierlich vier schöffel rocken vnd vier schöffel habern Auspurger messe zehen schilling Auffpurger pfening zwo gens acht hünr hundert air vnd zwelff pfening zu wisat vnd waz darzu gehöret in dorff oder zu Veld an Aeckern wisen waid wasser holtz holtzmarcken Gerüten besuchtz vnd vnbesuchtz wie es gehaissen ist vnd mit allen den rehten nutzzen diensten gülten guten gewonheiten ehefftin vnd gemainsamin als ich In in nutzlicher gewer herbraht inngehebt vnd genossen haun vnd der min rehtes aigen waz für ain lediges vnuerkumertes fries vnd vnuogtpers gut vnd ain rehtes aigen reht vnd redlich verkauft vnd geben minem lieben swager

Cunrat

Cunrat dem *Iſfing* bi ſant *Johans* purger zu Augſpurg vnd allen ſinen erben oder wem ſi in hinnan für gebent verkauffent, ſchaffent oder lauzzent ze haben vnd ze nieſſen ewiclich vnd geruwiclich ze rehtem aigen vmb hundert guldin vnger vnd behain die ich berait von im enpfangen han vnd an minen vnd miner erben nutz gelegt haun vnd haun ich im vnd ſinen erben den vorgenanten hoff vnd waz darzu gehöret ze rehtem Aigen vffgeben vnd haun mich ſin verzigen mit gelerten worten für mich all min erben vnd nachkomen als man ſich aigens durch reht vnd billich verzihen vnd vffgeben ſol nach aigens reht vnd nach der Stat reht zu Augſpurg Alſo daz ich dhain min erb noch frund noch nieman von vnſern wegen darnach fürbaz ewiclich nihtes mer zu ſprechen zu vordern noch zu clagen haben mit dhainen ſachen in dhain weis vnd ſullen wir Inen auch alſo ſteten vnd vertigen vnd ir reht gewern ſein für alle Anſprauch die mit dem rehten daran beſchiht nach aigens reht vnd nauch der Stat reht zu Augſpurg, vnd wurd er in darüber von ieman anſprauch mit dem rehten in den zilen vnd man aigen vertigen ſol nauch der Stat reht zu Augſpurg die ſelben Anſprauch vnd waz ſi der ſchaden nemen ſullen ich vnd min erben im vnd ſinen erben gar vnd gentzlich entloſen abtun vnd vſrihten aun all ir ſchaden — — Dez zu vrkund gib ich in den prieff mit minem anhangenden Inſigel verſigelten vnd darzu mit mins ſwagers *Vlrichs* dez *Tendrichs* vnd *Jacobs* dez *Wihburgers* Inſigeln *b*) die ſi durch miner fliſſigen pet willen ouch daran gehenckt haund in vnd iren erben aun ſchaden nur der ſach zu ainer waren gezugnus — — Daz geſchach nach Criſti gepurt driutzehenhundert Jar vnd in dem aht vnd Sibentzigoſtem Jar an ſant Angneſen tag.

 a) Wen-

a) Wengen.

b) Primum Sigillum illaesum Tab. IV., N. XII. adparet; secundum periit, tertium est laesum.

Num. CXXIII. Litis inter Ilsungum et Erringanos ob iura et iurisdictionem exortae decisio. Anno 1378.

EX ORIGINALI.

Ich CUNRAT der JLSUNG bi sant *Johans* purger zu Augspurg vergich vnd tun kunt offenlich an dem prief fur mich vnd alle min erben vnd für alle die in der gewalt vnsriu reht, die wir haben zu *Erringen a*) hinnan für ewiclich koment vmb alle die stözz vnwillen vnd zwaiung, die vff gestanden warn von mines gerihtes vnd miner ehestin wegen zu *Erringen*, vnd der gepurschaft, vnd dez dorfs da selbst guter gewonheit wegen als die. die gepurschaft, vnd daz dorf von alter her praht hand, vnd irre herschaft, Daz wir derselben stözz mißhellung vnd zwaiung aller vnd besunder, von baiden tailen, lieplich vnd fruntlich gegangen sien zu dem rehten vff die nachgeschriben fünf man, daz ist *Cunrat* der *Ilsung* vff dem *Stein* min vetter, *Peter* der *Egen* zu den ziten Purgermeister *Rudgern* den *Rauppot* der ain gemainer man waz. *Johansen* den *Gossenprot* vnd *Heinrichen* den *Pfetten* Purger zu Augspurg, vnd haben den alle vnd besunder versprochen vnd verhaizzen in guten triuwen, wie si vns darumb mit dem rehten, von ainander rihten vnd besundern daz wir vnd alle vnser erben vnd nachkomen daz fürbaz ewiclich stet vnd vnuerruckt halten wellen vnd sullen getriulich aun alles verkeren vnd widersprechen — — Die

haund

haimd vns darumb nach vnser baidertail fürlegung nach prief sag vnd nach geschwornner alter Kuntschaft die si mit flissiger forsch erfarn vnd verhört habent mit fründlichen rehten von ainander besundert gerihtet vnd die nachgeschriben artickel mit dem rehten vsgesprochen ze dem ersten daz alle gepurn. vnd all Seldner zu *Erringen* vnd all ander hus heblich lüt. vf stetten vnd von andern dörffern wol reht mugen sprechen, Es mag ouch der Rihter niemand für geriht gebieten er hab dann dauor zu schaffen, Wer aber vor dem rehten ist den mag der rihter wol haizzen nider sitzen vnd reht sprechen, wolt er sich der setzzen, so mag er ims gebieten bi sechtzig pfenning, auch süllen die gepuren in daz geriht gan als von alter her kömen ist, vngeuarlichen — — Man sol auch dem der fürgepütet, geben von ainem ieglichen furgepot ainen augspurger pfenning, oder zwen haller, vnd wenn er pfant git, so sol man im als vil geben, wer aber ainen todschlag tut derselben gut ist dem rihter veruallen nach genaden es Wer dann daz er notwer prehte als reht ist, so ist er nihtes schuldig, Begrifft man ainen schedlichen man in dem dorff zu *Erringen* den sol der Rihter haimen vnd den behüten ob man über in verpurget, vnd sol in antwurten dem lantuogt für den Etter als in die Gürtel begrifft, vnd waz er gutes hat, daz ist dem Rihter veruallen nach genaden — — Wenn ouch der Rihter vahen wil wurd im daz zu starck so sullen im die gepurn beholffen sin — — Welicher gepur ain vnreht verlust vnd verschuldet verpfendet er daz vor geriht so ist er schuldig fünftzehen pfenning kumpt er aber von dem Rehten vnd verpfendet niht so ist er dem rihter veruallen drissig pfenning — — Ain Seldener git halb als vil in dem selben rehten — — So git ain dienender Knecht halb als vil als der Seldner — — Wer ain freuel tut der iſt dem Rihter veruallen zwen vnd Sibentzig pfenning — — Wer ſich lat bedingen vmb verſcheiden gült der git auch zwen vnd Sibentzig pfenning — — Wer ainen wundet, vnd die wund hainſchrőt iſt, vnd heftens vnd waiſſels bedarf der iſt dem Rihter veruallen funf pfunt vnd Sechtzig pfennig Rotwiler nach genaden — — Ain ſchlehte wunden die ſol man beſſern nach aber [illegible] rat vnd nach genaden — — Wer ain ſwert zucket oder ain meſſer vnd daz zun ſchaden einkumpt oder der ainen mulſtraich tut der iſt dem Rihter veruallen Sechtzig pfennig — — Wenn ouch die gepurſchaft bedarf ains nachhütens ſo ſol in der Rihter ainen ſetzen der ainen maiden heb vnd derſelb nachthüter ſol ſinem maiden futer binden vff den drien mercken ainer dum ellen prait in den drien komen Roggen veſen vnd habern ietzu der zeit als dann dieſelben Korn futtrig ſint, Klekte daz ſinem maiden niht ſo mag er im wol mer ſniden daz ſin maiden futers genug heb vngeuarlich vnd ſol er ouch alle Jar die Eſch darinn er ſnidet behüten vngeuarlichen — — Wurd ouch dem nachthüter die nachthut zu ſwer ſo ſullen im die gepurn beholffen ſin als ſin dann notdürftig iſt — — Man ſol ouch dem Rihter alle Jar geben ſinen huthabern nach ſins briefs ſag, als er daz von alter her hat praht. Auch ſol man dem Rihter von driern Eſchen vnd von den vier hirtſcheften hünr geben als daz von alter her iſt komen welhes hun man aber verwurfe dafür ſol man geben zwen Augſpurger pfennig oder vier haller — — Wenn ouch die gepurſchaft Eſchhayen vnd hirten ſetzpt die ſol lihen in dem Obern dorf dez Rihters mair vnd in dem nidern dorff dez *Renners* hof wer dann mair darauff iſt — — Waz aber nutz dauon koment die ſullen dem Rihter werden vnd niht den mairn Es mag ouch iederman wol ſchenken zu *Erringen* win

Met

Met vnd bier vnd sol man dem Rihter geben von ainem ieglichem vas es sie gros oder klain ain mas dezselben getrankes dar zu sol im alle Jar geben ain ieglicher der win schenket sehen schilling pfennig Ainer der Met schenket zwen schilling pfennig Vnd ain der bier schenket dri schilling pfennig. Schencket er aber die driu getranck mit ainander oder ir zway dannoch git er nur sehen schilling pfennig Welhes er aber besunder schenket danon git er als vorgeschriben stat Ain gast der vff der Ehs schenket der git nihtz verkauffet er aber die vas sampt kaufs ir sie ains oder mer danon git er ouch nihtz — — Schencket er aber ab der Ehs so git er als die von *Erringen* — — Es sol auch ain ieglich vailpeck der prot zu *Erringen* becht vnd daz verkauft alle Jar geben dem Rihter sehtstehalben schilling pfennig — — Wer aber prot da hin bringet vnd daz vail hat vnd waz man sus vail hat daz git nihtz. Ain ieglicher Schuchster vnd ain ieglicher weber gebent dem Rihter alle Jar sehs pfennig Es mag ouch der Dahsmüller wol ain Rüsen legen oberhalb von sinen mülpetten zwelff schuch vngeuarlichen oder niderhalben dez grindels dez niderften rades drisig schuch vngeuarlichen vnd waz er visch darinn vahet die sol er nit verkauffen Auch hat der Rihter gewalt das er wol ain Mülen gebuwen mag vff die alten mülstat als er die von alter herpraht hat, vnd als si von alter her ist komen vnd wenn dieselb mül gebuwen wirt so sullen darinn malen all pecken die vailes hand all schuchster vnd weber all gesatzt hirten vnd allgesatzt Eschayen der Sand der vischer vnd alle handwercks lüt zu *Erringen* vnd welcher daz überfure ir wer ainer oder mer wie oft daz beschehe der oder dieselben sind ie als oft dem rihter veruallen zu bessrung sechtzig pfennig als oft daz überuaren wirt — — Es sol ouch der müller haben ain

ain pferd vnd ainen karren daz im das korn füre in die mülli vnd daz melb danna vnd dauon ist man im nihts gebunden zu geben Es sol auch der rihter nihtes setzzen noch erlaben aun der geburschaft willen oder ir dez merern tails — Waz ouch die gepurschaft alle ir der merer tail ainnung setzzent wer die selben gesatzzte überuert, dieselben puzz di si dann darauff gesetzzet haand mag der rihter wol neimen. Auch hat der rihter nihtes enpfor an dhain gemainde dann als ander herren gut — — Vnd darumb daz alle vorgeschribenn reht fürbaz ewiclichen also stet beliben vnd gehalten werden vnd daz ir niht werd vergessen haben wir von baiden tailen durch gemaines nutz willen vnd für künftig krieg den prief haizzen geschriben der versigelt ist mit min dez obgenant *Ilsungs* vnd *Hansen* mins suns Insigellen die baide daran hangent Vnd darzu mit der obgenant fünf mann Vnd *Vlrichs* dez *Ilsungs* mins pruders Insigeln *b*) die si durch vnser flissiges pett willen auch daran gehencket haund In vnd iren Erben aun schaden der Egenant sache zu ainer ewigen gedechtnuzze. Daz geschach nach Cristi gepurt driutzehenhundert Jar vnd in dem aht vnd Sibentzigostem Jar an sant Laurentzen Abent.

a) Langenerringen. *b*) Sigilla omnia perierunt.

Num. CXXIV. Venditio Curiae in Riedsend. An. 1378.

Ex Originali.

Ich Margreth von Buch *Aulbrehtz* von *Buch* saelig witwe. Ich Georg von Buch Chorherr ze Oettingen vnd ich Burkhart von Buch baid ir Sune Vergehen vnd tuien kunt an dem brief

brief für vns vnd für all vnser erben allen den die in ansehent oder hörent lesen. Daz wir mit veraintem mut vnd guter vorbetrahtung vnd mit raut vnd gunst aller vnserr erben vnd besten friund vnsern hof ze *Riedzsind a*) den der *Wunderlich* ietzo da buwet vnd ierclichen giltet fünf schöffel Roggens ainen schöffel kerns fünf schöffel habern Auspurger mezz nach herrengült reht vnd ainen schöffel Gerstun auch nach herrengült reht drythalb phunt pfenning ze wisgelt vier gens zwelf herbsthünr ahtzehen phenning ze weysat vnd hundert ayer vnd swaz zu dem vorgeschriben hof oder darein gehöret oder von reht oder von gewonhait gehören sol in dorf vnd ze velde an hofraitin an Biunden an Garten an Aeckern an wisen an holtz oder an Gerät ze wazzer ze waid ze wegen ze pruggen vnd ze stegen an besuchtem vnd vnbesuchtem swie ez geschaffen genant oder gehaizzen ist ez sei an dem brief benent oder niht Vnd auch mit allen den rehten vnd gewonhaiten diensten nutzen vnd gülten vnd er giltet oder gelten mag an clainem vnd an grozzem mit besetzen vnd mit entsetzen vnd mit aller Ehaftin vnd Gemainsamin vnd alz in vnser vordern saelig an vns vnd wir mit nutzlicher Gewer von reht vnd gewonhait biz her an den hiutigen tag bracht inngehebt vnd genozzen haben vnd vnser rehtz aigen waz. für ain ledigs vnansprächs vnd vnuerkummerts Gut vnd für ain rehtz aigen frys vnd vnuogtbers reht vnd redlich verkauft vnd ze kauffen geben haben dem erbern mann *Johannsen* dem *Zotman* dem Goltsmyd burger ze Auspurch vnd allen sinen erben vnd nackhomen oder swem sy in hinnanfür gebent verkauffent schaffent oder lauzzent ze haben vnd ze niezzen ewiclich vnd geruwiclich ze rehtem aigen vmb zwäi hundert Guldin vnd vmb zehen Guldin all vngarischer vnd Behemyscher guter an Gold vnd swaerr

an

an rehtem gewigt die wir berait von Im darvmb eingenomen vnd enphangen haben vnd an vnsern vnd an vnserr erben nutz gelaet haben. Vnd haben wir im vnd sinen erben den vorgenant hof vnd swaz darzu vnd darein gehört ze rehtem aigen vffgeben mit fryer hant vff dez Reichs strauzz vnd haben vns sein vnd aller der rehte vodrung vnd ansprach die wir vnd vnser erben daran haeten gehaben mochten oder waunden ze haben verzigen mit gelerten worten für vns vnd für alle vnser erben vnd nachkomen alz man sich aigens durch reht vnd billich verzeihen vnd vffgeben sol nach aigens reht vnd nach dez Landez reht vnd gewonhait, da er inn gelegen ist, Also daz wir dhain vnser erben noch iemant anders von vnsern wegen nu fürbaz ewiclich daran nooh darnach nimmer mer nihtz ze spraechen ze vodern noch ze clagen haben noch gewinnen sullen in dhain weis weder mit gaistlichem noch weltlichem rehtem noch aun geriht noch mit chainerlay sache Vnd besunderlich ich egenantiu *Margreth* von *Buch* weder von miner hainstiur widerlegung morgengaub noch Erbschefft wegen noch von chainerlay schlacht sache wegen Vnd waer daz wir oder iemant anders dhainerlay brieff vrkund oder hantuestin vber den vorgeschriben hof allen oder über sein ain tail haeten oder fürbaz funden die verloren vodern Ez waer von hainstiur widerlegung morgengaub oder Erbscheffit wegen oder vmb welh sach daz waer die im oder sinen Erben oder in swez gewalt der vorgeschriben hof hinnanfür ewiclichen kumpt, daran ze schaden komen möchten die sullen nu fürbaz alle ze maul vnnutz vnd totbrief haizzen vnd sein vnd chain krafft mer haben swa man sy vffbiut oder fürzaigt ez sei vor gaistlichem oder vor weltlichem rehten oder anderswa Vnd also sullen auch wir vnd vnser erben im vnd sinen erben den vorgeschriben

hof

hof vnd ſwaz darzu vnd darein gehört ze rehtem aigen vnd alz vorgeſchriben ſtaut ſtaeten vnd vertigen vnd ir reht gewern ſein für all anſprach gen allermenclich diu mit dem rehten daran beſchiht nach aigens reht vnd nach dez landez reht vnd gewonhait da er inn gelegen iſt aun allen iren ſchaden vnd dez allez zu ainer bezzern ſicherhait haben. wir im vnd ſinen erben ze burgen geſetzt zu vns vnd zu vnſern erben vnuerſchaidenlich heren *Syfriden* den *Marſchalk* von *Boxſperch* Ritter. *Haintzen* von *Reichen*, *Balmairen* den *Salendorffer* baid min *Margrethen* der vorgenanten von *Buch* Tochtermenne *Eberharten* den *Berger* vnſern Ohem vnd *Seytzen* von *Vylenbach*. Mit der beſchaidenhait wurde in der vorgeſchriben hof gar oder ſein ain tail dar vber von iemant anſpraech mit dem rehten in den zilen vnd man aigen durch reht vnd billich ſtaeten vnd vertigen ſol oder ob ſy von vns oder von vnſern erben daran geirt wurden mit welhen ſachen daz iſt die ſelben anſprach vnd irſalung der ſei ainiu oder mer ſüllen wir oder vnſer erben vnd die obgenanten burgen in ze hant vnd vnuerzogenlich nach irr manung in dem naehſten manot gar vnd gentzlich ablegen vnd entlöſen aun allen iren ſchaden. Taeten wir dez niht ſo habent ſy gewalt die obgenanten burgen alle darvmb ze manen ze hus ze hof oder vnder augen ſy ſelb oder mit irem gewizzen boten oder briefen Vnd ſwelhy denn gemant werdent ir ainen oder ir mer oder ſy alle Die ſullent in dann vnuerzogenlich nach irr manung in den naehſten aht tagen darvmb einuaren in die Stat ze Auſpurch in ains Erbern offens Gaſtgeben hus in welhes ſy gemant werdent iegliches mit ainem pherd Vnd ſullent in darinn laiſten aun geuerd in rehter Gyſelſcheffт Vnd ſwellher ſelb niht laiſten wölt oder möht Der ſol ainen erbern kneht mit ainem pferd an ſein ſtat

 in

in die laiſtung legen Vnd ſullent alſo nimmer vzz der laiſtung komen biz daz *Johanns* der vorgenant *Zetman* oder ſein Erben aller der anſprach vnd Irſalung darvmb ſy dann gemant haund vnd ſwaz ſy der ſchaden genomen haeten gar vnd gentzlich vzzgeriht vnd entlözt werdent aun allen iren ſchaden In ſullent auch die burgen daz laiſten ainer vff den andern in dhain weis verziehen Waer auch daz in die burgen niht ze hant nach irr manung laiſten alz da vor geſchriben ſtaat So haut er vnd ſein erben vnd all ir haelffer vollen gewalt vnd reht vns aelliu oder vnſer ains oder vnſer mer oder vnſer Erben vnd die obgenanten burgen alle oder welhy ſy vnder in wend ir ainen oder ir mer darvmb an ze griffen vnd ze nöten mit gaiſtlichem oder weltlichem rehten weder in denn baz fügt oder mit in baiden Vnd darzû ze phenden vnd an ze griffen an lüten vnd an Guten wie vnd wa ſy mugent vff Burg in dorff in Merckt oder in ſtet oder aun geriht wa hin ſy wend vnd fraeflent noch verſchuldent daran nihtz wider vns noch vnſer erben noch wider die obgenanten burgen noch wider dhainem geriht Gaiſtlichem noch weltlichem noch wider dhainem Lantfrid noch wider dhain buntnusze die ietzo ſunt oder fürbaz geſetzt werdent noch wider dhain herlchefft noch wider dhainem Land noch wider dhain Stat noch wider dhain fryung noch wider iemant anders Vnd mügent daz allez oder ir ainez welhes in denn lieber iſt wol tun alz lang vnd alz vil biz daz in widerwert vzzbraht vnd vollfürt wirt allez daz hie vorgeſchriben ſtaut Vnd darvmb ſy dann gemant genöt oder gephent haund aun allen iren ſchaden Vnd alz offt in ain Burg oder ir mer von tod abgaund oder von dem land varend von welhen ſachen daz beſchiht in der fryſt vnd man aigen durch reht vnd billich ſtaeten vnd vertigen ſol Alz offt ſullen wir

oder

oder vnſer erben in vnuerzogenlich nach irr manung in dem naehſtem manod ie ainen andern oder ander alz gut vnd alz ſchicklich burgen ſetzen die ſy genement Beſchach dez niht ſwelh ander beliben burgen ſy dann darvmb ermanent die ſullent in denn aber vnuerzogenlich nach irr manung in den naehſten aht tagen darvmb einuaren vnd laiſten ze Auſpurch in der Stat in dem vorgeſchriben rehten alz lang biz daz ez beſchiht Vnd dez allez zu ainem ſtaeten vrkund geben wir im vnd ſinen erben den brief verſigelten vnd geueſtent mit min *Margrethen* der egenanten von *Buch* aigem Inſigel vnd mit min *Georgen* vnd mit *Burckhartz* der vorgenanten von *Buch* irr Sune aignen Inſigeln vnd mit der obgenanten burgen Inſigeln diu aelliu daran hangent *b*) Daz geſchach nach Chriſtus geburt driutzehen hundert Jar vnd darnach in dem ahtunden vnd ſybentzgoſtem Jare an dem naehſten Aftermentag nach vnſer frawen tag in der Vaſtun. *c*)

a) In praefectura Wertingana.

b) Sigilla bene conſeruata Tab. V. N. I. II. III. occurrunt.

c) 30. Aprilis.

Num. CXXV. Conuentio hyemalia calceamenta concernens. Anno 1380.

Ex Originali.

Ich Hanns vom *heiligen Grab* geſaezze ze Wantenweiler vnd ich *Erhart* vom *heiligen Grab* ſeins bruders *Erhartz* vom *heiligen*

ligen Grab saelig sun. Vergehen vnd tiuen kunt offenlich an dem brief für vns vnd für alle vnser erben allen den die in ansehent oder hörent lesen vmb die Zusprüche vodrung vnd ansprach die wir vnd vnser vodern gehebt haben oder waunden ze haben hintz dem Ersamen Gaistlichem, vnserem gnaedigen herren Apt *Hainrichen* vnd gemainclich dem Conuent dez Closters ze sant *Vlrich* vnd ze sant *Afren* ze Auspurch vnd auch hintz demselben Closter vnd Gotzhuse von zwaier *Ballsterschuch* wegen die wir mainten die allweg der Eltost vom *hailigen Grab* von dem egenanten Closter vnd Gotzhuse iaerclich vnd ewiclich haben solte. Daz wir mit veraintem mut vnd guter vorbetrahtung vnd nach vnserr naehsten vnd besten friund vnd anderr erber lüt raut vmb die selben zusprüche vodrung vnd ansprach vnd vmb alle die stöaz myssaellung vnd zwaiung die zwischen vns vnd in biz vff den hiutigen tag ie gewesen oder vffgestanden sint vmb welherlay waerck red oder sache daz gewesen ist lieplich vnd friuntlich verriht vertaedingt vnd verschaiden syen mit dem vorgenanten Ersamen Gaistlichem vnserm gnaedigen herrn Apt *Hainrichen* vnd gemainclich dem Conuent dez egenanten Closters ze sant *Vlrich* vnd ze sant *Afren* ze Auspurch vnd auch mit dem selben Closter vnd Gotzhuse. Also daz sy mir *Hannsen* dem vorgenanten vom *hailigen Grab* darfür geben vnd vff min selbs vnd vff min ainigs lip ze rehtem lipting verschriben haund fünf phunt eitler guter vnd gaeber haller alz der lipting brief weiset den sy mir darvmb geben haund mit dem geding daz wir dhain vnser erbe friund noch nachkomen noch iemant anders von vnsern von vnserr erben friund noch nachkomen wegen nu fürbaz ewiclich hintz dem ersamen Gaistlichem vnserm vorgenanten gnaedigen herrn Apt *Hainrichen* vnd dem Conuent dez egenanten Closters vnd

Gotz-

Gotzhuses ze sant *Vlrich* vnd ze sant *Afren* ze Ausspurch noch hintz iren nachkomen noch hintz demselben Closter vnd gotzhuse noch hintz dhainem dem Gut daz daz egenant Closter vnd Gotzhuse ietzo haut oder fürbaz gewinnet noch lüten swa ez diu Gut oder lüt haut oder gewinnet Vnd besunder hintz den guten die daz egenant Closter vnd Gotzhuse haut ze Aell für vnd swaz darzu gehört diu wir ettwie vil Jar von der egenant ansprach wegen eingenomen vnd genozzen haben von der vorgeschriben Bollsterschuch wegen noch von dhainer ander zusprüche vodrung noch ansprach wegen die wir hintz in biz vff den hiutigen tag ie gehebt haben oder waunden ze haben vmb welherlay waerk red oder sache daz gewesen ist nimmer mer nihtz ze spraechen ze vodern noch ze clagen haben noch gewinnen sullen in dhain wise weder mit gaistlichem noch weltlichem rehten noch aun Geriht weder mit herren friund noch Lantlüt hylff noch raut noch mit dhainerley sache. Vnd waer auch daz wir oder vnser erben oder iemant anders von vnsern oder von vnserr erben wegen den Ersamen Gaistlichen vnsern gnaedigen herrn Apt *Hainrichen* oder dem Conuent dez egenanten Closters vnd Gotzhuses ze sant *Vlr.* vnd ze sant *Afren* ze Auspurch oder ir nachkomen oder daz egenant Closter vnd Gotzhuse oder iriu Gut oder ir lüte von der vorgeschriben Bollsterschuch wegen oder von dhain andern zusprüche vodrung oder ansprach wegen die wir vnd vnser erben oder vnser vodern biz vff den hiutigen tag alz der brief geben ist, hintz in ie gehebt haben oder waunden ze haben vmb welherlay waerck red oder sache daz gewesen ist nu furbaz ankömen vmbtriben bekummerten oder beswaertin mit gaistlichem oder weltlichem rehten oder aun geriht in welcher weis oder mit welhen sachen daz waer swaz sy od ir lüte oder

iemant

iemant anders von iren wegen dez schaden nemen wie der schad genant waer den sy da von enphiengen den selben schaden sullen wir vnd vnser erben in ze hant vnd vnuerzogenlich nach irr manung gentzlich vnd gar ablegen gelten vnd vzzrihten aun allen iren schaden. Taeten wir dez niht so haut der Ersame vnser vorgenant gnaedigen herr Apt *Heinr.* vnd der Conuent dez egenant Closters vnd Gotzhuses ze sant *Vlrich* vnd ze sant *Afren* ze Auspurch vnd all ir nachkomen oder wer ez von iren wegen tun will vollen gewalt vnd reht vns baid oder vnsen aintwedern welhen sy vnder vns wend oder vnser erben dervmb an ze griffen vnd ze nöten mit gaistlichem oder mit weltlichem rehten weders in denn baz fügt oder mit in baiden. Vnd auch ze phenden vnd an ze griffen an Lüten vnd an Guten in dörffern in Merckten vnd in Steten oder vff dem Lande wie vnd wa sy mugent vnd in welhes Geriht sy wellent oder aun geriht wa hin sy wend vnd sy oder wer ez von iren wegen tut oder wer in dez hylffet fraeflent noch verschuldent an der aller dhainem niht wider vns noch vnser erben noch vnder dhainen Gerihten noch rihtern Gaistlichen noch weltlichen noch wider dhainen Lantfrid noch wider dhainer buztuzze die ietzo sint oder fürbaz gesetzt werdent noch wider dhain herschaft noch wider dhainem land noch wider dhainer Stat noch wider dhainer fryung noch frybrief die wir vnd vnser erben ietzo haben oder fürbaz gewinnen möhten von wem daz waer noch wider iemant anders Vnd mugent daz allez swaz hie vorgeschriben staut oder iraines oder ir mer welhes in denn lieb ist wol tun alz offt in denn not beschiht als lang vnd alz vil bis daz sy allez schadens den sy dez vmbtribens bekummerung vnd beswaerung genomen haeten an in selb oder an iren lüten oder Guten mit welhen sachen daz waer gar vnd gentzlich

lich vzgeriht vnd bezalt werdent an allen iren schaden Vnd dez allez zu ainem staeten vrkund geben wir in für vns vnd für all vnser erben friund vnd nachkomen den brief versigelten vnd geuestent mit vnsern aignen Insigeln diu baidiu daran hangent vnd darzu mit vnsern aignen Insigeln diu baidiu daran hangent vnd darzu mit vnsern lieben Ohem herren *Hainr.* von *Knöringen* Chorherr ze dem Tum ze Auspurch. Hern *Gerwigs* von *Northolz* Ritter. *Egloffs* von *Knöringen* vnd *Chunrats* von *Knöringen* Insigeln *a)* diu sy aelliu vieriu durch vnser fleizziger bet zu ainer merern ziucknuzze aller vorgeschriben sache an den brief gehencket haunt in selber vnd iren erben aun allen schaden. Daz geschach nach Christus geburt driuzehenhundert Jar vnd darnach in dem ahtzgosten Jare an sant Vlrichs tag. *b)*

a) Sigilla sunt illaesa. *b)* 4. Julii.

Num. CXXVI. Agnitio iuris proprietatis. Anno 1381.

EX ORIGINALI.

Ich VÖLK der TUSCHLIN burger ze Burun vnd ich *Will* sein elichew wirtin tun kunt vnd veriehen offenlich mit dem brief für vns vnd all vnser nachkomen allen den die in lesent sehent oder hörent lesen daz diu gut ze *Stetwang* vnd ze *Woltperzhouen a)* dez Conuentz ze sant *Vlrich* ze Auspurg rechtz aigen sint vnd daz ich vnd mein erben an den obgenant guten niht anderr recht havn dann ain Leipting daz ist ze mein selbs leib vnd ze *Willen* miner elichen wirtin leib vnd ze *Hainrichs* leib

vnd

vnd ze *Annen* leib vnd ze *Greten* leib meiner kind als der brief seit den ich darumb inn hain vnd swann daz ist daz die iatz genant fünf leib all abgestorben sint also daz ir kainer mer lebt, da got lang vor sey so sint diu vorgeschriben gut selliu mit aller zugehört vnd was daruf gebuwen ist dem vorgenanten Conuent ledig vnd los worden von allen minen erbun aun allen krieg vnd widerred vnd sol dhain mein erb noch niemant anders von minen wegen an diu obgenant gut dhain ansprach clag vordrung noch recht nimmer mer haben noch iehen in dhain weis noch mit dhainen sachen Vnd datz in ditz allez staet vnd vnzerbrochen blib gib ich in den brief versigelt vnd geuestent mit des erbern Mans — — — dez stat ammans ze Buran Insigel vnd mit *Vts* von *Richen* Insigel die sy baidiu durch mein fleizziger pett willen daran gehenkt haund *b*) in selber an schaden nur der sach zu ain rechten ziugnuzz darunder ich obgenant *Völk* vnd ich *Will* sin wirtin vns verbinden mit vnsern triwen alles daz staet vnd waur ze halten waz hie vorgeschriben staut Daz geschach nauch Cristus geburt driuzehen hundert iar vnd darnach in dem ain vnd achtzigosten iar an sant epimachs vnd sant Gordians tag.

a) Locus ignotus. *b*) Sigilla periere.

Num. CXXVII. Venditio decimarum Finningae. An. 1381.

Ex Originali.

Ich VOLKMAIR der *Gunregen* von Reimlingen genant vergich vnd tun chunt offenlich mit dem brief für mich vnd für all

min

min erben vor allermenklich Daz ich recht vnd redlich wie ez craft vnd macht billich han sol vnd auch mag vor allen gerichten gaistlichen oder weltlichen verkaufft vnd ze einen staeten kauff geben han dem vesten Mann *Erharten* von *Erstingen* vnd allen seinen erben meinen zehnden ze *Bauren Vinningen a)* der lehen ist von meinen genedigen hern den von *Oetingen* mit allen nutzen gülten rechten vnd gewonheiten die er hat gilt vnd auch gelten mag an klainen vnd an grozzen vnd mit allen andern seinen zugehörnden besucht vnd vnbesucht wie daz alles genant vnd gehaissen ist ez sei an dem brief benennt oder vnbenent vnd in aller mazz alz ich in biz her auf den hiutigen tag gehebt vnd genozzen han vnd in auch genözzen solte han ob ich in nit verkaufft hete für ein rechtz lehen vnuerkumertz ze haben vnd ze niezzen mit allen nutzen vnd rechten ewiklich vmb fünf vnd viertzig vnd hundert guldin guter vnd gaeber vngrischer vnd Behemischer guldin der ich gentzlich vnd gar von im gewert vnd bezalt bin vnd si anderswa an meinen vnd meiner erben nutz vnd frum gentzlich geleit vnd gewendet han Vnd also sol ich vnd mein erben dem vorgenanten *Erharten* von *Erstingen* vnd seinen erben oder wem er in fürbazz schuff liezz oder ze kauffen gebe den vorgenant zehend mit aller seiner zugehörd nutzen rechten vnd auch gülten alz vorgeschriben stat staeten vertigen vnd versprechen vnd ir recht gewern darvmb sein gen allermenklich für all ansprach div in dar an beschaech mit den rechtem gaistlichem oder weltlichem vnd alz man sollich gut billich vnd ze recht staeten vertigen vnd versprechen sol nach lehens vnd dez landez recht oun allen schaden. Auch verzeich ich mich vnd mein erben dez obgenant zehenden mit vrkund diss briefs aller recht vnd ansprach die wir nu fürbazz ewiklich dar nach vnd daran kunden oder möchten hân alfo das ich noch dehain mein erb oder iemant anders von vnfer wegen in noch fein erben oder wem fi ez gebent fchaffent oder land daran nimmer mer engen noch irren in dehainen weg weder mit gericht oder an gericht funft noch fo lützel oder vil in dehain weife noch weg Vnd darvmb ze einer bezzern fichenheit fo. fetze ich im vnd feinen erben zu mir vnd meinen erben ze rechten vnd redlichen Burgen die Erfamen vnd vefte mann *Cuntzen* den *Gufregen* von Reimlingen vnd *Cuntzen* von *Wal* vnd *Craften* den *Durreher* vnd *Cuntzen* von *Holtzhain* von Aehing all zu ain ander vnuerfchaidenlich Mit der befcheidenheit Waeta etc. — *Coetera vt in aliis venditionis inftrumentis iam in praecedentibus relatis.* — Dez allez ze ainen warn vrkundl. vnd guter ficherhait fo gib ich der obgenant *Volkmair Guzregen* für mich vnd mein Erben dem obgenanten *Erharten* von *Erfingen* vnd feinen erben den brief befigelt vnd geueftent mit meinen aigen vnd der obgenanten Burgen Infigel *b*) Wir die vorgenant burgen vergichen dirr vorgefchriben burgfchafft ze vrkund haben wir auch vnfrew Infigel auch offenlich an den brief gehengt Der geben ift do man zalt von Criftz geburd drivtzehen hundert Jar vnd ains vnd achtzig Jar dez nechften Sunntagz vor fant Afran tag. *c*)

a) Oberfinningen.

b) De Sigillis primum et tertium periere, quartum valde laefum, fecundum et quintum illaefa Tab. V. N. IV. V. adparent.

c) Quarta Augufti.

Num. CXXVIII.

Num. CXXVIII. Venditio quorumdam bonorum in Wengen. Anno 1382.

Ex Originali.

In Gotes Namen Amen. Ich Georg Burckhart burger ze Wertungen vnd ich *Anna* sein elichiu wirtin vergehen vnd tuien kunt offenlich an dem brief. für vns vnd für alle vnser erben vnd nachkomen allen den die in ansehent oder hörent lesen Daz wir mit veraintem mut vnd guter vorbetrachtung vnd mit raut willen vnd gunst aller vnserr Erben vnd besten friund vnseriu nachgeschribiniu Gut ze *Wenngun a)* Daz ist ain hofftat die *Wernher* der *Smyd* von vns gehebt haut diu iaerclichen giltet zwen schilling phenning ze zins dry phenning ze weisat zwai vasnahthunr vnd dreizzig ayer vnd vier Juchart ackers die zu der selben hofftat gehörent diu hofftat vnd die vier Juchart ackers vnser rechtzaigen waurn vnd sint vogtber gen frawen *Salinden* der *Dechsin* vnd gen iren erben Aber ain hofftat da selben da *Vtz Kochner* vff sitzet vnd iaerclichen giltet zwen schilling phenning ze zins dry phenning ze weisat ain Vasnahthun vnd dreizzig ayer. Aber ain hofftat da selben da *Chuntz* der *Hut* vff sitzet vnd auch iaerclichen giltet zwen schilling phenning ze zins dry phenning ze weisat ain vasnathun vnd dreizzig ayer vnd aht Juchart Ackers vnd ain tagwerck wismatz da selben die zu den ietzogenanten zwain hoffteten gehörent. Die zwu hofftet vnd die aht Juchart ackers vnd daz tagwercke wismatz. vnser rehtz zinslehen wauren von dem Apt vnd dem Gotzhus ze *Fultenbach* iaerclich vmb ainen schilling phenning. vnd swaz zu den vorgeschriben dry hoffteten vnd zu den obgenanten zwelf Jucharten ackers vnd dem

Tagwerck wismatz gehöret oberd vnd vnder erd ze dorff vnd ze velde an hofraitin an Biunden an Gärten an besuchtem vnd an vnbesuchtem swie ez genant oder gehaizzen ist vnd alz sy ietzo vornan vnd hintan vnd ze balden steiten mit zaeunen mit vnderrainen vnd vndermedern vnd mit marcken sint vzzbezaichent vnd gemercket Vnd auch mit allen den rehten vnd gewonhaiten nutzen vnd gülten vnd sy geltent oder gelten mügent an clajnen vnd an grozzen vnd alz wirs vnd vnser vordern saelig mit nutzlicher Gewer von reht vnd von gewonhait biz her an den hiutigen tag bracht inne gehebt vnd genozzen haben für ledigiu vnansprаechiu vnd vnuerkummertiu Gut Die erstgenanten hofstat die *Wernher* der *Smyd* von vns gehebt haut vnd die vier Juchart ackers die darzu gehörent ze rehtem aigen denn daz sy vogtber sint alz vorgeschriben stet vnd die andern zwu hofstet vnd die aht Juchart ackers vnd daz tagwerck wismat die zinslehen sint von dem Gotzhus vnd ainem Apt ze *Fultenbach* ze rehtem zinslehen. reht vnd redlich verkaufft vnd ze kauffen geben haben der Erbern Frawen Frawen *Katherinen* der alten *Daechsin* hern *Johannsen* dez alten *Dachs* saelig witwen ze Auspurch vnd allen iren erben vnd nachkomen oder swem sis hinnanfür gebent verkauffent schaffent oder lauzzent ze haben vnd ze niezzen ewiclich vnd geruwiclich vmb zwen vnd dreizzig Guldin vngrisch vnd Behemischer guter an gold vnd swaers am rehten gewigt da ain kauffmann den andern wol mit gewinnen mag die wir berait von ir darvmb eingenomen vnd enphangen haben vnd an vnsern vnd an vnser erben nutz gelaet haben. Vnd haben wir ir vnd iren erben diu vorgeschriben Gut aelliu vnd swaz darzu gehört vffgeben die Erstgenanten hofstat vnd die vier Juchart ackers die darzu gehörent ze rehtem aigen vnd die andern

dern zwu hofstet vnd die aht Juchart ackers vnd daz Tagwerck wismatz die darzu gehörent ze rehtem zinslehen. Vnd haben vns sein allez vnd aller der rehte vodrung vnd ansprach die wir vnd vnser erben daran haeten gehaben mochten oder wannden ze haben verzigen mit gelerten worten für vns vnd für alle vnser erben vnd nachkomen alz man sich aigens vnd zinslehens ieglichs besunder nach sinem rehten durch reht vnd billich verzeihen vnd vffgeben sol. Aigen nach aigens reht vnd zinslehen nach zinslehens reht vnd allez nach dez landez vnd der Grauffscheft reht vnd gewonhait da diu Gut inne gelegen sint. Also daz wir dhain vnser erben noch friund noch iemant anders von vnsern wegen nu fürbaz ewiclich daran noch darnach nimmer mer nihtz zesprechen ze vodern noch ze clagen haben noch gewinnen sullen in dhain weise weder mit gaistlichem noch weltlichem rehten noch aun riht noch mit chainerlay sache vnd besunderlich ich egenantiu *Anna Georgen* dez vorgenanten *Burckhartz* elichiu wirtin weder von Erbscheft noch von miner hainstiur widerlegung noch morgengab wegen noch von chainerlay schlaht sache wegen Vnd also sullen wir in auch diu vorgeschriben Gut aelliu vnd swaz darzu gehört staeten vnd vertigen vnd ir reht gewern sein für all ansprach gen allermentlich diu mit dem rehten daran beschiht diu aigen sint nach aigens reht vnd diu zinslehen sint nach zinslehens reht vnd aelliu aigen vnd zinslehen nach dez landez vnd der Grauffschafft reht vnd gewonhait da siu inne gelegen sint aun allen iren schaden Vnd dez allez zu ainer bezzern sicherhait haben wir ir vnd iren erben ze burgen gesetzt zu vns vnd zu vnsern erben vnuarschaidenlich *Chunrat* den *Amman* datz Holtzhain min *Georgen* dez vorgenanten *Burckhartz* Swauger *Hannsen* den *Hakker Vtzen* den *Burckhart* vnd

vnd *Claussen* den *Burckhart* all dry min *Georgen* dez vorgenanten *Burckhartz* Brůder Mit der beschaidenhait etc. — Vt supra. — Vnd dez allez zu ainem staeten vrkund Geben wir ir vnd iren erben vnd nachkomen für vns vnd für all vnsern erben vnd nachkomen den brief versigelten vnd geuestent mit der Stat ze Wertungen grozzen Insigel vnd mit dez Erbern vnd vesten mannez *Vlrichs* von *Reichen* ze den zeiten Vogt ze Wertungen. Insigel *b*) diu Insigel baidiu die Burger gemainclich ze Wertungen irr Stat Insigel Vnd *Vlrich* der obgenant von *Reichen* sein Insigel. durch vnser fleizzig bet an den brief gehenket haund. Der Stat vnd den burgern ze Wertungen vnd allen iren nachkomen vnd *Vlrichen* dem obgenanten von *Reichen* vnd sinen Erben aun allen schaden nur dirr vorgeschriben sache aller zu ainer waurn ziuknuzze Dar vnder ich *Georg* der vorgenant *Burckhart* vnd ich *Anna* sein elichiu wirtin vns binden mit vnsern guten triwen für vns vnd für alle vnser erben vnd nachkomen staet ze halten vnd ze laisten allez daz hie vorgeschriben staut wan ich *Georg Burckhart* aigens Insigels niht enhaun Vnd wir die obgenanten burgen vergehen auch der burgscheft ab vnuerschaidenlich an dem brief vnd geloben by guten triwen allez daz staet ze halten vnd ze vollfüren daz hievor von vns geschriben staut vnd haben vns dez ze vrkund vnder diu gagenwürtigen Insigel gebunden mit vnsern guten triwen wan wir aigen Insigel niht enhaben. Daz geschach nach Christus geburt driutzehenhundert Jar vnd darnach in dem zwai vnd ahtzgostem Jare an dem naehsten Afftermentag nach vnser frawen tag ze der lyechtmysse. *c*)

a) Wengen. *b*) Primum Sigillum periit; secundum est laesum.
c) Quarta Februarii.

Num. CXXIX.

Num. CXXIX. Litterae venditionis. Anno 1382.

EX ORIGINALI.

Ich RUGER der RAPOLD. Ich CHUNRAT der CRAMER von Wörd vnd ich JOHANNS der MÜLICH der Cremer all dry burger ze Auspurch vnd phleger *Hannsen* vnd *Chuntzen Haincichs* dez *Brunen* saelig Sunen Tuen kunt offenlich an dem brief allen den die in ansehent oder hörent lesen vmb die Kerengült die wir in phleger weise den vorbenenten kinden vff ir baider libe ze rehtem Lipting reht vnd redlich kaufft haben von dem Erwürdigem herren dem Apt vnd gemainclich dem Conuent dez Gotzhuses ze sant *Vlrich* vnd ze sant *Afren* hie ze Auspurch vzz dez selben Gotzhuses zehen Erblehen diu ze *Mittelstetten a*) gelegen sint vnd derer ains der *Stadler* da buwet. Daz ander der *Kysling*. Daz drytt der *Berkmann*. Daz vierd *Haintz Vischer*. Daz fünft *Hanns Kischer*. Daz sehs *Vtz* der *Huber*. Daz sybent diu *Huberin*. Daz ahtund der *Mair*. Daz *Niund* der *Lotter*. Vnd daz zehend buwet halbs *Gering* der *Wurm* vnd halbs *Haintz* der *Draechsel*, vzz ieglichem vorbenanten erblehen besunder vnd vzz swaz darzu vnd darein gehöret sehs mutt Kerens vnd darzu aelliu diu reht diu daz egenant Gotzhus an den obgeschriben zehen Erblehen vnd an aelliu diu vnd darzu oder darein gehöret gehebt haut alz daz allez der Liptingbrief weiset den der Apt vnd der Conuent dez Egenanten Gotzhuses ze sant *Vlrich* vnd ze sant *Afren* hie ze Auspurch den vorgenanten kinden vnd vns in phleger weise darvmb geben haund Vergehen wir für vns vnd für alle vnser nachkomen die hinnanfür nach vns der vorbenanten kind phleger werdent Vnd auch für diu vorbenanten kind vnd für ir

erben

erben swenn diu vorgenanten zwai kind *Hanns* vnd Chuntz *Hainrichs* dez *Brunen* saeligen Sune baid gesterbent vnd von tod abgegangen sint Daz dann diu vorgeschriben Kerengült vzz den obgeschriben zehen Erblehen vzz ieglichen Erblehen besunder vnd vzz aelliu diu vnd darzu vnd darein gehöret sehs mutt korens vnd darzu aelliu diu reht diu wir den vorgenanten kinden an denselben zehen Erblehen auch kaufft haben. gentzlich vnd gar ledig vnd los sint wordem dem Erwirdigem Gaistlichem herren dem Apt vnd gemainclich dem Conuent dez egenanten Gotzhuses ze sant *Vlrich* vnd ze sant *Afren* hie ze Augspurch vnd allen iren nachkomen vnd auch dem selben Gotzhuse aun all irrung vordrung vnd ansprach der vorgenanten kind erben vnd friund vnd auch vnser vnd vnserr nachkomen swelhy hinnanfür nach vns der vorgenanten kind phleger werdent vnd allermenclichs von vnsern vnd vnserr nachkomen vnd auch der vorgenanten kind erben vnd friund wegen. Ez waer denn daz der vorgenanten zwayer kinde ains oder sy baidiu sant *Barthólomaeus* tag den tag biz nabt lebten vnd darnach sturben e daz sy den selben Jarnutz gentzlich eingenomen haeten, oder ob sy anderr verganger gült nach ir baider Tod vff den vorgeschriben Guten haeten vnd liezzen der wer waenig oder vil denselben egenanten Jarnütz vnd die andern vergangen gült sullent der vorgenanten kind erben oder swem sis gebent schaffent oder lauzzent oder haizzent geben von den egenanten zehen Erblehen vnd von aelliu diu vnd darzu oder darein gehöret dennocht gentzlich vnd gar einnemen vnd haben vnd niezzen geruwiclich aun allermenclichs irrung vnd hindernuzze alz lang vnd alz vil biz daz sy dez selben Jarnutzes vnd der andern vergangen gült gentzlich gewert werdent aun allen iren schaden. Vnd dez allez zu ainem staeten

vrkund

vrkund Geben wir für vns vnd für vnser nachkomen die hinnanfür nach vns der vorgenanten kind phleger werdent vnd für diu vorgenanten kind vnd für alle iren Erben vnd friund dem vorbenenten Erwürdigen Gaistlichem herren dem Apt vnd gemainclich dem Conuent dez egenanten Gotzhuses ze sant *Vlrich* vnd ze sant *Afren* hie ze Auspurch vnd allen iren nachkomen vnd auch dem selben Gotzhuse den brief versigelten vnd geuestent mit min *Rugers* dez vorgenanten *Rapolds* vnd mit min *Johannsen* dez obgenanten *Mülichs* der vorbenenten zwayer phleger Insigeln diu baidiu daran hangent *b*) Darvnder ich *Chunrat* der *Cramer* von Werd auch der obgenanten phleger ainer mich bind von minen guten triwen staet ze halten vnd ze laisten allez daz hie vor von mir vnd von minen mitphlegern geschriben staut wan ich aigens Insigels niht enhaun Daz geschach nach Christus geburt driuzehenhundert Jar vnd darnach in dem zwai vnd ahtzgostem Jare an dem naehsten frytag vor sant Gallen tag. *c*)

a) In praefectura Schwabmenching.

b) Sigilla sunt laesa.

c) Decima Octobris.

Num. CXXX. Venditio Curiae Finningae. Anno 1384.

Ex Originali.

Ich JACOB von SCHARENSTETTEN bekünę vnd vergich offenlichen mit disem brieff für mich vnd min Erben vor allermenglich Daz ich mit gutem willen vnd mit wolbedauchtem sinne vnd mut nach raut miner naehsten vnd besten friunde alz och ich daz zu den ziten wol getun kunde vnd mocht vnd in der wise vnd an den stetten alz daz yetzund vnd hernach alwegen an allen stetten vnd vor allen lüten vnd Gerichten Gaystlichen vnd weltlichen wol macht vnd krafft hett vnd hat vnd haben sol vnd magk minen hoff ze *Fynningen* gelegen vnd den vormalz da gebuwen hat der *Hynschaimer* vnd iarclichen giltet vier malter kerns funff malter Roggen funff malter Gerstun vnd vier malter habern allez Höchstetter messe vnd zwai Höchstetter viertal ölz vnd ain phunt haller ze schwingült zwo Gens vnd vier vnd zwaintzigk kaes vnd ains vnd zwaintzigk herbsthon zwen schilling haller ze wisat ze Wichennechten. ain vasnacht hon. vnd och driu hundert aiger ze Ostern. vnd von den vier seldan die darzu vnd darin gehörent von ieglicher besunder iarclichen aht gut vnd geb yteltger haller ze wisat ze Wichennechten vnd vier vasnacht höner — — Vnd swaz also zu den vorgenanten hoff vnd mit den egenanten seldan darz vnd darin gehöret vnd zu ieglichem besunder in dorff ze velde an akkern an wisen an wasen an waid an zwy an holtzz an holtzmarken an holtzbödemen. an gerüt an Egerdun ze wasser ze waid ze wegen ze stegen an besuchten vnd vnbesuchtens fundens vnd vnfundens gebuwens vnd vngebuwens. swie daz allez vnd ieglichs besunder gehaisen oder genant ist — — Ez si an disem brieff benempt oder nicht vnd mit allen den rechten Ehefftin gewonhaiten diensten nutzen vnd güken vnd der vorgenant hoff mit den vier selden vnd ieglichs besunder giltet oder gilten mag an clainem an Grossen mit besetzzen vnd entsetzzen vnd mit aller Ehefftin gemainsemin zwangstlin gewaltsenin. alz ich den merengiu Jare biz her vff disen hiutigen tag bracht ynn gehebt vnd genossen

ſen han. vnd der min rechtes aigen waz für ain lediges vnanſprechiges vnd vnuerkumertz Gut vnd für ain rechtes aigen — — vndienſtberes vnd vnuogtberes — — recht vnd redlichen verkaufft vnd ze kauffen geben han mit der vrkund ditz brieffs zu ainem rechten ſtaeten ewigen kauffe dem Erbern manne *Vlrichen* dem *Pützer* burger ze Laugingen vnd allen ſinen Erben oder wem ers hinnanfür git verkaufft ſchafft oder lat ze habent vnd ze nieſſent ewigclichen vnd geruwiclichen ze rechtem aigen vmb zway hundert Guldin alle vngriſch oder Behemiſch Gut an Golde vnd ſwär an rechtem gewiht. die ich alſo berait nützzlichen darumb eingenomen vnd enphangen han. vnd an min vnd miner erben from vnd nutzz bewent vnd geleit han. Alſo han ich im, vnd ſinen erben den vorgenanten hoff mit den Egeſchriben vier ſelden ze *Fynningen* gelegen. vnd ieglichs beſunder mit ſiner zughord ze rechtem aigen vffgegeben mit frier hant vff dez Richs ſtraus vnd han mich aller der recht die ich je daran hette gehaben möchte oder wandet ze habent verzigen mit gelerten worten für mich vnd min erben. alz man ſich aigens durch recht vnd billichen verzichen vnd vfgeben ſol. nach aigens vnd landes recht. vnd nach der Stat recht ze Laugingen vnd nach gewonhaiten— — Alſo daz weder ich noch dehain min erbe noch frunde weder herren noch Lantlüt noch niemand anders von vnſer wegen nu fürbaz ewigclichen daran noch darnach niemmer mer nichtzit ze ſprechen ze vordern noch ze clagen haben noch gewinnen ſullen mügen noch wellen mit dehainerlay ſchlacht ſache in kain wiſe weder mit gayſtlichem noch mit weltlichem rechten noch ane recht in dehainen weg. Ez iſt auch beſunder in diſen kauff genem bedingt vnd och geredt. daz niemand vff die vorgenant Gut gan ſol. noch hin gen nichtzit daruff ſitzen noch

 bieten

bieten sol. weder lützel noch vil. Den alz waere daz man in wol mag hin einbieten vor dem Tore alz daz von alter her kom ist. der mit dem Maiger ze schaffen hette vorgericht oder mit den die vff den Gutten yetzund sitzend oder hernach daruff kemen vnd sezzen. Also sol ich oder min erben im oder sinen erben den vorgenanten hoff mit den vier selden vnd iegliche besunder mit irer zugehörd ze rechtem aigen staetigen vnd vertigen. vnd ir recht gewern sin für alle ansprach gein allermengclich div in mit dem rechten daran beschicht in den zilen alz man aigen nach aigens vnd Landes recht vnd nach diser Statt recht ze Laugingen. vnd nach der herschafft recht vnd gewonhaiten da diu gut gelegen sint vnd nach recht. Vnd darumb ze merer besser sicherhait so han ich zu mir vnd minen erben im vnd sinen erben vmb alle vorgeschriben schulde vnd sache vnd vff die vorgenant Gut ze burgen gesetzet den Erberr man *Thoman Sunthain* ze Haydenhain gesessen. *Haintzen* den *Brenhain* burger ze Laugingen vnd *Cristian* den von *Scharenstett* minen vettern etc. — vt supra — Vnd dez allez zu ainem waren Vrkund aller vorgeschribnen sache dez gib ich *Jacob* von *Scharenstetten* der offtgenant für mich vnd min erbén *Vlrichen* dem *Paetzer* dem vorgenanten vnd sinen erben disen brieff besigelten mit min vnd mit der egenanten burgen Insigeln div aelliv daran hangent *a*) Vnd wir die vorgenanten burgen verichen vnuerschaidenlich diser obgeschriben Borgschafft dez zu vrkund hat vnser ieglicher besunder sein aigen Insigel auch gehenket an disen brieff ob der Insigel aller 'ains oder mer brüchig verkert oder misshenkt wurden oder diser brieff sunst naz oder madig vngeuarlich daz sol in allez zu chainem schaden kom. Der brieff ist geben an dem Suntag in der Vastun So man singt *Reminiscere* dez Jares da man zalt von

Christus

Christus geburd driutzehen hundert Jare vnd darnach in dem vierden vnd ahtzigosten iare.

a) De sigillis bene conseruatis tria priora Tab. V. N. VI. VII. VIII inueniuntur.

Num. CXXXI. Venditio iuris censualis. Anno 1384.

Ex Originali.

Wir Hainrich von Gotes verhenknuzze Apt vnd wir der Conuent gemainclich dez Closters ze *Fultenbach* a) vergehen vnd tiuen kunt offenlich an disem brief für vns für vnser Closter vnd für alle vnser nachkomen allen den die in ansehent oder hörent lesen Daz wir mit veraintem mut vnd guter vorbetrahtung in vnserm Cappitel da wir alle darvmb ze samen komen waurn mit belüter gloggen alz sitlich vnd gewonlich ist vnd vnser chainer da widersprach diu nachgeschriben Gut ze *Wengun* Daz sint zwu hofftet der ainiu *Vtz* der *Rot* inne haut vnd daruff sitzet vnd die andern *Chuntz* der *Hut* vnd aht Juchart ackers vnd ain Tagwerck wismatz die zu den vorgeschriben zwain hoffteten gehörnt vnd allez hofftet aecker vnd wismat der Erber vnd weise man *Aulbrecht* von *Vylenbach* burger ze Auspurck vnd sein vordern von vnsern vorfarn von vnserm Closter vnd von vns biz her ze rehtem zinslehen gehebt haund iaerclich vmb ainen schilling phenning dieselben zwu hofftet aecker vnd wismat vnd swaz darzu gehöret in dorff oder ze velde an besuchtem vnd an vnbesuchtem swie ez genant oder gehaizzen ist nichtz vzzgenomen vnd den schilling

schilling phenning der vnser vorfarn vnser Closter vnd wir bizher iaerclich daruzz ze zins gehebt haben reht vnd redlich alz ez vor allen gerihten Gaistlichen vnd weltlichen vnd aller stat krafft vnd macht haut vnd ewiclich haben sol geaigent vnd ze rehten aigen ze kauffen geben haben dem Erbern vnd weisen mann *Aulbrehten* den vorbenanten von *Vylenbach* vnd allen sinen erben vnd nachkomen oder swem sis hinnanfür gebent verkauffent schaffent oder lauzzent ze haben vnd ze niezzen ewiclich vnd geruwiclich ze rehtem aigen vmb driu phunt guter vnd gaeber phenning der Stat ze Auspurck gewonlicher werung diu wir berait von im darvmb eingenomen vnd enphangen haben vnd an vnsern vnd an vnsers Closters frumen vnd nutz gelaet haben Vnd haben wir im vnd sinen erben den vorgeschriben schilling phenning zinses den wir vnd vnser Closter vzz den Egenanten zwain hoffteten vnd vzz den obgenanten aht Juchart ackers vnd vzz dem ainen Tagwerck matz biz her gehebt haben Vnd auch dieselben zwu hofitet vnd die aht Juchart ackers vnd daz ain tagwerck wismatz vnd swaz darzu gehöret vnd aelliu vnseriu reht daran ze rehtem aigen vffgeben mit fryer hant vff dez Reichs strauzz Vnd haben vns ir vnd aller der rehte vodrung vnd ansprach die wir vnser vorfarn vnd vnser Closter daran haeten gehaben mochten oder waunden ze haben verzigen mit gelerten worten für vns für vnser Closter vnd für alle vnser nachkomen alz man sich zinslehens vnd dez zinses der daruzz gegangen ist die geaigent werdent durch reht vnd billich verzeihen vnd vffgeben sol nach zinslehens reht daz geaigent wirt vnd nach dez landez vnd der Grauffschaft reht vnd gewonhait da diu Gut inne gelegen sint Alſo daz wir vnser Closter noch vnser nachkomen noch iemant anders von vnsern von vnsers Closters noch von

vnserr

vnſerr nachkomen wegen nu fürbaz ewiclich daran noch darnach nimmer mer nihtz ze ſpraechen ze vordern noch ze clagen haben noch gewinnen ſullen in dhain weiſe weder mit gaiſtlichem noch mit weltlichem rehten noch aun Geriht noch mit chainerlay ſache Vnd alſo ſullen wir ins auch ze rehtem aigen ſtaeten vnd vertigen vnd ir reht gewern ſein für all anſprach gen allermenclich diu mit dem rehten daran beſchiht nach aigens reht vnd nach dez Landez vnd der Grauſſcheſſt reht vnd gewonhait da diu gut inne gelegen ſint aun allen iren ſchaden Vnd wurde in der vorgeſchriben ſchilling phenning den wir vnd vnſer Cloſter vzz den egenanten zwain hofſteten vnd vzz den obgenanten aht Jucharten ackers vnd vzz dem ainem Tagwerck wiſmatz nach zinſlehens reht gehebt haben oder dhain andriu reht diu wir vnd vnſer Cloſter an den ſelben Guten biz her gehebt haben oder diu Egenanten Gut von der ſelben rehte wegen darvber von iemant anſpraech mit dem rehten in den zilen vnd man zinſlehen daz geaigent vnd ze aigen verkaufft wirt nach dez landez vnd der Grauſſcheſſt reht vnd gewonhait da diu gut inne gelegen ſint ſtaeten vnd vertigen ſol oder ob ſy von vns von vnſern Cloſter oder von vnſern nachkomen oder von iemant anders von vnſeren von vnſers Cloſters oder von vnſer nachkomen wegen daran geirret wurden mit welhen ſachen daz waer dieſelben anſprach vnd Irſalung der ſei ainiu oder mer ſullen wir vnſer Cloſter vnd nachkomen in alle vnd ſwaz ſy der ſchaden nement ze hant vnd vnuerzogenlich nach irr manung in dem naehſten manot gar vnd gentzlich ablegen entlöſen vnd vzzrihten aun allen iren ſchaden aun allen krieg vnd widerred vnd aun allez verziehen Wölten aber wir in daz verziehen mit welhen ſachen daz waer ſo haut er vnd ſein erben oder waer ez von iren wegen tun

wil

wil vnd alle ire haelffer vollen gewalt vnd reht vns vnser Closter vnd alle vnser nachkomen darumb an ze. griffen vnd ze nöten mit Gaistlichem oder mit weltlichem rehten weders in denn baz fügt oder mit in baiden. vnd auch ze phenden vnd an ze griffen an Lüten vnd an Guten in Steten in Maerkten in dörffern oder vff dem lande wie vnd wa sy mügent Vnd in welhes Geriht sy wend oder aun geriht wa hin sy wellent vnd fraeflent noch verschuldent an der aller dhainen nihtz wider vns noch vnser Closter noch wider dhainen Gerihten noch rihten Gaistlichen noch weltlichen noch wider kainem Lantfrid noch wider dhain Buntnuzze die ietzo sint oder fürbaz gesetzt werdent noch wider dhain herschafft Gaistlich noch weltlich vnd besunderlich vnsern herren den Byschof noch wider dhainem land noch wider dhain Stat noch wider dhain fryung noch frybrief die wir vnser Closter vnd vnser nachkomen ietzo haben oder fürbaz gewinnen möchten von wem daz waer noch wider iemant noch ihtes anders wie man daz erdenken oder benennen kan oder mag Vnd mugent daz allez swaz hie vor geschriben staut oder ir ainez oder ir mer welhes in denn lieber ist wol tun alz lang vnd alz vil biz daz sy aller der ansprach vnd Irsalung darvmb sy dann genöt oder gemant haund vnd swaz sy der schaden genomen haeten gar vnd gentzlich vzzgeriht vnd entlözt werdent aun allen iren schaden Vnd dez allez zu ainem staeten vrkund geben wir im vnd sinen erben vnd nachkomen für vns für vnser Closter vnd für alle vnser nachkomen den brief versigelten vnd geuestent mit vnserm vnd vnsers Conuentes Insigeln diu baidiu daran hangent *b*) Daz geschach nach Christus geburt driuzehenhundert Jar vnd darnach in dem vier vnd ahtzgostem Jare an sant Margrethen tag der hailigen Junckfrawen vnd Martrerin.

a) Mona-

a) Monasterium in praefectura Wertingana.

b) Sigillum Abbatis est laesum Conuentus vero, S. *Michaelem* Archang. repraesentans, illaesum.

Num. CXXXII. Limites Parochiae San - Vlricanae. Anno 1385.

Ex Originali.

Burkardus a) Dei et apostolice sedis gratia Episcopus ecclesie Augusten. Vniuersis et singulis ad quos presentes littere peruenerint Salutem in Xpo. Cum noticia subscriptorum. Pridem Magistri ciuium et communitas ciuitatis nostrae Augusten. ob gwerras terre et patrie nostre hospitale infirmorum. ac plurimas domus situatas extra muros Augusten. in loco volgariter nuncupato *Wagenhals* b) super arena et almenda dicta vor dem *Swibogen* diri puerunt et destruxerunt, et ipsis hominibus quorum domus destructe fuerunt, ortum pomerii Religiosorum virorum fratrum domus, et Conuentus Predicatorum infra muros Augusten ad habitandum inibi constituerunt, qui in eodem ortu nonnullas domus seu habitaciones constuxerunt, propter que inter discretos viros et dominos *Johanem* dictum *Smit* sanctorum *Vdalrici* et *Affre* ex vna et *Petrum* dictum *Bilwisser* sancti *Mauricii* Ecclesiarum parochialium plebanos Aug. parte ex altera orta fuit lis et materia contencionis, ex eo, et super eo, quod vterque dicebat, ortum de quo supra mencio existit infra limites sue parochie fore et esse constitutum, et homines ibidem habitantes ad suam parochiam et ecclesiam pertinere. Nos idempitatibus ecclesiarum parochialium ac personarum

 predic-

predictarum prouiderc volentes prout de iure tenemur iugiterque pensantes, quod locus vulgariter nominatus *Wagenhals* super arena et almenda dicta vor dem *Swibogen* ac homines inhabitantes eundem fuerunt et sunt infra limites parochie sanctorum *Vdalrici* et *Affre* predicte constituti. Iidem quoque homines nunc inhabitent ortum quondam Predicatorum supradictum Ipseque ortus tanto tempore quo eius, contrarium in memoria hominum non existit, fuerit in manibus et possessione fratrum exemptorum predicte domus predicatorum, et quod ignoratur an ortus infra limites sanctorum *Vdalrici* et *Affre* aut sancti *Mauricii* ecclesiarum parochialium sit constitutus. Quo circa pro bono pacis et concordie fretus consilio prudentum ortum et homines predictos dicimus et pronunciamus ad plebanum et parochiam sanctorum *Vdalrici* et *Affre* pertinere et infra limites iam dicte parochie fore et esse in antea et deinceps constitutos presentibus in hiis scriptis, Datum et actum Auguste. V^to^ Idus Marcii Anno dni Millo Tricentesimo, Octuagesimo quinto sub nostro Pontificali Sigillo qd presentibus duximus appendendum.

a) De Ellerbach.

b) Suburbium erat versus Friedbergam.

c) Sigillum illaesum.

Num. CXXXIII.

Num. CXXXIII. Conuentio cum monasterio S. Margarethae. Anno 1385.

Ex Originali.

Wir die Priorin vnd der Conuent gemainclich ze ſant *Margreten* veriehen mit vrkund ditz briefs von der ſtöſs vnd miſshellung wegen die mit vns gehebt haund vnſer lieben herren der Apt vnd der Conuent gemainclich ze ſand *Vlrich* von zehenden wegen auzz ainem Anger der gelegen iſt by *Bruder Arnold* vnd ſtozt obnan an der *Langenmäntel* by dem Saltzſtadel anger vnd vndan an dez *Wydemans* auch geſeſſen by dem Saltzſtadel anger, vnd an ainem ort ſtozt er an dez *Heldes* anger Alz daz vnſer vorgenant herren von ſand *Vlrich* vil zeit von vns klegt haben wir wollen in nit den vorgenanten anger verzehenden als wir billich ſollen, dez hant vns vnſer Gnädiger her Byſchoff *Burckart* ze Auſpurg ainmuticlich überainbraht Alſo mit der beſchaidenhait daz wir oder vnſer nachkomen den vorgenanten herren von ſand *Vlrich* oder iren nachkomen elliu iar geben ſullen zwiſchen ſand Michels tag vnd ſand Gallen tag ainen guten Vngriſchen oder Behaimiſchen Guldin für allen den zehenden der ains Jars auz dem vorgenanten anger gann mag vnd nit mer, alz verr daz ſi oder ir botten vns der ermanin ze geben in den obgenanten zil, wa ſi daz nit tättind ſo mügen ſi nit ſchaden dez Jars vmb daz verziehen dez vorgeſchriben guldin darauff triben vnd in wellay ander wiz, wir oder vnſer nachkom daz verzügen ſo haund die vorgenant herren von ſand *Vlrich* oder ir nachkomen vollen gewalt vnd gutreht vns darumb an ze griffen mit gaiſtlichem oder weltlichem rehten weders in denn baz fügt oder mit in baiden als lang vnd als vil bütz daz ſi dez guldins bezalt werdent, in den zilen vnd friſten als vorgeſchriben iſt Vnd da vor ſol vns nütz ſchirmen noh friſten in dhain weg, Vnd dez ze Vrkund geben wir diſen brief beſigelten mit vnſer der Priorin vnd dez Conuentz Inſigeln diu baidiu daran hangend vnd darzu von vſer flizziger bett willen vnſer gnädiger herr Biſchoff *Burkart* ze Auſpurg henckt ſein Inſigel auch an diſen brieff *a*) wann er der ſach tädinger vnd Vrſprecher geweſen iſt, im vnd ſinem gotzhus aun ſchaden Vnd iſt der brieff geben do man zalt von Criſti geburt drützehen hundert Jar darnach in dem fünften vnd achtzigoſten Jar an dem nächſten donerſtag vor dem hailigen tag ze Phingſten.

a) Sigilla illaeſa.

Num. CXXXIV. Litterae reuerſales decimas Haunſtaettae concernentes. Anno 1386.

EX ORIGINALI.

Ich ANNA *Otten* dez *Golnhouers* ſäligen witibe burgerin zu Augſpurg vergich vnd bekenne offenlichen mit diſem brieff vor menglichen von der drier zehenden wegen, die da gaund vſſ driu höfen zu *hußteten* ainer vſſ dem hof den der *Jlhorn* ietzunt da buwet, der ander vſſ dem hoff den der *Egerdacher* ietzunt da buwet, Vnd der dritt vſſ dem hof den der *Wäger* da buwet, vnd dieſelben dry zehenden rehtez aigen ſeint dez Cloſters zu ſant *Vlrich* vnd ſant *Afren* zu Augſpurg, vnd die ich von dem ſelben Cloſter zu rehtem lipting haun vſſ ſiben

libe,

libe, daz ist vff mein selbs libe, vff *Agnesen* der *Langenmentlin* vff *Adelhaiden* vff *Elspeten* vnd vff *Vrsulen* minſ vierr tohter liben, vff *Annen* vnd vff *Peters* miner Encklach liben miner obgenanten tohter *Agnesen* der *Langenmentlin* Kinde, dy ſi bey *Petern* dem *Langenmantel* ſälig gehabt haut, vff die ſiben libe zu haben vnd zu nieſſen geruwiclichen, die weil der obgenant libe ainer oder mer, oder ſi alle lebent, Vergich ich offenlichen mit diſem brieff für mich vnd für alle mein erben vnd nachkomen, wenne daz beſchicht, daz Got lang wende, daz ich vnd die obgenante ſehs libe abgegangen vnd geſtorben ſien, ſo ſeint die egenant dry zehenden vff den obgenanten driu höffen. zu *Hussteten* dem obgenanten Closter zu ſant *Vlrich* vnd ſant *Afren* von vns vnd allen vnſern erben vnd friunden, vnd auch von den die dann vnſriu reht an den zehenden gehabt haund gar vnd gentzlichen ledig vnd loz worden. Alſo daz dehain vnſer erben friunde noch nachkomen darnach fürbaz nimmer mer dehain clag fordrung noch zuſpruch haben iehn noch gewinnen ſullen noch enmügen von dehainerlay ſachen wegen weder mit gaiſtlichem noch weltlichen rehten, noch aun reht in dehain wiſe. Dez zu vrkund gibe ich dem obgenanten Cloſter diſen brieff, beſigelten mit der Stat zu Augſpurg Inſigel *a)* daz durch miner vlizziger pette willen daran gehenckt iſt der Stat aun ſchaden. Dez ſeint geziuge her *Vlrich* der *Langenmantel* her *Johans* der *Rems*, die do der Stat pfleger wauren. her *Vlrich* der *Rihter*. her *Johans* der *Vende* vnd ander erber lüte genug. Daz beſchach nach Criſtus geburt driutzehenhundert Jare vnd darnach in dem ſehs vnd ahtzigoſtem Jare an dem nehſten Dunrſtag vor ſant Partholomeus tag. *b)*

a) Sigillum illaeſum. *b)* 23. Auguſti.

Num. CXXXV.

Num. CXXXV. Jura Monasterii San - Vlricani in Algouia. Anno 1387.

EX ORIGINALI.

Anno domini M.CCC. vnd LXXXVII. in die sancte *Gerdrudis* virginis.

Item das sind die recht die ain herr vnd daz Gotzhus sant *Vlrichs* vnd sant *Afren* in dem Tigen zu *Greggenhofen* in dem Algew haut.

Item des erst so sol das buwgericht alle Jaur sein an dem nehsten donrstag vor sant *Gerdruten* tag ze mitten mertzen in dem hof ze *Greggenhofen*, vnd dahin soll ain herr selber komen oder sein bott, waer aber daz ain herr oder sein bott nit darkömen, so soll ain Aman des Gotzhus sant *Vlrichs* vnd sant *Afren*, dem sy getruwend, da ze gerichte sitzen, vnd sol vollen gewalt han, an ains herren statt. Es soll ouch bey dem gericht sitzen ain vogt von Rotenfels vnd ain vogt von Hochenegk vnd sönd da ainen Abpt vnd ainen herrn schirmen, ob in yemant wolt überfallen, oder ob sich yemant da wölt wider in setzen. Wär ouch daz ain Abpt etwas wölt anfahen gen den husgenossen daz nit gewonlich were, da sollent in die selben vögt mit bett von weysen.

Item es sprechent die husgenossen es soll ain herr komen gen *Greggenhofen* an der nechssten mitwochen ze nacht vor dem obgenanten donrstag selb sibend, vnd sollent die nidern höf die da buwend die *Härtzen* vnd der *Jück* geben Kuchin speis wein vnd brot. Sol ain herr selb han ain mal.

Item so spricht ain herr es seyen seine recht, daz er soll

soll komen selb zwelfft, vnd da sol ain koch sin, der dreyzehend dem sol man 1 ss. dn. geben das er daz öl schon handly.

Item es sollend die höf ze *Greggenhofen* how geben. Item der Ober hof ze Greggehofen der des *Kretzen* was sol ain viertail habern geben. Item *Vtzen* des *Hürtung* gut vnd des *Kristalaers* gut sönd ouch ain viertel geben. Item ze *Wiger* der Wyger gut soll ouch 1 viertal geben. Item der *Tuerg* gut ze Weyer ouch 1 viertal. Item das gut in *Mulffelstain* daz man nempt des *Michels* gut das da buwet *Herman Schmid* ouch 1 viertail.

Item wenn ouch daz wär daz ain herre hie wäre vnd me futers bedörfte, so söllent ze dem *Stürklis* IIII gut, vnd ze *Kalkenbach* II. gut yeglichs geben ain viertail habern. Item ze dem *Vmmen* II. gut vnd ze *Swandan* IIII. gut die sönd ouch futter geben nach dem als in gemäss ist ob sein ain herr bedarff.

Item es ist auch ains herrn von sant *Vlrich* reht wenn ainer stirbt, der sant *Vlrichs* ist, der soll geben das best vnd das turst gut, daz er hat von den varendem Gut ze vall. Ist ouch daz er hinder im lat weib oder kind, die sannt *Vlrichs* sint, den soll man geben ain Ross III ss. dn. neher ze lösend; vnd ain kind II ss. den. denn ainem andern. Wären aber die leybs erben nit sant *Vlrichs*, den ist man nütz näher gebunden, denn ainem andern ze gebend vnd die sol man treyben wa es dem Gotzhus nutz vnd gut ist. Es soll auch ain aman nieman sein gewannd nemen, denn wenn es sant *Vlrich* ze end des nutz ist. Item wa ain frow stirbet die soll geben ir aller bestes gewannd das sy hat ist das sy nit leybes erben laut, vnd ist das sy besonnder gesasset ist.

Item

Item so sind denn sant *Vlrichs* recht vmb die zins da sind der Getygen zway aines nempt man *Kemnater* tygen, daz sind die güter ze dem *Stercklis* IIII. gut. ze *Kalkenbach* II. gut. ze *Wertach* des *Vtzels* gut vnd ze *Burberg* des *Tachers* gut vnd ze *Langenwangen* IIII. gut. vnd vff dem berg ob Langenwangen I gut. Item des *Maigers* gut ze *Sigeswang* vnd des *Suters* gut ze *Ofterschwang*, vnd zway gut ze dem *Vmmen*. Item des *Wisers* gut ze *Oetsperg*, vnd IIII. gut ze *Swandun* die hannd die recht, daz ain aman sol aichschen den zins vor sant Gallen tag, gebent sy im den, so soll er in nemen, tättent sy des nit, so sol ain amman innemen sein herberg vnd sein wirt ze Kempten, vff die nehsten micktun nach sannt Gallen tag geit er ims da, so ist er ledig. Tätt man des nit so soll ain aman vnd des Abbtz bott daruff zeren ze Kempten echttag löset er sy nit vss des herberg wenn die acht tag vskomend so sol der aman vnd sein helfer pfennden den selben vmb schaden vnd vmb hopt. gut Wär ouch daz im derselb ze stank wär, so sol er sein vogt manen, der vogt aber über denselben ist, den man pfennden will, der sol in denn helffen pfennden vmb schaden vnd vmb heptgut.

Item daz annder haisset Greggehofer tygen. daz sind die gut ze *Greggenhofen*, ze *Wyger* vnd ze *Maisselstain* vnd ze dem *Lubosten* vnd ze *Tberg*. Was zu dem *Kemnater* getygen recht ist, vff sant Gallen tag, daz hand die vff sant Martins tag Die sol man aischen vor sannt Martins tag, gend sy den zins nit, so soll er in verkünden vnd die nechsten miktun darnach, vnd sol mit dem geuarn als mit *Kemnater* getygen.

Item es ist ouch sant *Vlrichs* recht, wenn ainer, der sant *Vlrichs* ist, vff der genossamin wibet, den sol ain herre von sant *Vlrich* bessern.

Item

Item daz vorgenant buwgericht ist ain verküntes buwding, daz dar sönd komen die husgenossen die vff den vorgenanten huben sitzend, vnd was die stöss vnder ainander habend von der gut wegen, da sol vmb beschehen, was recht ist, vnd welicher da daz recht, nit welt nemen von dem andern, da sol man disem dem daz ertailt wirt in das selb gut setzen, vnd soll daz da daz gantz Jaur niessen, vnd ouch geruwigklich daruff sitzen biss aber in daz buwding, vnd soll in ouch ain vogt daruff schirmen.

Item es hand die husgenossen daz recht, ob das wär daz ain man von armut oder von vyentschaft must von seiner hub gan, vom land so mag derselb husgenoss sin hub ainem seinen frund lan hinder im, vnd der sol es verdienen gen dem gotzhus, vnd wäre ouch daz derselb vss wär ainl vnd zwaintzig Jaur, vnd denn ainer dem Abbt geben ainen hut vollen pfenning, dieselb gewert soll disem kainen schaden pringen, vnd sol herkomen vnd soll wider in sein gut sitzen.

Item es haut sant *Vlrich* die recht, wär ob der husgnossen ainer nit da wäre derselb geben XXXI dn. vnd wer der wäri der den zins ze dem buwding nit gericht hette, des gut ist verfallen vff ains herren gnad.

Item es haut ouch das Gotzhus vnd ain herre die recht, daz niemand nutz vss den guten verkouffen noch versetzen sol denn mit gunst vnd willen ains herrn von sant *Vlrich*. Item daz ist ain artickel sant *Vlrichs* guten, daz ain Gnoss sant *Vlrichs* gut mag dem andern versetzen vnd verkouffen dem Gotzhus one schaden. Item wär aber daz ainer ain gut must brechen, daz sol er thun mit ains Abbtz willen. Item daz ander ist daz man sol ainem gnossen in dem Abbthof ze *Greggehofen*

 leychen

leychen vnd ſol in nit füro treyben. Item daz dritt iſt, daz ain gnoſſ dem andern recht ſol halten vff den nechſten donrſtag, vor mitten mertzen, Wär aber daz dem recht nit möcht widerfaren vff den ſelben tag, ſo ſol es beſchehen über ain Jar vnd ſol in ouch daruff ſchirmen.

Item wär ouch daz ſich ainer des rechten verſumpty vor mittemtag vnd kumpt er, ſo der Abbt vffgeſitzt, vnd ergreifft er in bey dem ſtegrayff, ſo ſol er in volles recht geſtatten oder ſein pfleger.

Item daz vierd iſt, daz ſant *Vlrichs* gnoſſen mugent ain ander erben, wenn die deckim zement geſchlecht, an ligenden vnd an varendem gut. Item wenn aber ſant *Vlrichs* leut vnd vnſer frowen leut, vnd ſannt Michels leut vnd ſant Mangen leut zemendlichent, ſo ſond ſy ain ander erben an varendem gute. Item daz funfft, daz man ainen Aman mag verkern wär daz er ſant-*Vlrich* vnd dem Gotzhus oder den lüte nit tätt, daz er billich tun ſol etc.

Num. CXXXVI. Protectorium Alberti Archiducis Auſtriae. Anno 1387.

EX ORIGINALI.

Wir ALBREHT von Gottes Gnaden Hertzog ze Oeſterreich ze Steyr ze Kernden vnd ze Krain, Graf ze Tirol etc. Bekennen offenlich mit diſem brief, das wir der Erbern geiſtlichen vnſern lieben in Got — — des Abbts vnd Conuents von ſant *Vlrich* ze Augſpurg leut vnd güter gelegen vnder vnſerm

Fürſten-

Fürstentumb von Tirol lautterlich durch Got in vnser gnad sonder vnd schirm genomen haben vnd nemen auch mit dem gegenwärtigen brief vnd mainen sy ze beschirmen vestiglich vor allem gewalt vnd vnrecht vngeuerlich, dauon gepietten wir vestigclichen vnsern lieben getrewen *Hainrichen* von *Rattenburg* hofmaister vf Tirol vnd mintzemall vnserm hauptman desselben lands an der Etsch, oder wer furbas da vnser hauptman wert, vnd allen andern l. therrn Rittern vnd Knechten phlegern Burggrauen Richtern Zollern, Amblüten vnd andern vndertanen, den der brief gezaigt wirt, das sy der obgenanten Geistlichen leut von sant *Vlrich*, leut vnd gut in vnserm egenanten Fürstentum bei rechten halten, vnd in gewalts vnd vnrechts vor sein vestigclich von vnser wegen wann wir des ernstlich mainen Mit vrkunt ditz briefs Geben ze Augspurg Mentag nach sant Peter vnd Pauls tag *a*) nach Christi gepurt drewtzehenhundert Jar darnach in dem Siben vnd achtzigisten Jar.

a) Prima Julii.

Num. CXXXVII. Fundatio Calicis etc. Anno 1390.

EX ORIGINALI.

Wir *HAINRICH* von Gotes verhencknuzze Apt her *Syfrid* Prior vnd gemainclich der Conuent dez Closters ze sant *Vlrich* vnd ze sant *Auffrn* ze Auspurck Vergehen vnd tiuen kunt offenlich an den brief für vns für vnser Closter vnd für alle vnser nachkomen vor allennenclich vmb die besundern gnad triwe vnd friuntschafft die vns diu Ersam fraw fraw *Salind* diu *Datchsin* herren *Johansen* dez iüngern *Dachs* saeligen witwe burgerin ze Auspurck ietzo getaun haut. Daz siu vns vnserm Closter vnd vnsern nachkomen in vnser Custrei ze rechtem aigen geben haut ainen kelch der viertzig guldin Vngrisch vnd Behemyscher kostet. Vnd ain Korkappen *a)* diu dreizzig Guldin auch Vngryscher vnd Behemyscher kostet. Vnd dar vmb daz derselb kelch. vnd auch diu korkappe by vnserm Closter ewiclich beleiben vnd davon niht verkaufft noch versetzt werden. Vnd auch davon niht komen So haben wir mit veraintem mut vnd guter vorbetrahtung in vnserm Cappitel da wir alle ze samen komen wauren mit belüter gloggen alz sitlich vnd gewonlich ist durch vorht pen willen vff vns vnd vnser Closter vnd alle vnser nachkomen die pen gesetzt vnd genomen Waer daz wir vnser Conuent oder vnser nachkomen Aept oder Conuentherren ainer oder vnser mer den vorbenenten kelch oder Korkappen nu fürbaz ewiclich verkaufften versatzten oder verkummertin von welhen sachen oder in welher weise daz beschaehe, oder wie sy baidiu oder ir aintweders geuarlich von vnserm Closter bracht wurde oder kōme da wir vnser Conuent oder vnser nachkomen Aept oder Conuentherren ainer oder mer schuldig an waeren Daz wir dann oder vnser nachkomen in dem naehsten Jare so sy von vnserm Closter komen waern ainen andern alz guten kelch vnd ain ander alz gut Korkappen oder ir ainez welhes denn also von vnsern Closter komen waere alz vor ist geschriben her wider kauffen sullen aun allez verziehen vnd widersprechen. Taeten wir dez niht in dem naehsten Jare so sy baidiu oder ir aintweders also von vnserm Closter komen sint so sol vnser vnd vnsers Closters zehende ze *Rorbach* by Röhlingen gelegen der

in

in vnser Custrey gehöret der zaechie ze sant *Vlrich* vnd ze sant *Auffren* hie ze Ausspurck darvmb ze raehtem aigen verfallen aun gnad vnd aun alle widerred. Waer aber daz vns der kelch vnd diu Korkappe baidiu oder ir ainez vngeuarlich verprunnen oder ob sy vns mit anderm vnserm Gut vngeuarlich verstolen wurden da wir noch vnser nachkomen niht schuldig an waern so seyen wir kainer pen darvmb verfallen noch nichtz schuldig her wider ze kauffen. Vnd dez allez zu ainem staeten vrkund Geben wir ir vnd allen iren erben für vns für vnser Closter vnd für alle vnser nachkomen den brief versigelten vnd geuestent mit vnserm vnd vnsers Conuentes Insigeln diu baidiu daran hangent Dez sint gezing h. *Erasem* von *Reichen* vnser Custer. h. *Chunr.* von *Northenberck* h. *Johanns* von *Irdenburck* h. *Johanns* der *Kissinger* h. *Oswald* der *Kornman* herren vnsers Conuentes vnd ander erber lüt genug Daz geschach an der zwaier zwelf boten Abent sant Jacobs vnd Phylips nach Christi geburt driuzehenhundert Jar vnd darnach in dem Niuntzgostem Jare.

a) Sigilla sunt laesa.

Num. CXXXVIII. Admodiatio agrorum Ortlfingae. Anno 1390.

Ex Originali.

Wir Vlrich von Gotes gnaden Probst vnd gemainclich der Conuent des Gotzhuses ze sant *Georigen* zu Ausspurg veriehen vnd

vnd tuen kunt offenlich mit dem brief für vns vnser Gotzhus vnd für all vnser nachkomen vor allermenclich. das wir mit gemainen raut, vnd guter vorbetrachtunge in vnserm Cappitel da wir alle darumb ze samen komen waren mit belüter gloggen als sitlich vnd gewonlich ist vnser dry Juchart ackers die in iedes veld zu *Artelffingen* a) gelegen sind ain Juchart hindern Mair anger ain Juchart hinder den Gartun, vnd in dem dritten feld ain Juchart ackers stosset vf den Phannenschalk vnd gehörent in vnser oblay vnd was zu denselben dry Juchart ackers gehört oberd vnd vndererd besuchtz vnd vnbesuchtz swie es genant ist als sy ietzo vornan vnd hindan vnd zu allen seiten mit vnderrainen vnd mit marcken. allumb vnd vmb vz bezaichent vnd vmbuangen sind reht vnd redlich verlihen haben *Herbranden* dem *Becken* von Triushain. *Angnesen* siner Elichen wirtin. vnd allen iren Erben vnd nachkomen oder swem si iriu reht hinnan für daran gebent verkauffent, schaffent, oder lauffent ze haben vnd ze niessen eweclich vnd geruweclich ze rehten zinslehen Mit dem gedinge das sy oder ir erben oder wer iriu reht an den egenanten dry Juchart ackers haut vns vnserm Gotzhus vnd vnserm nachkommen elliu Jar dauon ze zins geben sullent in vnser Oblay vier vnd drissig guter Auspurger phenning, oder die müntz vnd werung dafür diu ieds Jars hie zu Auspurg in der stat geng vnd geb ist, vf sant Michels tag oder in den nehsten vierzehen tagen dauor oder darnach. Taeten sy des nit so sind vns vnserm Gotzhus vnd vnsern nachkomen die egenant dry Juchart ackers mit iren zugehörenden darumb mit reht vnd aun all widerred zinsuellig worden vnd veruallen vnd ob sy oder ir erben iriu reht an den Eckern hingeben vnd verkauften. so sullent sy vns den gotzphenning hain geben. wellen wirz denn haun.

als

als fis geben händ das mügen wir wol tun. oder wir mügen den gotzphenning in wider geben. Des ze vrkund geben wir in den brief befigelten mit vnferm vnd mit vnfers Conuents anhangenden infigeln b) des find ziugen her *Jacob* der *Rapp.* vnd her *Johans* der *Gerolzhofer* herren vnd priefter vnfers Gotzhus. der brief ift geben an fant Nyclaus abent nach Crifti geburt driuzehenhundert Jar vnd im niuntzigoften Jar.

a) Ortlfingen in praefectura Werting.

b) Sigilla funt illaefa.

Num. CXXXIX. Venditio hubae etc. in Wengen. Anno 1391.

Ex Originali.

In Gotes Namen Amen. Ich Gerloch von Weizzingen vnd ich *Margreth* fein elichiu wirtin Vergehen vnd tiuen kunt offenlich an dem brief für vns vnd für alle vnfer erben vnd komen allen den die in anfehent oder hörent lefen Daz wir mit veraintem mut vnd guter vorbetrachtung vnd mit raut willen vnd gunft aller vnferr erben vnd beften friund vnfer hublin daz ze *Wenngun* gelegen ift die *Wernher* oder *Ramfmair* ietzo da buwet vnd iaerclichen giltet ain fchaf Roggens vnd ain fchaf habern Aufpurger maezzes nach herren gült reht gemaezzen vnd vnfer zwu hofftet vnd gaerten da felben die der vorbenent *Wernher* der *Ramfmair* auch inne haut vnd buwet. Vnd derfelben hofftet vnd gaerten ainiu iaerclichen giltet ainen metzen öls vnd ain vafnahthun. So gilt diu ander

dreifzig

dreifzig ayer vier fchilling phenning vnd ain vafnahthun vnd vnfer gärtlin da felben daz ettwenn ain acker gewefen ift vnd da kain hofftat zugehöret daz iaerclichen gilt zwen fchilling phenning vnd ain vafnahthun. Daz allez mich *Gerlohen* den vorgenanten von *Weizzingen* anerftorben ift von meinem aigem mann *Chuntzlin* dem *Muraer* faelig vnd mein lehen waz von *Hannfen* von *Vylenbach* Vnd darzu vnfer zwu Juchart ackers die nahen by Tymmenhart gelegen fint die mich *Gerlohen* den vorgenanten von *Weizzingen* auch anerftorben fint von meinem aigen mann dez *Smyd Oedhans* Sun die felben zwu Juchart ackers vnfer raehtz aigen waurn vnd waz zu dem vorgefchriben hublin vnd zu den obgefchriben zwain hofftetea vnd Gaerten vnd zu dem obgenanten Gaertlin ettwenn ain acker gewefen ift vnd zu den egenanten zwain Jucharten ackers gehöret oberd vnd vndererd vnd auch ze dorff vnd ze velde an hofraitin an Biunden an Gaerten an aeckern an wifen ze holtz ze wazzer etc. — — die zwu Juchart ackers für ain raehtz aigen vnd daz ander allez für ain raehtz lehen allez aigen vnd Lehen fry vnuogtber vnzinfber vnftiurber vnd vndienftber raeht vnd redlich verkaufft vnd ze kauffen geben haben dem Erbern vnd weifen mann *Aulbrehten* von *Vylnbach* burger ze Aufpurck vnd allen feinen Erben vnd nachkomen oder wem fis hinnanfür gebent verkauffent fchaffent oder lauzzent ze haben vnd ze niezzen ewiclich vnd geruwiclich daz lehen ze raehtem lehen vnd daz aigen ze rehtem aigen vmb aht vnd zwaintzig phunt phenning der Stat ze Aufpurck gewonlicher werung diu wir berait von im darvmb eingenomen vnd enphangen haben vnd an vnfern vnd an vnferr erben nutz gelaet haben vnd haben wir im vnd feinen erben diu vorgenant gut aellin vnd waz zu in allen vnd zu ir ieglichen befunder oder darein gehöret vffgeben

die

die zwu Juchart ackers zu raehtem aigen mit fryer hant vff dez Reichs ſtrauzz vnd daz ander allez ze rehtem lehen in *Hannſin.* dez obgenanten von *Vylenbach* hant Vnd haben auch geſchaffet daz im daz lehen ze raehtem Lehen iſt verlihen, Vnd haben vns ſein allez aigens vnd lehens vnd alle der raehte vodrung vnd anſprach die wir vnd vnſer erben daran haeten gehaben mochten oder waunden ze haben verzigen frylich vnd vnbetwungenlich vnd mit gelerten worten für vns vnd für alle vnſer erben vnd nachkomen alz man ſich aigens vnd lehens jeglichs beſunder nach ſeinen raehten vnd nach dez landez vnd der Grauffcheſft reht vnd gewonhait da diu gut inne gelegen ſint Alſo daz wir dhain vnſer erben noch friund noch iemand anders von vnſern wegen nu fürbaz ewiclich daran noch darnach nimmer mer nihtz ze ſpraechen ze vodern noch ze clagen haben noch gewinnen ſullen noch mügen in dhain weiſe weder mit gaiſtlichem noch weltlichem raehten noch aun geriht noch mit kainerläy ſache vnd beſunderlich ich egenantiu *Margreth Gerlohs* dez vorgenanten von *Weizzingen* elichiu wirtin weder von Erbſcheſft noch von meiner hainſtiur widerlegung morgengaub noch beweiſung wegen noch von kainerlay ſchlaht ſache Vnd alſo ſullen wir ins auch ſtaeten vnd vertigen vnd ir raeht geweren ſein für alle anſprach vnd Irrſalung gaen allermenclich diu mit dem raehten daran beſchiht aigen nach aigens reht vnd lehen nach lehensreht vnd allez aigen vnd Lehen nach dez Landez vnd der Grauffcheſft reht vnd gewonhait da diu gut inne gelegen ſint aun allen iren ſchaden Vnd dez allez zu ainer bezzern ſicherhait haben wir im vnd ſeinen erben ze burgen geſetzt zu vns vnd zu vnſern erben vnuerſchaidenlich *Herman* den *Weizzinger* Mit der beſchaidenhait etc. — — Vnd dez allez zu ainem ſtaeten vrkund

 Geben

Geben wir in den brief versigelten vnd geuestent mit mein *Gerlohs* dez vorgenanten von *Weizzingen* aigem Insigel. vnd mit mein *Margrethen* seiner egenanten elichen wirtin aigem Insigel vnd mit dez obgenanten burgen Insigel diu aelliu driu daran hangent *a*) Daz geschach nach Christus geburt driutzehenhundert Jar vnd darnach in dem ainen vnd Niuntzgostem Jare an den naesten Sampstag nach sant Bartholomeus tag dez hailigen zwelfboten. *b*)

a) Sigilla sunt laesa. *b*) 26. Augusti.

Num. CXL. Litterae reuersales decimas Inningae concernentes. Anno 1391.

EX ORIGINALI.

Ich VLR. der REPHUN burger ze Auspurck vnd ich *Adelhait* sein elichiu wirtin Tuien kunt offenlich an dem brief vor allermenclich vmb den zehenden ze *Inningen* *a*) vzz dem Ampthof da saelben den saelben Ampthof ietzo zwen da buwent. Vnd vzz allen den braiten vnd Braitlehen die in denselben Ampthof oder darzu gehörent oder von alter von reht oder von gewonhait gehören sullent Vnd vzz allen andern aeckern die zu dem egenanten Ampthof oder darein gehörent oder von Alter von reht vnd von gewonhait gehören sullent. Vnd waz zu dem selben zehenden gehöret oder von alter von reht oder von gewonhait gehören sol in dorff oder ze vaelde an besuchtem vnd an vnbesuchtem wie ez gehaizzen ist nihtz vzzgenomen den vorgeschriben zehenden mit aller seiner zugehörung alz vor ist geschriben. wir

von

von den Erſamen gaiſtlichen herren dem Apt vnd gemainclich dem Conuent dez Cloſters ze ſant *Vlrich* vnd ze ſant *Auffren* hie ze Auſpurck raeht vnd redlich zu ainem raehten Lipting vff dri leibe kaufft haben. Daz iſt vff *Andreſen* vnd Joſen der *Rephun* leibe vnſer baider Sune vnd vff frawen Cecilien lip *Aendreſen* dez vorbenenten *Rephuns* elichen wirtin vmb hundert vnd viertzig Vngriſcher vnd Behemyſcher Guldin alz daz allez der Liptingbrief weiſet den wir von in darvmb inne haben. Vergehen wir für vns vnd für alle vnſer erben wenn die vorbenenten dry leibe alle geſtaerbent vnd nimmer ſint. So iſt den vorbenenten Erſamen herren dem Apt vnd gemainclich dem Conuent dez egenanten Cloſters ze ſant *Vlrich* vnd ze ſant *Auffren* hie ze Auſpurck vnd allen iren nachkomen vnd auch dem egenanten Cloſter. der vorgeſchriben zehende mit aller ſeiner zugehörung nihtz vzzgenomen gaentzlich vnd gar ledig vnd los worden. Daz wir dhain vnſer erbe noch friund noch der obgenanten dryer leibe erben noch friund noch der noch die in der gewalt vnſeriu reht an dem vorgeſchriben zehenden fürbaz koment noch iemant anders von vnſern wegen dann fürbaz an den vorgeſchriben zehenden noch an ihtiu daz darzu oder darein gehöret nimmer mer nihtz ze ſpraechen ze vodern noch ze clagen haben noch gewinnen ſullen noch mügen in dhain weiſe weder mit Gaiſtlichem noch waeltlichem raehten noch ain Geriht noch mit kainerlay ſache. Vnd dez allez zu ainem ſtaeten vrkund Geben wir in für vns vnd für alle vnſer erben vnd friund vnd für der obgenanten dryer leibe erben vnd friund vnd für alle die in der gewalt vnſeriu reht an dem vorgeſchriben zehenden fürbaz koment den brief verſigaelten vnd geueſtent mit mein *Vlrichs* dez vorgenanten *Rephun* aigem Inſigel daz daran hanget Vnd darzu mit der erbern vnd weisen manne hern *Ludwigs* dez *Burgrauen* hie ze Auspurck vnd hern *Johannsen* dez *Priols* vnd herren *Chunratz* dez *Bytzschlins* baid burger ze Auspurck Insigeln *b*) diu sy aelliu driu durch vnser fleizziger bet zu ainer meroraeern ziucknuzze aller vorgeschriben sache an den brief gehencket haund in saelber vnd iren Erben aun allen schaden Vnder diu gagenwürtigen Insigel aelliu ich genantiu *Adelhait Vlrichs* dez vorgenanten *Rephuns* elichiu wirtin mich bind mit meinen guten triwen für mich vnd für alle mein erben staet ze halten vnd ze laisten allez daz hie vorgeschriben staut Daz geschach nach Christus geburt driuzehenhundert Jar vnd darnach in dem ainen vnd Niuntzgostem Jare an dem naehsten donerstag vor sant Gallen tag dez hayligen Beychtigers. *c*)

a) Ad flumen Sincellam in praefectura Gegging.

b) De Sigillis illaesis tria posteriora Tab. V. N. IX. X. XI. occurrunt.

c) 12. Octob.

Num. CXLI. Conuentio censum concernens. Anno 1391.

EX ORIGINALI.

Ich VLRICH der REPHUN burger ze Auspurck vnd ich *Adelhait* sein elichiu wirtin vergehen vnd tiuen kunt offenlich an dem brief für vns vnd für alle vnser erben vnd nachkomen allen den die in ansehend oder hörent lesen Daz wir mit veraintem mut vnd guter vorbetrahtung vnd mit willen vnd gunst aller vnserr erben vnd besten frivnd raeht vnd redlich ainen raehten vnd redlichen waechsel getaun haben mit dem Ersamen herren

herren herren *Hainricken* Apt herrn *Syfriden* Prior vnd gemainclich mit dem Conuent dez Closters ze ſant *Vlrich* vnd ze ſant *Auffren* hie ze Auſpurck von der aht ſchilling zinſes wegen die ſy vnd ir Closter iaerclich vnd ewiclich haund. vzz vnſerm hus hoffach vnd gaertlin daz hie ze Auſpurck von dem Saltzſtadel vber der Strauzz ze vodergoſt an dem Egg dez *Schongawers* gazzen *a*) gelegen iſt. Vnd ſtozzt ainhalh an dez *Schongawers* gazzen vnd anderhalb an dez *Langen* dez Saltzuertigers hus vnd hoffache vnd hindan auch an dez ſaelben *Langen* hoffache vnd vornan an die ſtrauzze gaen dem Saltzſtadel Daz wir von in ze lipting haben nach vnſers Liptingsbriefs ſag den wir darüber inne haben. Daz ſaelb hus hofſach vnd gaertlin vnd waz darzu gehört ſich vmb die vorgeſchriben aht ſchilling phenning zinſes vor aelliu Jar vff ſant Michels tag aht tag vor oder aht tag darnach verſyele Daz ſaelb verfallen ſy vns verkert vnd verwandaelt haund vff die pen diu hernach geſchriben ſtaut Daz iſt welhes Jars wir verſaezzen Daz wir in den vorgeſchriben zins niht gaeben in den naeſten vierzehen tagen nach ſant Michels tag ſo verfelt ſich daz egenant hus hoffach vnd Gaertlin darvmb niht Aber ez haund die vorbenenten Erſamen Gaiſtlichen herren der Apt vnd der Prior vnd gemainclich der Conuent dez egenanten Closters wenn vierzehen tag nach ſant Michels tag vergaund darnach wenn ſy wend gewalt vns oder vnſer erben oder in wez gewalt vnſriu reht an dem egenanten vnſerm hus hoffach vnd gaertlin denn ſint vmb den vorgeſchriben zins ze manen ze hus ze hof oder vnder augen ſy ſaelb oder mit iren gewizzen boten Vnd wenn ſy vns denn alſo darvmb ermanent ſo ſullen wir in den vorgeſchriben zins in den naehſten aht tagen nach irr manung vnuerzogenlich gaentzlich vnd gar ge-

ben

ben vnd antwurten in ir Closter irem Oblayer aun allez widersspraechen Beschaeh dez niht so seyen wir in ze hant Alz bald aht tag nach irr manung vergangen sint Aht schilling phenning zu dem versaezzen zins verfallen vnd schuldig vnd gebunden ze geben ze pen aun gnad vnd aun alle widerred vnd alz offt sy oder ir nachkomen vns darnach vmb zins vnd alle die pen die sich dann daruff verfallen haeten Vnd die wir in dennocht schuldig waern Vnd dennocht niht geben vnd geantwurt haeten alz vorgeschriben staut niht geben vnd antwurten in den naehsten aht tagen nach irr manung alz vor ist geschriben Alz offt seyen wir in ez stand lang oder kurtz ie aht schilling phenning verfallen vnd schuldig vnd gebunden ze geben aun alle widerred vnd aun alle gnad Vnd wenn sy oder ir nachkomen daz also niht lenger staun lauzzen wölten so haund sy vollen gewalt vnd reht ir diener oder ander ir boten welhy sy wend ze senden vnd ze schicken in daz egenant vnser hus vnd hoffache vnd in aendriu huser vnd hoffache da der oder die dann mit wesen inne sint der oder die dann daz egenant hus hoffach vnd gaertlin in nutzlich gewer inne haund. Vnd phant da ze nemen mit geriht oder aun geriht Vnd darzu ob sy wend vnsriu reht an dem egenanten hus hoffach vnd gaertlin vnd an waz darzu gehört gar oder ain tail alz vil sy der wend darvmb an ze griffen vnd ze verkauffen oder ze versetzen oder wie sis vngeuarlich verkümmern wend oder künnent vnuerclagt vnd aun reht oder mit Geriht vnd mugent daz allez waz hie vorgeschriben staut oder ir ainez oder ir mer welhes in denn lieber ist wol tun alz offt in dez not beschiht aun all engaltnuzz gaen vns vnd gaen vnsern erben vnd nachkomen vnd gaen allen den in der gewalt vnsriu reht an dem egenanten vnserm hus hoffach vnd gaertlin

hinnan-

hinnanfür ewiclichen koment vnd gaen allen Gerihten vnd rihten gaistlichen vnd waeltlichen vnd gaen allermenclich ie alz lang vnd alz vil biz daz sy dez versaezzen zinses vnd aller der pen die sich dann darvff verfallen haeten vnd dennocht vzzlaegen gar vnd gaentzlich gewert vnd bezalt werdent Vnd darvmb daz vns die vorbenenten Ersamen gaistlichen herren der Apt vnd der Prior vnd gemainclich der Conuent dez egenanten Closters ze sant *Vlrich* vnd ze sant *Auffren* hie ze Auspurk Daz verfallen dez egenanten huses hoffache vnd Gaertlins vnd waz darzu gehört in die obgenant pen verkert vnd angewandaelt hant haben wir in irem Closter vnd allen iren nachkomen hin wider ze rehten aigen geben vnser aigenschafft dez huses hoffach vnd gaertlins daz hie ze Auspurck hinder sand *Vlrichs* Münster in dez *Mittelsteters* Gaezzlin gelegen ist vnd stozzt ainhalb an die strauzz gaen dir stat Ryncknur vnd anderhalb an dez *Mittelsteters* hus vnd hoffache vnd hindan an dez *Knollen* hus vnd hoffache vnd vornan an dez *Mittelsteters* Gaezzlin vnd waz darzu gehört vnd aelliu diu reht vodrung vnd ansprach die wir vnd vnser erben an dem selben hus vnd hoffache vnd gaertlin gehebt haben oder waunden ze haben vnd vnser raehtz aigen waz denn daz ez *Syfrid* der *Hainberger* burger ze Auspurck ze lipting haut vnd iaerclich davon geit ze zins ain phunt phenning vnd verselt sich darvmb nach dez liptings briefs lütung vnd sag den er darvmb inne haut. Also daz die vorbenanten Ersamen Gaistlichen herren dez egenanten Closters ze sant *Vlrich* vnd ze sant *Auffren* hie ze Auspurck vnd alle ir nachkomen vnd ir Closter die Aigenschefft dez egenanten huses hoffach vnd Gaertlins vnd waz darzu gehört nu fürbaz ewiclich vnd geruwiclich haben vnd niezzen sallent alz ander ir aigen Gute aun allermenclichs widerred vnd

vnd Irrung wan wir haben in die aigenſchafft dez egenanten huſes hoffach vnd gaertlins vnd waz darzu gehört ze raehtem aigen vff geben mit fryer hant vff dez Reichs Strauzz Vnd haben wir vns vnd aller der raehte vodrung vnd anſprach die wir vnd vnſer erben an der ſelben aigenſchafft. Vnd auch an dem egenanten hus hoffach vnd gaertlin vnd an waz darzu gehört gehebt haben oder waunden ze haben verzigen frylich vnd vnbetwungenlich vnd mit gelerten worten für vns vnd für alle vnſer erben vnd nachkomen alz man ſich aigenſchefft vnd aigens Gutes daz ze lipting vmb ainen zins verlihen iſt durch reht vnd billich verzeihen vnd vffgeben ſol nach aigens reht vnd nach dirr ſtat reht ze Auſpurck Alſo daz wir dhain vnſer erbe noch friund noch iemant anders von vnſern von vnſer erben noch friund wegen nu fürbaz ewiclich daran noch darnach nimmer mer nihtz ze ſpraechen ze vodern noch ze clagen haben noch gewinnen ſullen noch mügen in dhain weiſe weder mit gaiſtlichem noch waeltlichem raehten noch aun Geriht noch mit kainerlay ſache Vnd wir haben in auch alle die alten brief die wir über daz vorgeſchriben hus hoffach vnd gaertlin gehebt haben geben vnd geantwurt Vnd waer auch daz wir oder vnſer erben oder iemant anders dhainerlay brief vrkund oder hantfeſtin über daz egenant hus hoffach vnd gaertlin noch inne haeten oder noch fürbaz funden die verfallen oder verloren waern die in daran ze ſchaden komen möchten die ſullent nu furbaz alle ze maul vnnutz vnd tottbrief haizzen vnd ſein vnd kain krafft mer haun wa man ſy nu fürbaz wider ſy vffbiut oder fürzaigt Ez ſei vor gaiſtlichem oder vor waeltlichen raehten oder anderſwa. Vzzgenomen dez liptingsbrief den *Syfrid* der vorbenant *Hainberger* dar über inne haut der ſol by allen ſeinen kreften beleiben Vnd alſo ſullen

auch

auch wir vnd vnſer erben ins ze raehtem aigen ſtaeten vnd vertigen vnd ir raeht Geweren ſein für alle anſprach vnd Irrſalung gaen allermenclich diu mit dem raehten, daran beſchiht nach aigens reht vnd nach dirr Stat reht ze Auſpurck aun allen iren ſchaden vnd widerred vnd wurde in diu Aigenſchafft dez egenanten huſes hoffach vnd Gaertlins oder dhain andriu reht vodrung oder anſprach die wir vnd vnſer erben daran vnd an dem egenanten hus hoffach vnd gaertlin gehebt haben Darüber von iemant anſpraech oder Irrung mit dem raehten in den zilen vnd man aigen nach dirr Stat reht ze Auſpurck ſtaeten vnd vertigen ſol die ſelben Anſprach vnd Irrſalung der ſei ainiu oder mer ſullen wir oder vnſer erben in alle vnd waz ſy der ſchaden nement ze hant vnd vnuerzogenlich nach irr manung in dem naehſten manot gar vnd gaentzlich ablegen entlöſen vnd vzzrihten aun allen iren ſchaden aun allen krieg vnd widerred. vnd aun allez verziehen Wölten wir aber in daz verziehen mit welhen ſachen daz waere ſo haund die vorbenenten Erſamen Gaiſtlichen herren der Apt vnd der Prior vnd gemainclich der Conuent dez egenanten Cloſters ze ſant *Vlrich* vnd ze ſant *Auffren* hie ze Auſpurck vnd alle ir nachkomen oder wer ez von irern wegen tun wil vollen gewalt vnd gût reht vns oder vnſer erben darvmb ze beclagen vnd ze nöten mit Gaiſtlichem oder mit waeltlichem rehten weders in denn baz fügt ie alz lang vnd alz vil biz daz aller der Anſprach vnd Irrſalung dar vmb ſy dann gemant haund vnd waz ſy der ſchaden genomen haeten gar vnd gaentzlich entlözt vnd vzzgeriht werdent aun allen iren ſchaden Vnd dez allez zu ainem ſtaeten vrkund geben wir in irem Cloſter vnd allen iren nachkomen für vns vnd für alle vnſer erben vnd nachkomen den brief verſigaelten vnd geueſtent mit mein *Vlrichs* dez

 vorge-

vorgenanten *Rephuns* aigem Insigel daz daran hanget Vnd dazu mit der erbern vnd weisen manne herren *Ludwigs* dez *Burgrauen* hie ze Auspurck vnd herren *Johannsen* dez *Priols* vnd herren *Chunratz* dez *Bytschlins* baid burger ze Auspurck Insigeln *b*) diu sy aelliu durch vnser fleizziger bet zu ainer meroraeren ziucknuzze aller vorgeschriben sache an den brief gehencket haund in saelber vnd iren Erben aun allen schaden Vnder diu gagenwürtigen Insigel aelliu vieriu ich egenantiu *Adaelhait Vlrichs* dez vorgenanten *Rephuns* elichiu wirtin mich bind mit meinen guten triwen für mich vnd für alle mein erben staet ze halten vnd ze laisten allez daz vorgeschriben staut. Daz geschach nach Christus geburt driuzehenhundert Jar vnd darnach in dem ainen vnd Niuntzgostem Jare an dem naehsten Maentag von sant Andres tag dez hailigen zwelfboten.

a) Nunc platea Capucinorum vocatur.

b) Sigilla sunt optime conseruata.

Num. CXLII. Renuntiatio et Traditio Curiae in Wengen. Anno 1393.

Ex Originali.

Ich FRYDRICH von MANNENDORF Chorherr vnd Custer ze sant *Mauritien* ze Auspurck. Vergich vnd tun kunt offenlich an dem brief für mich vnd für alle mein erben vor allermenclich daz ich den hof ze *Wenngun* den *Wernher* der *Vetter* da buwet vnd waz darzu vnd darein gehöret in dorff oder ze velde an besuchtem vnd an Vnbesuchtem wie ez gehaizzen ist

nihtz

nihtz vzzgenomen. durch dez Erbern vnd weisen mannez *Aulbraechtz* von *Vylenbach* burger ze Ausspurck fleizziger bet willen vnd mit sein saelbs vnd mit seinem aigen gaelt ze raehtem aigen kaufft haun. von dem Erbern vnd weisen mann *Chunr.* dem *Ilsung* burger ze Auspurck gesaezzen by sant *Johanns* Cappaell von seiner elichen wirtin vnd von seinen zwain Sunen *Hannsen* vn *Peslain* vnd von ir aller erben vmb hundert vnd vmb zehen guldin Vnd haun auch den kauff dez egenanten hofs vff mich vnd vff mein erben verschriben in aller der weise alz ob ich den hof mir saelb vnd meinen erben haufft habe Vnd alz ob ich in mit meinem aigen gaelt bezalt vnd vergolten habe dez ich doch niht getaun haun wann in *Aulbreht* der vorbenent von *Vylenbach* mit sein saelbs vnd mit seinem aigen gaelt vergolten vnd bezalt haut Vnd darvmb so haun ich im vnd seinen erben den kaufbrieff den *Chunr.* den obgenanten *Ilsung* vnd sein wirtin vnd sein Sune mir vnd meinen erben vmb den kauff dez vorgeschriben hofs geben haund vnd auch alle ander brief die sy mir darüber geben haund mit fryem vnd gutem willen geben vnd geantwurt Vnd ich haun auch *Aulbraechten* dem vorbenenten von *Vylenbach* vnd seinen erben den vorgeschriben hof mit aller seiner zugehörung ze raehtem aigen ledig vnd los vffgeben Vnd haun mich sein vnd aller der raehte vodrung vnd ansprach die ich vnd mein erben daran haeten gehaben mochten oder waunden ze haben verzigen frylich vnd vnbetwungenlich vnd mit gelerten worten für mich vnd für alle mein erben friund vnd nachkomen Alz man sich aigens durch reht vnd billich verzeihen vnd vffgeben sol nach aigens reht vnd nach dez Landez vnd der Grauffschefft reht vnd gewonhait da der hof inne gelegen ist Also daz ich dhain mein erbe friund noch nachkom noch iemant anders von

 unsern

vnſern wegen nu fürbaz ewiclich an den vorgeſchriben hof noch an ichtiu daz darzu oder dareih gehöret nimmer mer nihtz ze ſpraechen ze vodern noch ze clagen haben noch gewinnen ſullen noch mügen in dhain weiſe weder mit Gaiſtlichem noch mit waeltlichem raehten noch aun Geriht noch mit kainerlay ſache haimlich noch offenlich. Vnd dez allez zu ainem ſtaeten vrkund gib ich im vnd allen ſinen erben für mich vnd für alle mein erben vnd friund vnd nachkomen den brief verſigelten vnd geueſtent mit meinem aigem Inſigel daz daran hanget. Vnd darzu mit dez Erſamen herren herren *Johannſen* dez *Igelbecken* Tegan ze ſant *Mauricien* ze Auſpurck Inſigel *a*) daz er durch mein fleizzig bet zu ainer meroraern ziucknuzze aller vorgeſchriben ſache an den brief gehencket haut im ſaelber vnd ſeinen erben aun allen ſchaden Daz geſchach nach Chriſtus geburt driuzehenhundert Jar vnd darnach in dem driu vnd Niuntzgoſtem Jare an dem hailigen Abent ze Phyngſten. *b*)

a) Sigilla ſunt illaeſa; ſed non ſatis expreſſa.

b) 24. Maii.

Num. CXLIII. Litterae reuerſales. Anno 1393.

Ex Originali.

Ich VLRICH der PHYSTER *a*) geſeſsen in der Wolfmüllin burger ze Auſpurg vergich vnd tun kunt offenlich mit dem brief für mich vnd für all min Erben vor allermenclich daz ich mit verdahtem mut vnd guter vorbetrachtunge. ain hofſtat mit aller iren zugehörenden, diu gelegen iſt by der *Wolfmüllin b*) ſtoſſet ainhalb an des *Rephuns* Miſtat die er auch von mir haut.

vnd

vnd anderhalben an des *Schaeflers* garten. den man nent den *Rosarzart*. vnd an den Lech. vnd ftofset hindan an minen garten. mit befuchtem. vnd mit vnbefuchtem. alz fy ietzo vornan vnd hindan vnd ze bayden feiten. mit Marcken all vmb vnd vmb vzbezaichent vnd gemercket ift, vnd daruf *Chunrat Efchringer* vnd *Adelhait* fiu elichiu wirtin ain hus gebuen haund. vnd gehöret in die Wolfmül. daz alles min lipting ift von dem Gotzhus ze fant *Vlrich* vnd fant *Afren* hie ze Aufpurg ze vier liben. daz ift zu min felbs libe ze frawen *Angnefen* lib miner Elichiu wirtin ze *Partholomaeus* lib vnd ze *Hanfen* lib ir fun die fy by irem vordern wirt faeligen dem *niefer* galt gehebt haut nach des liptingbriefs fage den ich darumb haun. reht vnd redlich gelihen haun. *Chonraten* dem obgenanten *Aefchringer* burger ze Aufpurg. frawen *Adelhaiten* finer elichen wirtin vnd allen iren erben ze den egenanten vier liben. oder fwem fy iriu reht daran gebent verkauffent fchaffent oder laffent ze haben vnd ze nieffen geruweclich die weil der felben vier lib ainer oder mer oder fy all lebent nach liptings reht mit dem gedinge daz fi mir vnd minen erben elliu Jar dauon ze zins geben fullent ainen halben guten Vngryfchen guldin oder als vil phenning dafür als dann die guldin zu den felben zeiten gaunt vngeuarlich vf fant Georigen tag oder in den nehften aht tagen dauor oder in den nehften aht tagen darnach nach liptings reht. Taeten fy des nit fo ift mir vnd minen erben. das obgenant hus. vnd hofftat mit allen finen zugehörenden darumb mit reht vnd aun all widerred zinfuellig worden vnd veruallen nach liptings reht. wer och das ich oder min erben die egenant müllin gen vnfer herfchaft veruallen lieffen. vmb den zins den wir ierlich darus geben. fo fullen wir zu bayder feit vier erber Man darzu geben.

ben. vnd was die darüber verſprechent. das wir in wyderkern ſullen. da by ſol es beliben aun all widerred vnd aun alles rehten Si ſullen auch ain einuart hau mit wegen vnd mit karren zu ir notdürt zwiſchen des lechs vnd des *Rephuns* miſtat aun allz widerred allermenclichs ſy ſullen auch ainen ſteg über den lech hinder dem ölhus hinüber haun in die enger vngeuarlich zu ir notdurft aun widerred den ſteg ſullent ſy vns au ſchaden machen. Iñ ſullent auch die egenant vier lib ir lib an dem egenanten hus vnd hofſtat ze trven tragen. vnd aun ſchaden. vnd ſullent ſy daran nit irren noch engen weder mit vfgeben an verkauffen noch an verwaechſlun noch mit kainerlay ſach ſwas ſi vf iriu reht damit tun oder ſchaffen wellent by irem geſunden lib oder an irem ſiechbett. Des ze vrkund gib ich in den brief beſigelten mit minem aygen anhangendem Inſigel darzu mit *Hanſen* des *Hofmaiers*, den man nent. den *Zollner* inſigel *b*) das er durch min fliſſiger bett zu ainer meroren ziucknuſſe der obgeſchriben ſach an den brief gehenckt haut im ſelb vnd ſinen erben aun ſchaden. Des ſind ziugen *Hans Apfenhuſen. Hans Polland. Hans Held* vnd *Stephan Cloſner* burger ze Auſpurg vnd ander erber lüt gnug. Der brief iſt geben an des hailigen Crutz abent als es funden ward nach Criſti geburt driuzehenhundert Jar vnd in dem dry vnd niuntzgoſtem Jaur.

a) Pfiſter Patricius Auguſt.

b) Sigillum primum eſt illaeſum; ſecundum periit.

Num. CXLIV.

Num. CXLIV. Venditio advocatiae Bobingae. An. 1393.

Ex Originali.

In Gotes Namen Amen. Ich Peter der Herwort burger ze Aufpurck vnd ich *Angnes* fein elichiu wirtin vergehen vnd tinen kunt offenlich an dem brief. für vns für alle vnser erben vnd nachkomen allen den die in ansehent oder hörent lesen daz wir mit veraintem mut vnd guter vorbetrahtung vnd mit raut willen vnd gunst aller vnserr erben vnd besten friund. vnser vogtay ze *Bobingen* über sant *Vlrich* vnd sant *Auffren* ze Aufpurck gütlin ze *Bobingen* daz *Haintz* der *Beck* ietzo da buwet vnd über waz zu dem saelben Gütlin oder darein gehöret in dorff oder ze vaelde an besuchtem vnd an vnbesuchtem wie ez gehaizzen ist diu saelb vogtay iaerclichen giltet ainen schöffel habern Aufpurger maezzes vnd vnser raehtz aigen waz für ain ledigs vnansprachs vnd vnuerkumnertz Gut vnd ain frys aigen raeht vnd redlich verkaufft vnd ze kauffen geben haben dem Erbern mann *Ortel* dem *Wylbrecht* burger ze Aufpurck vnd allen seinen Erben vnd nachkomen oder wem fis hinnanfür gebent verkauffent schaffent oder lauzzent ze haben vnd ze niezzen ewiclich vnd geruwiclich ze raehtem aigen vmb zwelf Guldin Vngrischer vnd Behemyscher guter an gold vnd swaert an raehten gewigt die wir berait von im darvmb eingenomen vnd enphangen haben vnd an vnsern vnd an vnserr erben nutz gelaet haben. Vnd haben wir im vnd seinen erben die egenanten vogtay über daz obgenant Gütlin ze raehtem aigen vffgeben mit fryer hant vff dez Reichs Strauzz. Vnd haben ir vnd aller der raehte vodrung vnd ansprach die wir vnd vnser erben daran haeten gehaben mochten oder waunden ze ze haben verzigen frylich vnd vnbetwungenlich vnd mit gelerten worten fur vns vnd für alle vnſer erben vnd nachkomen alz man ſich aigens durch reht vnd billich verzeihen vnd vffgeben ſol nach aigens reht vnd nach dez landez vnd der herſchefft reht vnd gewonhait da diu vogtay gelegen iſt vnd auch nach dirr Stat reht ze Auſpurck Alſo daz wir dhain vnſer erbe noch friund noch iemant anders von vnſern wegen nu fürbaz ewiclich daran noch darnach nimmer mer nihtz ze ſpraechen ze vodern noch ze clagen haben noch gewinnen ſullen noch mugen in dhain weiſe weder mit gaiſtlichem noch waeltlichem raehten noch aun Geriht noch mit kainerlay ſache. Vnd wir haben in kainen alten brief über die egenanten vogtay geben noch geantwurt wan diu egenant vogtay by andern Guten in ainem brief geſchriben ſtaut den ſaelben brief vnſer lieber Ohem *Georg* der *Schrenck* burger ze Auſpurck inne haut Vnd ſol auch der ſaelb brief vnd ob wir oder vnſer erben oder iemant anders dhainerlay ander brief über die egenanten vogtay haeten oder fürbaz funden die verfallen oder verloren waern die vor dem hiutigen tag geben vnd geſchriben waern die dem vorbenenten *Ortel* dem *Wylbreht* oder ſeinen erben oder in wez gewalt diu egenant vogtay hinnanfür ewiclichen kumpt daran ze ſchaden komen möchten die ſullent in nu fürbaz alle an der egenanten vogtay aller ſchaden dhainen ſagen noch bringen vil noch wenig in dhain weiſe wa man ſy nu fürbaz wider ſy vffbiut oder fürzaigt ez ſei vor gaiſtlichem oder waeltlichen raehten oder anderſwa Vnd alſo ſullen auch wir vnd vnſer erben im vnd ſeinen erben die egenanten vogtay ze raehten aigen ſtaeten vnd vertigen vnd ir raeht geweren ſein für alle anſprach vnd Irrſalung gaern allermenclich diu mit dem raehten daran beſchiht nach aigens

reht

reht vnd nach dez Landez vnd der herschefft reht vnd gewonhait da siu gelegen ist vnd nach dirr Stat reht ze Auspurch aun allen iren schaden Vnd wurde siu in gar oder ain tail darüber von iemant anspraech oder irrig mit dem raehten in den zilen vnd man aigen nach aigens reht vnd dez Landez vnd der herscheft reht vnd gewonhait da siu gelegen ist vnd auch nach dirr Stat reht ze Auspurck staeten vnd vertigen sol die saelben Ansprach vnd Irrsalung der sei ainiu oder mer vnd waz sy der schaden nement sullen wir oder vnser erben alle ze hant vnd vnuerzogenlich nach irr manung in dem naehsten manot gar vnd gaentzlich ablegen entlösen vnd vzzrihten aun allen iren schaden aun allen kryeg vnd widerred aun allez raehten. Vnd dez allez zu ainem staeten vrkund Geben wir im vnd seinen erben den brief versigelten vnd geuestent mit mein *Petern* dez vorgenanten *Herworten* aigem Insigel daz daran hanget Vnd darzu mit dez Erbern mannez *Petern* dez *Vogelins* Insigel *a*) burger ze Auspurck daz er durch vnser fleizziger bet zu ainer meroraern ziuknuzze aller vorgeschriben sache an den brief gehencket haut im saelber vnd seinen erben aun allen schaden Vnder diu gagenwürtigen Insigel baidiu ich egenantiu *Angnes Petern* dez vorbenenten *Herworten* elichiu wirtin mich bind mit meinen guten triwen für mich vnd für alle mein erben staet ze halten vnd ze laisten allez daz hie vorgeschriben staut. Daz geschach nach Christus geburt driuzehenhundert Jar vnd darnach in dem driu vnd Niuntzgostem Jare an dem naehsten Maentag vor sant Nyclaus tag dez hailigen Byschofes. *b*)

a) Sigilla sunt laesa. *b*) Prima Decembris.

Num. CXLV. Permutatio Bonorum cum Hospitali facta. Anno 1396.

Ex Originali.

In Gotes Namen Amen. Ich Chunrat der Schwartz ze den zeiten Maister dez *Spytauls* ze dem *hailigen Gaist* ze Auspurck Vnd wir die Dürftigen vnd Phröndern gemainclich dez saelben huses vnd Spitauls überal vergehen vnd tuen kunt offenlich vnd vnuerschaidenlich an dem brief für vns vnd für daz saelbz egenant vnser huse vnd Spytaul vnd für alle vnser nachkomen allen den die in ansehent oder hörent lesen Daz wir mit veraintem mut vnd guter vorbetrachtung vnd auch mit der ersamen herren herren *Vlrichs* dez *Burgrauen* Tegan ze dem Tum ze Auspurck herren *Johansen* dez *Langenmantels* genant von *Wertungen* vnd herren *Chunratz* dez *Wysers* baid burger ze Auspurck alle dry vnser vnd dez egenanten vnsers huses vnd Spytauls Phleger raut gunst vnd gutem willen raeht vnd redlich alz ez vor allen Gerihten Gaistlichen vnd waeltlichen vnd an aller stat gantz vnd gut krafft vnd macht haet. ainen raehten vnd redlichen waechsel getaun haben mit dem erbern vnd weisen mann herren *Aulbraechten* von *Vylenbach* burger ze Auspurck vnd mit seinen erben. Also daz wir im vnd seinen erben. Vnser vnd vnsers huses vnd Spytauls phunt phenning. vnd ainen maetzen öls aigens vnd ewigs gaeltes die wir iaerclich gehebt haben vzz dez vorbenenten herren *Aülbraechtz* von *Vylenbach* zwain höfen die ze *Burun a)* an der zusem oberhalb Vylenbach gelegen sint vnd vzz aelliu vnd zu den saelben zwain höfen oder darein gehöret in dorff vnd ze vaelde an besuchtem vnd vnbesuchtem wie ez gehaizzen ist.

Geben

Geben. haben herren *Aulbraechtem* dem vorbenanten von *Vytenbach* vnd allen seinen erben vnd nachkomen oder wem sis hinnanfür gebent verkauffent schaffent oder lauzzent ze haben vnd ze niezzen ewiclich vnd geruwiclich ze raehtem aigen. Vmb seiniu zwai huser vnd hoffache diu hie ze Auspurck an dem *Klützenmarckt* gelegen sint vnd vmb waz zu den saelben zwain husern vnd hoffachen oder darein gehöret ob erd vnd vnder erd an besuchtem vnd an vnbesuchtem wie ez gehaizzen ist nihtz vzzgenomen diu sein raehtes aigen gewesen sint. denn daz *Vlin* der *Derraer*. daz ain hus vnd hoffache vnd daz ander der *Schawrer* ze Lipting haund. Vnd ieglicher besunder vzz seinem hus vnd hoffache iaerclichen geit ze zins acht schilling guter vnd gaeber Auspurger phenning ie vff sant Michels tag oder in den naehsten aht tagen darvor oder in den naehsten aht tagen darnach oder sy verfallent sich dar vmb. Vnd vmb alliu diu reht vnd Ansprach die er vnd sein erben an den egenanten zwain husern vnd hoffachen vnd an waz darzu vnd darein gehöret gehebt haund oder waunden ze haben. Die er vns vnd dem egenantem vnserm huse vnd Spytaul vnd allen vnsern nachkomen darumb ze raehtem aigen ledig vnd los geben haut. Vnd haben wir im vnd seinen erben daz vorgeschriben phunt phenning vnd maetzen öls ewigs gaeltes die wir vnd daz egenant vnser huse vnd Spytaul. vnd vnser nachkomen vzz den egenanten seinen zwain höfen ze *Bibrun* gehebt haben vnd aellin vnseriu vnd vnsers huses vnd Spitauls reht vnd ansprach daran ze raehtem aigen ledig vnd los vffgeben mit fryer hant vff der Reichs Strauzz. Vnd haben vns ir vnd aller der raehte vodrung vnd ansprach die wir vnd vnser huse vnd Spitaul vnd vnser nachkomen daran gehebt haben oder waunden ze haben verzigen frylich vnd vnbetwun-

 genlich

genlich vnd mit gelerten worten für vns für vnser huse vnd Spytaul vnd für alle vnser nachkomen alz man sich aigens vnd ewigs gaeltes durch reht vnd billich verzeihen vnd vffgeben sol nach aigens vnd ewigs gaeltes reht vud nach dez Landez vnd der herschefft vnd dez Gerihtes reht vnd gewonhait da ez gelegen ist vnd auch nach dirr Stat reht ze Auspurck. Also daz wir vnser huse vnd Spytaul noch dhain vnser nachkomen noch iemand anders von vnsern noch von vnsers huses vnd Spytauls noch von vnserr nachkomen wegen. Nu fürbaz ewiclich daran noch darnach nimmer mer nihtz ze spraechen ze vodern noch ze clagen haben noch gewinnen sullen noch mügen in dhain weise weder mit gaistlichem noch waeltlichem raehten noch aun geriht noch mit kainerlay sache Vnd wir haben in kainen alten brief über daz vorgeschriben aigen vnd ewig gaelte geben noch geantwurt. Waer aber daz wir vnd vnser huse vnd Spytaul oder vnser nachkomen oder iemant anders dhainerlay brief vrkund oder hantfestin über daz vorgeschriben iaerclich vnd ewig gaelte phenning vnd öle über ez allez oder über sein ain tail noch inne haeten oder fürbaz funden die verfallen oder verloren waeren die vor dem hiutigen tag geben vnd geschriben waern vnd in daran ze schaden komen möchten die sullent nu fürbaz alle ze maul vnnutz vnd todbrief haizzen vnd sein vnd kain krafft mer haun wa man sy nu furbaz wider sy vffbiut oder furzaigt ez sei. vor gaistlichem oder vor weltlichem raehten oder anderswa Vnd also sullen auch wir vnd vnser huse vnd Spytaul vnd vnser nachkomen herren *Autbraehten* dem vorbenenten von *Vylenbach* vnd seinen erben daz vorgeschriben phunt phenning vnd maetzen öls iaerclichs vnd ewigs gaeltes ze raehtem aigen staeten vnd vertigen vnd ir raeht Geweren sein für alle ansprach vnd Irrsalung

alung gaen allermenclich diu mit dem raehten daran beschiht nach aigens vnd ewigs gaeltes reht vnd nach landes vnd der herschefft vnd dez Gerihtes reht vnd gewonhait da ez gelegen ist vnd auch nach dirr Stat reht ze Auspurck aun allen iren schaden. Vnd würde ez in gar oder sein ain tail darüber von iemant ansprach oder irrig mit dem raehten in den zilen vnd man aigen vnd ewig gaelte nach aigens reht vnd nach dez Landez vnd der herschefft vnd dez Gerihtes reht vnd gewonhait da ez gelegen ist vnd auch nach dirr Stet reht ze Auspurck staeten vnd vertigen sol. Die saelben ansprach vnd Irrsalung der sei ainiu oder mer sullen wir vnd vnser hus vnd Spytaul vnd vnser nachkomen in alle vnd waz sy der schaden nement ze hant vnd vnuerzogenlich nach irr manung in dem naehsten manot gar vnd gaentzlich ablegen entlösen vnd vzzrihten aun allen iren schaden. Taeten wir dez niht so haut er vnd sein erben oder wer ez von iren wegen tun wil vnd alle ir haelffer vollen gewalt vnd gut reht vns vnd vnser huse vnd Spytaul vnd vnser nachkomen darvmb ze nöten mit Gaistlichem oder mit waeltlichem raehten oder mit in baidn alz lang vnd alz vil bitz daz sy aller der ansprach vnd Irrsalung darvmb sy denn gemant oder genót haund vnd waz sy der schaden genomen haeten gar vnd gaentzlich entlözt vnd vzzgeriht werdent aun allen iren schaden Vnd dez allez zu ainem staeten Vrkund Geben wir im vnd seinen erben fur vns vnd für vnser huse vnd Spytaul vnd für alle vnser nachkomen den brief versigelten vnd geuestent mit dez égenanten vnsers huses vnd Spytauls Insigel daz daran hanget *b*) Daz geschach nach Gotes gebürt dreuzehenhundert Jar vnd darnach in dem sehs vnd Niuntzgostem Jare an sant Johanns Abent ze Sunwenden.

a) *Beurn*

a) Beurn in praefectura Werting.

b) Sigillum est optime conseruatum.

Num. CXLVI. Venditio Curiae in Waltershofen. Anno 1397.

Ex Originali.

Ich Swester CLAURA diu *Kögslerin* Maysterein vnd wir der Conuent der Sammung gemainclich der husen datz dem *Stern* hie zu Augspurg veriehen vnd tuen kunt offenlich mit dem brief für vns vnd für alle vnser nachkomen vor allermenclich daz wir mit gemainem rat vnd guter vorbetrahtunge vnd mit raut willen vnd gunst hern *Peters* dez *Langenmantels*. by dem Saltzstadel vnsers pflegers vnsern hoff der gelegen ist ze *Waltershoffen* a) den *Vtz Wortz* da but vnd waz zu dem egenanten hoff vnd darein gehort in dorff oder zu velde an Garten an biunden an Eckern an wisen an wasser an Wayd an holtz an holtzmarck an besuchtem vnd an vnbesuchtem swie daz genant ist nihtz noch kainerlay vzgenomen vnd auch mit allen den rehten nutzen diensten vnd gülten vnd ez giltet oder gelten mag an clainem vnd an grossem mit besetzen vnd entsetzen vnd mit aller Ehestin vnd gemainsamin als wirs vnd vnser vodern seeligen biz her vf den hiutigen tag mit nutzlicher gewer braht inn gehebt vnd genossen haben vnd daz alles vnser rehtez aygen waz reht vnd redlich für ledig. fry. vnd vnuerkümmert verkauft vnd ze kauffen geben haben *Vtzen* dem egenanten *Wortzen* vnd allen seinen erben vnd nachkomen oder

oder swem sis hinnan für gebent verkauffent schaffent oder lassent ze haben vnd ze niessen eweclich vnd geruweclich ze rehtem aygen vmb ainen vnd viertzig guldin die wir berait von im darumb eingenomen haben vnd an vnsern vnd an vnsers huses nutz geleit haben vnd haben wir im vnd seinen erben vnd nachkomen den egenanten hoff mit allen seinen zugehorenden ze rehtem aygen vfgeben vnd haben vns sein gen in verzigen für vns vnd all vnser nachkomen alz man sich aygens durch reht vnd billich verzihen vnd vfgeben sol nach aygens vnd nach dez landez reht vnd gewonhait da ez inn gelegen ist alzo daz wir dhain vnser nachkomen noch niemant ander von vnsern wegen nun fürbaz eweclich daran noch darnach nimmer mer nihtz ze vodern ze clagen noch ze sprechen haben noch gewinnen sullen künnen noch enmügen weder mit gaistlichem noch weltlichem rehten noch aun reht noch sunst mit kainerlay sach an dhainer stat in dhain weis Dez ze vrkund geben wir in den brief besigelten mit vnsers Conuentz aygen anhangendem Insigel Dez sind ziugen *Vlrich Stromayer* gesessen ze Waltershofen vnd *Hainrich Lingg* vnser kneht der brief ist geben an sant Lucien Abent nach Crysty geburt driuzehenhundert Jar vnd im siben vnd niuntzigostem Jar.

a) In praefectura Wertingana.

b) Sigillum est laesum.

Num. CXLVII.

Num. CXLVII. Venditio Siluae in Leitershofen. An. 1401.

EX ORIGINALI.

In Gotes Namen Amen. Ich WILHALM der BAPPENHAIN *Johannsen* dez *Bappenhains* saeligen Sun burger ze Auspurck. vnd ich *Angnes* sein elichiu wirtin. Vergehen vnd Tuen kunt offenlich an dem brief für vns vnd für alle vnser erben vor allermenclich. Daz wir mit veraintem mut vnd guter vorbetrachtung vnd mit raut willen vnd gunst aller vnser erben vnd besten friund. vnsern tail dez holtzes vnd holtzmarckes daz by *Lutershouen a)* gelegen ist. Vnd stozzt daz saelb holtz vnd holtzmarck allez ainhalb an daz holtz daz etwenn *Chunratz* dez *Aunsorgen* waz. vnd ander. halb an Lutershouer vaeld. vnd waz darzu gehöret ob erd vnd vnder erd mit besuchtem vnd vnbesuchtem wie ez gehaizzen ist kainerlay noch nihtz vzzgenomen vnd alz ez ietzo vornan vnd hindan vnd ze baiden seyten mit marcken ist vzzbezaichent vnd gemercket vnd alz ez min *Wylhalms* dez vorgenanten *Bappenhains* vater saelig ze Lipting kaufft haut von dem Probst vnd gemainclich von dem Conuent dez Closters ze sant *Georgen* hie ze Auspurck alz der Liptingbrief weiset. den sy Im vnd seinen erben darumb geben haund. daz vorgeschriben holtz vnd holtzmarck allez mich *Wylhalm* dez vorgenanten *Bappenhains* geleith halbes von Erbschefft wegen angefallen vnd anerstorben ist. Den selben halbtail dez vorgeschriben holtzes vnd holtzmarckes allez daz vnser gewesen ist mit aller seiner zugehörung kainerlay noch nihtz vzzgenomen. Vnd auch mit allen den raehten vnd gewonhaiten nutzen vnd gülten vnd der egenant halbtail dez vorgeschriben holtzes vnd holtzmarckes der vnser gewesen ist mit

aller

aller feiner zugehörunge gilt oder gaelten mag an grozzem vnd an clainem vnd aelliu vnfriu reht daran raeht vnd redlich für ledig vnd vnuerkummert vnd ain raehtes Lipting verkaufft vnd ze kauffen geben haben dem erbern vnd weifen mann *Vlrichen* dem *Röhlinger* burger ze Aufpurck frawen *Elfpeten* feiner elichen wirtin. vnd allen iren erben vnd nachkomen oder wem fy in hinnanfür gebent verkauffent fchaffent oder lauzzent ze haben vnd ze niezzen geruwiclich ze geleicher weife vnd in allem dem raehten alz wir vnd vnfer erben in faelb gehebt vnd genozzen fölten oder möchten haun ob wir in niht verkaufft haeten vnd in los vnd ledig haeten. Vnd dar vmb haund fy vns geben fünf vnd ahtzig Rynifcher Guldin alle guter an Gold. vnd fwaer an raehtin gewigt die wir berait von In dar vmb eingenomen vnd enphangen haben vnd an vnfern vnd an vnfer erben nutz gelaet haben. Vnd haben wir in vnd iren erben den egenanten halbtail dez vorgefchriben holtzes vnd holtzmarckes der vnfer gewefen ift mit aller feiner zugehörunge ledig vnd los vfgeben. Vnd haben vns fein, vnd aller der raehte vodrung vnd anfprach die wir vnd vnfer erben daran haeten gehaben mochten oder mainten ze haben gaen in vnd gaen iren erben gaentzlich verzigen für vns vnd für alle vnfer erben alz man fich liptings vnd alle raehte vodrung vnd anfprach daran durch reht vnd billich verzeihen vnd vffgeben fol nach liptings reht vnd nach Landez vnd der Herfchefft reht vnd gewonhait, da daz vorgefchriben holtz vnd holtzmarck gelegen ift, vnd auch nach dirr Stat reht ze Aufpurck. Alfo daz wir dhain vnfer erbe noch friund noch iemant anders von vnfern wegen Nu fürbaz ewiclich darnach noch daran nimmer mer nihtz ze fpraechen ze vodern noch ze clagen haben iehen noch gewinnen fullen noch mügen in dhain weiſe weder mit Gaiſtlichem noch waeltlichem rehten noch aun geriht noch mit kainerlay ſache. Vnd alſo ſu'len auch wir vnd vnſer erben in vnd iren erben. den egenanten. halbtail dez vorgeſchriben holtzes vnd holtzmarckes der vnſer geweſen iſt ze raehtem Lipting vnd alz vorgeſchriben ſtaut. Staeten vnd vertigen vnd ir raeht Gerwern ſein für alle anſprach vnd Irrſalung gaen allermenclich diu mit dem raehten daran beſchiht nach liptings reht, vnd nach dez Landez vnd der herrſchefft reht vnd gewonhait da ez gelegen iſt vnd auch nach dirr Stat reht ze Auſpurck aun allen iren ſchaden. Vnd würde in der Egenant halbtail dez vorgeſchriben holtzes vnd holtzmarckes der vnſer geweſen iſt gar oder ſein ain tail oder ihtes daz darzu gehöret darüber von iemant anſpraech oder irrig mit dem raehten in den zilen vnd man lipting nach liptings reht vnd nach dez Landez vnd der herſchefft reht vnd gewonhait da daz holtz vnd holtzmarck gelegen iſt vnd auch nach dirr Stat reht ze Auſpurck ſtaeten vnd vertigen ſol. Die ſaelben Anſprach vnd Irrſalung der ſei ainiu oder mer ſullen wir vnd vnſer erben in alle vnd waz ſy der ſchaden nement ze hant vnd vnuerzogenlich nach irr manung in dem naehſten manet gar vnd gentzlich entlöſen ablegen vnd vzzrihten aun allen iren ſchaden. Vnd dez allez zu ainem ſtaeten vrkünde Geben wir in vnd iren erben für vns vnd für alle vnſer erben den brief verſigaelten vnd geueſtent mit der erbern vnd weiſen manne herren *Rugers* dez *Rauppolds* *Andreſen* dez *Colers* vnd *Frantzen* dez *Ammans* min *Wihalems* dez vorgenanten *Bappenhains* Sweher Inſigeln *b)* burger ze Auſpurck diu ſy aelliu driu durch vnſer fleizzig bet ze ainer waurn ziucknuzze aller vorgeſchriben ſache an den brief gehencket haund in ſaelber vnd iren erben aun allen ſchaden. Dar vnder wir vns

binden

binden mit vnferm guten trwen für vns vnd für alle vnfer erben waur vnd ftaet ze halten vnd ze laiften allez daz hie vor gefchriben ftaut wan ich *Wilhalm* der vorgenant *Bappenhain* aigens infigels niht haun. Daz gefchach nach Chriftus geburt vierzehenhundert Jar vnd darnach in dem erften Jare an dem naehften Donerftag nach fant Gallen tag dez hayligen Beychtigers. *c*)

a) Leitershofen in ditione Wellenburg.

b) De tribus Sigillis primum adhuc et quidem illaefum reftat et Tab. V N. XII. delineatum adparet.

c) Vicefima octobris.

Num. CXLVIII. Sententia decimas Weringae concernens. Anno 1406.

EX ORIGINALI.

Anno dni Millimo CCCC. fexto. III Kll. Augufti Nos iudices curie auguften. in iudicio prefidentes in caufa decimarum quam coram nobis venerabilis in Xpo dns. Abbas et Conuentus Monafterii fanctorum *Vdalrici* et *Afre* in Augufta. mouent *Nicolao Amman* de Wäringen fuper eo quod petiuerit eum per nos condempnari ad foluendum ipfis actoribus decimas maiores integraliter de curia vulgariter Ampthoff in villa *Wäringen a*) fituata Reus vero allegauit dictam curiam pertinere ad dnm nrm Epm ecclie Auguft. et fe decimas ex eadem prefcripfiffe. Lite igitur fuper his legitime conteftata vifis actis et actitatis in eadem caufa coram nobis productis confideratis eciam omnibus

 et

et ſingulis que ante noſtrum mouere poterant et debebant Quia inuenimus intentionem ipſorum actorum, ſufficienter fore fundatam idcirco xpi nomine inuocato dominorum peritorum conſilio ipſum reum condempnamus per hanc noſtram ſententiam diffinitam ad ſoluendum ipſis actoribus ſingulis annis decimas maiores integraliter de curia ante dicta Lata eſt hec ſententia anno et die quibus ſupra. Vobis igitur plebano in Wäringen mandamus quatenus hoc puplice recitetur coram plebe.

a) In praefectura Schwabmenching.

Num. CXLIX. Venditio aduocatiae etc. in Demhart. Anno 1407.

Ex Originali.

Ich ELSPET von RECHBERG *Albrehts* von *Villibach* ſäligen witwe burgerin zu Augſpurg. vnd ich VLRICH von VILLIBACH ir Sun. veriehen offenlich mit dem brief. vor allermenglichen. daz wir mit wolbedahtem mut vnd guter vorberahtung mit vnſser phleger vnd anderr vnſser nehſten vnd beſten frewnd raut gunſt vnd gutem willen. vnſer vogtey vnd alliv vnſer reht die wir gehebt haben oder vermainten zu haben. vzz den nachbenent dez Gotzhaws ſant *Vlrichs* vnd ſant *Afren* zu Augſpurg aigen guten. daz iſt vzz dem hof zu *Dimmenhart a*) den *Andres Mair* yetzo bawet. vnd vſs zway guten zu *Holtzhain b*) der ains bawet *Haintz Hürblinger* vnd daz ander *Hanns Wagner*. dieſelben vnſer vogtey vnd alliv vnſer reht als vorgeſchriben

ſchriben ſtat mit allen iren zugehörungen nutzen vnd gülten rehten vnd ehaften wie die genant ſint nihts vſgenomen als wirs vnd vnſer vodern ſaelig mangew iar von reht oder gewonhait mit nutz vnd gewer herbraht inngehebt vnd genoſſen haben. vnd vnſer rehts aigen geweſen iſt. reht vnd redlichen für frey ledig vnd vnuerchümert vnd für rehts aigen verchaufft vnd ze chauffen geben haben. dem Erwirdigen Gaiſtlichen herren herren *Johannſen* Abpt vnd ſeinem egenanten Gotzhaws Sannt *Vlrichs* vnd ſant *Afren* vnd allen iren nachkomen oder ſwem ſys hinnanfür ewiclichen gebent verchauffent ſchaffent oder laſſent ze haben vnd zu nieſſen geruwiclich. vmb hundert vnd zehen reiniſch Guldin. die wir alſo berait von im darumb eingenomen vnd nach vnſer phleger raut an vnſern vnd vnſere erben nutz gelegt haben. Vnd haben wir dem egenanten herren vnd ſeinem Gotzhaws vnd nachkomen als vorgeſchriben ſtat vnſer egenante vogtey vnd aller vnſre reht der vorbenanten Gut wie daz genant mag ſein. mit allen zugehörungen zu rehtem aigen aufgeben auf dez Reichs ſtrazz vnd haben vns dez verzigen mit gelerten worten für vns vnd für all vnſer erben als man ſich aigens durch reht vnd billichen verzeihen vnd aufgeben ſol nach aigens vnd dez lannds rehten vnd der Graffſchaft da ez gelegen iſt, vnd nach der Stat rehten zu Augſpurg. Vnd dez zu vrchund Geben wir in den brief verſigelten mit meinen *Elſpeten* von *Rechberg* aigem anhangendem inſigel. Vnd mit dez veſten Edeln vnſers lieben ſwehers. herren *Thomans* von *Freyberg* Ritter. Darzu mit der erſamen *Peter Bachen. Hartman Langenmantel. Gabriel Vögelin Lienhart* dez *Rieders* vnd *Hanſen Rümen* dez Jüngern all fünf burger zu Augſpurg vnd vnſer lieb vnd getrew pfleger inſigeln *c)* die ſy alliv von vnſer gebet wegen zu merer gezewknuzz an den brief gehenkt

henkt hand in vnd iren erben on ſchaden. Darunder ich *Vlrich* von *Villibach* mich bind mit meinen guten trewen für mich vnd mein erben waur vnd ſtät ze halten waz hieuor geſchriben ſtat wann ich aigen inſigel niht hett. Daz geſchah an ſant Johanns Aubent zu Sunnwenden nach Chriſti geburt vierzehen hundert Jar vnd darnach in dem Sybenden Jar.

a) Dembard in praefectura Werting. V. P. I. p. 145.

b) Holzheim haud procul a Dembard. V. l. cit. p. 140.

c) Sigilla primum ſecundum, quartum ſextum ſeptimum illaeſa Tab. VI. N. I. II. III. IV. V. conſpiciuntur.

Num. CL. Venditio bonorum in Wengen, Beur Eppishofen et decimarum in Schönenberg. Anno 1407.

EX ORIGINALI.

Ich ELSPET von RECHBERG *Albrehts* von *Villbach* ſaligen witwe. Burgerinn zu Augſpurg. Vnd ich VLRICH von VILIBACH ir Sun. Veriehen offenleich mit dem brieff vor allermaincleich. Daz wir mit wolbedachtem mut vnd guter vorbetrahtung nach raut vnſer phleger vnd anderr vnſer nehſten vnd beſten frewnd vnd mit irem wiſſen vnd gutem willen vnſre Gut vnd gült ze *Wenngen* a) vnd ze *Baivren* b) an der zuſm ze *Sunthain* c) ze *Eppizhofen* d) vnd ze *Schönberg* e) als ſy hernach geſchriben ſtand. Bey dem erſten die Gut vnd gült ze *Wenngen* daz iſt ain hof den *Herman Allinger* yetz bawet vnd giltet iarlichen zwölf Schaf Roggen zwelf Schaf habern vnd zwen metzen öls alles nach herren gült gemeſſen Sybenzehn ſchilling Augſpurger

ger phenning ze wifgült ain fchilling augfpurger ze weifat viergenns zwelf herbfthünr zway vafnahthünr vnd hundert ayr. Ain hof vnd ain lehen ze *Riedzennd f)* die *Hanns Langenmair* yetzo bawet vnd gilt iarlichen zehen fchaf Roggen zehen fchaf habern vnd ain metzen öls auch nach herrengült alles zehen fchilling Augfpurger ze wifgült zwu Genns aht herbfthünr ain vafnahthun vnd hundert ayr. Vnd mer ain hof den *Vlrich Vedarlin* yetz bawet gilt iärlichen aht fchaf Roggen aht fchaf habern vnd ain metzen öls nach herrengült alles zehen fchilling Augfpurger ze wifgült ain fchilling Augfpurger ze weifat aht herbfthünr. zwu Genns ain vafnahthun vnd hundert ayr. Vnd ain Lehen daz der *Schmid* bawet gilt iarlichen ain fchaf Roggen vier metzen habern nach herrengült vnd ain vafnahthun. Iten ain zupan dafelbft den *Thoman Hurlär* bawet gilt iarlichen fehzz fchaf Roggen vnd funf Schaf habern nach herrengült ainen reinifchen Guldein ze wifgült ain fchilling Augfpurger ze weifat zwu Genns aht herbfthünr ain vafnahthun vnd hundert ayr vnd die nachbenent hofftet dafelben ain hofftat die *Hanns Prenndlin* hat, vnd ain hofftat die *Chuntz Hut* hat. Vnd mer ain hofftat da der Schmid ainen ftadel auf hat, der yeglichen gilt iarlichen zwen fchilling Augfpurger phenn. drey pfenning ze weyfat dreyffig ayr vnd ain vafnahthun. darnach ain höfftat die *Andres Swertfürber* hat gilt iärlich ain metzen öls nach herrengült vnd ain vafnahthun vnd ain Gart den er auch hat der gilt iärlich vier fchilling augfpurger dreiffig Ayr vnd ain vafnahthun vnd mer din hofftat die er auch hat dauon geit er iärlich zwen fchilling Augfpurger dreiffig ayr vnd ain vafnahthun. Item ain hofftat *Wnlin Flatt* hat gilt iarlichen ain metzen öls nach herrengilt Siben vnd zwaintzig augfpurger phenn. dreiffig ayr vnd ain vafnahthun.

hun. Vnd mer ain hofstat die der pfarremat gilt iärlich vier schilling augspurger vnd ain vasnahthun. Vnd ain hofstat da der Schmid selb auf sitzt gilt iarlich zwaintzig augspurger phenn. vnd ain vasnahthun. So geit er von der Schmittstat fünftzehn augspurger phenn. vnd zway vasnahthünr. Vnd die Tafer daselbst da *Chuntz Hut* auffitzt vnd geit dauon iärlich zwen reinisch guldein vnd zway vasnahthünr. So geit der hirt von der hirtschaft iärlich zway hundert ayr, vnd von dem Esch geit man zway hundert ayr iarlich vnd aht herbsthünr. Darnach vnser vogtey vnd vogtreht daselben bey dem ersten geit *Claus Wydeman* ze vogtreht auzz dez Spitals hof ze Dillingen zway Schaf habern nach herrengült zwen vnd zwaintzig schilling augspurger phenn. vnd ahtzehen Augspurger ze weisat hundert ayr vnd zway vasnahthünr. So geit *Thoman Hurlär* ze vogtreht vff dez Abpts gut ze sant *Vlrich* ze Augspurg iärlich ain Schaf habern nach herrengült ain pfund augspurger vnd ain schilling Augspurger vnd aber ain schilling Augspurger ze weisat fünftzig Ayr vnd zway vasnahthünr. So gebent die nachbenent sehzz hofstet wer die innhat ir yeglichew iärlich ain vasnahthun ze vogtreht, daz ist *Thoman Hurlär* von der hofstat da er selb auffitzt vnd gehöret in dez egenanten *Herman Allingers* hof. So hat ainew *Hans Eychenhofer* vnd ist sant *Michels* ze Wengen, Ainew hat der *Kauder* ainew der *Wydeman.* ainew der *Ramsmair* vnd ainew die *Tollingerin.* So geit *Vlrich Vederlin* ain Vasnahthun ze vogtreht von dez Spitals lehen ze Dillingen, vnd geit dann *Thoman* der egenant *Hurlär* mer ain vasnahthun iärlich ze vogtreht von ainer hofstat da er einen stadel aufgebawen hat, vnd geit für dienst funftzehen Augspurger phenn. fünftzig Ayr vnd vier herbsthünr. Die obgenant Gut vnd gült alle gelegen sint

ze

ze *Wengen*. Darnach vnſer zwen höf ze *Baůren* ainer den *Hanns Perger* yetz bawet, vnd den andern den *Pauls Gawrieder* bawet, der gilt yeglicher iärlichen ſehzz ſchaff Roggen, Sehſs ſchaf habern ain ſchaf gerſten vnd ain halben metzen öls alles nach herrengült gemeſſen, ain pfund Augſpurger ze wiſgült ain ſchilling Augſpurger ze weiſat zehen herbſthünr fünftzig Ayr vnd ain vaſnahthun. Vnd vnſer nachgeſchriben hofſtet ze *Sunthain* der ainew hat *Hans Pawr* gilt iärlich vier ſchilling Augſpurger phenn. vnd ain vaſnahthun. So geit *Vlrich Henihel* von ainer hofſtat iarlichen Sehzehen Augſpurger phenn. vnd ain vaſnahthun. So hat ainew der *Maurer*. vnd ainew *Hans Fenichman* der geit yeglichew iärlich ainen metzen öls nach herrengült ain ſchilling Augſpurger phenn. vnd ain vaſnahthun. Darnach *Hanns Heller* geit von ainer hofſtat ainen metzen öls nach herrengült vnd ain vaſnahthun. Vnd geit dann *Seitz Ayſlinger* von ainer hofſtat iärlich ain ſchilling augſpurger vnd ain vaſnahthun. So hat aber ain hofſtat *Haintz Münich* die gilt iärlich ain metzen öls nach herrengilt, zwen ſchilling Augſpurger vnd ain vaſnahthun. Darnach vnſer vogtey ze *Eppizhofen* vzz dem hof der gehöret an her *Jörgen* von *Hochdorff* Tumherr zu Augſpurg. Vnd auzz zway hofſtetten die darein gehörent da *Chuntz Keller* yetz auffitzt geit iärlich ze vogtreht zway ſchaf habern auch nach herrengült Ayliff ſchilling Augſpurger vnd ain ſchilling augſpurger ze weiſat vnd vier vaſnahthünr. So geit der Viſcher von münſter ſehzz ſchilling Augſpurger vnd ain vaſnahthun von ainem Engerlin iſt ettwenn ain hofſtat geweſen leit auch zu *Eppizhofen* vnd iſt aigen. Vnd vnſer zehendlin zu *Schönberg* waz daz giltet oder gelten mag. Darzu ſehſſ gütlein daſelben haiſſent die *Elinſhart*, vnd geltent iärlichen vier phund haller vnd funfzehen

 ſchil-

ſchilling haller. Vnd zwelf herbſthünr, vnd daz gelt ſol man iärlich geben auf den Weiſſen Suntag aht tag vor oder nach on allen ſchaden. Vnd daz geriht über die Gut ze *Wenngen* vnd ze *Beüren* vnd waz wir gut vnd gült nutz vnd rehten daſelben haben ſy ſeien an dem brief benent oder niht. Dieſelben obgenant Gut vnd gült alle als ſy dauor geſchriben ſtand. Vnd waz zu in allen vnd ir yeglichem beſunder gehöret oder von reht oder von gewonheit darzu vnd darein gehören ſol vnd mag in dorff vnd ze velld an äckern an wyſen an wayd vnd waſſer an Garten an Bewnden an Egerden an holtz vnd holtzmarken an Geraüt an Bennen ze wegen ze brugg vnd ze ſtegen an vällen vnd vogteyen mit beſuchtem vnd Vnbeſuchtem wie daz alles gehaiſſen iſt nihts auſgenomen Ez ſey an dem brief benennt oder niht vnd mit allen dienſten nutzen vnd gülten die ſy geltent oder gelten mügent an clainem vnd an groſſem mit beſetzen vnd entſetzen mit allen eren. freyhaiten vnd gewonhaiten mit allen ehaften vnd gewaltſamen vnd mit allen den rehten vnd guten gewonhaiten als wirs vnd vnſer vodern ſälig mangew Jar mit nutz vnd mit gewer vnd in ſtiller gewer herbraht bis hewt auf den tag inngehebt vnd genoſſen haben. vnd alles vnſer rehts aigen geweſen iſt für freyw vnuogtberew, ledig vnd vnuerchümertew gut ſond für rechtew aigen vnzinſber vnſtewrper vnd vndienſtber reht vnd redlichen verchaufft vnd zu chauffen geben haben dem Erſamen *Ludweig Rudolff* Burger zu Augſpurg vnd allen ſeinen erben oder ſwem ſys hinanfür ewiclichen gebent verchauffent ſchaffent oder laſſent ze haben vnd ze nieſſen geruwiclich. Vmb aylifthalb hundert alt Reiniſch guldin die wir alſo berait von im darumb eingenomen vnd nach vnſer phleger raut an andern vnſern namhaften nutz gelegt haben. Vnd haben wir im vnd ſeinen

erben

erben Vnser egenant gut vnd gült mit allen iren zugehörungen, wie daz genant ist als vorgeschriben stat zu rehtem aigen aufgeben auf dez Reichzz strazz, vnd haben vns dez allez verzigen vnd verzeihen vns auch wissentlich mit chrafft dez briefs für vns vnd für all vnser erben als man sich aigens durch reht vnd billichen verzeihen vnd aufgeben sol nach aigens vnd dez lannds rehten vnd der Grabschafft da sy gelegen sint vnd nach der stat reht zu Augspurg. Also daz wir noch dhain vnser erben oder frewnd vnd niemant von vnsern wegen darnach vnd daran noch an ihtes daz darzu gehöret nimmer mer ewiclichen nihts ze vodern ze sprechen noch ze clagen haben sullen chunden noch mügen von dhainerlay sach wegen. vnd besunderlich ich obgenant *Elspet* von *Rechberg* weder von meiner hainstewr widerlegung noch morgengaub wegen ez sey verbriefet oder niht mit gaistlichem noch wertlichem rehten noch on reht innerhalb dez ethers noch ausserhalb, vnd mit dhainen andern sachen wie man daz erdenken chan oder mag on als geuerde. Vnd also sullen wir in vnser egenant Gut vnd gült alle mit allen iren zugehörungen stätten vnd vertigen vnd ir reht gewern sein für allermenclich irrung vnd ansprach die mit dem rehten daran beschiht nach aigens vnd dez lannds rehten vnd der Graffschafft da sy gelegen sint vnd nach der stat reht zu Augspurg on allen iren schaden. Vnd darumb zu guter sicherhait haben wir in zu vns vnd vnsern erben vnuerschaidenlich ze rehten Gewern gesetzet. den vesten edeln lieben Sweher herren *Thoman* von *Freyberg* Ritter vnd die Ersamen weysen *Peter* den *Bach*. *Hartmann Langenmantel*, *Gabriel Vögenlin*, *Lienhart* den *Rydrer* vnd *Hannsen Rem* den Jüngern all fünf burger ze Augspurg. vnd vnser lieb vnd getrew phleger. Vmb solich beschaidenheit ob in die egenant

Gut vnd gült alle oder ir ain tail oder ihtes daz darzu gehöret von yemant ansprach wurden mit dem rehten in den zilen vnd man aigen nach aigens vnd dez lannds rehten vnd der graffchafft da sy gelegen sint vnd nach der Stat reht zu Augspurg stätten vnd vertigen sol. Etc. Vnd dez zu gutem vnd stätten vrchund. Geben wir in für vns vnd all vnser erben den brieff versigelten vnd geuestent mit meinen *Elspeten* von *Rechberg* vnd dez egenanten *Vlrich* von *Villbach* anhangenden Insigel. Darzu mit der obgenant gewern insigeln *g*) die allew daran hanngent. Daz geschah an Sannt Bartholome Aubent dez zwelfbotten Nach Christi geburt viertzehen hundert Jar vnd in dem Sybenden Jare.

a) *Wengen*. *b*) *Beurn* prope Wengen.
c) *Suntheim* prope Villenbach. *d*) *Eppishofen* ad zusam.
e) *Schönenberg* ibidem. *f*) *Riedsend* in parochia Wengen.
g) De Sigillis tria sunt abrupta, reliqua illaesa.

Num. CLI. Literae feudales. Anno 1408.

Ex Originali.

Wir EBERHART *a*) von Gots vnd des hailigen Stuls gnaden Bischof ze Augspurg Bekennen offenlich mit brief das für vns chom *Hanns Hangnor* burger ze Augspurg *Annen* der *Hangnorin* Sun vnd bat vns flisslich daz wir im lihen in tragers weise siner muter im vnd sinen geswistrigeten ain zehenden ze *Bobingen* vnd ain zehenden ze *Düferdingen b*) vnd ain hof ze *Griesshabern c*) als das von vns vnd vnsern Gotzhus mit der lehen-

lehenfchaft rüret das haben wir geton vnd haben dem vorgenanten *Hannſen Hangnor* die obgenanten lehen in tragers weiſe ſiner muter der vorgenanten im vnd ſinen geſwiſtrigotten ze rehten lehen gnadiclich verlihen vnd lihen ouch wiſſentlich mit dem brief was wir im von billich oder von recht daran lihen ſollen oder mügen die für baſs mer von vns vnd vnſerm Gotzhus in lehens wiſe inn ze haben vnd ze niezzen als lehens vnd lands reht iſt Doch vns vnſerm gotzhus vnd lehenſchaft onſchadlich vnd ouch das er vns dauon gehorſam vnd gebunden ſin ſol als ain lehenman ſinem lehenherrn billich tun ſol ongeuerlich mit vrkund diis briſs daran vnſer Inſigel d) offenlich hanget, Der geben iſt ze Augſpurg an dem nachſten fritag vor ſant Georgen tag e) als man zalt nach Criſti gebürt vierzehen hundert Jare vnd darnach in dem ahtenden Jare.

a) *Eberhardus* e comitibus de Kirchberg oriundus auguſtanam ſedem an. 1404. conſcendit.

b) *Taeſteringen* ad amnen Schmutter.

c) *Kriegshaber* prope Auguſtam.

d) Sigillum illaeſum Tab. VI. N. VI. occurrit.

e) Viceſima Aprilis.

Num. CLII. Facultas capellam ad Fratrem arnoldum deſtruendi. Anno 1409.

Ex Originali.

Johannes Igelbeck Decanus eccleſie Sci *Mauricii* Aug. ac Reuerendi in Xpo patris et dni. dni EBERHARD Epi Aug. in ſpiritualibus

tualibus vicarius generalis Vniuerfis prefentes litteras infpectu-ris Salutem in dno et noticiam in fubfcriptis. Nuper nobis pro parte venerabilis religiofi dni *Johannis* Abbatis monafterii fanctorum *Vdalrici* et *Affre* Aug. continebat vt cappella ruinofa et in toto dillapfa et deuaftata vulgari ydiomate *Bruder Arnold* a) communiter nuncupata infra limites dicti fui monafterii, vbi alias pluribus temporibus retroactis conuentus feu congregatio monialium non tamen velatarum et abfque fepultura quod ad ipfius regimen pertinebat cum paucis poffefforibus extiterat Nunc vero ibidem propter defolacionem feu in toto execraci-onem huiufmodi et bonorum ad id pertinentium cum ob id mo-niales et perfone in ea habitantes inde receflerint dies fuos extremos claufferint, per hoftiles incurfus et congregaciones hominum indebitas latrocinium et alia multa mala eciam lux-uriando committuntur, poffit dirumpi et propter huiufmodi ma-la ibi commiffa in vfus et edificia alia ipfius Mon. fci *Vdalrici* ad ipfius ordinacionem pro neceffitate debita conuerti et poni, Nos vero edocti fufficienter fuper hoc cum ecclefia dei fecun-dum euangelicam veritatem domus oracionis effe debeat non fpelunca latronum, abfurdum eft enim et crudele ibi iudicium fanguinis feu latrocinii exercere vbi eft tutela refugii confti-tuta. Qua propter ipfius precibus annuentes et ne timor ha-betur ex huiufmodi in ciuitate et loco Aug. et maiora exinde eueniant pericula fibi damus et concedimus auctoritate qua fun-gimur ordinaria in premiffis liberas in dno licentiam et facul-tatem harum teftimonio litterarum Sigillo dni noftri Epi prefati quo vtimur in officio vicariatus nobis commiffo roboratarum Anno dni Millimo CCCC. nono.. Idus Septembris.

a) V. Vol. XXII. p. 129.

Num. CLIII.

Num. CLIII. Donatio ecclesiae et Decimarum in Laugna monasterio Christgarten facta. Anno 1409.

Ex Originali.

Ich Vlrich der Marschalk von Oberndorf der Jünger Bekenn vnd vergih offenlichen mit dem brief vor allermenklich für mich vnd für all mein erben. Das ich mit wolbedachtem sinn vnd mit guter vorbetrahtung vnd mit rat willen vnd gunst aller meiner erben vnd nähsten friund dem almehtigen got vnd der vnuermayltea aller heiligsten Junkfrawen *marien* seiner muter vnd allen gotes vzzerwelten heiligen ze lob vnd ze eren vnd auch meiner vnd aller meiner vordern selen vnd allen gelaubigen selen ze trost vnd ze hilf Meinen Kirchensatz vnd die kirchen ze *Laugnum a)* vnd den widem grozzen vnd klainen zehenden der darzu gehört. den ich von *Seitzen* vnd *Hainrichen* den *Marschalken* von *Oberndorf* ze Veymingen gesäzzen iren tail daran. zu meinen tail den ich daran het reht vnd redlichen vmb ain genant summ gelts kauft han. Vnd ist derselb Kirchensatz vnd zehend lehen gewesen. von ainem Abbt ze Elwangen. den mir der Erwirdig herr herr *Seyfrid b)* ietzo Abbt ze Elwangen geaygent vnd ze aygen gemacht hat. Vnd was also gemainlichen vnd vnuerschaidenlichen zu dem vorgenanten Kirchensatz vnd zehenden vnd darein gehört vnd gehören sol. Vnd mit allen eren rehten nutzen vnd gülten als der Kirchensatz vnd zehend giltet vnd gelten mag mit besetzen vnd entietzen. vnd mit aller ehaftin vnd gemainsamin als wir die obgenanten Marschelk vnd vnser vordern denselben Kirchensatz vnd zehenden mit seiner zugehörd geerbt haben von vnsern vettern seligen *Wilhalm* dem *Marschalk* von *Bok-*

sperg

sperg von rehter Lehenschaft wegen die zu dem Helm gehörend. vnd mit rehter nutzlicher gewer geruwiklichen inngehebt herbraht vnd genossen haben. für ain ledigs vnuerkümerts vnansprächs gut vnuogtper vnstewrpär vnd vndienstpär vnd rehts aigen reht vnd redlichen verschaft vermacht verschriben vnd geben han. verschaff vermach verschreib vnd gebrauch auch reht vnd redlichen. mit vrkund vnd in craft des briefs. Als es dann vor ainem ieglichen geriht vnd rihter geistlichen vnd weltlichen vnd an allen steten. wol ganz craft vnd maht hat vnd haben sol vnd mag den ersamen geistlichen lüten — — dem Prior vnd gemainlichen dem Conuent des Closters ze *Cristes-garten c)* bey Hürnhein gelegen *Karthuser ordens* in Augspurger bistum gelegen. vnd allen iren ewigen nachkomen in ze haben ze besitzen vnd ze niessen mit allen nutzen vnd rehten ewiklich vnd geruwiklich ze iren rehten aigen. Vnd also han ich den vorgenanten dem Prior vnd dem Conuent des Closters ze Criftsgarten vnd allen iren ewigen nachkomen vnd dem Closter daselbst. den obgenanten Kirchensatz vnd Kirchen ze *Laugnun* vnd den zehenden vnd widern die darein gehörend mit allen eren rehten nutzen vnd gülten. vnd mit aller ehaftin vnd gewaltsamin reht vnd redlichen ze rehten aigen vffgeben mit frier hand vff des reichs strazz. vnd han mich des alles gentzlichen gen in vertzigen für mich vnd für all mein erben. Vnd hān si des selben Kirchensatzs vnd zehenden vnd was darzu gehört ietzo gesetzt vnd geweist in reht nutzlich gewer mit vrkund vnd in craft des briefs Vnd verzeih mich offenlichen mit dem brief aller der reht erbschaft lehenschaft aigenschaft nutz vnd gewonheit, die ich vnd mein erben daran gehabt haben. solten vnd mohten gehaben von reht oder von gewonhait. Also das weder ich noch kain mein

erben

erben noch niemand anders von vnsern wegen hintz den obgenanten Kirchensatz vnd zehnden vnd wars darzu gehört hinanfür ewiklichen. kain reht vordrung klag noch ansprach nimmer mer gehaben oder gewinnen sullen noch mügen weder mit geistlichem noch weltlichem rehten noch mit kainen andern sachen in kainen weg noch aun reht. Vnd sol ich vnd mein erben des obgenanten Kirchensatzs vnd zehnden vnd was darzu gehört. vnd des gemächts der obgenanten des Priors vnd des Conuents ze Cristgarten vnd ir nachkomen reht gewern sein vnd sullen in den bestäten vnd vertigen für all ansprach die mit dem rehten daran beschehend nach aigens reht vnd nach des lands reht aun allen iren schaden. Vnd des alles zu ainem waren ewigen vrkund vnd stäter Sicherheit gib ich den offtgenanten dem Prior vnd dem Conuent ze *Cristsgarten* vnd allen iren ewigen nachkomen den brief versigelt vnd geuestent mit meinem aigen insigel vnd mit des obgenanten *Seitzen* des *Marschalks* von *Oberndorf* ze Vaymingen gesäzzen insigel vnd mit *Seitzen* vnd *Hainrichs* der *Marschelk* von *Oberndorf* meiner brüder Insigeln a) diu si durch meiner fleissigen bät willen zu ainer waren geziuknuss vnd bestätigung der vorgeschriben sach an den brief gehenkt habend. Vnd wir die vorgenanten *Seitz* der *Markschalk* von *Oberndorf* ze Vaymingen gesäzzen vnd *Seitz* vnd *Hainrich* die *Marschelk* von *Oberndorf* gebrüder bekennen auch offenlichen an den brief das ditz vorgeschriben geschäft vnd was da vor geschriben stat geschehen vnd getan sint mit vnserm rat gunst vnd gutem willen vnd rehter wissend ze vrkund haben wir vnserm aigen Insigel mit rehter wissend an den brief gehangen. Der geben ist an sant Michels tag. Do man zalt von Crists geburt viertzehen hundert iar darnach. in dem Nünden Jar.

 a) Laugna

a) Laugna in praefectura Werting. b) *Sifridus* II.

c) *Chriftgarten* feu *Hortus Chrifti* erat monafterium a Comitibus de *Oettingen* anno Chrifti 1384. pro religiofis Carthufianis fundatum, et reformationis tempore ab eiusdem familiae Comitibus fuppreffum. Decimas fupra dictas cum iure patronatus ab Alberto Ernefto Comite Wallerfteinenfi an. 1700. Carthufiani Buxheimenfes, et ab his monafterium S. *Vdalrici* an. 1720. cum omnibus iuribus emit.

d) De figillis fibi fimilibus vnum Tab. VI. N. VII. delineatum confpicitur.

Num. CLIV. Venditio domus et horti in Erlingen. Anno 1410.

Ex Originali.

Ich GRET RÄSCHIN von Erlingen *Macken Rafchen* feligen elichiu witwe Ich ANNA TEYTZLERIN von Erlingen Ich ANGNES FORSTERIN von Biberbach dorff gefeffen vf dem Forfthof vnd Ich MARGRET RÄSCHIN alle dry ir Töchter bekennen vnd veriehen offenlich für vns vnd für alle vnfer erben mit difem brief vnd tuen kund aller menglich daz wir mit gutem fryem willen dem Erwirdigen vnferrn genädigem herrn *Johannfen* von gottes genaden-Abt des Gotzhufes ze fant *Vlrich* vnd fant *Afren* ze Augfpurg finem Gotzhuis vnd finen nachkomen ains ftäten ewigen kaufs reht vnd redlich verkauft vnd ze kauffen geben haben vnfer hofftat vnd garten vnd was darzu gehört grund vnd bodem ob erde vnd vnder erde Ez fy befuht oder vnbefuht benempt oder vnbenempt ze *Erlingen* a) by vnferm

gut

gut gelegen daz wir vor auch von in haben für ledig vnuerkümert vnd für reht aigen Vnd der kauff ist beschehen vmb nün phund phenning die wir darumb gütlich von im emphangen haben an vnsern bessern nutz vnd frommen Mit sölicher beschaidenhait das der obgenant vnser genädiger herre Abt *Johans* sin Gotzhus vnd nachkomen die obgeschriben hofstat vnd garten mit aller zugehörde nu fürbas mer eweklich inne haben nutzen vnd niessen sullen vnd mügen Vnd damit tun vnd lauffen wie vnd was sy wend als mit anderm irem aigenlichem gut aun vnser vnd vnsrer erben vnd menglichs irrung ansprach vnd widerrede. Etc -- Des ze vrkund vnd ståter Sicherhait So haben wir ernstlich vnd vlissklich erbetten den Erbern vesten Junkher *Hansen* den *Marschalk ze Biberbach* vnsern lieben herrn daz er sin Insigel *b*) aune schaden im selbs vnd sinen Erben zu ainer geziuknuss der sach für vns vnd vnser erben offenlich gehenkt hat an disen brief der geben ist des nechsten Sampstags nach sant Ambrosien tag *c*) des Jars do man zalt von Crists geburt vierzehenhundert Jar vnd darnach in dem zehenden Jare.

a) Inter licum et Schmutteram.

b) Sigillum illaesum Tab. VI. N. VIII. occurrit.

c) *Ambrosii* festum quarta aprilis die celebrari solitum erat; itaque quinta Aprilis, quae memorato anno sabbatum erat, praesens charta data est.

Num. CLV. Venditio domus Augustae. Anno 1410.

EX ORIGINALI.

Ich HANS REMPOTT zu Augspurg Vnd ich *Anna* sein eliche wirtin veriehen vnd bechennen offenlichen mit disem brief vor allermenglichen daz wir mit wolbedachtem mut mit guter vorbetrachtung vnd mit raut willen vnd gunst aller vnser erben vnd besten friunde vnser huse hoffach vnd garten daby daz gelegen ist hie zu Augspurg zu necht by sant *Vlrichs* vnd sant *Afren* Clouster. stozzet ainhalben an dez Liutpriesters hus *a*) vnd hoffach hindan an *Thomans* dez *Stainmetzels* huse vnd hoffach zu der andern seyten vnd vornan an die strauss vnd waz darzu gehört ob erd vnd vnder erd an muren an kelern an wänden an liechten an nüschen an trauffen. mit besuchtem, vnd vnbesüchtem vnd alz ez yezo mit marken allumbvndumb vnd zu allen seyten visbezaichent vnd gemerket ist, vnd mit allen den rehten alz wirs vnd vnser vordern sälig mänige iar in stiller nutzlicher gewer herpraht inn gehebt vnd genozzen haben. vnd daz vnser rehtez libting waz von dem vorgenanten Gotzhus zu sant *Vlrich* vnd sant *Afren* alle Jar vmb ainen halben vngerischen oder behaimischen Guldin nach der libtingbriefs lüt vnd sage die darüber geben sind für ain freyes lediges vnuerkümertz gut vnd ain rechtez libting, recht vnd redlichen verchauft vnd zu kauffen geben haben. dem Erwirdigen gaistlichen herren herrn *Johannsen* von gottez verhenknuss Abbt vnd dem Conuent gemainclichen dez obgenanten Cloufters zu sant *Vlrich* vnd zu sant *Afren* hie zu Augspurg vnd allen iren nachkomen. oder wem sis hinnafür ewiclicher gebent verchauffent oder lazzent zu haben vnd zu niessen ewiclichen vnd ge-

ruwiclieuwiclichen zu rechtem libting. vmb czwayhundert vnd vmb czwaintzig Guldin rinisch gut an Gold vnd swär an rechtem gewicht die wir also berait von in darumb eingenomen vnd enpfangen haben vnd an vnsern vnd vnser erben nutz gelegt haben. Etc. - - Dez zu vrchund geben wir in disen brief besygelten mit der Stat zu Augspurg clainem anhangendem insygel daz durch vnser vlissiger pett willen daran gehenket ist der Stat aun schaden vnd mit meinen dez obgenanten *Rempgetz* aigen insygel *b*) daz auch daby hanget. Dez sint geziug her *Johans* der *Langenmantel* zu Radawe her *Ludwig* der *Hörnlin* die do der Stat pfleger wärn her *Vlrich* der *Chüntzelman* her *Eberhart* der *Lieber* vnd ander erber lüt genug. Daz beschach an donrstag nechst vor dem Sunntag so man singet *Jubilate* nach Cristi geburt vierzehenhundert iar vnd darnach in dem czehenden Jar.

a) Parochi.

b) Sigilla sunt illaesa.

Num. CLVI. Litterae reuersales Aduocatiam in Hirschbach concernentes. Anno 1410.

Ex Copia Vidimata.

Wir Johanns von Gotes gnaden Abt *Johanns* der Prior vnd wir der Conuent gemainclich des Gotzhus ze sant *Vlrich* vnd sant *Afren* ze Augspurg Veriehen offenlich mit disem brief für vns vnd vnser Gotzhus vnd nachkomen vnd tuen kund allen den die in ansehent lesent oder hören lesen das vns der Erwirdig gaistlich herr herr Vlrich Burggraf Tumtegan ze Augs-

Augſpurg Got vnd ſeiner lieben muter ze lob vnd aller ſeiner erben vnd vordern ſel ze hilf vnd ze troſt geben hat ſein vogtey ze *Hirſchbach a)* über die zway gut daſelbs die vnſer vnd vnſers Gotzhus rehts aigen ſind vnd in die abtay gehören, vnd der ains yetzo da buwet *Cuntz Hartman* das iärlich giltet ze vogtreht zway pfund Augſpurger pfenning zway ſchaf habern vnd ain vaſnahthun, vnd das ander yetzo buwet der Schmid daſelben das iärlich ze vogtreht gilt zehen ſchilling Augſpurger pfenning ain ſchaf habern vnd ain vaſnahthun vnd geltent auch baide gut huthabern futter Pet vnd gewonlich dienſt ze haben ze nieſsen ewiclich für frey ledig vnuogtber vndienſtber vnd vnbezwungen von meniclich allenthalben vnd in alle weg nihts vzgenomen nach laut vnd ſag ditz briefs den er vns darumb gegeben hat. Alſo vnd mit dem gedingten das wir vnd alle vnſere nachkomen vnſers gotzhus vz der Abtay in das oblay ewiklich alle Jar iärlich raichen vnd geben ſullen den herren von dem Conuent ſechs reiniſch guldin gut an gold vnd ſchwer genug an rehten gewigt ye vf ſant Martins tag aht tag dauor oder aht tag darnach vngeuarlich mit der beſchaidenhait das ſy dem obgenanten herren *Vlrich Burggrauen* Tumtegan ſeinen erben vnd allen ſeinen vordern alle Jar iärlich vnd ewiklich reht vnd redlich began ſullen ainen Jartag den ſullen ſy ſein lebtag began ye vf vnſer frawen tag als ſy verſchid aht tag dauor oder aht tag darnach vngeuarlich des nahtes mit ainem placebo vnd mit ainer langen vigil vnd des morgens mit ainer ſelmeſs. Es ſullen auch die obgenanten herren von dem Conuent von den obgeſchribnen ſehs guldin vf den egenanten Jartag iärlich geben ainem yeglichem Abt zwelf pfenning zu der Vigil ze preſenz vnd zu der ſelmeſs als vil vnd ainem yeclichen Cuſter ſehs ſchilling haller darumb

das

das er vier erber Kerzen brennen ful zu der Vigil vnd zu der felmefs vnd auch ain opferkerzen zu der felmefs vnd ainem yeglichen luitpriefter ainen fchilling haller daz er den Jartag verkünd an der Canzel. vnd ainen fchilling haller zu der vigil ze prefenz vnd ze der felmefs auch ainen fchilling haller ze prefenz vnd ainem yeclichen Fürpfaffen zu der vigil ainen fchilling haller ze prefenz vnd ze der felmefs als vil vnd ainem yeclichen fchulmaifter ainen fchilling haller ze prefenz das er mit den fchülern bey der vigil fei. vnd als vil das er bey der felmefs fei. Vnd den Junkhern fehs fchilling haller vnd dreyen Mefsnern yeclichen vier pfenning das fy lawten zw der vigil vnd zw der felmefs. Man ful auch allweg zwelf haller für ainen fchilling raiten vnd geben. Wenn aber der obgenant herr *Vlrich Burggraf* Tumtegan von tods wegen abget fo full man den obgefchriben Jartag allweg began vf die zeit als er dann verfchaiden ift, aht tag dauor oder aht tag darnach vngeuarlich vnd auch in aller der mafs vnd weif als oben begriffen ift. Wenn man auch den Jartag began will fo ful man es allweg ainen yeclichen Tumtegan vorhin ankünden ze hus vnd ze hof der mag dann wol ainen Caplan heruf fchiken. dem ful man geben ze prefenz ze der felmefs zwen fchilling haller. Wär aber daz wir oder vnfer nachkomen fäumig oder abläfsig darinnen wären Alfo daz der obgenant Jartag järlich vnd ewiclich niht begangen würd in aller dermafs vnd weife als obnan begriffen ift welches Jars daz befcheh fo fein wir vnfer Gotzhus vnd nachkomen deffelben Jars gebunden, vnd verfallen ze Pen ze geben der obgefchriben fehs Gulden ainem yeclichen Tumtegan ze Augfpurg on all Genad vnd on alles widerfprechen. Des alles ze ainem vrkund geben wir difen brief befigelt vnd geueftent mit vnferm des

Abts

vnd des Conuents insigeln die baid daran hangen. Der geben ist an sant Vits Aubend des Jar do man zalt von Cristi geburt vierzehenhundert Jar vnd in dem zehenden Jar.

a) In praefectura Werting.

Num. CLVII. Commutatio iuris patronatus cum Monasterio Eluacensi facta. Anno 1410.

EX ORIGINALI.

Wir SIFRID von Gottes gnaden Abbt *Ludwig* Techant vnd gemainlich der Conuent des Gotzhus zu Elwangen sant *Benedicten* ordens in Augspurger Bistumb gelegen bekennen für vns vnd vnser nachkomen offenlichen mit disem brief vnd tuen kunt aller mänclichen das wir sassen in vnserm Capitel einmüticlich gesamelt mit dem geleütt der Gloggen als vnser gewonheyt ist, vnd do für vns kom *Vlrich Marschalk* von *Oberndorf* der Jung vnd sagt vns wie das er luterlich durch gottes willen den gaistlichen herrn bruder *Aulbreht* a) Prior vnd dem Conuent des Closters zu *Cristgarten* genant Carthuser Ordens in Augspurger bistumb. by dem Hohenhus der vestin gelegen vffgesent vnd geben het das erbreht des kirchensatz vnd der widemb der Pfarrkirchen zu *Lougungen* b) mit zehnden aller rechten vnd zugehörden daryn das alles von vns vnd vnserm Gotzhus vorgenanten zu lehen gieng vnd lehen wer. vnd bat vns flyssclichen das wir vnser gunst vnd guten willen darzu geben vns der lehenschaft verzyhen vnd in dasselb erbreht des vorgenanten kirchensatz gut vnd reht aygen wölten durch gotz

gotz vnd fynen willen vnd auch von einer widerlegung wegen anderr güter die fyn fryes aigen vnd nit lehen weren die er vns dafür aigenn vnd ze lehen machen wölt, haben wir angesehen fyn flyfsig bet vnd ouch die widerlegung als die hie nach gefchriben ftat vnd haben mit wolbedachtem mut vnd mit einhelliger ftimm als das billich vnd ze recht craft vnd maht hat vnd haben fol vor allen gerihten vnd an allen ftetten in geaygent das erbreht des kirchenfatz vnd aller reht als vorgefchriben ftat. das vor von vns vnd vnferm Gotzhus ze lehen gegangen ift alfo das es der vorgenant Conuent zu Criftgarten ir nachkomen vnd das Clofter dafelbs fürbafs für fry ledig aigen haben vnd niefsen follen mit allen nutzen vnd rehten als ander ir fry ledig aigen gut on geuerde. Vnd verzyhen ouch vns für vns vnd vnfer nachkomen der vorgefchriben lehenfchaft vnd aller der reht die wir vnd vnfer vorfaren darzu haben gehebt vnd ouch mainten zehan an dem vorgefchriben erbreht vnd kirchenfatz als vorgefchriben ftat oder welherlay rehten oder wyf oder von welherlay fach wegen das wer vnd geben in difelben vnfriv reht vff gar vnd gentzlich alfo das wir vnfre nachkomen noch iemant anders von vnfern wegen nimmer dhein clag anfprach noch vordrung mer darnach haben föllen noch wöllen weder mit geriht noch on geriht gaiftlichen noch weltlichen noch in dhein andern fachen wie man die erdenken oder erfinden mag on all arglift vnd on all gefärde. Vnd darumb zu einer widerlegung fo hat vns vnfern nachkomen vnd Gotzhus der vorgenant *Vlr. Marfchalk* von *Oberndorf* der iung vndertänig vnd ze rehtem manlehen gemaht einen hof ze Oberndorf gelegen den ietz *Chuntz Ernft* do felbs bwet vnd iarlichen giltet fiben fchaf wayfsen vierzehen fchaff habern nach herrengült. vnd ein pfunt pfenning ze

 wifgelt

wisgelt zwu Gens vier tot gens ie für ain dry pfenning vier hünr hundert ayer vier kes vnd aht tot kes ie für ainen zwen pfenning. Item zwelf tagwerk wismatz haissent die bayrmeder der ligend sechsiv in dem obernbair meder vnd sechsiv in dem vnderm bayrmeder ouch ze Oberndorf gelegen. Item ein holzmärck ze Oberndorf an dem lech oberhalb der flößlendlin gelegen vnd haisset das Kölblins griefs als wyt es begriffen hat mit allen iren rehten vnd zugehörden. das alles vor syn fryes ledigs aigen gewesen vnd von nieman ze lehen gangen ist. Vnd des zu gutem vrkund vnd besrer sicherheyt geben wir in disen brief versigelten mit vnsern der Abbty vnd des Conuentz aigen insigeln *c*) die mit vnser wissent zu geziugnufs aller vorgeschriben sach offenlichen an disen gehangen sint Der geben ward am nechsten Samptztag vor sant Oswalds tag *d*) do man zalt nach Crists geburt vierzehenhundert iar vnd darnach im zehenden iare.

a) *Albertus.*

b) *Laugna* in ditione Fuggeriana praefect. Werting.

c) Abbatis sigillum laesum, conuentus vero illaesum.

d) Secunda Augusti.

Num. CLVIII. Fundatio anniuersarii. Anno 1410.

Ex Originali.

Ich Adelhaid Waegerin *Vlrich Wägers* seligen Elichiu wittwe Burgerin ze Augspurg Vergich vnd bekenn offenlich für mich vnd für alle min Erben mit disen brief vnd tun kund allen

allen den die in ansehent lesent oder hörent lesen das ich dem Erbern herrn vnd priester herrn *Otten* pharrer ze hustetten vnd allen sinen nachkomen daselben mit gutem friem willen vnd mit wolbedauchtem sinne vnd mut ze den zeiten do ich wol gewandeln gan vnd faren moht gesundes libes vnd mutes Got vnd siner lieben Muter ze lobe vnd ze eren vnd min vnd des vorgenanten mins wirtz *Vlrich Wagers* seligen selen vnd aller vnsrer vordern vnd nachkomen selen ze hilf vnd ze trost reht vnd redlich vnd auch gentzlich vnd ledeklich vfgeben ergeben vnd gegeben han sechs tagwerk madz oberhalb *Husteten* gelegen genant die weg vnd stossent vf die Aesch die min vnd mins wirtz seligen rehtz aigen gewesen sind Mit sölicher beschaidenhait daz der vorgenant her *Ott* pharrer ze Husteten vnd alle sein nachkomen daselben dieselben sechs Tagwerk mads mit irer zugehörde nu furbas mer innen haben vnd niessen sullen vnd mügen aune min vnd miner erben vnd menglichs irren ansprach vnd widerrede in all weg. Vnd verzeich mich auch des selben wismadz mit siner zugehörde für mich vnd für alle mein Erben in des obgenanten h. *Otten* pharrers ze Husteten vnd siner nachkomen daselben hand vnd gewalt wie reht sittlich vnd gewonlich ist. Vnd als das ietz vnd hernach vor allen lüten Richtern vnd gerihten Gaistlichen vnd weltlichen vnd an allen stetten gantz kraft vnd maht hat haben sol vnd gehaben mag in all wise Also das ich noch dhain min Erbe noch iemand anders von vnsern wegen in noch sein nachkomen noch iemand von iren wegen nu füro mer daran nit hindern irren bekümern noch bekrenken sullen noch wellen noch dhain ansprach vordrung noch reht darzu daruf noch darnach nymer mer haben noch gewinnen weder mit gaistlichem noch mit weltlichem rehten noch aune reht noch gemainclich mit kainen andern sachen sust noch so aune allgeuärde, —— Vnd vmbe das so sol der obgenant herr *Ott* pharrer ze Hustetten vnd alle sein nachkomen daselben in ewig zeit dem obgenanten minem lieben wirt seligen *Vlrichen Wäger* darzu mir vnd allen vnsern vordern vnd nachkomen ainen ewigen Jartag began iedz Jars besunder aht tag vor sant Michels tag oder aht tag darnach des Jars selb dritt priester mit vigili vnd selmessen vnd vf welhen tag ains yeglichen Jars sy den Jartag also began wend das sullent sy vorhin ainem yeglichen Prior des Gotzhuss ze sant *Vlrich* vnd sant *Afren* ze Augspurg desselben Jars verkünden vnd ze wissen tun wa sy das dhains Jars versässen vnd den Jartag ainem Prior also nit verkünten welhes Jars das beschäch über kurtz oder über lang so ist desselben Jars der vorgenant herr *Ott* pharrer ze Hustetten vnd sein nachkomen daselben ainem Prior ze pen schuldig vnd verfallen ze geben ain halbz ort ains guldin aune widersprechen. Wär aber das derselb herr *Ott* oder sein nachkomen den Jartag dhains Jars versässen vnd den nit begiengen in der wise als vorbegriffen ist. Es wär über kurtz oder über lang. So ist der nutz von den obgeschriben sechs tagwerken wismads desselben Jares ze pen gefallen vnd verfallen. den hailigen ze Hustetten als dick vnd als oft das beschäch —— Darzu sol der obgenant herr *Ott* vnd sein nachkomen alle Suntag über Jar an der Kantzel gedenken des obgenanten *Vlrich Wägers* mins lieben mans seligen vnd auch mein nach minen tode aune abgang Vnd wenne sy also den Jartag begand so sol ain yeglicher pharrer ze Hustetten allü Jare ainem Mesner daselben raichen vnd geben aht phenning Wär aber ob dhainerlai brief von mir oder minen Erben von iemand andern nu fürohin fürbraht oder vfgezogen würden die über die obgeschriben

ben fechs tagwerk madz weiften vnd fagten von wem das wär Es wär über kurtz oder über lang die füllent alle kraftlos vnd tot haiffen vnd fein vnd dem obgenanten herrn *Otten* noch finen nachkomen dhainen fchaden bringen noch bern. denn das fy daby geruwecklich in ewig zeit beleiben fond aune menglichs widerfprechen Vnd by dem gemäch vnd ordnung find gewefen die erbern wolbefchaiden mann *Claus Keller* vnd *Vtz Spacht* baid Burger ze Augfpurg — — Vnd ze warem offen vrkund vnd ftäter Sicherhait aller vorgefchriben fach fo han ich obgenantü *Adelhait* die *Wägerin* ernftlich vnd flifsklich erbetten die erfamen weifen *Beftgan Illfung* vnd *Stephan* den *Knüttel* Burger ze Augfpurg das die irn Infigel a) aune fchaden in felbs vnd iren erben zü ainer geziuknüff der fach für mich vnd für alle min erben offenlich gehenkt hand an difen brief der geben ift an aller hailigen Aubend des Jars do man zalt von Crifti geburt vierzehenhundert Jar vnd darnach in dem zehenden Jare.

a) Sigillum *Illfungi* periit; *Knittelii* illaefum, Tab. VI. N. IX. confpicitur.

Num. CLIX. Permutatio decimarum in Bocksberg. Anno 1410.

EX ORIGINALI.

Ich VLRICH der MARSCHALK von *Oberndorf* der Jung vergich vnd tun kunt offenlich an difem brief daz es darzu komen ift daz ich mit wolbedauchtem finn vnd mut vnd mit guter vorbetrachtung ainen wechfel getaun haun mit meinem vettern *Erkingern*

kingern dem *Marschalk* von *Biberbach* dem ich geben vnd geaigent haun den drittail des grofsen vnd des klainen zehenden der da ietzo gaut vz dem baw vnd vz dem wyler ze *Bocksperg a*) derfelb drittail von alter zu gehört haut der kirchun ze Laugnun vnd dy andern zwen tail des felben zehenden fint layzehenden gewefen vnd auch noch fint Alfo daz dy dry tail hinfür ewenklich ain zehent ift vnd mein vetter *Erkinger* oder fin erben da mit mügen fchaffen oder fchiken wefs fy geluft warn ich mich des obgenant drittail vergeich mit vrkund ditz briefs Alfo daz ich noch dhain meiner erben noch nauchkomen oder wer dann in hätt mit allen nutzen vnd zugehörndi dy obgenant kirchun ze Laugnun vnd waz darzu gehört kain anfprauch nimmer mer haun noch haben fullen weder mit geiftlichem oder mit weltlichem rechten oder aun gericht in dhein weis darvmb mir mein egenanter vetter *Erkinger* geben vnd geaigent haut den zehenden ze *Kützenrieden* gelegen by Bocksperg vnd auch die vogtey die von alter ift gangen vz dem obgenanten wydenhof ze Laugnun darvmb er mir auch geben haut ainen brief damit er fich verzeicht vnd auch ledig vnd lofs feit derfelben rechten vnd zufprüchen für fich vnd auch für all fein erben vnd nauchkomen Vnd alfo vertig ich der obgefchriben *Vlrich* meinem obgenanten vettern vnd finen erben den vorgefchriben drittail jar vnd tag nauch landz reht darvmb gib ich im dyfen brief verfigelten mit meinem aigen anhangenden Infigeln vnd auch mit meins vatters *Vlrichs* des *marfchalks* des eltern vnd auch mit meins bruders *Seytzen Marfchalks* von *Oberndorf* baider anhangender Infigel *b*) war vnd ftät ze halten waz hie vorgefchriben ftaut. Vnd auch der erwirdigen herren h. *Andres* des *Stüken* oberfter fchulmaifter *c*) vnd herrn *Anfshalm* von *Nünningen* Cufter zu dem Tum ze Augf-

Augſpurg die der ſach tädinger geweſen ſint baider anhangender Inſigel *d)* die diu daran gehenkt haben zu ainer zügnuſs der vorgeſchriben ſach in vnd iren erben aun ſchaden. Der geben iſt nauch Criſtes geburt vierzehenhundert Jar vnd darnauch in dem zehenden Jar an der mitwochen in der Kottemper *e)* vor weihennaht.

a) Bocksberg ad amnem Laugna in ditione Fuggeriana.

b) Tria priora ſigilla ſunt illaeſa. *c*) Scholaſticus.

d) Sigilla Vtriusque ſigilla periere.

e) Quatember.

Num. CLX. Litterae reuerſales memoratas decimas concernentes. Anno 1411.

Ex Originali.

Ich bruder Albreht Prior des haus zu *Chriſtgarten* gelegen vnder dem Hohenhaws Carthuſer ordens vnd mit mir all mein Vätter vnd Brüder des ſelben Gotshauſs bekennen vnd vergehen offenlich an diſen brief daz wir mit wolbedahtem ſinn vnd mut vnd mit guter vorbetrahtung gunſtig vnd willig ſein dez wechſels den getan habent mit gunſt vnd willen vnſers geiſtlichen herren vnd vatters in Got herrn Eberharts von gots genaden Biſchofs zu Augſpurk dy Erbern herren *Erkinger* der *Marſchalk* von *Biberbach* vnd *Vlrich* der *Marſchalk* von *Oberndorff* der Jung Alſo daz der *Erkinger* geben hat *Vlrichen* den zehenden groſſen vnd klainen zu *Kützenrieden* der von alter Lay-

zehend

zehend gewefen ift vnd dy vogtey die von alter ift gangen aus dem widemhof ze *Laugnun* vmb den drittail des groffen vnd des klainen zehenden aus dem paw vnd aus dem weiler *Bockfperck* der von alter zugehört hat der kirchen zu Laugnun mit der befchaidenhait das die lait dy da yetzo find in der veften Bockiperg vnd in dem weiler da felbft vnd dy dem paw zugehören vnd ewiklich darzu gewant fint mit allen pfärrlichen rehten zugehören der kirchen ze Laugnun als ez von alter herkomen ift ausgenomen dez zehenden grofs vnd klains Alfo daz der obgenant zehend zu *Kätzenrieden* vnd auch dy obgenant vogtey hinfür ewiklich beleiben vnd zugehören fol vnfer kirchen ze *Laugnun* die vns reht vnd redlich geben vnd geaigent hat durch gotswillen der Erber herr *Vlrich* der *Marfchalk* von *Oberndorff* der Jung mit allen rehten nutzen vnd zugehörden für ein freyes vnftewrbers vnuogtpers vndienftpers vnanfprechigs vnd vnbekümerts gut dez er vns gut brief geben hat. Alfo daz wir dy kirchen vnd den widemhof vnd waz darzu kört ze ueld ze dorff vnd an allen ftükken vnd ftetten befetzen vnd entfetzen mügen vnd fullen als andriü vnfrw aigen güter. Darumb verzeihen wir die obgenanten vätter vnd brüder des obgenanten drittails das wir noch kain vnfer nachkomen noch nyemant anders von vnfern wegen oder wer dann in künftig zeit in hett oder haben würd dy obgen. Kirchen ze *Langnun* mit allen nutzen vnd rehten kain anfprach nymmer mer han noch haben fullen weder mit reht noch on reht geiftlichen oder weltlichen in keiner weis vnd alfo geben wir dy obgenanten vätter vnd brüder dem obgenanten *Erkinger* vnd feinen erben difen brief für vns vnd für all vnfer nachkomen zu einer ewigen waren vnd fteter Sicherheit befigelt mit vnfers Clofters anhangenden Infigel *a)* Der geben ift

nach

nach crift geburt viertzehenhundert iar vnd darnach in dem ainleften Jar in die conuerfionis Sci Pauli Apli.

a) Sigillum eft laefum.

Num. CLXI. Epifcopi confirmatio donationis Monafterio Chriftgarten factae. Anno 1411.

Ex Originali.

In nomine dni Amen. Si perfonas religionis et multum honeftatis titulo decoratas ac diuini nominis cultores ad deuocionis et fidei confouemus augmentum ac gratiis et fauoribus ampliamus habemus indubie dei omnipotentis gratiam in prefenti feculo et in futuro fuorum confequi merita gaudiorum fperantes infallibiliter ecclefiam noftram vnacum credito nobis grege earumdem perfonarum deuotis oracionibus et precibus conferuari. Idcirco nos Eberhardus dei et apoftolice fedis gratia Epifcopus Auguften. Ad perpetuam rei memoriam conftare volumus prefentium infpectoribus vniuerfis. Confiderantes itaque illud felix lucrandi commercium in quo difcretus *Vlricus Marfcalci* de *Oberndorff* armiger pietate motus prudenter terrena pro celeftibus eterna pro temporalibus vtiliter commutat. Et ob falutem anime fue et omnium progenitorum fuorum ad laudem dei omnipotentis et augmentum ipfius diuini nominis cultus Ecclefiam parochialem in *Laugnum* prope caftrum Bogfperg decanatus Wertingn. noſtre dyoceſis ad ipſius et ſuorum progenitorum collationem ſpectantem vnacum aduocatia iurispatronatus decimis fructibus redditibus et ſingulis pertinenciis ſuis de conſenſu tamen venerabilis nobis in chriſto dilecti abbatis et ſui conuentus monaſterii in Elwangen dicte noſtre dyoceſis a quibus dependebat et tanquam a veris et principalibus dominis idem *Vlricus Marſchalci* eam cum ſingulis iuribus ſuis iure feodali tenuit et ſui progenitores ab antiquo quam propter certam refuſionem aliorum bonorum pro indempnitate Mon. ſui et recompenſionem ſibi factas duxerunt reſignandam et omnino ſuis patentibus litteris renunciandam prout in eiſdem patet euidenter ſed plenaria voluntate ſuorum parentum et conſanguineorum et progenitorum ſuorum religioſis fratribus Priori et conuentualibus Mon. ſeu cenobii atque domus *Orti Xpi a)* ordinis Cartuſien prope Nördlingen in dicta noſtra dyoceſi ſituate et nouiter plantate et erigendo fundate deo ibidem ſub regulari habitu deuotiſſime famulantibus propter tenuitatem et paucietatem fructuum de quibus eminus commode valeant ſuſtentari nec hoſpitalitatem tenere elemoſinas elargiri peregrinos et pauperes colligere et alia incumbencia onera tollerare et pietatis opera frequentare vero et iuſto donacionis titulo donauit tradidit et aſſignauit perpetuis futuris temporibus et preſertim pro augmento diuini cultus in duobus cellitis fratribus eiuſdem ordinis ad numerum fratrum ſuorum addendum et ibidem ſub obediencia prioris ad morem ordinis perpetue permanſuris et in illorum ac tocius conuentus vſus ſecundum inſtituta propoſiti et conſuetudinis cartuſien. conuertendam vt in litteris ſuis deſuper confectis et datis plenius contineri. Quare nobis tanquam loci ordinario cum ſolita benignitate et reuerencia ſerioſius ſupplicabant vt et nos paupertati et penurie huiusmodi com-

compaciendo ac diuini nominis cultum et religionis obseruanciam attendentes simili pietate moueremur et ipsius dotatoris donacionem approbando ipsam ecclesiam parochialem in *Laugnun* vnacum iure patronatus et singulis aliis iuribus fructibus et obuentibus ad ipsam spectantibus cum spiritualia sine temporalibus subsistere non possent ipsis Priori et fratribus et eorum mense ac vsui prescriptis annectere et vnire ac nostra auctoritate ordinaria graciosius incorporare dignaremur. Nos igitur huiusmodi iustis et laudabilibus votis et precibus inclinati, erigentes diligentius nostre sollicitudinis oculos in statum ipsorum et fratrum Conuentus Orti Xpi ex huiusmodi donatione ipsis fructus et vtilitates prouenient et ipsius dotatoris tam salubre propositum debitum in hac parte et desideratum sorciatur effectum ratam et gratam habentes donationem taliter factam et ne saltem diuinorum solita celebratio in ipso nouo cenobio et Conuentu minuatur sed pocius ad subleuanda huiusmodi grauia onera et alia incumbentia diuinus cultus eciam per nos augeatur ipsam ecclesiam parochialem in *Laugnun* et ius patronatus cum singulis iuribus fructibus et obuentibus ipsius quoque nomine censeantur dictis Priori et fratribus Mon. et Conuentus Orti Xpi seu domui et mense ipsorum vt prefertur incorporauimus et vniuimus et ex certa sciencia consensu et voluntate venerabilium et nobis in christo dilectorum *Fridrici Burggrauii* prepositi *Vlrici Burggrauii* Decani totiusque Capituli ecclesie nostre Aug. ad hoc plenius accedentibus tenore presentium annectimus vnimus et incorporamus his in scriptis Volentes et concedentes vt ipsi fratres Prior et conuentuales domus Orti Xpi et ipsorum succedentes auctoritate propria singulos et vniuersos fructus redditus et prouentus cum omnibus iuribus post decessum seu recessum dicte ecclesie rectoris si

 quem

quem pro tempore habeat pro sustentatione eorum in antea perpetuis futuris temporibus recipiant et colligant ac de ipsis disponant sicut suis ac ipsius conuentus vtilitatibus crediderint expedire hoc tamen opposito et adiecto quod nobis et nostris successoribus quando et quocies ipsam ecclesiam vacare contigerit ipse Prior et fratres conuentuales iam dicte domus Orti Xpi ordinis Cartusi. sacerdotem idoneum et secularem pro perpetuo vicario per nos rite instituendum assignent canonice et presentent et nobis nostrisque successoribus iura nostra ordinaria vtputa primariorum fructuum et aliorum ratione dicte ecclesie in *Laugnun* tociens quociens ipsa vacare ceperit donent et assignent, ac de eisdem satisfaciant cum effectu Item quod ipse sacerdos taliter per nos seu nostros successores ad eandem ecclesiam institutus in ipsa ecclesia residentiam faciat personalem quod sic facere permittat collatoribus prescriptis in sua prima receptione ad eandem Pro cuius sustentatione congrua et honesta de eiusdem ecclesie fructibus talis constituatur prebenda de qua hospitalitatem tenere iura papalia episcopalia et archidyaconalia exsoluere possit et alia incumbentia onera commodosius tollerare. Insuper quod si idem sacerdos institutus se ad sex menses vel vltra contra voluntatem et consensum nostras et dictorum fratrum collatorum dicte ecclesie in *Laugnun* ab ipsa ecclesia contumaciter absentauerit sine causa legitima extunc statim ipso facto nulla cognitione premissa ipso beneficio seu ecclesia sit priuatus et totaliter destitutus. Prefatis quoque collatoribus licentiam damus alium presbyterum ydoneum ad eandem ecclesiam presentandi modo et formis preconceptis nostris iuribus vt prefertur semper saluis. In quorum testimonium et euidenciam pleniorem presentes conscribi iussimus et nostri et capituli nostri antedicti sigillorum *b*) munimine roborari.

roborari. Actum et datum Aug. Anno dni Millimo Quadringentesimo vndecimo Kalnd. Apprilis.

a) Christgarten.

b) Sigilla sunt valde laesa.

Num. CLXII. Instrumentum super promissione Vicarii in Laugna. Anno 1411.

In nomine dni Amen. Per hoc presens publicum instrumentum cunctis ipsum intuentibus pateat euidenter Quod anno a natiuitate eiusdem Millesimo Quardingentesimo vndecimo indictione quarta. Tertia die mensis Julii hora primarum vel quasi Pontificatus sanctissimi in christo patris ac dni nostri. dni Jo-nis. diuina prouidentia pape vicesimi tercii anno sui regiminis primo in ambitu superioris ianue qua itur de domo venerabilis viri dni *Johis Walkran* plebani in Dilingen Augusten. diocesis ad ecclesiam parochialem ibidem in mei notarii publici et testium subscriptorum presencia personaliter constitutus discretus vir dns *Fridericus Tegler* perpetuus vicarius ecclesie parochialis in *Lagnun* Augusten. dioc. melioribus via et modo iure et forma quibus potuit melius et debuit sponte et libere et ex certa scientia non coactus non compulsus neque per errorem circumuentus religioso viro ac patri dno Priori domus orti christi prope altam domum a) ord. Carthusien. nomine tocius conuentus supradicti monasterii stipulacionem manuum solempni fideliter promisit omnes scilicet consuetudines et iura in genere cum subnotatis articulis in specie absque omni fraude

et

et dolo se per omnia seruaturum. nominatimque et in specie promisit in prebenda sibi assignata stare contentus que communiter talis est videlicet septem scafe siliginis a dicto Priore et conuentu ac suis successoribus persoluende cum septem scafis auene per duos annos continue se consequentes In tercio vero anno sex scaffe siliginis et sex auene mensure magis communiter ibi currentis. Item habebit decimas minores omnes. exceptis bladis siue annona ordei et auene atque pisis de quibus tamen pisarum decimis quocunque anno dictis religiosis viris oblatis soluent vicario dicto pro sua coquina tres metretas siue tantum tres mensuras siue amplius dictos religiosos leuare contingat. Si vero minus tribus metretis hoc totum quidquit fuerit vicarius recipiet et in hoc contentus stare debebit nichil a suis dnis quod non perceperit exigendo Habebit insuper omnes decimas maiores et minores in *Ketzriden* cum suis oneribus infra annotatis. Promisit igitur dictus dns *Fredericus* iam prenominatam prebendam grate recipere nec quouismodo vel causa augmentacionem vel melioracionem in parte vel in toto se petiturum. Sed absque omni inpeticione et scrupulo velit per omnia contentari. Omnia quoque iura Episcopalia magis consueta. videlicet collectam kathedraticum et similia absque dampno et subsidio predicti monasterii expedire. Sturas vero et exacciones vel iura minus solita iuxta valorem tocius ecclesie impositas vel inposita soluent simul videlicet dicti religiosi dni duas quidem partes dictusque vicarius partem terciam contradictione qualibet semota. Insuper quod futuris temporibus nullam permutacionem faciat. absque dicti dni Prioris vel successorum eius atque conuentus predicti bona voluntate et consensu Quodque personalem residenciam faciat in ecclesia ipsam in propria persona gubernando nisi legitima et rationalis causa ad

tempus

tempus certum aliud euidenter exigat et requirat et hoc semper fiat consensu Prioris et conuentus predictorum. Insuper si aliqua controuersia inter ipsum vicarium predictum et aliquem vel aliquos de colonis ad predictam ecclesiam pertinentem vel pertinentes in ciuili causa orta fuerit quod tunc eundem vel eosdem ad iudices forenses vel spirituales non citabit nisi prius dno Priori predicti monasterii causa proposita non possit suo consilio vel auxilio gratiam vel iusticiam consequi, locis et temporibus oportunis iuribus tamen dni ordinarii semper saluis. Fidelem quoque se predicto monasterio eiusque personis et rebus exhibiturum promisit per omnia in quantum potest dampna et pericula iniurias et preiudicia preueniendo vtilitatem vero ipsorum pro suis viribus procurando et generaliter omnia et singula faciendo fideliter stipulauit. que in feodalibus et huiusmodi quibuscunque necesse fuerint et quomodolibet oportuna. Quodque contra prescripta omnia et singula in nullo contraueniant quocunque ratione causa vel modo de iure vel facto verbo vel opere per se vel interpositam personam vi vel precibus inportunis nec contra prescripta appellabit nullumque rescriptum vel appellacionem inpetrabit ac prescripta corrigi vel emendari per superiorem suum aut nostrum vel per aliquem iudicem non petat sibique suffragari querat. cuiuscunque legis vel canonis statuti vel consuetudinis beneficio quod viciet vel viciare possit aut infirmare huiusmodi promissionem et stipulacionem in toto vel in parte. Insuper singulis annis octauo die post diem beati *Jeronimi* confessoris cum duobus aliis presbiteris sibi adiunctis anniuersarium peragat cum vigiliis et missa pro defunctis necnon missa de annunciatione beate virginis marie pro remedio anime dni *Vlrici marscalci* et omnium progenitorum suorum et carorum Donetque pro eodem

tempore

tempore singulis annis in elemosinam pauperi sex vlnas panni grisci et communiter *luden tuch* dicti. Quodsi aliquo anno predicta duo puncta vel alterum illorum neglexerit ex tunc Prior predicti monasterii domus orti christi leuabit decimam istius anni proximi in Ketzriden pro predictis oneribus subleuandis et exequendis a predicto *Vlrico marscalci* donatario deputatam. Super quibus omnibus dictus Prior me notarium infra scriptum requisiuit petens sibi instrumentum vel instrumenta fieri oportunum vel oportuna. Acta sunt hec presentibus venerabilibus dnis. dno et magistro *Narscisso* sacre pagine professore ord. predicatorum *b*) ac dno *Joe Walker* canonico et plebano in Dilingen ad premissa rogati pro testibus et vocati.

a) Hochhaus praefectura Wallersteinensis.

b) Is *Narcissus* erat de familia Pfisterorum ortus, qui pluribus annis in ordine Praedicatorum transactis, Benedictinum in SS. Vdal. et Afrae monasterio profesſus est. V. *Veithii* Bibl. Auguſt. Alph. III. *Braunii* Notit. codd. M. SS. Vol. II. p. 28.

Num. CLXIII. Obligatio Eberhardi Episcopi. Anno 1412.

EX ORIGINALI.

Wir EBERHART von Gotes vnd des hailigen Stuls gnaden Byschoue ze Augspurg Bekennen offenlich mit dem briefe vnd tun kund menglich das wir vnd vnser nachkomen recht vnd redlich schuldig worden seyen vnd gelten sullen dem Ersamen vnserm lieben andechtigen hern *Johannsen* Apt des Gotzhuss zu sant *Vlrich* ze Augspurg vnd allen sinen nachkomen ainen

vnd

vnd achzig guter rinischer guldin die er vns in früntschaft vnd liebe also bar gelihen hat Dieselben guldin alle sullen wir vnd vnser nachkomen im vnd sinen nachkomen one alles verziehen tugentlich richten vnd bezaleh vf sannt Michels tag schirst künftig gentzlich one allen sinen schaden wa wir des nicht täten waz er oder sein nachkomen des denne darnach schaden nemen es wär an Juden oder an Cristan oder wie der schad genant wer doch redlicher vnd ongevarlich schaden allen sullen wir im mit sampt dem hoptgut ouch vfsrichten vnd bezalen gentzlichen one allen sinen schaden Vnd haben im ouch daruf durch merer vnd besser sicherhait zu vns zu rechten mitgeltern vnd selbschollen gesetzet vnuerschaidenlich die Erfa-men vnd vesten vnserer lieb getruwn herren *Vlrichen Burggrafen* den alten Degan herrn *Johannsen Amman* bayd Thumherren vnser Stift ze Augspurg vnd *Hainricken Burggrafen* vnsern vogt ze Dilingen Mit der beschaidenhait wenne der vorgenant apt oder sein nachkomen der vorgeschriben Summe gelter nach dem egenanten zile nicht lenger geraten mugent noch des enberen wollend So hand sy vollen gewalt vnd gut recht sy vnd all ir helffer vnd wer daz von iren wegen tut vns vnd vnsers Gotzhufs lüte vnd gut darumb anzegriffen ze noten vnd ze phenden wa sy kunend vnd mügend allenthalben vnd ——— sy wollend mit gericht vnd one gericht gaistlichem oder weltlichem vnd ouch in denselben rechten die vorgenant vnsre mitgelter vnd selbschollen zu noten vnd zu phenden an allen iren guten vnd gülten wa sy kunend vnd mugend als lang vnd als vil bis daz sy damit hopt gutes vnd alles schadens gentzlich vfsgericht vnd bezalt sind worden Vnd dauor sol ouch vns noch die vorgenante vnser mitgelter nicht schirmen dehain vnser fryhait die wir haben von Babsten Kungen oder

 Kaisern

Kaiſern noch dehein puntnuſs nach ertriting die yetzo ſind oder hernach vferſtaun mohten vnd ſy vnd ir helffer frünſchaft ouch deren nicht wider vns vnſer gotzhus vnd nachkomen noch wider die obgeſchriben vnſer mitgelter noch ir erben, was ouch alſo wider vns geton wird darmit der vorgenant apt oder ſin nachkomen ir vorgenant ſumme geltes vnd des ſchadens den ſy des genomen hetten bezalet wurden das ſullen wir vnſer nachkomen vnſre mitgelter vnd ir erben ewiglich nimmer gerechen Vnd des zu vrkund geben wir dem vorgenanten apt den briefe beſigelten mit vnſerm aigen anhangendem Inſigel vnd darzu mit der egenanten vnſer mitgelter inſigeln *a*) Wir die vorgenanten mitgelter vnd ſelbſchollen bekennen mit vrkund ditz briefs der gewerſchaft vnd alles des das an dem brief geſchriben ſtat war vnd ſtät zu halten als des zu vrkund vnſre Inſigel an dem brief offenlich hangend der geben iſt ze Augſpurg an dem nechſten mentag vor ſannt Margareten tag do man zalt von Chriſts geburt viertzehenhundert Jar vnd darnach in dem zwelfften Jare.

a) Sigilla quatuor bene conſeruata Tab. VI. N. X. XI. XII. Et Tab. VII. N. I. reperiuntur.

Num. CLXIV. Adpropriatio iuris aduocatiae in Schönenbach. Anno 1412.

Ex Originali.

Wir EBERHART von Gotes vnd dez hailigen ſtuls gnaden Byſchof zu Augſpurg Verjehen vnd bekennen mit diſem offen brief für vns vnſer Gotzhuſe vnd für alle vnſer nachkomen

vnd

vnd tuen chund allermenglichen vmbe daz wyerſtal ze *Schönenbach* a) gelegen. Daz der Erwirdig vnſer lieber getrwer her *Johanns* Abbt dez Gotzhuſs zu ſant *Vlrich* vnd ſant *Affren* zu Auſpurg vfgefangen hat vnd zu ainem wyer machen wil, daz ſelb wyerſtal in ettlich höff vnd gut ze *Schönenbach* vorgenant gelegen gehörets die ſien dez gotzhuſs zu ſant *Vlrich* vnd ſant *Affren* vorgenant oder ander Lewtt da wir vnſer Götzhuſe vnd vnſer nachkomen vogt über ſyen, Daz wir mit wolbedachtem mut vnd guter vorbetrahtunge vnd mit rautte willen vnd gunſt der Erſamen herren herrn *Fridrichs Burggrafſen* Tumprobſts herrn *Gotfrids Harſchers* Tegands vnd gemainclich vnſers Capitels zu dem Tum zu Auſpurg. Daz darumbe beſamet ward mit belewtter gloggen alz ſittlich vnd gewonlich iſt daz vorgenant wyerſtal. vnd ouch den wyer mit ſiner zugehörunge vnd ouch mit aller der gült nutz vnd dienſt vnd er gilt oder in künftigen zeitten gelten wirt von beſunder gnaden wegen vnd ouch täglichen gotzdienſt damit ze fürdern vnd ze meren recht vnd redlich als er vor allen gerichten gaiſtlichen vnd weltlichen vnd an allen ſtetten gantz vnd gut kraft vnd macht hat vnd haben ſol kan oder mag, geaygent haben vnd aigen in ouch mit kraft ditz briefs. dem vorgenanten her *Johanſen* Abbt dez Gotzhuſs ze ſant *Vlrich* vnd ſant *Affren* zu Auſpurg ſinem Gotzhuſe vnd allen ſinen nachkomen ze haben vnd ze nieſſen ewiclich vnd geruwiclich ze rehtem aigen vnd alz man vogty durch recht vnd billich aignen ſol kan oder mag, Vnd haben in ouch die vogty dez vorgeſchriben wyerſtals vnd wyers mit ſiner zugehörung alz vorbegriffen iſt ze rechtem aigen vf geben mit fryer hand vf dez reichs ſtrauſſe vnd haben vns der vnd aller der rechte vordrunge anſprach vnd zuverſichte die wir vnd vnſer gotzhuſe vnd nachkomen daran hetten gehaben mochten oder waunden ze haben von vogty wegen oder von welchen andern sachen wegen daz gewesen ist nichtz vssgenomen verzigen frylich vnd mit gutem willen für vns vnd vnser gotzhuse vnd für alle vnsere nachkomen Alz man sich vogtrecht vnd aller ander recht vordrunge ansprach vnd zuuersichte an vogty die geaigent wirt durch recht vnd billich verzyhen vnd vfgeben sol nach vogty recht die geaignot wirt vnd nach des lands vnd der Graffschaft recht vnd gewonhait da der wyerstal vnd wyer inn gelegen ist. Also daz wir noch vnser gotzhuss dhain vnsrer nachkomen noch yemand anders von vnsern noch von vnsers gotzhuses noch von vnsrer nachkomendes wegen Nun fürbas ewiclich an das vorgenant wyerstal vnd wyer mit iret zugehörunge von vogty noch von aigenschaft noch von kainer ander recht vordrung ansprach vnd zuuersicht wegen die wir vnser gotzhus vnd nachkomen daran bis an disen hiutigen tag ye gehabt haben oder waunden ze haben nymmer mer nichtz ze sprechen ze vordern noch ze beklagen haben noch gewinnen sullen noch mügen in dhain weise weder mit gaistlichen noch weltlichen rechten noch aun gericht noch mit dhainerlay sache doch also vnd mit dem bedinge daz vns vnserm gotzhuse vnd allen vnsern nachkomen daz alles als vorgeschriben staut an vnserm vogtrecht derselben höff vnd güter darein das obgenant wyerstal vnd wyer gehöret hät nichtz abgange noch dhainen schaden bringe in dhain weis noch wege Vnd des alles zu ainem stätten vrchunde Geben wir in für vns vnd für vnser gotzhuse vnd für alle vnser nachkomen den brief besigelten vnd geuestent mit vnserm vnd vnsers Cappitels Insigeln *b)* div baidiv daran hangend. Vnd wir *Fridrich Burggraf*. Tumprobst *Gotfrid Harscher* Tegan vnd gemainclich daz Cappitel

pitel zu den Tum zu Aufpurg. Verichen ouch offenlich an dem brief daz div vorgefchriben aygunge vnd sache mit vnferm raut gunft vnd gutem willen beschehen ift. Vnd haben dez ze vrchunde vnfers Cappitels Infigel an den brief haiffen gehenkt vns vnferm Cappitel vnd vnfern nachkomen aun fchaden. Vnd ift der brief geben do man zalt von Crifti gebürd vierzehn hundert Jar vnd darnach in dem zweiften Jare am nähften donerftag vor fant Gallen tag. *c*)

a) *Schönenbach* prope Ziemetshaufen.
b) Sigilla funt illaefa. *c*) Decima tertia Octobris.

Num. CLXV. Litterae reuerfales. Anno 1413.

Ex Originali.

Ich *Stephan Knüttel* Ich *Hanns Stremair* der beck vnd ich *Vlrich Mair* von Hirfpach burger zu Augfpurg vnd auff div zeit pfleger vnd zächmaifter der zäche zu fant *Vlrich* vnd fant *Afren* zu Augfpurg *a*) veriechen vnd tun kunt offenlich mit dem brief für vns die obgenant zäche vnd alle vnfer nachkomen die füro ewiclichen der obgenant zäche zächmaifter find daz wir fürohin ewiclichen alle Jare frawen *Angnefen* der *Glauin Jofe Glaus* faeligen witwen burgerin zu Augfpurg ain ewig liecht mit öl vff der vorgenanten zäche obe irem Grabe auff der Grede zu fant *Vlr.* vnd fant *Afren*, ze der rechten hand da man ein div kirchen gaut anzünden vnd prennen fullen ze den zeiten vnd in der weife alz hernacher ftat, ze dem erften

fol

sol man ez alle jar ewiclichen anzünden alle Samtztag ze der vesper vnd daz prinnen lauffen über nacht vnd dez morgens am Suntag bis man fronampt gesinget Auch sol man ez anzünden alle geboten feirabent vnd daz prinnen laufsen ze der vesper vnd ze der Complet vnd dez morgens an dem feyertag sol man ez wider anzünden vnd prinnen laufsen bis man fronampt vff dem Chor gesinget. Auch sol man ez ewiclichen vnd alle iar iärlichen ze Weichennahten ze pfingsten vnd ze vnsers herrn fronlichnams tag ze yetweder yetz geschriben feste vnd vnd hochzit anzünden ze der vesper vnd daz prinnen lauffen tagez vnd nachtes die acht tage hinumbe bis man fronampt an dem achtenden tage vff dem Chor gesinget. Vnd zu feste vnd hochzit zu Ostrin sol man ez anzünden an der mittwochen vor dem Antlatz tag *b)* zu der Complet vnd daz prinnen lauffen tages vnd nahtes bis auff div mitwochen an den osterferien aber bis man fronampt auff dem Chor gesinget Vnd darumb si vns in div vorgenant zäche geben verschriben vnd vermachet haut yriv dritthalb phunt wisgilt ewiger gülte ye sechtzig für ain phunt auff irem hof zu kyssingen zu nähst bey der Kirchen da man gen Herwoltzsperg hinusfert denn der *Spatt* ietzo da pawet vnd dartzu ain vndetzogen guldin tuch erbern lüten zu ainem pfeller doch mit dem geding zu welcher feste vnd hochzit so vorgeschriben stat wir obgenant pfleger vnd zächmaister vnd vnser nachkomen die ewiclichen nach vns pfleger vnd zächmaister der obgenant zäche sind daz obgenant liecht nicht anzünten vnd pranten oder sust vier wochen zu welcher zeite daz in dem iare wäre vnderwegen liessen vnd ach nicht pranten alz oben geschriben stat So sullen div vorgenanten dritthalb phunt wisgült auff dem vorgenanten hofe daz selbe Jare in die Custrey zu sant *Vlrich* vnd sant-

Afren

Ahyn verfallen sin Vnd sullen der oder die den vorgenanten hofe inne hand die daz selbe iare alz ofte daz beschäch in die obegenant Custry geben vnd antwurten aune alle irrung vnd widerred. der pfleger vnd zächmaister die danne zächmaister sind vnd menclichs von iren wegen. Vnd darumbe danne ain ieglicher Custer welcher dann Custer ist ain liechte daz selbe Jare von dem Sacramet anzunden vnd prennen sol in der weise alz vorgeschriben stat vnd alz er got darumb antwurten sol vnd wil an dem tage dez iungsten gerichtes. Vnd dez zu vrkund geben wir dem Custer in div vorgenant Custry den brief besigelten vnd geuestentten mit der obgenanten zäche zu sant *Vlrich* vnd sant *Vlrich* anhangendem Insigel *c)* daz offenlich daran hanget. Des sind gezivgen die erbern weisen her *Peter* der *Langenmantel* bei dem Salzstadel *Andres Rephun Hanns Ponbreht* vnd *Hans Pregentzer* burger zu Augspurg vnd ander erber lüt genug. Daz beschach an der nähsten Mitwochen nach sant Seruatien tag *d)* dez hailigen Bischoffs do man zalt nach Cristi geburt viertzehenhundert Jare vnd darnach in dem dreitzehenden Jare.

a) Administratio parochialis ecclesiae.

b) Coena domini.

c) Sigillum periit.

d) 17. Maii.

Num CLXVI.

Num. CLXVI. Venditio Curiae in Wengen. Anno 1415.

Ex Originali.

Ich Margreth die Oephenhauserin *Hausen Oephenhausers* säligen witib burgerinn zu Augspurg. Ich *Hanns* Ich *Dyepolt* vnd *Thomas* die *Ophenhauser* ir baider Sun Ich *Kathrina* die *Wessisprunnerinn Vlrich Wessisprunners* elichiv wirtinn, vnd *Agnes* die *Hailterinn Arsacii* des *Hailters* auch burger zu Augspurg elichiv wirtin. Ich *Margreth Hansen* des *Steyrers* burger zu Laugingen eliche wirtinn. Vnd ich *Anna* auch des obgenanten *Ophenhausers* säligen vnd der obgenanten *Oephenhauserinn* tohter. Veriehen offenlichen mit dem brief für vns vnd für *Caspar* vnd *Vlrichen* die *Ophenhauser* auch vnser Sun vnd gebrüder die yetzund nit bey land sind, vnd tuen chunt allermenglichen. Das wir mit verainten wolbedahtem mut vnd guter vorbetrachtung mit raut gunst vnd gutem willen aller vnser erben vnd nehsten frewnde vnsern hof der gelegen ist zu *Wengen* a) den der *Berger* yetzund bawet vnd järlichen giltet naün schaf roggen vnd aht schaf habern nach herrengült sehtzig Augspurger phenning ze wisgült zwu genns aht herbsthünr vnd hundert eyr, vnd vnser hofstat dauor hinüber da auch der egenant *Berger* yetzund aufsitzet, vnd gilt järlichen ahtzehn Augspurger phenning ainen metzen öls Augspurger mass vnd fünftzig ayr. Vnd was zu den benenten hof vnd hofstat gehöret oder ze reht gehören sol in dorff vnd ze vellde an hofraiten an äckern an Engern an garten an pewnden an wayd an waffer an Egerden an holtz an holtzmarken, an gerütt ze brugg ze wegen vnd ze stegen besuhts vnd vnbesuhts wie es gehaissen ist es sey an dem brief benent oder nit nihts vsgenomen noch hindan

gesetzet

gesatzet mit allen diensten nutzen vnd gülten gross vnd clain die es giltet oder gelten mag mit besetzen vnd entsetzen, vnd mit allen ehäften, rehten eren vnd gewaltsamen freihaiten vnd guten gewonhaiten. Als das vnser vordern sälig vnd wir manigew Jar mit nutz vnd mit gewer vnd in stiller gewer herbraht inngehebt vnd genossen haben. Vnd vnser rehts aigen gewesen ist. für ein freys ledigs vnuogtbers vnd vnuerchümmerts gut vnd für rehts aigen vnstewrper vnzinsber vnd vndienstber reht. vnd redlichen verchaufft vnd ze chauffen gegeben haben vnd geben mit chrafft des briefs den erbern gaistlichen herren dem Conuente gemainlichen des Gotzhaufs zu sant *Vlrich* vnd sant *Affre* zu Augspurg vnd allen iren nachkomen, oder swem sys hinnanfür ewiclichen gebent verchauffend schaffent oder lassent ze haben vnd ze niessen geruwiclichen vmb hundert vnd zwen vnd ahtzig guter reinischer gulden die wir also berait von in darumb eingenomen vnd mir obgenanter *Margrethen* zu *Hansen Steyrer* meinem egenanten elichen mann ze hainstewr vnd heyratgut gegeben vnd bezalt sind. Vnd wir haben also den obgenanten herren des Conuents vnd allen iren nachkomen den obgenanten hof, die hofstat mit allen iren zugehörungen als vorgeschriben stat aufgegeben zu rehtem aigem vnbetwungenlich vnd mit guten willen, vnd auch in sogtaner masse das darüber noch darauf nyemant nihts ze rihten noch ze bieten hat. dann sy vnd der new reht hat. Vnd haben vns des also verzigen mit gelerten worten für vns vnd die obgenante *Caspar* vnd *Vlrichen* die *Oephenhauser* vnd alle vnser erben. Als man sich aigens durch reht vnd billichen aufgeben vnd verzeihen sol nach aigens reht vnd nach des lands reht oder der grafschaft darinn es gelegen ist. Das wir noch dhain vnser erben oder yemand anders von vnſern wegen. darnach vnd daran dhain reht vorêrung noch anſprauch nymermer haben ſullen noch mügen, von dhainerlay ſachen wegen weder mit gaiſtlichem noch weltlichem rehten noch on reht vnd mit dhainen andern ſachen in dhain weys on als geuerde. Vnd ſullen ins alſo ſtätten vnd vertigen vnd ir reht gewern ſein für die egenant *Caſpar* vnd *Vlrich* vnd allermenglihs irrung vnd anſprauch die mit dem rehten daran beſchiht nach aigens vnd des lands reht oder der Grafſchafft darinn es gelegen iſt on allen iren ſchaden. Vnd darvmb zu beſserer ſicherhait haben wir in zu vns vnd vnſerm erben vnuerſchaidenlich zu rehten gewern geſetzet die obgenant *Vlrichen Weſſiſprunner*. *Arſacie* den *Haütter* vnd *Hanſen Steyrer*. Derſelben gewerſchafft wir all drey auch vnuerſchaidenlich bechennen mit dem brief Alſo vnd vmb ſolich beſchaidenhait. Reliqua vt Supra. - - Vnd darüber ze vrchund geben wir in den brief verſigelten vnd geueſtent mit meinem *Hanſen Oephenhauſers* vnd mit vnſern der obgenanten gewern *Arſacii* des *Haütters* vnd *Hanſen Steyrers* aigen anhangenden inſigeln. Darzu mit der Erbern Leut inſigeln *Hanſen Tyſchingers* Vogt vnd *Peter Ponbrehts b*) burger ze Augſpurg die ſy durch vnſer aller fleiſſiger bet willen daran gehenkt hand zu gezewknuſſe in vnd iren erben on ſchaden. Vnder die inſigel ich obgenant *Oephenhauſerinn*, *Dyepold* vnd *Thomas* ir Sun *Vlrich Weſſiſprunner*. *Katherina Agnes Margreth* vnd *Anna* ir töhter als wir hieuor benent ſein vns binden mit vnſern guten trewen für vns vnd alle vnſer erben ſtät ze halten alles das hieuor geſchriben ſtat vnd des ſint gezewg die erbern *Hans Endorffer*. *Haimrich* der *Ponbreht* vnd *Stephan Bachmair* auch burger zu Augſpurg. Das geſchah an donrſtag vor dem heiligen phingſtag *c*) Do man

zalt

zait nach Cristi geburt viertzehenhundert Jar vnd darnach in dem fünftzehenden Jar.

a) V. Sup. N. CL.

b) De Sigillis duo illaesa Tab. VII. N. II. III. conspiciuntur.

c) Decima sexta Maii.

Num. CLXVII. Sigismundi Reg. confirmatio Siluae in Berkheim. Anno 1471.

Ex Originali.

Wir Sigmund von Gottes gnaden Romischer Kunig zu allentzyten merer des Richs, vnd zu Vngern Dalmacien Croacien etc. Kung Bekennen vnd tun kunt offenbar mit disem brief allen den die in sehen oder hören lesen, Wann vns der Erwirdig *Johanns* Abbt des Closters zu sant *Vlrich* in der Stat zu Ougspurg gelegen vnser Capplan vnd lieber andechtiger furbraht hat mit clage, Als er, vnd das itzgenant Closter ein holtz zu *Berkhan a*) by Ougspurg ligen haben, das ein rehts bauholtz. vnd doruf das itzgenant Closter gestiftet sy das man in doryn über ire gebotte, vnd wider alles rehte, vnd ouch wider irs holtzwarters daselbs willen offte vnd dicke freuentlichen vnd ouch heimlich fare in holtz dorufs füre, vnd sy swärlich daran beschedige. Wann wir nu denselben Abbt sinem Conuent vnd Closter alle, vnd igliche ire gnade, friheite, rehte, vnd Priuilegia, die sy dann erworben, vnd herbraht haben vormals in einer gemeine gnediclich bestettigt haben, Als dann das vnser kunglicher Maiestätbrief, in darüber gegeben

ben, völliclich vſswiſet, vnd alle, vnd iegliche ire lüte, vnd gütere wo die gelegen, vnd wie die genant ſind in vnſer vnd des Richs ſunderlichen ſchirme ſind, Darumb haben wir denſelben Abbt, Conuent vnd Cloſter das vorgenant holtz alsdann das ir iſt vnd ſy doruf geſtift ſind von newes aber beſtettigt, vnd beſtettigen in das, mit rechter wiſſen, in craft diſs briefs, vnd Römiſch kunglicher macht volkommenheit, Vnd gebieten ouch dorumb allen vnd iglichen, vnſern, vnd des Richs vndertanen vnd getruen ernſtlich vnd veſticlich mit diſem brief, das Sy die vorgenant Abbt vnd Conuent vnd ir nachkomen, vnd ouch das vorgenant Cloſter an dem vorgenant holtz nicht hindern oder irren noch in das on ir vnd irs holtzwarten vrlob wiſſen vnd willen, abhowen oder hinweg füren oder das zu tun den iren geſtatten in dheinwis, Sunder ſy daby getrulich hanthaben ſchützen, ſchirmen vnd geruwiclich beliben laſſen by vnſern vnd des Richs hulden, vnd by verlieſung czehen mark lotigs ſilbers, die ein iglicher der hiewider tut, als ofte das beſchiht zu einer rehten pene verfallen ſin ſol, halb in vnſer kunglich Camer, vnd halb dem vorgenanten Abbt vnd Conuent vnleſslich zu betzalen Mit vrkund diſs briefs verſigelt mit vnſerm kunglichen anhangundem Inſigel *b*) Geben zu Coſtentz nach Criſts geburt viertzehenhundert Jare vnd dornach in dem Sibentzehendiſten Jar an dem dritten tag des Mondes Aberellen *c*) vnſerr Riche des Vngriſchen etc. in dem Einvnddriſſigſten, vnd des Römiſchen in dem Sibenden Jaren.

P. D. G. Patauien. Epus.
Johes Kirchen.

a) Berk-

a) Berkheim in ditione Wellenburg.

b) Sigillum illaesum Tab. VII. N. IV. exhibet.

c) April.

Num. CLXVIII. Renuntiatio iuris super hubam in Langenreichen. Anno 1417.

EX ORIGINALI.

Ich HANNS PAIR, von Langenreichen den man nennt den Schmid Ich *Elsbeth* sein elichiv wirtinn vnd ich *Hanns* vnd *Claus* ir baider Sun. Veriehen offenlichen mit dem brief für vns vnd alle vnser erben vor allermenglichen. vmb folich zufpruch vnd vordrung die wir zu den Erfamen herren des Conuentes ze fant *Vlrich* vnd fant *Affren* zu Augfpurg gehebt haben vermainten oder wonten ze haben als von irer hube wegen ze *Langenreichen* a) die wir ettlich zeite von in gehebt vnd gehawen haben. Das wir darumb vnd vmb alle vergangen handel vnd zwayung die fich dauon vnd darunder zwifchen vnfer bederfeitte bis auf hewt datum des briefs gefügt vnd verlauffen hand mit worten oder wercken vnd mit wellichen fachen oder wie das herchome oder genant ift Auch was wir des fchaden genomen haben nihts vfgenomen, es fey an dem brief benent oder nit gütlich vnd frewntlichen mit den egenanten herren des Conuents nach vnfer frewnd vnd ander erber lewt raut veraint fein vnd verfchaiden auf ein gantzes ende. Alfo das wir vnernött vnd mit gutem willen in vnd irem Conuent vnd allen iren nachkomen ir egenante hub mit aller irer zugehö-

rung

rung vnd auch mit haws vnd hoffach das darauf stat vnd gebawen ist, gantz vnd gar ledig vnd los haben aufgegeben, vnd vns des alles vnd aller vnsrer rehte vordrung vnd anspruch die wir darzu vnd an sy selben gehebt haben vermainten oder wonten gentzlichen verzigen haben vnd verzeihen mit chrafft des briefs, vnd darumb hand sy vns gegeben vnd bezalt also berait zu vnsern handen sehs reinisch gulden vnd vns darzu ablassen ledig vnd los all gült vnd geltschuld die wir in dauon auch bis auf hewt den tag schuldig gewesen sein. in solicher masse vnd beschaidenhait, das wir noch dhain ander vnser erben noch sust yemant anders von vnsern wegen darnach vnd daran noch an die egenant herren vnd an ir dhainen dem dieselb hub furbass verlihen wirt dhain reht noch ansprauch von dhainerlay bis auf den hewtigen tag als vorbegriffen ist vergangen sache wegen nymmer mer haben sullen noch mügen weder mit reht noch on reht, vnd in darumb noch dhainen iren lewten noch guten auch ir dhainem der dartzu gewant oder verdaht ist, dhainen haas, veintschafft noch schaden nit zuziehen noch schaffen getan werden mit worten noch wercken haimlich noch offenlichen vnd mit dhainerlay sachen in dhain weys Als wir in das alles vnd yeglichs bey vnsern trewen als ob wir darumb zu den hailigen gesworen hätten geloubpt vnd versprochen haben getrewlich ze halten an als gewerd vnd on all argliste. Wa aber wir oder yemant von vnsern wegen das brechen vnd überfuren mit wellichen sachen oder wie sich das fügte vnd des chuntberlichen erweyst wurden so hand sy oder wer in des hilffet, vollen gewalt vnd gut reht sich darumbe vnd swas sy oder yemant anders des schaden nemen ze halten allenthalben zu vnsern leiben vnd guten als zu mainaydem Lewten, das vns dauor nit

schirihr me.n noch freyen sol dhain herschafft noch recht noch dhain genad freyung noch freybriefe noch ichts oder yemand in dhainerlay weise als lang vnd vil bis das in darumb genug beschibt gar vnd gentzlichen on allen abganck vnd on allen iren schaden. Vnd darüber ze vrchund geben wir in den brief versigelten vnd geuestnet mit der Vesten Ersamen *hansen* vnd *Erasems* der *Mutstheik* von *Pyberbach* gebrüder insigeln *b)* die sy durch vnser fleissigen bete willen daran gehenckt hand zu geziuknusse in vnd iren erben on schaden. Darunder wir vns binden mit vnsern trewen an ayds stat als vorbegriffen ist, Alles das waur vnd stat ze halten das hienor geschriben stat. Vnd des sint gezewg vnd tädinger gewesen die Ersamen her *Johans* der Kirchher zu Aekirch, *Albreht Schrag*, *Hanns Geggingar* vnd *Haintz Schmid* ze Langereichen. Geben an Montag vor sant Gregorien tag in vastun *c)* do man zalt nach Cristi geburt vierzehn hundert Jar vnd darnach in dem Sybentzehenden Jare.

a) In praefectura Werting.

b) Primum sigillum est abruptum; secundum laesum.

c) Octaua Martii.

Num. CLXIX. Venditio Curiae in Waltershofen. Anno 1421.

Ex Originali.

Ich Vlrich Wortz der Elter zu Westendorff Ich *Vlrich* *Jochim* vnd *Sigmund* die *Wortzen* all drey sein Sune. Veriehen

vnd

tuen kunt offenlich mit dem brief für vns vnd für all vnser erben vor allermengklich. Das wir mit vereintem mute guten vorbetrachtunge vnd mit rat willen vnd gunst aller vnser erben vnd pesten fruinde vnsern hoff der gelegen ist ze *Wallterfshofen a)* vnd was darzu vnd darein gehört in dorff oder zu vellde an garten an biunden an Eckern an wasser an waid an wisen an holtz an holtzmarken an besuchtem vnd vnbesuchtem, swie das alles genant ist nichtz vsgenomen, vnd ach mit allen den rechten nutzen diensten vnd gülten, vnd er giltet oder gelten mag an grossem vnd an clainen mit besetzen vnd entsetzen, vnd mit aller ehestin vnd gemainsamin, als wir in danne manig Jare mit nutz vnd guter gewer herpracht vnd innen gehebt haben vnd vnser rechtz aigen was für ledig vnansprech vnuerkumert vnd für recht aigen freys vnuogtbers vnzehendber vnstuirber vnd vnzinsber recht vnd redlichen in gutem stätem kauff käuflichen gegeben haben. dem Ersamen vnd weysen her *Johansen* dem *Enndorffer* Burger zu Augspurg frawen *Lucyen* seiner elichin wirtin vnd allen iren erben oder swem sy in hinnafür gebent verkauffent schaffent oder lasent ze haben vnd zu nyessen eweclich vnd geruweclich vmb sechs vnd achtzig guter vnd wolgewegner rinischer guldin, die wir berait von in eingenomen haben vnd gelegt an andern vnsern nutz vnd anligend notdurft. Etc. — — Den wir in ze warm vrkund geben besigelten mit der Ersamen wysen herrn *Peters* des *Bachen* vnd *Johansen* des *Wyelands* burger ze Auspurg Insigeln *b)* die sy durch vnser vlissig bet willen daran gehenkt hand zu warer geziuknuss in vnd iren erben on schaden vnd haben vns darunder verbunden by guten truien war vnd stät ze hallten das dauor geschriben stat. Des kaufs vnd der bett vmb die Insigel sint gezuigen die fromen lüt *Hainrich Pfiffinger*, *Conrat*

Conrat Raud burger ze Augspurg, *Wortwein* von *Blanckenburg* *Vlrich Mair* von Donersperg vnd ander erber lüt genug. Das beschach des nehsten freytags vor dem hailigen Obrosten tag *c*) ze weihennecht do man zalt von Cristi gepurt vierzehenhundert Jar vnd darnach im ainf vnd zwaintzigistem Jare.

a) In praefectura Werting.

b) Sigillum primum laesum, secundum vero illaesum Tab. VII. N. V. reperitur.

c) Festum Epiphaniae domini ita adpellabatur. V. *Helwigs* Zeitrechnung. Feria sexta in tertiam Januarii diem illo anno incidebat.

Num. CLXX. Venditio feudi in Hehenberg. Anno 1422.

Ex Originali.

Ich Klaus Röllbutz von Schöneberg vergich offenlich mit dysem brieff für mich vnd all min erben daz ich zu den zitten do ich daz wol tun. kund. vnd mocht vnd als daz ietzo vnd hie nach billich krafft vnd macht hat haben sol vnd mag an allen stetten vnd vor allen lüten richtern. vnd gerichten gaistliches vnd weltlichen recht vnd redlich verkofft han min lehen daz gelegen ist ze *Hehenberg a*) by Schöneberg daz ich ze lehen gehebt haun von minem gnädigen herrn dem Abbt von sant *Vlrich* ze Auspurg vnd daz haun ich ze ainem stetten koff verkaufft vnd ze koffen gegeben *Vtzen Wilbacher* ze Schöneberg vnd allen sinen erben vmb ächt vnd zwaintzig pfund haller die er mir also bar vnd berait bezalt. vnd gericht haut die an minen vnd miner kind frommen vnd nutz komen vnd bewant find vnd alfo gyb ich im daz vorgenant lehen mit allem dem daz darzu vnd dar in gehört von recht oder gewonhait für ledig vnd vnuerkümert vſſgenomenlich daz es iärlich gen Aufpurg in fant *Vlrichs* Kloster zinft fechtzig Aufpurger pfenning vnd gen Mindelberg vff die feft fyben fchilling haller ze vogtrecht vnd verfprich im daz ze vertigen nach lehens recht als den folicher gut gewonhait herkomen vnd recht ift vngeuärlich div in der herfchaff vnd gelegenhait begriffen find vnd darvmb ze beffer ficherhait fo haun ich vorgenanter *Klaus Röllbutz* dem obgenanten *Vtzen Wilbacher* vnd finen erben zu mir vnd minen erben ze rechten gewern gefetzt minen lieben fun *Hanfen Röllbutzen* vnd minen bruder *Hanfen Schaller* ze Braitenbrunnen bayd vnuerfchaidenlich mit der befchaidenhait ob daz wär daz dem vorgenanten *Vtzen Wilbacher* oder finen erben dehainerlay Inuäll oder irrung gefchäch an dem vorgenanten lehen in der zit vnd frift vere daz im daz gefertiget wär daz allez fol ich vnd min erben vnd die vorgenanten gewern im friuntlich vſſtragen fchlecht machen vertigen vnd vſſrichten gen allermänklich aun allen finen vnd finer erben fchaden vnd wir die vorgenanten gewern veriehen der gewerfchafft triulich aun all gefärd ze halten vnd ze vollfüren als denn hie vor an dem brieff gefchriben ftätt Vnd dez ze vrkund fo haun ich obgenanter *Klaus Röllbutz* vnd mit mir die vorgenanten gewern *Hans* min fun vnd *Hans* min bruder dem vorgenanten *Vtzen Wilbacher* difen brieff gegeben befigelt vnd geueftnet mit der frummen vnd veften Infigel Junkher *Georgen* von *Liechtnowe* vnd *Jacobs* von *Ofthain* Infigel *b*) die fy baidiv durch vnfer fliffiger bett willen offenlich an difen brieff gehenkt haund in felber aun fchaden div vnder wir vns verbinden mit vnferm truien ftätt vnd wär ze halten alles

daz

daz an disem gegenwürtigen brieff geschriben statt wenn wir aygen insigel nit enhaben der geben ist dez jars do man zalt von Cristus geburt vierzehen hundert Jaur vnd darnach in dem zway vnd zwaintzigosten Jaur an sant Agthen tag der hailigen Junkfrawen.

a) In praefectura Mindelheim.

b) Sigilla sunt illaesa.

Num. CLXXI. Adiudicatio decimae in Haunstetten. Anno 1422.

Ex Originali.

Ich Hanns Tischinger Stadtuogte zu Augspurg, Vnd ich Peter Illsung Burggrafe daselbst. Bekennen vnd tun kund allermenglichen mit dem briefe von gerichtswegen, Das für vns kom in gerihte auf das Rathus ze Augspurg do wir an offen rehten sassen vnd der rähten gnug engagen wauren *Lemblin* vnd *Valk* die Juden gebrüder burger zu Augspurg, Vnd offneten mit versprechen, wie das in *Ludwig Stolzhirss* vnd sein elichiv hawsfraw der *Gollenhoferinn* tohter schuldig wären vnd gelten solten etwas namhafter sum geltes, darumbe sy in vmb ein tail derselben geltschulde reht vnd redlichen verpfennt vnd eingesetzt hätten, ir zehenden vss ettlichen des Gotzhuss sant *Vlrichs* vnd sant *Afren* guten ze *Hunstetten*, die in als von der *Gollenhoferinn* irer swiger vnd muter worden vnd von dem yetzo genanten Gotzhus, leibting wären, nach vsweysunge des leibtingsbriefes, den die egenanten Juden in pfandweise

 darüber

darüber im hetten zaigten vnd hören liessen, vnd begerten ze fragen wie sy mit demselben irem pfande gefarn solten, das sy reht tätten vnd nit vnreht. Also ward nach vnser frage ertailt zum rehten das die Juden vnd ich obgenanter Statuogte als von iren vnd gerihtswegen mit meinem offenn briefe. söliche pfand den egenanten *Stolzhirss* vnd sein husfrawen angeboten haben zelösen als pfands reht ist, das aber sy in benenter zeit als sy denne billich solten mit nit gelöst hand noch yemand von iren wegen, Vnd auf dasselbe so hand die obgenanten Juden mit irem egenanten pfande von reht ze reht gehandlet vnd gefarn nach vnderweysunge des rehten mit anlayt, daruss ze nemen vnd damit als durch gesworen vnderchäuffel vail tragen, vnd nach pfands reht gentzlichen verkaufft vnd ze kauffen gegeben. dem Erwirdigen herren *Johannsen* Abpt vnd seinem obgenanten Gotzhus zu sant *Vlrich* vnd sant *Afren* hie zu Augspurg vmb on zwen fünftzig gulden reinischer die er ze aht tagen vnd nyemand über in mer daruff gelegt hat darumb es im auch nach pfands reht verfallen vnd worden ist. dieselben Sum gulden die Juden obgenant an ir geltschulde von im eingenomen vnd empfangen hand. Vnd also ist dem egenanten herren dem Abpt vnd seinem Gotzhus die obgenanten zehenden mit irer zugehörde nützen gülten rehten vnd ehaften nach vsweysunge des egenanten leibtingbriefs vnd auch damit nach pfands reht eingeantwurt mit anlayt vnd mit gerihtshande zu haben zu besitzen ze nyessen geruwiclichen, vnd damit als mit irem aigenlichen gute ze tund vnd ze schaffen was sy wöllend on alle irrung vnd ansprach *Ludwig* des obgenanten *Stolzhirss* seiner wirtin vnd ir erben vnd allermenglichs von irenwegen. wanne das also mit vrteil vnd mit gerihte gehandelt vnd auf der gant offenlichen

nach

nach pfands reht verkaufft vnd vergangen ist nach pfands reht zu Augspurg, des auch die egenanten Juden vnd ir erben vertretter sein sullen zum rehten mit vertigung als denne vmb soliche gut, das nach pfands reht verkaufft wirdet gewönlich vnd reht ist nach der Stat reht zu Augspurg. Des gerihtes begerten sy in ze geben ainen briefe, der ward in auch erkennt ze geben, den wir in geben versigelten mit vnsern aigen Insigeln *a)* zu gezwcknusse vns selben on schaden daran gehencket von gerihtswegen. Vnd sint des gezewg vnd vrtailer gewesen die ersamen weysen *Hainrich Vögelin* der iunger, *Rutiger Langenmantel*, *Vlrich Hofmair*, *Stephan Hangenör*, *Johanns* den *Wyland*, *Hanns Wagner*, der Weber, *Conrat Gerstmair*, *Franz Glöggler*, vnd *Burkart Schuster*, alle Burger vnd an der zeit der Stat rähte zu Augspurg. Geben an sant Margrethen tage. Do man zalt nach Cristi geburt viertzehen hundert Jar vnd darnach in dem zway vnd zwaintzigisten Jaren.

a) De Sigillis illaesis, secundum Tab. VII. N. VI. conspicitur.

Num. CLXXII. Renunciatio Bonorum in Haunstetten. Anno 1422.

Ex Originali.

Ich Jacob Schwabl bekenn offenlich mit disem brieff vmb solich vodrung vnd zuspruch so ich gehabt haun vnd maynet ze haben gen dem erwirdigen herren *Johannsen* Abbt dez gotzhauss sant *Vlrich* vnd sant *Afren* zu Augspurg meinem gnädigen

digen herrn vnd zu ſeinem gotzhauſſ darvmb der vorgenant mein gnädiger herr vnd auch ich ze bayder ſeytt kumen ſein auff den weyſen vnd veſten *Caſparn* von *Thor* die zeyt pfleger zu Landſperg zu ainem gemainem zuſatz in ſölicher maſs daz da zwiſchen vnſer ſich recht volgen ſolt vmb all mein zuſpruch nichtz auſgenomen dar ein ſich aber gelegt vnd angenomen habent die weyſen vnd veſten herr *Steffan* der *Schmiecher* Ritter, *Hanns* von *Villenbach* *Jörg Arrſinger* vnd *Chonrat Oſthaymer* vnd auff payden taylen darzu gerett vnd vns geweyſt haben daz ich vorgenanter *Jacob Schnabl* all mein zuſpruch vnd vodrung kumen pin beſunder vmb ain zway dreyſſig tagwerck wiſmatz die gelegen ſind zu *Hauſſtetten a)* darvmb ich brieff vnd ſigel gehabt haun vnd vber fünf tagwerck wiſmatz da ich vermaynet auch recht zu haben an den vorgenanten meinen gnädigen herren vnd ſein gotzhauſs darzu alle vodrung vnd recht hüntz auff diſen hewtigen tag alz der brieff geben iſt nichtz auſgenomen daz ich alſo kömen pin zu minn auff die weyſen vnd veſten *Caſpar* von *Thor* vnd auff *Petern* den *Marſchalk* pfleger zu Fridberck in ſölich maz waz die benänten mein herren darüber erkennent vnd ſprechent vmb all ſach vnd zuſpruch daz daz mein gantzer will vnd pett iſt, vnd die benänten mein zwen herren haunt mir geſprochen daran ich gantz benügen gehabt haun. Alſo bekenn ich vorgenanter *Jacob Schnabel* für mich vnd all mein erben vnd mänclichs von meinen wegen in kraft dez briefz Alſo daz ich hinfür noch niemant von meinen wegen an meinen vorgenanten gnädigen herren noch an ſein gotzhauſſ vnd nachkomen noch an alle die iren von allen zuſpruch vnd vodrung wegen die ich oder mein erben maynten ze haben hintz auff diſen hewtigen tag nichtz mer ze ſprächen noch ze vodren

ſullen

sollen noch wellen haben weder mit recht noch aun recht noch mit kainen andern sachen in chain weyss, waz auch ich oder mein erben oder yemant von meinen wegen von der vorgenant zuspruch vnd vodrung wegen kriegten oder rechten wellten wider den gagenwirtigen brieff, daz wir dann an aller statt verloren hieten vnd mein vorgenanter gnädiger herr sein gotzhauss vnd nachkomen gewunen. Mer haun ich vorgenanter *Schnabl* meinen gnädigen herren seinem gotzhauss alle die brieff vbergeben die ich gehabt haun von der vorgenant aller zuspruch wegen wär aber daz ich hinfür mer brieff fund daz die sach anträff vnd die fürbracht wurden daz die allenthalben kraft los vnd tod sein wider dän gagenwirtigen brief. Vnd daz ich vorgenanter *Jacob Schnabl* allez obgeschriben wär vnd stät halten wil. Dez gib ich den brieff für mich vnd mein erben besigelt mit den vorgenanten weysen vnd vesten *Casparn* von *Thor* vnd *Peters* des *Marschalkz* anhangenden Insigel *b*) durch meiner fleyssigen pet willen an disen brieff gehenckt haunt in vnd iren erben aun schaden, dar vnder ich mich verpind mit meinen trewen allez zehalten daz geschriben ist, der pett vmb daz Insigel sint zewgen die erbern vnd weysen *Berchtold Stainberger Hainr. Scheyringer Vlr. Weychsner Chonrat Schmalholtz* vnd *Jörg Vischer* all der zeyt burger vnd ratgeben zu Landsperg. Daz geschechen ist an sant Johanns tag in den Weychennächten alz man zalt vierzehen hundert vnd zway vnd zwayntzig Jar.

a) Haunstetten.

b) Sigilla illaesa Tab. VII. N. VII. VIII. occurrunt.

Num. CLXXIII.

Num. CLXXIII. Venditio iuris aduocatiae in Gauggenried et Roggten. Anno 1425.

EX ORIGINALI.

Ich Jörg von Gumppenberg vnd ich *Elspet* sein eliche wirtin Bechennen vnd thun kunt aller mänklichen mit dem brieff für vns vnd all vnser erben das wir mit wolbedachtem mut vnd guter vorbetrachtunge mit vnser nächsten erben vnd frewnde raut vnd gutem willen vnser vogtey vnd vogtrecht die wir gehebt haben vss dez nachbenenten des Gotzhuss zu sant *Vlrich* vnd sant *Affern* zu Auspurg guten daz ist awz dem hofe zu *Gawgenriede* a) den der *Gawgenrieder* yetzund bawet ierklichen tzwaintzigk pfenning landes werung ze Bayrn ye dreizzig pfenning für ain schilling vnd nawn metzen habern vnd ain hun oder darfür siben pfennig vnd ain weyset oder darfür drey pfennig vnd viertzehen schilling müncher pfennig für die vogtdienst vnd awz der müle ze *Rogtun* b) ierlichen tzway pfunt müncher vnd newn metzen habern ain hun oder darfür siben pfennig vnd ain weyset oder darfür drey pfennig vnd sechtzig pfennig für huntgelt dieselben vogtey vnd vogtrecht mit aller zugehörde nutzen gülten rechten vnd ehafften wie daz genant ist als sy vnser vodern salige vnd wir mangew Jar mit nutz vnd mit gewer herbracht inngehebt vnd genossen haben vnd vnser rechtz aygen gewesen ist recht vnd redlichen für ein ledigs vnuerkümertz gut vnd für rechtz aygen zu ainem stätten vnd ymmer ewigen kawf verkawfft vnd ze kawffen gegeben haben dem Erwirdigen herrn herrn *Johannsen* Appt dez obgenanten gotzhuss zu sant *Vlrich* vnd sant *Affern* seinem Couente vnd allen iren nachkomen oder wem sys hinna-

hinnafür gebent verkawffent schaffent oder lassent ze haben vnd ze nyezzen ewicklichen vnd gerüwicklichen vmb tzway hundert vnd on ain dreitzzig reinisch gulden gut an Gold vnd swär genug an rechter wag vnd vmb ain halb pfunt müncher pfennig vnd vierthalb pfennig die wir also berait von in darvmb eingenomen vnd an vnsern vnd vnser erben nutz gelegt haben vnd wir haben in vnd irem gotzhuss vnd allen iren nachkomen die obgenanten vogtey vnd vogtrecht mit allem irem zugehörden nutzen gülten vnd diensten rechten vnd ehafften vnd alle vnsre recht die wir auff den guten gehebt haben oder wonten ze haben nichtz auzgenomen es sey an dem brieff benent oder nicht vnd wie daz genant ist zu rechtem aygen vffgeben vnd vns des verzigen für vns vnd für all vnser erben als man sich aygens durch recht vnd billichen vffgeben vnd verzeichen sol nach aygens vnd landes recht darinn es gelegen ist vnd nach allem rechtem daz weder wir noch dhain ander vnser erben oder frewnde noch sunst yemand anderst von vnsern wegen darnach vnd daran dhain recht noch ansprach nymmer mer gehaben sullen noch mügen von dhainerlay sach wegen weder mit gaistlichem noch weltlichem rechten noch on gericht in dhain weyss noch wege an als geuerde vnd wir sullen ins also stätten vnd vertigen vnd ir recht gewern sein für all irrung vnd ansprach die in mit den rechten daran beschehen nach aigens vnd landes recht darinne es gelegen ist an allen iren schaden, vnd darumb zu besser sicherhait haben wir in vnd dem gotzhuss zu vns vnd vnsern erben vnuerschaydenlichen zu rechtem gewern gesetzt den vesten meinen lieben vettern *Hannsen* vom *Gumppenberg* Marschalk also vnd in der beschaidenhait etc. — Vt supra — Darüber ze vrchund ich obgenanter *Jörg* vom *Gumppenberg* vnd ich obge-

 nante

nante *Elspet* sein wirtin vnd ich obgenanter selbscholl vnd gewer geben disen brieff versigelten vnd geueftent mit vnsern aygen anhangenden Insigeln *c*) alles das war vnd stätt zu halten das an dem brieff geschriben stet daz ist geschehen an pfintztag vor dem Suntag Letare *d*) da man zalt nach Cristus geburd vierzehenhundert Jar vnd in dem fünf vnd tzwaintzigisten Jare.

a) *Gauggenried* nunc locus penitus ignotus haud procul a zusamaltheim extabat.

b) Roggten in praefectura Werting.

c) Sigilla illaesa in Mon. Boic. saepius occurrunt.

d) 15. Martii.

Num. CLXXIV. Compositio Monasterii Christgarten cum Capitulo Werting. Anno 1427.

EX ORIGINALI.

Noverint vniuersi presentes litteras inspecturi lecturi vel audituri quod cum inter nos. *Johem* in Gotmanshouen *Berchtoldum* in Pfaffenhofen et totum Capitulum decanatus nostri *Münster a*) ex vna parte Et religiosos fratres Priorem et conuentum domus *Orti Xpi b*) ordinis Cartusien. ex parte altera super imposicione contribucionis caritatiui subsidii in ecclesia parochiali *Lögun c*) et eius decima maiore per nos facta fuisset questionis et litigiorum materia suscitata. et ad tempus continuata Tandem altissimus ihesus Xps dei patris vnigenitus qui pacis contestator, quam eciam suis coheredibus in celum ascendens

dens reliquit. Se reuocans odium offenfam et fcandalum inter nos amicabilem compoficionem et viam pacis ac concordie folita benignitate conceffit inire per hunc modum Primo quod expenfe a qualibet parcium hincinde facte in iudicio vel extra vtrinque relaxentur nec vna pars alteri occafione premiffarum expenfarum aliquatenus obligetur. Item premiffa ftüra fiue contribucionis impoficio in et fuper decimam maiorem in *Lognaus* de regiftro vbi taxe impofite continentur abradatur et nullo remanente veftigio quo futurum impoficiones fimilis forme occafionem accipere poffint penitus deleatur. Item quod pretacta maior decima permiffe ecclefie in Lagnun in antea futuris temporibus ab huiufmodi impoficionibus et quibuflibet aliis contribucionibus a nobis et noftris futuris fucceforibus tanquam res exempta totaliter intacta et libera dimittatur et permanent Quod fi forte futuris temporibus aliquis ex reuerendis patribus et dnis dnis dyoc. feu epifcopis eccle Auguftn. exiftentibus per excommunicacionis fentencias et alia publica grauamina feu penas ad ipfam premiffam decimam maiorem imponendam feu talliandam fpecialiter, nos artare vel inducere conabitur Volumus et debemus prenotatis fratribus dno Priori et fuo conuentui diem aptam impoficionis neceffarie per nos faciende debito tempore infinuare ipfi prior vel procurator et alius commifferius nomine eorum debent comparere ad audiendum et videndum neceffitatem fpecialem imponendi et ipfam impoficionem ad quam poterunt ipfi vel alius nomine ipforum producere. dicere et agere ibi vel alibi. quod ipfis videbitur vtile. et pro fuis libertatibus conferuandis expedire. feclufis omni dolo et fraude in premiffis vtrobique. In cuius rei teftimonium et ad memoriam futurorum fecimus fieri duas cartas figillis ambarum parcium figillatas et roboratas quarum vna remane-

remanebit aput nos alia penes memoratam domum Orti Xpi ordinis Cart perpetue conſeruanda. Acta ſunt hec in opido Logingen in domo habitacionis diſcreti viri *Vlrici Prün* alias *Zygler* preſentibus honorabilibus et diſcretis viris dno *Hermanno Vogler* Altariſta capelle beate M. virg. Loginge necnon *Vlrico Prün* pretacto ac *Conrado Imhoeffe* opidano eciam Loginge et notario iurato opidi eiuſdem ad premiſſa ſpecialiter rogati et vocati. Anno dni Millimo quadringenteſimo viceſimo ſeptimo circa feſtum beate Agnetis virginis et martiris dni nri Jhu Xpi.

a) Altenmünster, in quo loco erat Decanus, vnde decanatus Münster adpellabatur.

b) Christgarten.

Num. CLXXV. Permutatio bonorum Auguſtae. An. 1427.

Ex Originali.

Ich JACOB PÄWTINGER der Goltſchmid Burger zu Augſpurg vnd ich *Kathrina* ſein eliche Wirtin Verjehen offenlichen mit dem briefe für vns vnd alle vnſer erben vnd tun kunt allermenglichen das wir mit veraintem wolbedachtem mut vnd guter vorbetrachtung nach vnſer frewnd vnd ander erber laut Rat, mit dem Erwirdigen herren herren *Johannſen* Abpt vnd ſeinem Conuente zu ſant *Vlrich* vnd ſant *Affren* hie zu Augſpurg eins gütlichen wechſels vberain komen ſein Alſo das ſy vns vnd vnſern erben vnd nachkomen zu rechtem aygen aufgeben

geben vnd geaignet haben drey hofſtet hewſern vnd hofſachen gelegen in der vorſtat bey ſant Jacobs Capellen, die vnſer vorfaren vnd wir von in vnd irem Gotzhaws ze leiben gehebt vnd nun all drey zu vnſerm badhaus daſelbſt verfangen vnd verpawen haben etc. Vnd darumb haben wir in vnd irem Gotzhaws gegeben die aigenſchaft vnſers angers des bey dritthalben tagwercks iſt gelegen hie zu Augſpurg vor Hawnſtetter tor Stoffet vnden an *Stümler* ander ſeitte an *Claſins Lederius* hindan auf den Welfpach vnd vornan auf die viehwayd der vnſer rechts aigen geweſen iſt vnd den wir nun füro von in vnd irem gotzhaws ze leiben empfangen haben nach ſolicher leibpting brief, darüber gegeben laut vnd ſage. Vmbe das ſo haben wir vns alſo der aigenſchaft vnd aller vnſer rechte, die wir zu vnd an dem egenanten Anger vnd an aller ſeiner zugehörde vor dyſem gagenwertigen wechſel gehebt haben gar vnd gentzlichen, gen dem egenanten herren irem Gotzhaws vnd allen iren nachkomen vertzigen für vns vnd alle vnſer erben vnd als man ſich aigens durch recht vnd billichen aufgeben vnd vertzeihen ſol vnd mag nach aigens recht vnd nach der Statrecht zu Augſpurg, dhain recht noch anſprach an dieſelben aigenſchaft des angers nimmer mer ze haben von dhainerlay ſache wegen weder mit gaiſtlichem noch weltlichen rechten noch on gericht in dhain weys noch weg on als geuerde vnd wir ſullen in vnd dem gotzhaws denſelben anger alſo in maſſe als vorgeſchriben ſtat zu rechtem aigen ſteten vnd vertigen vnd ir recht geweren ſein für alle irrung vnd anſprach die in mit dem rechten daran geſchehen nach aigens recht vnd nach der Stadt recht zu Augſpurg Vnd wär auch das wir oder vnſer erben oder ſunſt yemand anders von vnſern wegen icht altbrief innhetten oder hinfür funden, darinn der

der obgenant anger oder ichtes das darzu gehöret vergriffen wär in wellicher weys oder maynung das wär ir wär ainer oder mer dieselben brief alle sullen nu füro wider den gagenwertigen wechsel vnd briefe tod vnd kreftlos hayssen vnd sein vnd in dhainen schaden sagen noch bringen wo sy dawider fürgezaigt oder verhört wurden es sey vor gaistlichem oder weltlichem rechten, noch ain dhainer stat in dhainen wege, doch vns vnd vnsern erben nu füro an vnserm leibpting des obgenanten angers vnengolten, als nach der obgemelten leibpting brief laut vnd sage, vnd darüber zu vrkund geben wir in irem Gotshaws vnd allen iren nachkomen den briefe versigelten vnd geuestnet mit der Stat zu Augspurg clainem Insigel *a*) das durch vnser fleyssigen bete willen daran gehenckt ist, der Stat on schaden vnd mit meinem *Jacob Pëutingers* aigem Insigel *b*) das dabey hanget, vnd des sint zewge, her *Stephan* der *Hangner* her *Jörg* der *Tenndrich* die do der Statpfleger wauren her *Pauls* der *Lang* her *Herman* der *Nördlinger* vnd ander erber läut gnug, Geben zu Mitteruasten do man zalt nach Cristi geburde viertzehen hundert Jar vnd darnach inn dem sybent vnd zwaintzigisten Jaren.

a) Sigillum ciuitatis est optime conferuatum;
b) *Peitingeri* vero periit.

Num CLXXVI.

Num. CLXXVI. Feudi concessio in Burkwalden. Anno 1428.

Ex Originali.

Ich *Chuntz Peck* vnd Ich *Bartholome Lacher*, *Hanns Greßlin* *Haintz Rechlinger* all vier von Bobingen Bekennen offenlich mit disem brief für vns, vnser erben daz vns der Erwirdig vnd gaistlich herre herr *Johanns* Apt des Gotzhus sant *Vlrich* vnd vnd sant *Affren* ze Augspurg verlihen hat vnser lebtag vnd nicht lenger sein vnd seines Gotzhuss holtz vnd daz gelegen ist ze vnderhalb *Aettenhofen a)* zwischen der zweyr Asang vnd stosset ainhalb vf Englishofer meder vnd daz sein vnd seines Gotzhuss rechtz aygen ist, Also vnd mit der beschaidenhait daz wir daz holtz nyezzen sullen zu vnser notturft, vnd sullen vnserm obgenanten herren seinem Gotzhuss vnd nachkomen iercklichen da von geben besunder vnser yeglicher sechs guter Behemischs gross ye zwischen sant Michels tag vnd sant Martins tag. Tatten wir des nicht so hat vnser yetzgenanter herr sein nachkomen vollen gewalt vnd gut recht vns all vier vnd vnser erben all vnuerschaidenlichen oder vnser ainer darüber ze nötten mit Gaistlichem oder mit weltlichem rechten weders in bass füget, alz lang vnd alz vil bis daz im vnd seinem Gotzhuss vnd nachkomen ain benügen beschicht, vnd wes sy des schaden genomen hetten vnd wan wir vorgenante vier gestorben vnd abgangen seyen von todes wegen so ist vnserm obgenanten herren seinem Gotzhuss vnd nachkomen daz obgenant holtz mit aller seiner zugehörung ledig vnd loss worden von vns vnsern erben vnd menglich von vnsern wegen, vnd des ze vrkunt geben wir vnserm oftgenanten herren

seinem

feinem Gotzhufs vnd nachkomen difen brief für vns vnfer erben befigelten vnd geueftnet mit des Erfamen vnd weyfen *Gabriels Vögelins* Burger ze Augfpurg ayem anhangendem Infigel *b*) daz er durch vnfer fleiffigen Bete willen an difen brief gehencket hat, im felbs vnd feinen erben an fchaden. Bete des Infigels find zewgen die erbern *Vlrich Wagner* vnd *Chunrat Priefter* bayd Burger ze Augfpurg. Geben do man zalt nach Crifti gepurd vierzehenhundert Jar vnd darnach in dem acht vnd zwaintzigiften Jaren an Mitwochen vor dem weiffen Suntag. *c*)

a) Nunc *Burkwalden* in praefectura Goegging.

b) Sigillum eft laefum.

c) 17. Februarii.

Num. CLXXVII. Inftrumentum Confirmationis electionis Abbatis Henrici. Anno 1428.

Ex Originali.

In nomine dni amen. JOHANNES KAUTSCH in decretis Licenciatus in Xpo patris et dni dni PETRI dei et apoftolice fedis Epifcopi Auguften. Vicarius in fpiritualibus generalis Vniuerfis et fingulis prefentes litteras infpecturis falutem in dno cum noticia fubfcriptorum. Cum vacante abbatia Monafterii fanctorum *Vdalrici* et *Affre* ordinis fci *Benedicti* Auguften. per obitum quondam pie memorie *Johannis Kiffinger* immediati eiufdem Monafterii Abbatis religiofi fratres *Johannes Diintzelbach* Prior

Prior *Johannes Irdenburger Vlricus Loffler Erhardus Ellerbach Hainr. Hewter Hainr. Schübel Johannes Wessisprunner Johannes Marquardi* et *Johannes Keck* Monachi professi dicti Monasterii capitulum et conuentum eiusdem Monasterii pro tempore representantes, ne ipsum Monasterium proprio pastore careat, et lupus rapax gregem inuadat dominicum aut in suis facultatibus seu disciplina monastica graue dispendium paciatur, ad electionem futuri prelati procedere cupientes, tandem ipsi fratres seu conuentuales dicti monasterii preueniendo huiusmodi defectus in statu vtroque spirituali et temporali ad sonum Campane vt moris est capitulariter congregati et seruatis seruandis ac adhibitis solempnitatibus debitis votum et animum suum in personam religiosi viri fratris *Heinrici Hewter* professum eiusdem Monasterii nemine discrepante direxerunt, ac ipsum in abbatem et pastorem eiusdem ecclesie eligerunt et nominauerunt, prout in decreto sue electionis in publici instrumenti forma desuper confecto sigilli dicti conuentus appensione communito nobis exhibito plenius vidimus contineri Nobisque vnacum dicto electo humiliter supplicarunt, quatenus dictam electionem tamquam rite et canonice factam auctoritate ordinaria nobis in hac parte specialiter commissa approbare dignaremur et gratiosius confirmare. Quod tamen alias more solito duximus differendum. Considerantes in ipso negotio dictum Apostoli *Nemini cito manus imponas* proclamacionem premisimus ac fieri precipimus manifestam, vt si quis esset qui se dicte electioni vel persone electe opponere vel contra electionis formam quidquam dicere vellet ipsum parati essemus audire prout dictaret iuris ordo. Quo quidem termino adueniente et nullo obiectore in dicto negocio comparente Nos itaque in huiusmodi confirmacionis negocio rite procedere volentes Quia per

 diligen-

diligentem inquiſicionem vacacionem dicti monaſterii modo premiſſo necnon ydoneitate ſufficiencia et habilitate perſone dicti electi ex teſtium fide dignorum per nos receptorum iuratorum et examinatorum dictis et depoſicionibus legitime informati peticionem Prioris et conuentus necnon electi predictorum tanquam iuſtis fauorabiliter annuentes, ne prefatum monaſterium ſiue viduitatis diucius deploret incommoda et eius populus in ſpiritualibus et temporalibus periculoſe diſpendia paciatur de iuriſperitorum conſilio ipſam electionem de perſona dicti fratris *Henrici Hwter* ſupradicti monaſterii expreſſe profeſſum, de legitimo matrimonio procreati in ſacerdocio conſtituti apud nos de vita et moribus multipliciter commendati ſic vt premittitur celebratam, tamquam rite et canonice auttoritate ordinaria nobis in hac parte a ſupradicto dno nro epo viue vocis oraculo ſpecialiter commiſſa qua fungimur approbamus et ex certa ſciencia preſentibus confirmamus eundem fratrem *Heinricum Hwter* in Abbatem dicti monaſterii ſanctorum *Vdalrici* et *Affre* et prelatum per manuum noſtrarum impoſicionem in dei nomine legitime preficientes in hiis ſcriptis curam et adminiſtracionem prefati monaſterii in ſpiritualibus et temporalibus ſibi in animam ſuam committendo ſperantes eciam quod per ipſius dni *Heinrici* laudabile et ſalubre regimen ipſum monaſterium in ſtatu vtroque continuum recipiat incrementum, Nobiſque eciam tamquam loci ordinario ſub debita verborum forma coram notario noſtro iurato publico infraſcripto ad ſancta dei ewangelia manu ſua dextra corporaliter tacta corporale preſtitit iuramentum quod dno nro PETRO Epo eiuſue ſucceſſoribus Epis Auguſten. Canonice et rite intrantibus obedienciam et reuerenciam debitam exhibere eiuſque ac eciam vicariis et officialibus ſuis mandatis licitis et honeſtis obedire et parere et dicto monaſterio

ſterio ſanctorum *Vdalrici* et *Affre* Auguſten. de quo ſibi prouiſum eſt et fideliter commiſſum ſecundum ipſius regulam pro poſſe regere et eidem prouidere bona et iura ipſius ac ſingula alia ad ipſum monaſterium pertinencia legitime defendere velit cum effectu et nullo modo ſine ipſius dni nri Epi conſenſu eiuſque ſucceſſoribus alienare. Quare eiuſdem monaſterii conuentualibus et perſonis quibuſcunque necnon colonis cenſuariis reddituariis ac omnibus aliis quorum intereſt ſeu intererit quomodolibet in futurum firmiter precipimus et mandamus quatenus ipſum dnm *Heinricum* Abbatem ſanctorum *Vdalrici* et *Affre* predicti monaſterii congruo honore preueniant ac reuerenciam et obedienciam ſibi debitas et condignas exhibeant ac monitis et mandatis eius pareant cum effectu, et eciam de ſingulis fructibus redditibus iuribus et obuentibus vniuerſis ad ipſum monaſterium ſanctorum *Vdalrici* et *Affre* ſpectantibus ſatisfaciant ſibi tanquam vero Abbati integre reſpondeant, contradictoribus ſi qui fuerint per cenſuram eccleſiaſticam perpetuum ſilencium imponendo. In quorum omnium et ſingulorum euidens teſtimonium preſentes litteras per *Johem Witſtat* notarium publicum nrm infraſcriptum fieri mandauimus et ſigillo dni nri epi prelibati quo vtimur in officio ſuo vicariatus appenſo fecimus legitime communiri. Acta et facta ſunt hec Auguſte in aula Epiſcopali anno dni Millio quadringenteſimo viceſimo octauo, die vero tercia menſis Julii hora primarum vel quaſi Pontificatus Sanctiſſimi in Xpo Patris et dni nri dni Martini diuina prouidencia pape Quinti anno vndecimo preſentibus ibidem venerabilibus et diſcretis viris dno *Johanne Goſſolt* ſci *Mauricii* Decano magiſtris *Johanne Gwerlich* canonico et cuſtode *Johanne Reſch* egregiis decretorum doctoribus ac *Cunrado Hal-*

der ſci *Vdalrici* plebano ecc. Auguſten teſtibus ad premiſſa vocatis ſpecialiter et rogatis.

Et Ego *Johannes Wiſtat* clericus Herbipolen. dioc. publicus apoſtolica et Imperiali auctoritatibus Curieque Auguſten Notarius collateralis iuratus etc.

Num. CLXXVIII. Martini Papae V. Bulla confirmationis. Anno 1428.

Ex Originali.

MARTINUS Eps Seruus Seruorum dei. Dilecto filio *Henrico* Abbati Monaſterii ſanctorum *Vdalrici* et *Affre* Auguſten. ordinis ſancti *Benedicti* ſalutem et apoſtolicam benedictionem. Apoſtolice ſolicitudinis ſtudium circa diuerſa que noſtris agenda incumbunt humeris eſt potiſſimum vt circa eccleſiarum et Monaſteriorum omnium ſtatum ſalubriter dirigendum, ſic diligentia contemplemur intenta, quod eccleſie et monaſteria ipſa noſtre prouiſionis auſpiciis ſuperni ſuffragante fauoris auxilio preſeruentur a noxiis et ſalubribus proficiant incrementis, Exhibita ſiquidem nobis nuper pro parte tua petitio continebat, quod olim monaſterio ſanctorum *Vdalrici* et *Affre* Auguſten. ordinis ſancti *Benedicti*, cui quondam *Johannes* illius *a)* Abbas dum viueret preſidebat, per obitum eiuſdem *Johannis*, qui extra Romanam curiam diem clauſit extremum Abbatis regimine deſtituto, dilecti filii Conuentus dicti Monaſterii pro celebranda futuri inibi Abbatis electione vocatis omnibus et ſingulis qui voluerunt et debuerunt huiusmodi electioni commode intereſſe

die

die ad eligendum prefixa vt moris eſt conuenientes in vnum te eciam tunc Monachum dicti Monaſterii ordinem ipſum expreſſe profeſſum et in ſacerdotio conſtitutum in eorum et prefati Monaſterii cuius abbatialis menſe fructus redditus et prouentus Triginta Marcharum argenti ſecundum communem extimationem valorem annuum non excedunt et pro cuius prouiſione ad ſedem apoſtolicam recurſus haberi non conſueuit Abbatem concorditer elegerunt, tuque electioni huiuſmodi illius tibi preſentato decreto conſentiens eam a venerabili fratre noſtro *Petro* Epo Auguſten. auctoritate ordinaria confirmari obtinuiſti in hiis omnibus ſtatutis a iure temporibus obſeruatis necnon vigore electionis de te facte et confirmationis predictarum poſſeſſionem vel quaſi regiminis et adminiſtrationis bonorum eiuſdem Monaſterii fuiſti aſſecutus. Cum autem ſicut eadem petitio ſubiungebat de electionis predicte vt premittitur de te facte et confirmationis huiuſmodi iuribus ab aliquibus heſitetur. Nos igitur apud quos de religionis zelo vite munditia honeſtate morum ſpiritualium prouidentia temporalium circumſpectione et aliis virtutum donis multipliciter commendaris tuis et eiuſdem monaſterii ſtatui ac indemnitatibus ſuper hiis cupientes oportune prouidere, tuis in hac parte ſupplicationibus inclinati volumus et apoſtolica tibi auctoritate concedimus, quod electio de te vt prefertur facta, et confirmatio predicte prout alias rite proceſſerunt ac quecunque inde ſecuta perinde a dato preſentium valeant plenamque obtineant roboris firmitatem in omnibus et per omnia, ac ſi per nos et ſedem ipſam nulla de prouiſione dicti Monaſterii ſpecialis vel generalis reſeruatio facta foret. Non obſtantibus conſtitutionibus et ordinationibus apoſtolicis et aliis contrariis quibuſcunque. Nulli ergo omnino hominum liceat hanc paginam noſtre conceſſionis et voluntatis

infrin-

infringere vel ei ausu temerario contraire. Si quis autem hoc attemptare presumpserit indignationem omnipotentis dei et beatorum *Petri* et *Pauli* Apostolorum eius se nouerit incursurum. Datum Genezani Penestrin. dioc. Id. Augusti Pontificatus nri Anno vndecimo. *b*)

a) *Joannes Kissinger.*

b) MARTINUS V. vndecima Nou. 1417. electus est; vndecimus itaque pontificatus annus in an. 1428. incidit.

Num. CLXXIX. Fundatio Anniuersarii. Anno 1428.

EX ORIGINALI.

Wir HEINRICH von Gotes genaden Abpt herr *Hanns* der Prior vnd mit vns der gemain Conuent des Gotzhuss sant *Vlrich* vnd sant *Affren* ze Augspurg etc. Bekennen offenlich mit disem brief für vns vnd vnser nachkomen daz vns der Erber *Chunrat Knoll* Burger ze Augspurg Got dem Almechtigen vnd seiner hochgelobten maytlichen muter *Marien* vnd allem hymelischem her ze lob vnd ze eren vnd auch ze hilff vnd ze trost seiner Sele vnd *Agnesen* seiner elichen wirtin saligen Sele vnd allen seinen vordern vnd nachkomen vnd gemainclichen allen Cristen gelaubigen selen in daz oblay also bar geben hat achtzehen guldin alles guter vnd gerechter wolgewegner reinischer die wir an vnser Gotzhus nutz gelegt haben, Also vnd mit der beschaidenhait daz wir vnd vnser nachkomen alle Jar ierclichen vnd ewicklichen recht vnd redlichen begann sullen obgenanten *Knollen* vnd *Agnesen* seiner wirtin Jartag ye an sant fant Walpurgen tag acht tag vor oder acht tag darnach vngeuarlichen des nachtes mit ainem placebo vnd mit ainer vigil vnd ze morgens mit ainer gefungen Selmefs vnd dauon fol vns ain yeglicher Oblayer der dan yedes iar Oblayer ift ierck-lich ainen guten gerechten reinifchen guldin verdienen aufs vnfer Oblay, vnd von dem felben guldin auf den obgenanten Jartag ierckliche geben ainem yeglichem Cufter zwelff pfenning alfo daz er zu der Selmefs vier erber Kerzen aufzünden fol vnd ainem yeglichem Luitpriefter acht pfenning vnd ainem fürpfaffen vier pfenning Alfo daz fy des nachtes bey der vigil feyen vnd ze morgens bey der Selmefs vnd auch den obgenanten Jartag iercklich verkünden an offner Kantzel vnd daz vbrig gelt daz dannocht vor handen belibet an dem vorgenanten guldin daz fol dann in den vorgenanten Conuent gegemainclich getailt werden nach an zal vngeuärlichen, vnd wär daz wir der Conuent, oder vnfer nachkomen an dem egefchriben Jartag fümig vnd hinläffig wären vnd den nicht begiengen in mafs alz vorgefchriben ftat welhesJars daz wär, So fyen wir der Conuent vnd vnfer nachkomen gepunden vnd verfallen dez felben Jars ze pen ze geben den obgefchriben reinifchen verdienten guldin vzz vnfer Oblay den heyligen vnd heiligen pflegern zu fant *Vlrich* vnd fant *Affren* in vnfer zech an alles geuerde vnd widerrede Des ze vrkunt geben wir difen brief befigelten vnd geueftnet mit vnferm vnd vnfers Conuents Infigeln *a*) die bayde daran hangend. Geben do man zalt nach Crifti gepurde vierzehenhundert Jar vnd darnach in dem acht vnd zwaintzigiften Jaren an freytag vor fant Bartholomeus tag Apli. *b*)

a) Sigilla funt valde laefa. *b*) Vicefima Augufti.

Num. CLXXX.

Num. CLXXX. Martini V. P. Bulla. Anno 1428.

Ex Originali.

MARTINUS Eps Seruus Seruorum Dei. Dilectis filiis *Henrico* Abbati et Conuentui Monasterii sanctorum *Vdalrici* et *Affre* Augusten. ordinis sancti *Benedicti* impresentiarum existentibus salutem et apostolicam Benedictionem. Prouenit ex vestre deuotionis affectu, quo nos et Romanam ecclesiam reueremini, vt petitiones vestras, illas presertim, que animarum vestrarum salutem respiciunt ad exauditionis gratiam admittamus. Hinc est quod nos vestris supplicationibus inclinati, vt confessor, quem quilibet vestrum duxerit eligendum, omnium peccatorum vestrorum de quibus corde contriti et ore confessi fueritis, semel tantum in mortis articulo plenam remissionem vobis in sinceritate fidei in vnitate sancte Romane ecclesie ac obedientia et deuotione nostra vel successorum nostrorum Romanorum Pontificum canonice intrantium persistentibus auctoritate apostolica concedere valeat deuotioni vestre tenore presentium indulgemus. Sic tamen quod idem Confessor de hiis de quibus fuerit alteri satisfactio impendenda eam vobis per vos si superuixeritis vel per alios si tunc forte transieritis faciendam iniungat, quam vos vel illi facere teneamini vt prefertur. Et ne quod absit propter huiusmodi gratiam reddamini procliuiores ab illicita imposterum committenda, volumus quodsi ex confidentia remissionis huiusmodi aliqua forte committeretis, quo ad illa predicta remissio vobis nullatenus suffragetur. Et insuper quod per vnum annum a tempore quo presens nostra concessio ad vestram notitiam peruenerit computandum singulis sextis feriis impedimento legitimo cessante, ieiunetis, quod si predictis

feriis

feriis ex precepto ecclesie regulari obseruantia iniuncta penitentia voto vel alias ieiunare teneamini, vna alia die singularum septimanarum eiusdem anni, qua ad ieiunandum vt premittitur non sitis astricti ieiunetis. Et si in dicto anno vel aliqua eius parte essetis legitime impediti Anno sequenti vel alias quam primum poteritis modo simili supplere huiusmodi ieiunium teneamini. Prorro si forsan alias prefatum ieiunium in toto vel in parte quandoque adimplere commode nequiueritis eo casu Confessor ydoneus, quem ad hoc quilibet vestrum elegerit ieiunium ipsum in alia pietatis opera prout animarum vestrarum saluti expedire viderit commutare valeat, que vos pari modo debeatis adimplere. Alioquin huiusmodi presens nostra concessio quo ad premissa non obseruantes nullius sit roboris vel momenti. Nulli ergo omnino hominum liceat hanc paginam nostre concessionis et voluntatis infringere vel ei ausu temerario contraire. Si quis autem hoc attemptare presumpserit indignationem omnipotentis dei et beatorum *Petri* et *Pauli* Apostolorum eius se nouerit incursurum. Dat. Rome apud sanctos apostolos X Kl. Octobris Pontificatus nostri anno vndecimo.

B. de *Puteo.*

a) Bulla plumbea e serico filo dependens est illaesa.

 Num. CLXXXI.

Num. CLXXXI. Apocha solutarum Annatarum. An. 1429.

EX ORIGINALI.

Wir PETER von Gotes vnd des heyligen ftuls genaden Byfcheoff ze Augfpurg Bekennen vnd veriehen offenlich mit kraft ditz briefs daz vns vnfer lieber vnd Andechtiger herr *Hainrich* Abt des Gotzhus fant *Vlrich* vnd fant *Affren* ze Augfpurg fant Benedicten Ordens auf difen hewtigen tag nach datum des briefs bericht vnd bezalet hat vierdhalbhundert guldin reinifcher gut an Golde vnd fchwär genug an rechtem gewicht etc. von der erften nutze wegen als er Abt worden ift, darüber mit vns überain kómen ift, derfelben vierdhalbhundert guldin fagen wir in vnd fein Gotzhus vnd nachkomen für vns vnfer Gotzhus vnd nachkomen quit ledig vnd lofs, vnd des zu vrkunt geben wir im vnd feinem Gotzhus vnd nachkomen difen brief befigelten vnd geueftnet mit vnferm aygem anhangendem Infigel *a)* Geben do man zalet nach Crifti gepurd vierzehenhundert Jar vnd darnach in dem newn vnd tzwaintzigiften Jaren an Montag nach dem weiffen Suntag. *b)*

a) Sigillum eft illaefum.

b) Dominica prima quadragefimae, quae illo anno in 13. Februarii incidebat.

Num. CLXXXII.

Num. CLXXXII. Eiusdem Bulla. Anno 1429.

Ex Originali.

Martinus Eps Seruus Seruorum Dei. Dilecto filio Officiali Augusten. Salutem et apostolicam benedictionem. Quia nobis dilecti filii Abbas et conuentus monasterii sanctorum *Vdalrici* et *Affre* Augusten. Ordinis Sci *Benedicti* petitione monstrarunt, quod olim Abbatissa et Capitulum secularis ecclesie sancti *Stephani* Augusten. in qua preter dictam Abbatissam non nulle seculares Canonice capitulum facientes fore noscuntur. falso asserentes, quod ipsi Abbas et Conuentus eos possessione vel quasi iuris secandi colligendi et recipiendi ligna in silua siue foresta *der von Berkheim holtz a*) alias sancti *Vdalrici* communiter nuncupata in diec. Augusten. consistente contra iustitiam spoliarunt ipsos Abbatem et Conuentum super hoc petendo se ad possessionem huiusmodi restitui coram *Radulfo Medici b*) Canonico Augusten. cui venerabilis frater noster Petrus Eps Augusten. causam huiusmodi auctoritate ordinaria audiendam commiserat et fine debito terminandam pretextu commissionis huiusmodi fecerunt ad iudicium euocari, tandem vero pro parte ipsarum Abbatisse et capituli quodam in huiusmodi causa dato libello pro parte Abbatis et Conuentus predictorum fuit coram eodem canonico excipiendo propositum quod cum dictus libellus foret generalis et obscurus prout ex ipsius tenore liquide apparebat dicti Abbas et Conuentus eidem libello minime respondere tenebantur et ad id compelli de iure non poterant nec debebant. Et quia dictus canonicus nichilominus per eos ipsi libello respondendum fore per suam interlocutariam declarauit iniquam pro parte Abbatis et conuentus prefatorum sententia exinde indebite se grauari fuit ad sedem apostolicam appellatum. Quocirca discretioni tue per apostolica scripta mandamus, quatinus vocatis qui fuerint vocandi et auditis hinc inde propositis quod iustum fuerit appellatione remota decernas faciens quod decreueris per censuram ecclesiasticam firmiter obseruari. Testes autem qui fuerint nominati si se gratia odio vel timore subtraxerint censura simili appellatione cessante compellas veritati testimonium perhibere. Dat. Rome apud sanctos apostolos v. Kl. Marcii Pontificatus nri anno duodecimo.

a) In ditione Wellenburg.

b) Rudolphus Arzet.

c) Bulla est illaesa.

Num. CLXXIII. Sententia nemus in Burkwalden concernens. Anno 1429.

EX ORIGINALI.

Ich HANNS TISCHINGER Statuogte zu Augspurg Bekenn vnd tun kundt allermenglichen die den brief sehen oder hören lesen das für die Ersamen vnd weysen meinen herren die Ratgeben hie zu Augspurg in offen Rate do ir gnug engagen waren komen sint zu gerichte der Erwirdig her *Hainrich* Abpt des Gotzhaws zu sant *Vlrich* vnd sant *Affren* hie zu Augspurg auf ainem vnd der erber *Vlrich* von *Villbach* auf dem andern tail bed an der zeit Burger hie zu Augspurg a) als von sollicher zwyhellunge wegen die sy mit einander hetten von ettlicher holtz von holtzmarke wegen die sy beder seytte haben vnd

vnd bey *Ettenhofen* b). ze nechst an einander gelegen sint derselben höltzer ir ains das dem Gotzhaws zugehöret genant ist *Ettenhofen*. Vnd *Vlrichs* von *Vilibach* holtz genant *Tewfelstal* vnd als man da von bayden tailn clag vnd widerrede verhöret hat, so ist das, durch die Räte erkennt vnd mit vrteil gesprochen zu einer gesworen Kuntschafft mit einander ze suchen Also wer da die bessern sag hab oder gewinne der full des genyessen vnd dabey als Kuntschafft recht ist beleiben. Vnd als sy von beder seytte zu solicher Kuntschafft Erber vnuersproch(e)n Manne yetwederer tail so er mayst gehaben möcht gebeten vnd braht, die auch darumb ein warhait ze sagen so vil vnd wars ir yedem darumb kundt vnd wissend wäre gelert ayde zu got vnd den heiligen mit aufgebotten vingern gesworen hand. Vnd darzu dann die Ratgeben hie zu Augspurg zwen vss iren Räten gegeben vnd geschickt hand bey solichen vndergang vnd Kuntschafft zelein, vnd ir yedes sage in schriffte zenemen füro darauf ze sprechen als vor begriffen stet etc. Also sint sy darumb z* beder seytte nach dem vnd sollich vndergang vnd Kuntscafft gangen ist widerumbe zu recht komen für die Räte des spruches als da ze warten, vnd hand da solich sage in schrifft yetweder tail an einem zedel fürgelegt in recht, die die räte aigenlich verhört vnd darauf erkennt vnd gesprochen hand als hienach geschriben stet. Vnd wann aber alle die die von *Vlrichs* von *Vilibach* wegen den vndergang getan hand vnd auch ir ettliche vff des egenanten herren von sant *Vlrichs* tail, ir sage mir gesetzt hand auf ir vördern die abgangen sint von tods wegen von den sys gehört vnd doch von in selbs der sache dhain aigenschafft noch wissen gehebt hand weder vnderschaid noch marke ze geben vnd ir ainer auf des egenanten von sant *Vlrichs* tail genant der Priester der

auch

auch mit den andern den vndergang getan hat gar lautter auf seinen gesworen ayde gesagt hat im sey kund vnd wissen als die flū herein gat durch die selben höltzer, das des obgenanten herren vnd seins Gotzhaus zu sänt *Vlrich* holtz vndan daran stōss vnd gat alsō für sich aufhin bis auf den perg hinauf bis zu der aichen die da stat zwischen *Ettenhofen* holtz vnd des *Teufeletal* etc. Darauf ist erkennt vnd gesprochen mit vrteil zum rechten dem egenanten herren von sant *Vlrich* vnd seinem Gotzhawss die bessere sage fürohin dabey ze beleiben in masse als hieuor begriffen stet one irrunge vnd ansprach *Vlrichs* von *Vilibach* vnd seiner erben vnd allenmenglichs von iren wegen on als geuerde. Des gerichtes begert der egenant herre von sant *Vlrich* im vnd seinem Gotzhaws ze geben einen briefe, der ward in auch erkennt mit vrteil, den ich also gibe versigelten mit meinem aigen Insigel *c*) zu gezewgknusse mir selben on schaden daran gehenket von gerichts wegen. Vnd des sint gezewg vnd vrteiler gewesen die Ersamen weysen her *Conratt* der *Vögelin* her *Gabriel* der *Ridler*, die do der Stat Pfleger waren, her *Vlrich* der *Hofmair*, der *Vlrich Langenmantel*, her *Jacob* der *Straufr* vnd andere erber Ratgeben gnug. Geben an Donrstag vor sant *Affren* tage *d*) do man zalt nach Cristi gepurde vierzehen hundert Jar vnd darnach in dem Nawn vnd zwaintzigisten Jaren.

a) Ex hisce verbis colligi poterit, abbatem etiam SS. Vdalrici et Afrae ciuitatis iure tunc temporis gauisum fuisse.

b) Nunc Burkwalden. *c*) Sigillum illaesum. *d*) 4. Augusti.

Num. CLXXXIV.

Num. CLXXXIV. Adiudicatio Siluae prope Wellenberg. Anno 1430.

Ex Originali.

Ich Hans Tischinger Stadtuogt zu Augspurg Tun kunt allermenglichen mit dem brief von gerichtswegen das für die Ersamen fürsichtigen vnd weysen mein herren die Rautgeben der Stat zu Augspurg in ir Rate do der Rautgeben genug engagen wauren komen ist der Erwirdig herre herr *Hainrich* Abbt des Gotzhuses zu sant *Vlrich* vnd sant *Afren* zu Augspurg vnd clagt alsso durch seinen redner hintz dem ersamen *Stephan* den *Aunsorgen* burger zu Augspurg wie im der hindernüss vnd einfäll tätte an ainem holtz gelegen by *Wellenburg* a) by dem weg, der da gaut von Wellenburg gen Berkhaim vnd von dem Markpaum oben hinuf bys oberhalb des Schretzzers prunnen, als denne das mit marken vssbezaichent vnd gemerket wär das im vnd seinem Gotzhus zugehorte vnd patte denselben *Aunsorgen* zu weysen in vnd sein Gotzhuse an demselben holtz vngehindert zu lauffen obe er aber des also nit vermainte ze tun So begerte er nit anders dann ain erbere Kuntschaft darumb zu ergann lauffen durch frum alt lüt den denne kunt vnd wissend darumb wäre vnd was sich also an ainer Kuntschaft erfunde wöllte in wol benügen Dawider antworte derselb *Stephan Aunsorg* auch durch seinen redner vnd sprach Er getruwote zu got, vnd dem rechten, das zu demselben holtze, der egenant herre zu sant *Vlrich* noch yemand anders kainerlay rechtens nit enhetten wann es sein wäre als er auch des gut brief hätt, vnd begert anders nit dann dieselben sein brief zu verhören, vnd das dornach beschäch was recht

recht wäre als nu die obgenanten mein herren baydertayl clag vnd widerrede auch des *Aunſorgen* brief aygenlichen eingenomen vnd verhörten Sprauchen ſy zum Rechten, das der egenant *Aunſorg* in drey vierzehen tagen, vnd in drey tagen gegen dem egenanten herren —— den Abbt zu ſant *Vlrich* lüt zu ainer Kuntſchaft pringen ſollte für ainen raut. So er maiſt möchte deſsgelichen derſelb herr zu ſant *Vlrich* auch, die alle vorhin dorumb geſworen hätten, vnd die ſollte man des *Aunſorgen* brief vor ainem raut lauſſen hören, vnd das och die die diu mark vnd die Kuntſchaft-ſuchen würden als daruff ſweren ſollten zu Got vnd den hayligen, vnd wie dann ſy alle, oder ir der merer tayl vff ir ayd vſsſprechen, oder diu mark betzaychenten, da by ſollte es beleyben on bayder tayl widerſprechen, Vnd obe aber der *Aunſorg* dem alſo in derſelben zeyt mit lüten, nit nachkome, ſo ſollte es beleyben by der ſage die vormals durch die, die denne von des herren zu ſant *Vlrich* wegen gegangen warn, beſchehen wäre, die im auch das vorgenant holtz zugeſagt hetten, gentzlichen beleyben, Vnd als im die zeit vollgienge do kome der egenant meins herren des Abbts zu ſant *Vlrich* pottſchaft mit namen *Conrat Kaſtner* für ainen Raut vnd melldot, alſ da vor dem raut wie der *Aunſorg* dem nit nachkomen wäre, als denne ain raut erkennt vnd geſprochen hatte, Daruff ward erkennet, das der egenant mein herre zu ſant *Vlrich*, das egenant ſein holtz nyeſſen ſollte nach ſeiner notdorft, Vnd ob in der *Aunſorg* als darüber fürbaſſer irren wöllte ſo möchte er ſein antwort daruff tun nach allem herkomen der ſach, vnd daby beleyben, was dem vorgeſprochen wär, oder ob es not tät, fürbaſſer daruff erkennet wurde, Dornach kome der egnnant *Stephan Aunſorg* aber für ainen raut, vnd begert im der ſach ainen

lengern

lengern vffschlag zu geben wan er seiner lüt, vff die zeyt nit möchte gehaben, So vermainte er dem nachmals nachzekomen als denne vormals durch ainen raut erkennet vnd gesprochen wär. Des ward im aber mer, dann ainsmals tag gegeben dem also nachzekomen des er aber nit getun mochte. Vnd vff das ward am letsten durch die obgenant meinen herren die Rautgeben zu beschliessung der sache zum rechten erkennet das der obgenant mein herr zu sant *Vlrich* vnd alle sein nachkomen das obgenant holtz hinfüro geruwiclichen innhaben vnd nyessen sollten als andriu des Gotzhus gute, Vnd das auch der egenant *Stephan Aunsorg* noch dhain sein erben friund noch nachkomen hinfüro ewiclichen dhain recht, vordrung non ansprach, dornach noch doran nymmer mer haben noch gewinnen söllten weder mit recht noch on Recht noch sunst mit dhainen andern sachen, an dhainer stat, in dhain weyse, vssgeschlossen all arglist vnd gefärde, Vnd des begert in der oftgenant mein herr zu sant *Vlrich* ainen gerichtsbriefe zu geben der im auch mit recht ward erkennet, Also gib ich im den brief von gerichtswegen mit meinem aygen Insigel *b*) versigelten das ich doran gehenkt haun, mir vnd meinen erben on schaden, Des sind getziugen die Ersamen weysen her *Stephan* der *Hangenor* her *Herman* der *Nördlinger*, die dotzemal bayd burgermaister waren, *Conrat* von *Hall* vnd *Jacob Struss* baydertayl redner vnd ander erber lüt genug Der brief ist geben an donrstag nach sant Jacobs tag *c*) der merorn Nach Cristi vnsers herren gepurt viertzehenhundert vnd im dreissigosten Jaren.

a) Haud procul ab Augusta. *b*) Sigillum est illaesum.

c) Vicesima septima Julii.

Num. CLXXXV.

Num CLXXXV. Conuentio inter Monast. S. Vdal. et Canonissas S. Stephani facta. Anno 1431.

EX ORIGINALI.

In nomine dni Amen. Per hoc presens publicum instrumentum cunctis ipsum intuentibus pateat euidenter quod sub anno dni Millio quadringentesimo tricesimo primo indictione nona pontificis sanctissimi in Xpo patris et dni nri dni EUGENII diuina prouidentia pape quarti anno ipsius primo die vero quinta mensis Maij hora vesperarum vel quasi diei eiusdem in loco capitulari ecclesie Aug. in mei notarii publici testiumque subscriptorum presencia personaliter constitutus venerabilis ac religiosus pater dns *Hainr.* Abbas Monasterii sanctorum *Vdalrici* et *Affre* Aug. ordinis sci *Benedicti* pro se et suo conuentu ex vna et religiosa dna *Elizabeth* Abbatissa Monasterii sci *Stephani* Aug. ordinis canonicarum secularium pro se et suo conuentu partibus ex altera veluti principales sponte et libere compromiserunt de alto et basso in venerabiles viros dominos *Gotfridum Harscher* Decanum *Johem Kautsch* vicarium ac Canonicum *Johem Gwerlich* canonicum et custodem ecclesie Augusten. et *Cunr. Vögelin* magistrum ciuium ciuitatis Augusten. tanquam in arbitros arbitratores et amicabiles compositores super omni lite questione causa et controuersia que vertebatur seu verti poterat in de et super certis minutis decimis maxime feni ecclesie parochialis in *Berckhain a)* Aug. dioc. excrescentibus et quadam seruitute qua dicta dna Abbatissa plebanum villicum curie dotalis ibidem pro tempore existentes ius vehendi et libere ducendi ligna ex foresta in *Berkhain* vulgariter *Berkhamer Forst* nuncupata sibi competere pretendit ita quod liceat eisdem plebano

plebano et villico irrequifito Abbate fuifque officialibus feu miniftris de eadem forefta ducere ligna ad vtilitatem et neceffitatem ipforum pro fue libito voluntatis prefato Abbate eafdem feni decimas ad fe et fuum monafterium pertinere feque ac monafterium fuum huiufmodi illas legitime prefcripfiffe foreftam quoque predictam iure proprietatis et dominii ad fe ac monafterium fuum fpectare nullamque feruitutem ex illa cuiquam prefertim prefatis plebano et villico competere afferente, quin ymmo fi et in quantum conftaret conftareue poffet plebanum et villicum vllo vnquam tempore ligna talifmodi duxiffe quod illud factum fuerit de gratia permiffione et licentia Abbatis feu officialium fuorum et non alias conftanter allegantes ac eciam fuper quibufcunque emergentibus dependentibus et connexis dicte partes vt prefertur compromiferunt taliter videlicet quod dicti dni Arbitratores inter dictas partes poffint et valeant arbitrari laudare et pronunciare ac diffinire fecundum quod eis vifum fuerit expedire Promiferunt quoque dicte partes michi notario publico infra fcripto bona fide et folempni ftipulacione et fub pena ducentorum florenorum auri et medietas vna parti feruanti per non feruantem et pro alia medietatibus fabrice ecclefie Aug. irremiffibiliter perfoluenda quod acceptare recipere et emologare ratumque et firmum habere vellent et debent quidquid fuper premiffis quolibet predictorum prefati arbitratores duxerint faciendum Et quid ab huiufmodi laudo feu compoficione nullatenus appellarent Renunciantes hinc inde omni exceptioni et beneficio iuris tam canonici quam ciuilis per que contrauenire poffent quouis modo. Deinde prefati arbitratores et amicabiles compofitores dictas partes de et fuper premiffis et eorum occafione ad pacem et concordiam reducere cupientes pronunciarunt concorditer et laudarunt vt

 fequiſequitur videlicet quod plebanus dicte eccleſie in Berkain qui pro tempore fuerit recipere debeat et habere minutas decimas ex ſingulis viridariis ſeu ortis infra limites ipſius parochialis eccleſie conſtitutas tam de fructibus quam oleribus ſeu quibuſcunque inibi excreſcentibus quocunque nomine cenſeantur de feno autem ibidem excreſcente de quo hactenus loco decime certa peccunie quantitas dari conſueuerit pronunciarunt quod in antea durante pronunciacione huiuſmodi loco decime feni in viridariis ſeu alias infra dictos limites excreſcentis duplum peccuniarum dari et recipi debeat ita videlicet vbi plebanus hactenus viginti denar. recepit extunc in antea dicta pronunciacione durante quadraginta den. recipere debeatet habere et ſic de aliis. De feno vero infra huiuſmodi limites excreſcente de quo hactenus idem plebanus nichil percepit loco decime pronunciarunt prefati domini arbitratores quod in antea huiuſmodi ſtante laudo nichil exigere percipere et habere debeat quin ymmo Abbatem et conuentum ipſorumque ſubditos deſuper nullatenus inquietare ſeu moleſtare debeat ſeu poſſit, quodque plebanus et villicus predicti pro ſui et cuiuſlibet eorum neceſſitate tam comburendo quam ſepes faciendo aut alias pro conſeruacione poſſeſſionum ſuarum ex foreſta predicta libere vehere et ducere valeant ligna prout alii ipſius ville incole faciunt et facere conſueuerunt. Sic tamen quod per Abbatem aut ſuos ad hoc deputatos officiales ſiue miniſtros ipſis et aliis incolis ville locus vbi ſecari et recipi debeant deputetur extra locum eundem ſeu alias ligna ipſa nullatenus educantur ſeu vehentur quia ymmo contrarium attemptantes Abbas ſeu officiales ſui prefati hoc intercipere et prohibere poſſent et haberent quodque tam loci huiuſmodi deputacio quam eciam lignorum vſus ſeu vehicio ac omnia et ſingula in pronunciacione huiuſmodi contenta fiant fieri-

fierique debeant absque fara dolo et fraude penitus exclusis. Voluerunt insuper et pronunciarunt prefati domini arbitratores quod compoſicio et laudum huiusmodi durare debeat et a partibus predictis inuiolabiliter obferuari per viginti annos a die late pronunciacionis huiusmodi conputando proxime venturos sub pena in conpromisso ipso vallata quibus lapsis liberum remaneat et illesum cuilibet parcium predictarum ius suum prosequendi partemque aliam coram suo iudice conueniendi et secum super premissis iudicialiter experiendi; quodque cursus temporis et suspensio prosecucionis huiusmodi neutri partium suffragari debeant aut nocumentum aufferre quouismodo quin ymmo dicta dna Abbatissa sentenciis alias occasione premissarum pro se yt afferit latis ipsique domini Abbas et conuentus appellacionibus suis a dictis sentenciis interpositis inniti perinde possint et debeant ac si vltima die post lapsum annorum predictorum late et interposite forent fraude dolo et qualibet sinistra machinacione in premissis et quolibet premissorum prorsus et omnino semotis quam quidem pronunciacionem vt prefertur factam dicte partes tunc presentes audientes et intelligentes sponte et libere approbarunt ratificarunt et emologarunt seque illam obseruaturas michi notario stipulanti et recipienti promiserunt renunciantes omni exceptioni tam iuris canonici quam ciuilis quibus se contra premissa iuuare possent seu quolibet tueri Super quibus omnibus et singulis fui requisitus vt vnum vel plura publicum seu publica conficerem instrumentum seu instrumenta. Acta sunt hec Anno indictione Pontificatus die mense hora et loco quibus supra Presentibus honorabilibus discretis viris dnis *Rudolffo* de *Westerstetten* et *Burkhardo* de *Ysenburg* canonicis ecclesie Augusten. Testibus ad premissa vocatis specialiter et rogatis.

Et

Et Ego *Johes Grünbach* clericus Aug. dyoc. publicus imperiali auctoritate Notarius Quia premiſſis omnibus et ſingulis dum ſicut premittitur coram me fierent et agerentur vna cum prenominatis teſtibus preſens interfui Eaque omnia et ſingula fieri vidi et audiui Ideo hoc preſens publicum inſtrumentum manu mea propria ſcribendo exinde confeci et in hanc publicam formam redegi Signoque et nomine meis ſolitis et conſuetis ſignaui rogatus et requiſitus et teſtimonium omnium et ſingulorum premiſſorum.

a) Berkheim V. Supra.

Num. CLXXXVI. Fundatio anniuerſarii. Anno 1431.

EX ORIGINALI.

Wir HAINRICH von Gotes genaden Abbt herr *Hanns* der Prior vnd mit vns der gemain Conuent dez Gotzhus ſant *Vlrich* vnd ſant *Affren* ze Augſpurg Bekennen offenlichen mit diſem brief für vns vnſer Gotzhus vnd nachkomen vnd tun kunt allermengklichen daz vns der erber vnd Gaiſtlich herr *Vlrich* der *Widemàn* Got dem Altmechtigen vnd ſeiner hochgelobten Muter Junckfrawen Marien vnd allem hymeliſchem her-ze lob vnd ze eren vnd auch ze hilff vnd ze troſt ſein vnd ſeiner vordern vnd nachkomen vnd gemainckliches allen Criſten gelaubigen Selen in vnſer oblay alſo bar gegeben hat ſyben vnd dreyſſigk guldin alles guter vnd gerechter wolgebegner reiniſcher guldin die wir an vnſern vnd vnſers Gotzhus nutz gelegt haben alſo vnd mit der beſchaidenheit daz

wir

wir vnd vnſer nachkomen alle Jar iercklichen vnd ewicklichen recht vnd redlichen begann ſullen den achtenden tag nach aller gelaubigen Sele tag dez nachtes mit ainem placebo vnd mit ainer langen vigil vnd mit ainer proceſſion in ſant *Angneſen* Cappel mit ainer Reſpons vnd vber den Freythoff vff die Gred mit dem placebo vnd wider herein in daz Münſter mit ainer Reſpons vnd ze Morgens mit ainer geſungen Selmeſs in gelicher weyſs alz mon allergelaubigen Sele tag begat an irem tag vnd davon ſol vns ain yeglicher Oblayer der danne yeglichs Jars Oblayer iſt iercklichen an ain ort zwen gut reiniſchs guldin verdienen vſs vnſer Oblay vnd von dem ſelben an ain ort zwen guldin vf den obgenanten Jartag iercklichen geben ainem yeglichem Cuſter fünffzigk pfening, Alſo daz er zwelff erber kertzen vf zünden ſol der ſol er vier ze nacht zu der vigil vf zünden vf den rechen, vnd die andern acht kertzen vmb Sant *Affren* Grab, vnd ze morgens auch zwelff erber kertzen vfzünden der ſol er auch vier kertzen vfzünden vf daz pauiment vnd die andern acht kertzen vmb ſant *Vlrich* Grab vnd darzu ain opferkertzen zu der Selmeſs vnd ainem yeglichem Luitprieſter ſechs pfening daz er ze nacht bey der vigil ſey vnd ze morgens ainem Lutprieſter ſechs pfening daz er ze morgens bey der Selmeſs ſey vnd ainem fürpfaffen vier pfening daz er ze nacht bey der vigil ſey vnd ze morgens vier pfening daz er auch bey der Selmeſse ſey vnd ainem Caplan zu ſant *Nyclaus* auch vier pfening daz er ze nacht bey der vigil ſey vnd ze morgens vier pfening daz er bey der Selmeſs ſey Vnd ainem Caplan zu ſant *Vrſula* Cappel die mon nennet zu den willigen armut auch vier pfening das er ze nacht bey der vigil ſey, vnd ze morgens auch vier pfening daz er bey der Selmeſs ſey. Es ſol auch ain yeglicher Luit-

prieſter

prieſter den obgenanten Jartag ierklichen verkünden an offner kantzel vnd darzu ainem Schulmaiſter vier pfening daz er ze nacht mit ſeinen Schülern bey der vigil ſey vnd ze morgens auch vier pfening daz er auch mit ſeinen ſchülern bey der Selmeſse ſey vnd ainem ainigen Stulbruder vnd nicht mer zu ſant *Anthoni* Cappel die mon nennet dez *Lorenzen Egen* Cappel *a*) ze nacht zwen pfening daz er bey der vigil ſey vnd ze morgens auch zwen pfening daz er bey der Selmeſs ſey Vnd daz alles ſol ain yeglicher vnſer Oblayer ainem yeglichen Luipriester vnd auch den andern die an diſem brief geſchriben ſtandt ierchlichen verkünden vnd den zwain Meſsnern yeglichem zwen pfening darumb daz ſy ze nacht zu der vigil lewtten vnd ze morgens zu der Selmeſs vnd was dan des übrigen gelt dannocht vor handen beleibt an den vorgenanten zwain guldin mynder ains orts daz ſol danne in den vorgenanten Conuente gemainckl ichen getaylet werden nach anzal vngeuarlichen, Wär aber ſach daz Interdictt hie war daz wir vnd vnſer nachkomen der Conuent den obgenanten Jartag nicht begann mochten vf den obgenanten tag, So ſullen wir vnd vnſer nachkomen der Conuent den yetzgenanten Jartag darnach in den nächſten acht tagen begann an alles widerſprechen in aller der maſs vnd weyſse alz oben geſchriben ſtat vngeuarlichen. Vnd war ſach daz wir der Conuent oder vnſer nachkomen an dem oftgenanten Jartag ſaimig vnd hinlâzzig wären vnd den nicht begiengen in maſs alz oben geſchriben ſtat, welhes Jars daz beſchach, So ſeyen wir der Conuent vnd vnſer nachkomen gepunden vnd verfallen dez ſelben Jars ze pen ze geben die obgenanten zwen guldin mynder ains orts den Brüdern der Cappel zu ſant *Anthoni* die mon nennet dez *Lorentz Egens* Cappel an alles geuerd vnd widerrede. Vnd des alles

alles zu vrkunt geben wir disen brief besigelten vnd geuestnet mit vnserm vnd vnsers Conuents Insigeln *b*) die bede daran hangent Geben do man zalet nach Cristi geburd vierzehenhundert Jar vnd darnach in dem Aynen vnd dreyssigisten Jaren an Montag vor Sant Marie Magdalena tag. *c*)

a) Hospitale S. *Antonii* a *Laurentio Egen* viro Consulari anno 1410. pro pauperibus ciuibus fundatum. V. *Khamm.* Hierarch. Aug. P. I. p. 273.

b) Sigilla sunt laesa.

c) 16. Julii.

Num. CLXXXVII. Venditio praedii in Gablingen. Anno 1432.

Ex Originali.

Ich Hartman Langenmantel Burger ze Vlme Bekenn offenlich mit dem briefe für mich vnd alle mein erben vnd tun kunt allermenglich daz ich mit gutem willen vnd mit wolbedachtem mute mein gut ze *Gablungen a*) daz *Betz vogler* yetzo buwet vnd daz iärlich giltet zwen Guldin vngrischer, alz ich daz von meinen lieben vatter *Peter Langmantel* säligen ererbet, vnd vntz vff disen hewttigen tage herbrächt inne gehept vnd genossen hann mit allem dem daz darzu vnd darein überal yendert gehöret durch recht ald von gewonhait gehören sol oder mag wie daz denne allez genant oder gehaissen ist oberd vnd vnder erde besuchtz vnd vnbesuchtz fundens oder vnfundes gebuwez oder vngebuwes mit allen nutzen rechten vnd ehaftin, allez für ledig vnuerkümbert vnuogtber vnstewrber, vnd

 für

für rechts aigen. vnd auch daz daz allez dem benanten *Betzen* von minem vatter vnd mir zu seinem leyb sein leptag verlihen ist vmb zwen vngrisch gulden järlich dauon ze geben vnd daz er daz gut wesenlich besitzen vnd in guten eren vnd buwen inne haben sol sein leptag vnd nit lenger mit disem briefe yetzo recht vnd redlich verkoufft vnd ze kouffent geben haun dem Ersamen vnd weysen *Cunraten Vögenlin* Burger ze Augspurg vnd *Rosilien* seiner elichen wirtin vnd allen iren erben oder wem si daz hinnen für gebent verkouffent schaffent oder lassent ze haben vnd ze niessen ewiclich vnd geruwiklich vmb drey vnd fünfftzig guldin guter reinischer, die ich berait darumb von im yngenomen haun. Vnd also haun ich in vnd iren erben daz obgenant gut mit aller zugehörung ze rechtem aigen vffgegeben vnd mich daran aller meiner recht vordrung vnd ansprach so ich darzu ye hett oder gewan oder füro haben oder gewinnen möchte für mich vnd alle mein erben gar vnd gentzlich verzigen haun, vnd verzeyhe mich der yetzo gen in vnd allen iren erben wissentlich mit Craft ditz briefs alz man sich aigens durch recht vnd billich vffgeben vnd verzeyhen sol nach aigens recht nach Lanndß vnd der Graufschafft recht, darinne es gelegen ist vnd ich vnd mein erben seyen ouch ir recht geweren für allermenglichs Irrung vnd ansprach. die in mit dem rechten daran beschicht aber nach aigens recht nach lanndß vnd der herrschafft recht darinne es gelegen ist vnd nach dem rechten gar vnd gentzlich one allen iren schaden. Tetten ich oder mein erben des nicht. waz si dez denne darnach so si vns ermant hetten schadens nämen doch redlichen vnd vngeuärlich den schaden allen sullen wir in mit sampt dem hoptgut ouch gütlich vssrichten gentzlich one allen iren schaden allez one arglist vnd geuerde. Vnd dez

ze

ze veſtem gutem vrkund haun ich mein aigen Inſigel b) für mich vnd alle mein erben offenlich gehencket an diſen briefe darzu ſo haun ich vleyſſig gebetten den Erſamen vnd wiſen *Walther Ehinger* den Jüngern Burger ze Vlme daz er ſein aigen Inſigel c) im ſelbs vnd ſeinen erben vnſchädlich ze gezewgnuſs ouch offenlich gehenket hätt an diſen brief der geben iſt vff Sampſtag nach ſant *Vlrichs* tage, dez Jars do man zalt nach Criſti vnſers herren gepurt vierzehenhundert vnd darnach in dem zway vnd dreyſſigiſten Jaren.

a) In ditione Fuggeriana ad amnem Schmutter.

b) Sigilla Langenmantel et

c) Ehingeri illaeſa Tab. VII. N. IX. X. reperiuntur.

Num. CLXXXVIII. Litterae reuerſales ſuper Emphyteuſi in Burkwalden. Anno 1432.

Ex Originali.

Ich MARTEIN LAUSTRER der Metzger burger ze Augſpurg Bekenn offenlichen mit diſem brief für mich vnd für mein erben vnd tun kunt allermenglich. Daz mir vnd meinen erben vnd allen vnſern nachkomen die Erwirdigen vnd Gaiſtlichen herren herrn *Hainrich* Abbt, herre *Hanns* der Prior vnd gemainclichen der Conuent dez Gotzhus zu ſant *Vlrich* vnd ſant *Affren* zu Augſpurg etc. recht vnd redlichen verlihen vnd geben habent der zu ainem rechten zinſlehen ir vnd ires Gotzhus hoff vnd Mülle die da gelegen ſind zu *Aettenhofen* a) in den waelden mit allem dem daz darzu vnd darein gehoret

 oder

oder von recht gehoren sol vzgenomen daz holtz daz der Waer vor von dem Gotzhus gehebt hat vnd ain ander holtz haiſſet der Anſang vnd iſt vier tagwerck vnd drew tagwerck mads die bede an die obgenanten gueter ſtozzent vnd yetzund ainer ynne hat mit ſampt andern mer genant *Chuntz Peck* von Bobingen die ſy vns darzu nicht verlihen habent ze haben vnd ze nyezzen ewicklichen vnd geruwicklichen nach zinſlehens recht. Doch alſo vnd mit der beſchaidenhait daz ich vnd mein erben oder in wes gewalt der obgenante hoff vnd Mülle hinafür ewicklichen kumpt vnſerm obgenanten herren ſeinem Gotzhus vnd allen iren nachkomen alle Jar iercklichen vnd ewicklichen da von geben vnd antwurten ſullen in ir Gotzhus ſechs gut reiniſchs guldin gut an Golde vnd ſchwär genug an rechtem gewichte an allen abganck vnd an allen iren vnd ires Gotzhus ſchaden ye zwiſchen ſant Michelstag vnd ſant Martins tag. Es ſullen auch ich vnd mein erben vnd nachkomen oder in wes gewalt der yetz genant hoff vnd Mülle hinafür ewicklichen kumpt alle Jar iercklichen vnd ewicklichen die vogtey da von verdienen vnd vzrichten an vnſers yetz genanten herren ſeines Gotzhus vnd aller ir nachkomen ſchaden. vnd wer ſach daz ich oder mein erben vnd nachkomen oder in wes gewalt die obgenanten güeter hinafür ewicklichen koment vnſerm yetz genanten herren ſeinem Gotzhus vnd nachkomen den obgenanten iercklichen zins nicht iercklichen richten vnd bezalten vf die obgenanten zil vnd zeite. So ſeyen wir vnſer erben vnd nachkomen oder in wes gewalt vnſre recht daran hinafür ewicklichen koment zu rechter vnläſſenlicher pen verfallen vnd ze geben an alles vnſer vnd vnſer erben oder in wes gewalt vnſre recht hinafür ewicklichen kumment irrung vnd widerſprechen ſechs gut reiniſchs guldin zu

den

den obgenanten fechs reinifchen guldin die in vnd irem Gotzhus vnd nachkomen iercklichen an allen abganck dar vz zu rechtem zins gaund in obgefchribner mafs. Vnd wär auch fach daz wir den obgenanten zins vnd pen nicht bezalten vf die obgenanten zil vnd zeite, vnd wanne danne Jar vnd tag vergat vnd hinkomen find vnd wir den yetzgenanten zins mit fampt der pen nicht bezalet hetten in obgefchribner mafs, So ift vnferm herren dem Abbt irem Gotzhus vnd allen iren nachkomen der oftgenant hoff vnd Müle vnd was darvf vnd darein gebwet ift vnd mit allem dem daz darzu vnd darein gehorret vnd von recht gehoren fol widerumb ledig vnd lofs worden von vns vnferm erben oder von den in wes gewalt vnfere recht daran hinafür ewicklichen koment, Alfo daz wir noch vnfer erben noch menglichen von vnfern wegen darnach vnd daran oder an ychtes daz zu den oftgenanten guten darzu vnd darein gehoret, vnd auch nach folichem verfallen dhaynerlay anfprach noch fordrung weder mit gaiftlichem noch mit weltlichem rechten nymmer mer darnach vnd daran gehaben fullen noch enmügen in dhayn weyfs Auch ift nemlichen beret worden wan ich obgenanter *Martein Lauftrer* von todes wegen abgan vnd geftirbe, fo fol albegen vnd ewicklichen der nachften meiner frewnde ainer alz oft ainer nach dem andern abgat von todes wegen die oft genanten gueter enpfachen von vnferm oftgenanten herren vnd von feinen nachkomen, Doch fo fullen fy vnd ir nachkomen, vns die oftgenanten güeter widerumb leyhen an alles widerfprechen doch daz der der die oftgenanten güeter enpfachet vnferm oftgenanten herren irem Gotzhus vnd nachkomen geben fullen zu hantlon ain ort aines guten reinifche guldin an alles widerfprechen, Mer ift ze wiffen ob der oft

genant

genant vnser herre oder sein vorfarn saligen ychtes daz zu dem oft genanten hoff vnd Mülle gehort es sey an wismat oder an ackern oder an holtz oder an anderm ycht verlihen hette es wär ze Jaren oder ze leiben. daz sullen der oder die danne ettwas ynne hetten daz zu den yetz genanten guten gehorret, nyezzen vnd ynne haben alz lang vnd als vil bis daz die selben zil vnd zeite gentzlichen vnd gar vergiengen, Doch mit der beschaidenheit daz sy mir vnd meinen erben vnd nachkomen iercklichen davon geben vnd raichen die zins vnd gülte die sy danne vnserm oftgenanten herren vnd seinem Gotzhus pflichtig vnd schuldig wären zu geben an vnsers yetzgenanten herren vnd seiner nachkomen widersprechen. Es ist auch mer ze wissen daz weder ich noch dhain mein erben oder in wes gewalt vnsre recht daran hinafür ewicklichen koment von den obgenanten gueten dhainerlay stuck klain noch gross wie daz genant ist da von nicht verkümmern noch verkauffen noch versetzen sullen in dhain weyss Ob aber solichs beschäch daz wir oder vnser erben oder wes in gewalt vnsre recht hinafür ewicklichen daran koment ettwas von den oftgenanten guten da von verkümerten oder versatzten wie daz genant war, Daz sol dhainerlay kraft noch macht haben noch dhainerlay gewer darwider helffen sol noch mag an aller stat vnd vor allen rechten vnd darzu in irem Gotzhus vnd nachkomen dhainerlay schad sein die selben verkümmernuss an den yetzgenanten ires Gotzhus guten in dhain weyss. Vnd dez alles zu ainem waren vrkunt geben wir vnserm oft genanten herren seinem Gotzhus vnd nachkomen disen brief für vus vnser erben vnd nachkomen besigelten vnd geuestnet mit der Ersamen vnd weysen *Johannsen Tyschingers* Statuogte zu Augspurg vnd mit *Chunraten* von *Hall* Burger ze Aupspurg beder aygner anhangenden

genden Insigeln *b*) die sy durch meiner fleyssigen bete willen an disen brief gehenckt hannd zu gezucknuss aller obgeschribner sach doch in vnd iren erben ane schaden. Dez sind gezügen vnd bete vmb die Insigel die erbern vnd beschaiden *Vlrich Mair* der Pierschenck vnd *Chuntz Sintman* der Metzger bed Burger ze Augspurg. Geben an Montag vor sant Jacobs tag dez hayligen zwelfpoten *c*) Do man zalet nach Cristi geburd vierzehenhundert vnd darnach in dem zway vnd dreyssigisten Jaren.

a) Nunc Burkwaden.

b) De Sigillis illaesis secundum Tab. VII. N. XI. reperitur.

c) 21. Julii.

Num. CLXXXIX. Concessio decimarum in feudum Bobingae. Anno 1432.

Ex Originali.

Wir Peter von Gottes genaden Bischoff zu Augspurg Bekennen vnd tun kunt offenlichen mit dem brieue vor allermeniglichen. Das wir dem Ersamen weisen *Stephan Hangenor* an der zite Burgermaister zu Augspurg zu rechtem Lehen verlihen haben den halbteil gantz an dem zehenden zu *Bobingen* den er vnd sein bruder *Georitz Hangenor* vormals in Gemainschafft von vns vnd vnserm Gotzhus zu lehen gehebt haben. Wir haben im auch verlihen zu rechtem lehen den halben tail durch vnd durch vs an den nachgeschriben guten zu *Otmarshusen* als er vnd seine geswistergit die vormals von vns vnd vnserm

vnſerm Gotzhus zu lehen gehebt, mit namen *Hans* vnd *Georitz* ſein bruder vnd *Magdalena* ir Sweſter vnd die mit einander geteilt haben. Vnd ſeind das die gut Item ain hoffe zu *Ottmarshuſen*. Item Newnzehen Juchart ackers do ſelbs. Item ſyben Sellden do ſelbs Item vnd ſechſ vnd zwaintzig tagwerck wiſmats do ſelbs. Als das alles von vns vnd vnſerm Gotzhus zu lehen rüret vnd ſy die ſelben gut von iren vettern *Georien* vnd *Wilhalm Hangenor* ererbt haben. An den ſelben guten zu *Ottmarſhuſen Hanſen Hangenor* ſeinem bruder ein vierder tail worden iſt, den ſelben vierden teil haben wir dem benanten *Stephan Hangenor* auch in tragerswiſe *Hanſen Hangenor* ſeinem bruder zu rechtem lehen verlihen. So hat vns *Magdalena Hangenorin* irem vierdentail durch iren elichen Man *Thoman Preyſchuch* an den obgenanten guten zu *Ottmarſhuſen* mit vollem gantzen gewalt aufgeben. Vnd iſt *Georigen Hangenor* an den guten zu Ottmarſhuſen zu ſeinem teil auch ein vierder tail worden. Den ſelben vierden tail vnd auch ſeinen halbteil an dem zehenden zu *Bobingen* er ſelbs von vns zu lehen emphangen hat. Vnd alſo verleihen wir auch dem egenanten *Stephan Hangenor* ſeinen halben tail an dem zehenden zu *Bobingen* Auch ſeinen halben teil an den guten zu Ottmarſhuſen. Vnd auch in tragers wiſe ſeinem bruder *Hanſen Hangenor* einen vierden tail. an den guten zu Ottmarſhuſen wiſſentlich vnd mit Crafft des briefs, waz wir im ſelbs vnd dem egenanten ſeinem bruder in tragers weiſe. An den guten, ſo vor vnderſchaiden iſt, billich vnd von rechts wegen leihen ſollen. Als denn vnſere vnd vnſers Gotzhus lehen recht ſtend. Doch vns vnſerm Gotzhus vnd yedermanns rechten vnſchedlichen. Vnd auch alſo daz er des egenant ſeins bruders getriwer trager ſein ſol. Auch vns vnd vnſerm Gotzhus dauon getriwe vnd gewär ſein

ſol

ſol vnſerm ſchaden ze warnen vnd fromen zu fürdern vnd tun als ein lehenman ſeinem lehenherrn von Lehen wegen billich vnd zu recht tun ſol getriwlich vnd on alle geuerde. Mit vrkunde des briefs beſigelt vnd geben an Mentag vor ſand Symon vnd ſand Judas der heiligen zwelfbotten tag *a*) mit vnſerm anhangendem Inſigel *b*) Do man zalt nach Criſts geburt vierzehenhundert Jare vnd in dem zway vnd dryſſigſtem Jare.

a) 27. Octobris.

b) Sigillum eſt bene conſeruatum.

Num. CXC. Permutatio cenſus Auguſtae. Anno 1434.

Ex Originali.

Ich Margreta Opffenhuserin *Hannſen Opffenhuſers* ſäligen witibe, vnd ich Caspar vnd Vlrich vnd Thoman die Opffenhuser all drey mein yetzgenanter Opffenhuserin Sun vnd Burger ze Augſpurg etc. Bekennen offenlichen mit diſem brief für vns vnſer erben vnd nachkomen vnd tun kunt allermenglich daz wir mit dem Erwirdigen vnd gaiſtlichen herren herren *Hainrich* Abpt her *Hannſen* dem Prior vnd gemaincklichen mit dem Conuent des Gotzhus ſant *Vlrich* vnd ſant *Affren* zu Augſpurg etc. Alz von der fünff Schilling guter Augſpurger pfennig wegen die in vnd irem Gotzhus für den hewzehenden vnd darzu ain halbs pfunt wachs daz vnſerm yetz genanten herrn vnd irem Gotzhus zu rechtem zinſlehen daruſs ierclichen gegangen iſt, vz vnſerm Anger der hinder ſant *Nyclaus* an ires Gotzhus Anger genant der Prüll gelegen ist etc. gütlichen vnd fruitlichen mit in vber ain kumen seyen, Also daz sy vns den selben vnsern Anger in masse als vnser rechts aygen Gärten darufs ze machen vnd ze zinslehen verleichen gegunnet vnd erlaubet, vnd daruff aller irr vnd ires Gotzhus rechten die sy daran gehebt haben gentzlichen verzigen habent, Also vnd mit der beschaidenhait, daz wir in irem Gotzhus vnd nachkomen für die selben recht vnd hewzehenden gelt vnd wachs die sy vnd ir Gotzhus darufs gehebt haben alz vorgeschriben stat, Nu füran wir vnd all vnser erben vnd nachkomen oder in wes gewalt der Bomgart hinafür ewicklichen kumpt vz vnserm aygem Bomgarten der auch hie ze Augspurg an dem Griefs gelegen ist, vnd stozzet ainhalben an sant *Nyclaus* Closter vnd hindan vf den obgenanten Anger den wir zu garten verlihen haben, vnd ze der andern seytten vf der *Apssin* säligen garten, vnd vorn vf die Strauzz etc gegünnet vnd erlaubet habent, daz wir auch drey gärten draufs gemacht haben vnd den ainen garten yetzunt hat genant *Hanns Tolpman* vnd den andern *Symon Vogelmair* vnd den dritten ainer genant *Peter Karler* all drey Burger ze Augspurg Nu füron ewicklichen vnserm egenanten herren seinem Gotzhus vnd allen iren nachkomen nemlichen in ir Abtey richten vnd bezalen sullen alle Jar iercklichen vfs den yetzgenanten drein gärten vfs ir yeglichem besunder ainen halben vngrischen oder Behemischen Guldin gut an Golde vnd schwer genug an rechtem gewichte oder der Stat zu Augspurg werung an golde vnd darzu zu yeglichem halben yetzgenanten Guldin ain halb pfunt wachs albegen vf sant Gallen tag vierzehen tag vor oder vierzehen tag darnach vnuerzogenlichen an allen iren vnd ires Gotzhus schaden, Vnd zu welhem Jar wir oder vnser erben

vnd

vnd nachkomen oder in wes gewalt die yetz genanten drey gärten hinafür ewicklichen kument, die yetzgenant anderthalben vngrischen oder Behemischen Guldin oder der Stat zu Augspurg werunge an Golde ewigs Gelte auch die anderthalb pfunt wachs nicht richten vnd bezalten in den obgenanten zillen vnd zeiten So mag vnser yetzgenanter herre der Abpt vnd ir nachkomen die egenanten anderthalben vngrischen oder Behemischen guldin oder der Stat zu Augspurg werunge an golde auch die anderthalb pfunt wachs wol darnach ab Juden oder ab Cristen nemen vnd was sy oder ir Gotzhus des schedens genomen hetten vnd darzu mügen sy oder ir nachkomen vns vnser erben vnd nachkomen oder in wes gewalt, die obgenanten drey gärten hinafür ewicklichen kument darumbe zu beclagen vnd ze noten mit gaistlichem oder mit weltlichem rechten weders in danne bass füget, vnd wie sy wellent oder mugent vnd Sy vnd ir nachkomen freuelen daran nicht wider vns noch vnser erben noch wider yemant von vnsern wegen wie der genant ist in dhain weiss alz lang vnd alz vil bis daz sy ir Gotzhus vnd nachkomen ir gefallen vnd ewiger gülte vnd was sy vnd ir Gotzhus vnd nachkomen des schaden genomen hetten vzgericht vnd bezalet werdent gar vnd gentzlichen an allen abganck, vnd an allen iren vnd ires Gotzhus schaden, Vnd des zu vrkunt geben wir vnserm oftgenanten herren seinem Gotzhus vnd nachkomen disen brief für vns vnser erben vnd nachhomen besigelten vnd geuestnet mit meinen obgenanten *Vlrichen* vnd *Thoman* die *Opffenhuser* beder aygner anhangenden Insigeln die wir an disen brief gehenkt haben zu ainer waren gezücknuss alles daz war vnd stat ze halten daz an disem brief von vns geschriben stat Vnd darzu han ich obgenante *Margreta Opffenhuser* vnd ich *Caspar Opffenhuser* ir Sun

 bede

bede ernstlichen gebeten den erbern weisen *Johannsen Tyschinger* Statuogt zu Augspurg daz er auch sein Insigel an disen brief gehenckt hat zu ainer waren gezücknuss aller obgeschriben sachen doch im selbs vnd seinen erben an schaden *a)* vnder daz Insigel wir vns bede verpinden bey vnsern guten trewen alles daz war vnd stät ze halten daz an disem brief von vns geschriben stat des sind gezewgen vnd bete vmb daz Insigel die erbern weysen *Hainrich Rott* vnd *Chunrat Hug* bed Burger ze Augspurg. Geben an freytag nach dem vffartstage. *a)* Do man zalet von Cristi geburt vierzehenhundert vnd darnach in dem vier vnd dreyssigisten Jaren.

a) 7. Maii.

Num. CXCI. Venditio prati in Ahlingen. Anno 1435.

EX ORIGINALI.

Ich VLRICH der VISCHER zu Külental gesessen vnd Ich *Vrsula* sein eliche husfrawe Bekennen vnd veriehen offenlichen mit dem briefe für vns vnd vnuerschaidenlichen für alle vnser erben. Vnd tuen kunt allen den die in ansehent hörent oder lesent, Daz wir mit wolbedachtem synne veraynten willen vnd mute vnd mit guter vorbetrachtunge, zu ainem stäten ewigen kauff zeurtät recht vnd redlichen verkauffet vnd ze kauffen gegeben haben verkauffen vnd geben auch in vrkunde vnd krafft des briefs wie danne das am allerbesten krafft vnd macht hat, haben sol vnd mag, den beschaiden lüten vnsern lieben Swager vnd bruder *Caspar* dem *Alenger* zu Tapfhein gesessen

Anna

Anna feiner elichen hufFrawen vnd iren erben. Vnfern taile Nemlichen ain drittaile an Sechs tagwercken wifmats die zu *Pfaffenhouen a*) in den engern gelegen vnd ftofsent find an der Häckel von Hirfspach anger, vnd die ihm vorbenante *Vrfula* von meinem lieben vater *Haintzen Alanger* felig mit fampt andern meinen gefwifteriten nemlichen *Cafparn* vnd *Magrethen* ererbt haun. Alfweit vnd alflang derfelbe vorbenent vnfer drittail der benanten fechs tagwerck wifmats mit Raynen ftainen vnd vndermarcken allenhalben vnd durch vnd durch begriffen vnd vmbfangen hat grundt vnd boden, ob erdt vnd vnder erdt mit feinen zugehörungen vnd allen vnfern rechten daran vnd an den vorbenenten fechs tagwercken wifmats befucht vnd vnbefucht nihts vfsgenomen in dhain weife. In denfelben vorgenanten *Cafpar Alanger Anna* feiner elichen hufsfrawen vnd iren erben, denfelben vorbenenten drittaile mit feinen zugehörungen vnd allen vnfern rechten daran, als dauor gefchriben vnd begriffen ift, ze freyen ledigen vnuerkümberten vnd ze rechtem aigen ze haben ze nutzen vnd ze niefsen vnd auch damit ze tunde vnd ze laffen, als mit anderer irer aigenlichen hab vnd gute wie vnd was fy wöllen furbas ewigclichen. Vnd wanne nu fy vns darumbe vnd dafür geben allerding betzalt habent. Fünfftzig guldin reinifche guter vnd gemainer landfwerunge die wir alfo berait darumbe von in eingenomen vnd empfangen haben. Vnd darumbe fo haben wir in denfelben vorbenenten taile nemlichen ain drittail der obbenenten fechs tagwerck wifmats mit iren zugehörungen vnd allen vnfern rechten daran als oben gefchriben vnd begriffen ift ze freyem ledigen vnuerkümberten vnd ze rechtem aigen williglichen vffgeben, vnd haben vns des alles gen in vertzigen mit allen den rechten vordrungen vnd anfprache, die wir

wir vnd vnser erben daran ymmer gehaben mit welliches sachen das gesein vnd wesen möchte als man sich aigens vnd solliches guts durch rechte vnd pillichen vertzeihen vnd vffgeben sol nach aigens vnd solliches guts rechte vnd nach lannds vnd der herrschaffte gewonhait vnd rechte darinnen das obbenent wismat gelegen ist, Also vnd mit der beschaidenhait daz weder wir noch dhain vnser erben noch sunst yemands von vnsern wegen dhainerlay vordrunge rechte noch ansprache daran noch darnach nymmermer gewynnen noch haben sollen mit dhainen sachen vnd in dhain weise furbas ewigclichen. Auch sollen vnd wöllen wir obgenanten *Vlrich* der *Vischer* *Vrsula* sein eliche husfrawe vnd vnser erben vnuerschaidenlichen der obbenenten, *Caspar* des *Alangers* *Anna* seiner elichen husfrawen vnd irer erben vff den obbenenten taile nemlichen vff den drittaile der obbenenten sechs tagwerck wismats mit iren zugehörungen vnd allen vnsern rechten daran als oben geschriben vnd begriffen ist, rechte geweren vnd vertiger sein für alle rechtliche ansprache, wa, wie oder von wem das mit rechte ansprächig wurde nach aigens vnd sollichs guts rechte vnd nach lands vnd der herrschaffte gewonhait vnd rechte darinnen das obbenent wismat gelegen ist, gar vnd gentzlichen on allen iren schaden getriulichen on alle arglifte vnd geuerde. Were auch ob wir oder vnser erben oder sunst yemands von vnsern wegen hinfüro dhainerlay ander vrkunde oder briefe als von des obbenenten drittails der benenten sechs tagwerck wismats wegen hetten fürbrächten, oder verhören liessen, dieselben briefe vnd vrkunde sollen gar vnd gäntzlichen krafftlose tode vnd absein, vnd sollen disem gegenwärtigen briefe noch auch den obbenanten *Caspar* dem *Alanger*, *Anna* seiner elichen husfrawen vnd iren erben kainen schaden geben noch bringen in dhain

vnd

weife, funder difer gegenwertig briefe fol allwegen bey allen krefften vnd guten mechten fein vnd beleiben vor allen vnd yglichen lüten gerichten vnd richtern gaiftlichen vud weltlichen furbas ewiglichen. Vnd des alles zu waurem veften vnd ewigen vrkunde. So geben wir obgenanten *Vlrich* der *Vifcher* vnd *Vrfula* fein eliche husfrawe den obbenenten *Cafpar Alanger Anna* feiner elichen husfrawen vnd iren erben difen offenn briefe für vns vnd alle vnfer erben befigelten vnd geueftnoten mit der erbern vnd weifen *Otten Vetter* des elltern, vnd *Michels Imhof* bey den zeiten burgermaifter zu Werde aigen anhangenden Infigeln *b*) die fy durch vnfer fleiffigen gebete willen, doch in felbe vnd iren erben vnfchedlichen, allain ze waurer getziugknufse vnd gedechtnufse aller obgefchriben fachen offenlichen daran gehencket habent, Darunter wir obgenanten *Vlrich* der *Vifcher* vnd *Vrfula* fein eliche husfrawe vns mit guten vnfern triwen verpinden vnd bekennen für vns vnd vnuerfchaidenlichen für alle vnfer erben, Alles das waur vnd ftäte ze halten vnd gentzlichen ze volfüren, was an dem briefe gefchriben ftaut. Der geben ift an dem hailigen Oberften tage zu Weyhennachten. Nach Crifti vnfers herren gepurte do man zalt viertzehenhundert Jare vnd darnach in dem funff vnd dreiffigften Jare.

a) Haud procul a Danubio in prefectura Werting.

b) Sigilla illaefa Tab. VII. N. XII. et Tab. VIII. I. confpiciuntur.

Num CXCII.

Num. CXCII. Sententia praedium in Renhartswört concernens. Anno 1436.

EX ORIGINALI.

Ich VLRICH MARSCHALCK zu *Oberndorff* des Durchluchtigen Hochgeborn Fürsten Hertzog LUDWIGS Pfaltzgrauen bei Rein Hertzog in Bayrn und Graue zu Mortain etc. Meins gnedigen herrn hofmaister vnd hofrichter. Bekenn offenlichen mit dem brief Als ich auf heut datum difs briefs hie zu Ingelstat das hofgericht besezzen han. Also kom für mich vnd des benanten meins gnedigen herrn Rett mit namen herren *Arnold* von *Camer* Ritter *Hanns* von *Wittstat Gebhart* von *Camer Jörg* von *Riethaim Conratt* von *Stain Wilhalm* von *Riethaim. Haidenrich Brugker Vlrich Teufel Orttolff Sanitzeller Hainrich* von *Seldenhorn* Lanndtschriber vnd *Martein Hinderkircher Wilhalm Diettenhaimer* vnd clagt vnd gab zu erkennen durch seinen fürleger den benanten *Hainrichen* von *Seldenhorn* Lanndtschriber, Wie das ain Swaig hiet genant in dem *Rengerswerd a*) die seins Weibs Altuodern von langen zeiten herpracht vnd genossen hietten Vnd des sy in stiller rubiger vnd nutzlicher gewer wären gewesen bis auf die zeit das der krieg zwischen herren vnd stetten in Swauben was dotzemal das Lanndt beschediget vnd verheriet ward das die Swaig ain zeit nicht wart gehalten. Doch habe dieselben Swaig sein Sweher ainem pawman hingelassen ierlich vmb newn Guldin reinisch etc. Daran im aber nit die von *Plinthain* vnd *Sunderhain* irrung tund vnd pat darauf sein brief vnd vrchund zuuerhoren, die also verhort wurden mit Namen ainen brief lauttet ain kuntschafft vnd anlaytung so weylund der allerdurchluchtigist fürst Kaiser

LUDWIG

LUDWIG loblicher gedechtnuſs geſchafft hett zu erfarn durch den vogt dotzemal zu Höchſtetten vnd ettlich Burger da ſelbs die auch auſs ainer Mengi des volcks durch fünffzehen der eltiſten vnd weiſeſten mann mit irem ayd erfurend nach auſsweiſung deſſelben kuntſchafftbriefs der ander brief lauttet ain beſtettigung vnd luttrung Kaiſer. LUDWIGS ſolcher gelaytter Kuntſchafft vnd darauf ain veſt gebot die Swaig alſo hinfür zu beleiben laſſen. Wann die von Plinthain vnd ander ir mitſacher in dem werd nichtz zu ſchaffen hietten. Nur allein wann das durfft beſchehe holtz darinnen ze nemen aine Brugken daſelbs zu beſtrewen etc. vnd pat der benante *Hainrich Seldenhorn* den benanten *Diettenhaimer* an ſeins weibs ſtat bey ſolchen ſeinen briefen vnd kaiſerlichen vrkunden zu hanthaben vnd ze ſchirmen etc. Darwider aber *Jörg* von *Riethaim* als ain fürleger der benanten von Plinthain vnd Sunderhaim vnd antwurt wie der Lanndtſchriber da fürpracht hiet von ain werds wegen genant der *Rergerswerd* da *Wilhalm Diettenhaimer* von ſeins weibſ wegen ain ſwaig haben ſolt die ſeins weibs vodern vil zeit vnd Jar herpracht vnd genoſſen hetten, daran ſy die von Plinthaim vnd ir mitſacher irtten etc. mit mer wortten darzu yetzund nicht Notdurfft were ze antwurtten. Wer es aber daran das er ſolt antwurtten hoffte er darzu wol ze reden vnd ze antwurtten das redlich were. Dann der *Rengerſwerd* ir aigen gut were, doch wie dem ſo ligt der *Rengerſwerd* in der lanntſchrannen zu Hochſtetten, ſo wer auch dauor ain tag vor dem hofgericht vmb geleiche ſach gerechtet worden das grund vnd poden berürt die ſach wer für die lanntſchrannen darunder grund vnd poden gelegen iſt zum rechten geweiſt worden Darumb trawte er got vnd dem rechten die ſach ſolt nyendert anders berechtet werden dann vor der Schrann,

 darun-

darunder der *Rengerswerd* gelegen ist, Dann so mag yeweder tail furtziehen brief vnd vrkund vnd wes er im rechten maynt ze nyessen vnd satzten das baiderseyt zu dem rechten, Also nach fürgab antwurt red vnd widerred satzt ich obgenanter hofrichter die vrtail an den obgenanten *Hainrich* von *Seldenhorn* Lanntschriber der mit rat vnd ainhelliger volg der Rett gesprochen hat sendmaln vnd der *Rengerswerd* darauf die Swaig sein solt vnder der lanntschrannen zu Hochstetten gelegen wer. Wär nun die schrann aufgericht da vmb grund vnd vmb poden da gerechtet mocht werden so solt die sach da selbs pillichen werden gerechtet, doch das die schrann besetzt würd mit Leutten die vnargkwong vnd nicht von parteyen sunder geleich yedem tayl weren vnd sol der vogt in dhainen tail niht sten er sull ain geleicher richter yetwedern tail sein. Da mug dann yetweder tayl fürziehen brief Kuntschafft vnd herkom vnd wes er im rechten maint zunyessen, da lang dann die sach wahin sy billichen langen sulle, der vrtail begert yetweder tail ain vrtailbrief der in baiderseyt erkennt wart den ich im gib mit meinem obgenanten hofrichters Insigel besigelt *b*) doch mir vnd mein erben an schaden Geben zu Ingelstat an freytag in der quatember in der vasten *c*) nach Cristi geburd viertzehenhundert vnd darnach in dem sechs vnd dreissigisten Jar.

a) Renhartswörth ad danubium prope Plintheim in praefectura Höchstad.

b) Sigillum illaesum. *c*) 2. Martii.

Num. CXCIII.

Num. CXCIII. Sententia pratum Augustae concernens. Anno 1436.

EX ORIGINALI.

Ich HANNS TYSCHINGER an der zyt Statuogte zu Augspurg Tun kunt allermenglichen mit dem brief von gerichtz wegen daz vff huit den tag datum des briefes für die fürsichtigen Ersamen vnd weysen Mein herren die Rautgeben der Stat hie zu Augspurg in ir Rätte do der Rautgeben genug engagen waren komen ist der Erwirdig herre Abbt *Hainrich* des Gotzhuses zu sant *Vlrich* vnd zu sant *Afren* zu Augspurg, vnd clagt als da durch seinen redner her *Conraten Vögellin* hintz *Barthlome* den *Langenmantel*, wie der ainen anger hette darufse im vnd seinem Gotzhuse der hewzehende alle Jar zugepurte zugeben der im aber durch demselben *Langenmantel* vorgehallten vnd gesperret wurde, vnd hortt baidiw gern, vnd och vngern, warumb er daz tätte, dawidet antworte der benampte *Barthlome Langenmantel* durch seinen redner her *Vlrichen* den Röchlinger Er wiste nit von keinen zehenden, den er dem benämpten herren dem Abbt noch seinem Gotzhuse vsser seinem Anger schuldig wäre zu geben Sunder sein vordern fälig vnd och er hetten alwegen nit mer daruss gegeben, dann vier käs vnd dreyssig pfenning daz wäre auch lenger dann yemand gedenken möcht von in genomen worden, vnd hofte auch, Er sollte bey sollicher seiner gewer vnd alltem herkomen pillichen beliben, vff das zaigte der egenant herre der Abbt ainen brief für, vnd patte den zuuerhören vnd darnach zu beschehen was recht wäre, der auch als daruff ward verlesen, vnd also lutet Ich *Johans* der *Langenmantel* Ritter Tun kunt für mich mein

 erben

erben vnd für all mein nachkomen, daz ich dem Erſamen vnd Gaiſtlichen herren dem Abbt vnd dem Conuent ze ſant *Vlrich* vnd ze ſant *Afren* ze Augſpurg ſol geben für iren hewzehenden vſs meinem Anger der gelegen iſt gen Sparrer velt da oberthalben anſtozzet diw gemain vichwaid vnd anderthalben Margreter Anger zwiſchen Margreter Anger vnd des Griezzes ſechs ſchilling Augſpurger pfennig oder zwelff ſchilling gaeber haller alliw Jar an ſant Johanns tag ze Sunewenden aune ſchaden alle die weil ſy die pfenning gern nemen wöllent Swenne aber ſy die pfenning nicht wöllent nemen für das häwe So ſol ich vnd mein erben dem vorgenanten herren dem Abbt vnd dem Conuent ze ſant *Vlrich* ze Augſpurg iren rechten häwzehenden geben von dem Anger aun geuerd, Swenne er ze ſchobern wirt geſetzt, die waul ſol auch in wir hintz den offtgenanten herren von ſant *Vlrich* ſtaun, daz das alſo ſtät belib vnd nicht gebrochen wert gib ich in vnd irem Gotzhus diſen brief verſigeilten vnd geueſtnet vnder meinem Inſigel, daz daran hanget, des ſind geziug der Erſam Ritter her *Berchtold* der Alt *Truchſaſe* von *Chüllental* her *Berchtold* ſein vetter der vogt von Chüllental der *Reninger Ludwig* der *Hagler*, *Berchtold* von *Awe* vnd ander Erbar lut genug, Do das geſchach vnd diſer brief gegeben ward, do waren von Criſtes geburt drewtzehenhundert Jar vnd darnach in dem zway vnd dreyſſigiſten Jaren an ſant Michels Aubend. Dawider aber der egenante *Barthlome Langenmantel* durch ſeinen redner Er hofte zu Got vnd dem rechten, daz in derſelbe brief wider ſein gewer vnd alltes herkomen nichtes binden noch ſchaden ſollte Sunderlichen wann er nit mer, dann ain Inſigel hette, vnd hofte auch das er kain kraft haben ſollte Vnd ſetzte daz auch hintz ains Rautz ſpruche Als nu die obgenanten mein herren die Rautgeben bay-

dertayl

dertayl clag, red vnd widerrede, auch den vorgemelten briefe aigenlichen eingemen vnd verhört hetten. Erkannten ſy mit der merorn vollge zum rechten, daz der vorgemeldt briefe nach dem vnd in der vorgenant *Langenmantel* Ritter ſälig des der Anger zu den ſelben zyten geweſen wäre, mit ſeinem aigenn Inſigel verſigelt, vnd Erber lüt zu getziugen darein geſetzt hette, pillichen by kreften beliben vnd och der obgenant *Barthlome Langenmantel* dem egenanten herren dem Abbte vnd ſeinem Gotzhuſe hinfüro den häwzehenden vſſer dem vorgenanten Anger alle Jar geben ſollte nach Innhalt deſſelben briefes on alles widerſprechen Der vrtayl warn ſy bayderſeite benügig, vnd begerte als daruff der egenant herre der Abbt im des rechtlichen ſpruches ainen vrtaylbrief zugeben, der im auch mit recht ward erkennet, Vnd vmb des willen das ſein nit vergeſſen werde So gib ich im den brief von Gerichtes wegen, mit meinem aigenn anhangenden Inſigel *a*) verſigellten, doch mir ſelbs vnd meinen erben on ſchaden doran gehenket Des ſind getziugen die erſamen vnd weyſen her *Stephan* der *Hangenor* her *Peter Egen* der Jünger bayd an der zyt Burgermaiſter zu Augſpurg her *Conrat Vögellin* her *Vlrich* der *Röchlinger* bayder tayl redner, vnd ander Rautgeben genug, Das geſchach an Afftermäntag nach ſant Johanns tag ze Sunwenden *b*) Nach Criſti vnſers herren gepurt viertzehenhundert Jar vnd darnach in dem ſechſ vnd dreyſſigiſten Jaren.

a) Sigillum illaeſum. *b*) 26. Junii.

Num. CXCIV.

Num. CXCIV. Permutatio bonorum in Vntertürheim. Anno 1436.

EX ORIGINALI.

Ich ANDRES von FRISTINGEN die zeit vogt zu Wertingen vnd ich *Margreta* sein eliche huffraw Bekennen offenlichen mit disem brief für vns vnser erben vnd tun kunt allermenglich Daz wir mit veraynten wolbedachtem mut vnd guter vorbetrachtung raut willen vnd gunst vnser nachsten erben vnd friude mit dem erwirdigen vnd Geistlichen herren herren *Hainricht* Abpt herrn *Hansen* dem Prior vnd mit dem Conuent gemainclich des Gotzhus zu sant *Vlrich* vnd sant *Affren* zu Augspurg etc. ainen ewigen wechsel getan haben alz vmb ainen garten vnd was darzu vnd darein gehorret, vnd der gelegen ist zu *Wertingen a)* in der vorstat gen Weichenperg vnd der ir vnd ires Gotzhus rechtz aygen gewesen ist vzgenomen den zins der ierclichen vf sant Bricien tag darvss gat mit sampt dem recher vnd dem vasnahthun vnd der in ir Custrey gehoret hat, vnd den vor ainer von in vnd irem Gotzhus gebwen hat genant der *Gall riedrer* zu Wertingen doch also vnd mit der beschaidenhait, daz wir in irem Gotzhus vnd nachkomen in ir Custrey an stat des obgenenten Garten darvmb geben vnd veraygnen in krafft des briefs ain Seld vnd ainen Garten darbey vnd was darzu vnd darein gehorret vnd von recht gehoren sol vnd daz alles gelegen ist ze *Nydertürhain b)* vnd daruf stat hus vnd stadel vnd stozzet ainhalb vf die zusem vnd anderhalb vf die Seld die da vnser lieben frawen zu Gotmosshoffen zugehorret, vnd ain halb an die Seld die dem Gotzhus zu Kayssheim zugehorret vnd daruf yetzunt sitzet aine genant *Anna*

Anna Gangerin da selbs zu Nyderturhain recht vnd redlichen gegeben vnd geben in krafft des briefs die obgenanten hofftat sampt dem Garten vnd was darzu vnd darein gehoret, vnd die vns iercklichen giltet vnd golten hat zu rechtem zins ainen guten reinischen guldin vnd ain vasnahthun albegen zu rechter gült zeit vnd darzu zwelff pfenning zu weglofs für rechtz freyes aygen vnd vnuerkumerts gut dem obgenanten vnserm herrn seinem Gotzhus vnd nachkomen in ir Custrey anstat des obgenanten garten oder wen sy dieselben hofftat vnd garten vnd was darzu gehorret vnd daz vasnathun vnd weglofs gebent schaffent verkauffent oder laffent geruiwicklichen vnd ewicklichen in irem Gotzhus vnd nachkomen ze haben vnd ze nyezzen in ir Custrey der danne ze denselben zeiten Custer ist anstat des oftgenanten Garten raichen vnd geben sol die obgenant *Anna Gangerin* ir erben oder wer hinafür vf der hofstat sitzet alle iar iercklichen ainen guten reinischen Guldin gut an Golde vnd schwer genug an rechtem gewichte ye vf sant Michelstag vngeuerlichen vnd daz vasnathun ze vasnacht, alz gewonlichen ist, vnd die weglofs vffart, vnd abfart vnuerzogenlichen an allen iren schaden, Vnd also sullen wir noch vnser erben noch vnser friude noch sunst yemant von vnsern wegen an der obgenanten hofltat vnd Garten vnd was darzu gehoret oder von recht gehoren sol Nu hinafür ewicklichen dhainerlay recht noch ansprach daran noch darnach nymmer mer gehaben sullen noch wellen weder mit gaistlichem noch weltlichem rechten noch an gericht in dhain weyss an alles geuerde vnd Sy mügen darmit hinafür tun vnd lassen alz mit andern iren vnd ires Gotzhus aygenlichen gütern an allermenglichs irrunge vnd widersprechen. Vnd wir sullen in irem Gotz. hus vnd nachkomen die egenant hofftat mit sampt dem Garten

mit

mit aller ir zugehorung alſo ſtätten vnd fertigen vnd ir recht geweren ſein für alle irrung vnd anſprach die in mit dem rechten daran beſchächen nach aygens recht vnd dez landes vnd der herſchafft recht, darynne es gelegen iſt an allen iren vnd ires Gotzhus ſchaden. Etc. - - Des zu vrkunt geben wir vnſerm oftgenanten herrn ſeinem Gotzhus vnd nachkomen diſen brief für vns vnſer erben vnd nachkomen beſigelten vnd geueſtnet mit meinen obgenanten *Andres* von *Friſtingen* aygem anhangendem Inſigel vnd darzu haben wir ernſtlichen gepeten den Erſamen weyſen *Johannſen* den *Ridler* burger ze Augſpurg daz er auch ſein Inſigel an diſen brief gehenckt hat *c*) zu gezücknuſs aller obgeſchribner ſach doch im ſelbs vnd ſeinen erben an ſchaden vnder daz Inſigel ich mich obgenante *Margreta* verpinde für mich vnd für mein erben alles daz war vnd ſtat ze halten daz an diſem brief von mir geſchriben ſtat Geben an Montag vor ſant Michels tag *d*) Do man zalet nach Criſti gepurdt vierzehenhundert vnd darnach in dem ſechs vnd dreyſſigiſten Jaren.

a) Wertinga vrbs ad amnem Zuſam.

b) Vnterthürheim in praefectura Werting.

c) Sigilla periere.

d) 24. Septembris.

Num. CXCV.

Num. CXCV. Apocha pro annatis ad Cameram Apoſtol. ſolutis. Anno 1437.

Ex Originali.

Theodericus Rogel prepoſitus eccleſie Wormacien. Apoſtolice ſedis nuncius fructuumque reddituum et prouentuum iurium ac bonorum camere apoſtolice in ciuitate dioc. et prouincia Maguntin. etc. debitorum a ſanctiſſimo in Xpo pre et dno nro dno Eugenio diuina prouidencia papa quarto Collector generalis deputatus Recognoſcimus per preſentes Quod honorabilis vir dns Abbas Monaſterii ſci *Vdalrici* et *Affre* Auguſten. nobis vt collectori dedit ſoluit et preſentauit octo florenos Renen. de octo annis proxime preteritis de quolibet anno vnum Marabitanum qui valet florenum In quibus Camere apoſtolice tenebatur et obligatus exiſtebat. De quibus quidem octo florenis nobis vt premittitur ſolutis dictum dnm Abbatem eius ſucceſſores et Monaſterium quitamus et liberamus ac quitos et liberos declaramus per preſentes. In cuius rei teſtimonium ſigillum a) quo in officio collectorie vtimur preſentibus eſt appenſum Datum anno dni Milleſimo quadringenteſimo trigeſimo ſeptimo die decima ſeptima menſis Aprilis.

a) Sigillum eſt valde laeſum.

Num. CXCVI. Permutatio Censis Augustae. Anno 1437.

EX ORIGINALI.

Ich VLRICH ZIGELBACH Burger ze Augspurg Bekenn offenlichen mit disem brief für mich vnd für mein erben vnd nachkomen vnd tun kunt allermenglich Daz ich mit wolbedachtem mut vnd guter vorbetrachtung raut vnd gunst meiner nächsten erben vnd pesten friuden mit dem Erwirdigen vnd Gaistlichen herren herren *Hainrich* Abpt vnd gemainlich mit dem Conuent des Gotzhus zu sant *Vlrich* vnd sant *Affren* zu Augspurg etc. liepliche vnd fruitlichen in ain kumen vnd betädingt worden pin, Als von solicher zins wegen den der yetzgenant herre sein Conuent vnd Gotzhus lang zeit her pis vf hiut den tag gehebt haben Nemlichen zwen Guldin vngrischs oder Behemischs der Stat zu Augspurg werunge an Golde vsser meinem vordern hus vnd hoffache gelegen hie zu Augspurg in sant *Vlrichs* pfarre neben dem Saltzstadel zwischen *Vlrichen Praun* vnd *Hansen Ragklins* husern vnd hoffachen vnd hindan an *Hannsen Mülich* den Schmid den mon nennet den *Engerlin*, vnd vnden an den *Berchtolden* den *Kesselschmid* vnd ainen halben Guldin der obgenanten werunge vsser dem hindern hus ze nachst hindan an dem vordern gelegen stosset ainhalb an daz yetz genant mein vorders hus, anderhalb an daz hus daz zu dem hailigen Grab gehoret vnd vorn auf die strauzz gen dem zitzenberg alz ich daz danne von *Hannsen* Mülich dem Schmid den mon nennet den *Engerlin* säligen erkaufft haun vnd die ich bayde von vnserm obgenanten herren seinem Conuent vnd Gotzhus zu lipting gehebt haun, vnd die in ir Oblay gehorret habent, Also daz der yetzgenant mein herre vnd sein Conuent

mir

mir durch besunder lieb vnd fruitschafft willen gegunnet vnd gestattet haben mit wissentlichen mit kraft dez briefs für sy vnd für all ir nachkomen die selben dritthalben guldin vnd alle ire vnd ires Gotzhus recht die sy von Aigenschafft liptings vnd aller ander sache wegen an den selben zwain husern gehebt haben, oder vermainten ze haben oder hinafür in künftig zeit gehebt haben solten, ab den selben meinen zwain husern ze nemen, vnd ich die in irem Gotzhus vnd nachkomen in ir Oblay vf ain ander mein huse in aller der masse als sy es vf den zwain husern gehebt haben nach aller notturft zuuerschriben, alz ich auch die meinem herren seinem Gotzhus Conuent vnd allen iren nachkomen die selben dritthalben Guldin vngrischs oder Behemischs der Stat zu Augspurg werrung an Golde vnd alle ire recht der egenanten zwayr huser vermachet vnd verschriben haun vf mein hus hoffach vnd gesezze gelegen hie zu Augspurg auch in sant Vlrichs pfarr an dem zitzenberg in des Vmbachs hoff alles nach ynnehalt der lipting brief dar vber gegeben vnd darumbe hann ich meinem herren seinem Gotzhus vnd Conuent an beraytten gelt geraichet, vnd bezalet füniff vnd dreissigk Guldin rinischer die sy berait, von mir eingenomen vnd enpfangen habent, vnd die sy an iren vnd irer Gotzhus nutz vnd frumen gelegt, vnd gewendet habent mit nomen an ain gut, daz sy in ir Oblay erkauft haben gelegen zu *Pwrenfinningen*, vnd vf daz so habent sy mir vnd meinen erben vnd nachkomen die obgenanten zway huser vnd ir vnd ires Gotzhus rechten auch von der aygenschafft vnd aller ander ir rechten wegen die sy pis vf huit dato des briefs daran gehebt haben oder hinafür in künftigen zeiten ewicklichen daran gehebt haben solten gantz vnd gar quit ledig vnd loss für sy vnd für all ir nachkomen Also daz weder sy noch

 ir

ir nachkomen mich noch dhain meinen erben, vnd nachkomen alz von des obgenanten zins noch aygenschafft vffer den genanten zwain husern zu geben von dhainer ander ehafftin wegen derselben zwayr huser dhain recht verdrung noch ansprach nymmer mer haben noch gewinnen sullen weder mit gaistlichem noch mit weltlichem rechten noch sunst mit dhainen andern sachen in dhain weyss Etc. - Vnd des zu vrkundt gib ich meinem obgenanten herren seinem Gotzhus vnd Conuent, vnd allen iren nachkomen disen brief für mich vnd für mein erben vnd nachkomen besigelten vnd geuestnet mit den Ersamen vnd weysen herren *Chunrat Vögelins* an der zeit Burgermaister zu Augspurg vnd mit *Lienharten* von *Grünenbach* an den zeiten Staduogt zu Augspurg beder aygener anhangenden Insigeln *a*) daz sy bed durch meiner fleissigen pete willen an disen brief gehenkt habent zu gezücknuss aller obgeschribner sach doch in selbs vnd iren erben an schaden Dez sind zewgen vnd pete vmb die Insigel die erbern vnd beschaiden *Vlrich Praun* vnd *Hanns* der *Wagner* bed burger zu Augspurg Geben an freytag nach sant Vlrichs tag *b*) da mon zalet nach Cristi gepurdt vierzehenhundert vnd darnach in dem Syben vnd dreissigisten Jaren.

a) Sigilla sunt bene conseruata.

b) 5. Julii.

Num. CXCVII.

Num. CXCVII. Compositio Renhartswerd concernens. Anno 1437.

Ex Originali.

Ich Andres Rayser die zeit Lanndtuogt zu Höchstetten Bechenn offennlich mit dem brieffe als von Sollicher Spenn vnd irrunge wegen so dann ist zwischen des vesten *Wilhalm Diettenhaimers* zu Hawsessshan auf aim vnd der gepawrschaft vnd gantzer gemainde des dorfs zu *Blinthan a)* auf dem andern tail als von des *Rånhardswerd b)* wegen vnd was zu derselben werde vnd Sway gehört als dann der obgenante *Diettenhainer* mit recht behabt hat das im die gemaind zu *Blinthan* in den Rånharts werde vnd in die selben Sway vnd was dann darzu gehört mit irem nich mer dahin ein treiben sullent vnd in vngeengt vnd vngeirrt an dem selben gut nun furbas mer lassen sullent nach innhalt ains vrtailbriefs dem *Diettenhamer* darumbe gegeben vnd als nun die von *Blinthan* ain vichwaide an dem *Rånharts* werde herein gen dorff stossen hand die sie mit iren ayden behabt sollten han wie weyt vnd wie prayt die selb vichwaide were Alsdann recht vnd vrtail geben hett vnd vmb sollich irrunge vnd Spenn han ich sye mit ir bayder tail wissen vnd willen in der gütlicheit gericht in mass als hernach geschriben staut Des ersten das *Wilhalm Diettenhainer* die gemeinde zu *Blinthan* der aid erlassen soll in aller mass als ob sie gesworen hetten Vnd soll den von *Blinthan* ir vichwaide volgen vnd niessen lassen biss an den *Rånhardswerde* als dann yetzo aussgeweisset vnd gezaichent ist vnd da soll dann *Wilhalm Diettenhamer* nach den selben weissen ain zawn machen vnd was also ausserhalb der selben weissen vnd zaichen ist das soll den

den von *Blinthan* volgen vnd die mügent das fürbass nüssen als ander ir vichwayde on des vorgenanten *Diethamers* vnd seiner erben irrunge vnd ansprach Was aber innerhalb der selben weissen vnd zaichen ist das soll dem *Diettenhamer* vnd seiner erben gantz volgen on der von *Blinthan* vnd irer nachkomen irrunge vnd Hindernuss Es soll auch der *Diettenhamer* ain guten zawn machen zwischen der egenanten der von *Blinthan* vichwaide vnd seins vorgenanten werdes vnd ain gute vellhurd daran also das kain vich auss dem *Rünhardswerde* in der von Blinthan vichwayde heraus komen müge. Es soll auch der vorgenante *Diettenhamer* oder wer den *Rünhartswerde* von seinen wegen inne hatt die hurd vermachen das der von *Blinthan* vich auch nicht in den *Rünhardswerde* müge. Wer aber ob den der den *Rünhardswerde* inne hat seins vichs ettwas vngeuerlich herauss auf der von *Blinthan* vichwaide käme oder entrünne daz soll dem *Diettenhamer* oder wer in von seinen wegen innen hat kain schaden pringen gen den von *Blinthan* Desgleichen ob den von *Blinthan* irs vichs ettwas vngeuerlich in den Rünharts werde käme das soll man auch herauss treiben vnd den von *Blinthan* auch kain schaden pringen Vnd also soll vnd mag der vorgenante *Diettenhamer* oder sein Erben den vorgenanten *Rünhardswerde* vnd Sway verleihen versetzen oder verkauffen vnd damit tun als mit anderm seinem aigen gut vnd wem sy den vorgenanten werde vnd Sway leihent derselb soll auch weg vnd steg auss vnd ein han ir notturft zu suchen vngeuarlich doch sullent sye mit irem viche nicht herauss treiben vnd wayd suchen, Vnd auf sollichs sollent sye zu baider seitten entschaiden vnd gut nachpawrn sein Dabei ist gewesen die Erbern vnd weisen *Hanns Beck*, *Hanns Pechrer*, *Heintz Klas*, *Matheus Rapp* alle vier burger vnd Ratgeben

geben zu Hochstetten vnd sunst Erber lewt genug vnd zu zewgknusse der vorgeschriben sachen soll ich yettwedern tail wer des begert ain sollichen brief mit meinem aigen Insigel *c*) geben den ich auch also dem vorgenanten *Diettenhamer* mit meinem aigen anhangendem Insigel besigelt vnd Geben am Freitag nach sannd micheltag *d*) Anno dni etc. XXXVII^mo^.

a) Blintheim ad Danubium in praefectura Hoechstad.

b) Renhartswerd V. Spp. N. CXCII.

c) Sigillum est attritum.

d) Quarta Octobris.

Num. CXCVIII. Venditio iuris feudalis in Schönenbach. Anno 1437.

Ex Originali.

Ich Bernhart Burggraff tewtschtzs Ordens Ich Hanns Harscher der Junger vnd Barbara *Eberhards* von *Landaw* eliche huffraw vnd Vrsula *Hannsen* von *Horningen* auch eliche huffraw Bekennen offenlichen mit disem brief für vns vnser erben vnd für *Vlrichen* vnd *Hainrichen* die *Burggraffen* vnsere liebe Geschwistergeit *Hainrichen Burggraffen* vnsers lieben vatters säligen elich sun, daz wir alle mit veraintem wolbedachtem mut vnd guter vorbetrachtung rat vnd gutem willen vnser nächsten erben vnd friude recht vnd redlichen vnd an stat der obgenanten vnser lieben geschistergeit *Vlrich* vnd *Hainrich* verkaufft vnd ze kauffen geben haben vnd geben die in kraft dies briefs dem Erwürdigen vnd vnd gaistlichen herren herren *Hainrichen rithen* Abpt des Gotzhus sant *Vlrich* vnd sant *Affren* zu Augspurg seinem Gotzhus vnd nachkomen die lehenschafft dez hoffs mit allem dem daz darzu vnd darein gehoret vnd der gelegen ist zu *Schönebach a*) in der Reischenaw vnd der *Haintzen Pirkertuds* da selbs zu Schönebach gewesen ist vnd giltet iercklichen fünff Schaff roggen vnd vier Schaff habern alles Augspurger mass vnd vier vnd dreissigk schilling pfenning der klaynnen fünnfftzigk ayr vier herbsthünner vnd ain vasnahthun, vnd der selb hoff von den obgenanten *Vlrich* vnd *Hainrich* die Burggraffen vnsre liebe geschwiftergeit lehen ist gewesen also haben wir alle vier obgenant dem obgenanten Abpt *Hainrich* seinem Gotzhus vnd nachkomen die obgenante lehenschafft des obgenanten hoffs mit allem dem daz darzu vnd darein gehorret also mit gutem willen in namen vnd anstat der obgenanten *Vlrich* vnd *Hainrich* vnsare liebe geschwistergeit die selben lehen mit gutem willen vfgeben darüber hat vns der obgenant Abpt *Hainrich* also berait geben vnd bezalet zwaintzigk guter reinisch guldin die wir also berait eingenomen haben. vnd die an der egenanten *Vlrich* vnd *Hainrich* vnser geschwistergeit nutz vnd frumen gelät vnd gewendet haben. Es sullen auch wir obgenante *Bernhart Burggraff Hanns Harscher Barbara* vnd *Vrsula* noch die egenanten *Vlrich* vnd *Hainrich* vnsre geschwistergeit noch vnser erben noch sunst yemant anders von vnsern wegen dem egenanten Abpt *Hainrich* seinem Gotzhus vnd nachkomen an der obgenanten lehenschafft des hoffs oder an ichte daz darzu vnd darein gehoret hinafür ewicklichen nichtz mer engen noch irren sullen noch enmügen weder mit gaistlichem noch weltlichem rechten noch mit dhainen andern sachen in dhain weiss. Vnd des zu vrkünt geben wir obgenante *Bernhart* vnd *Hanns Harscher* dem obgenanten Abpt

Hainrich

Hainrich feinem Gotzhus vnd nachkomen difen brief für vns vnfer erben vnd wir obgenante *Erberhart* von *Landaw* Ritter vnd *Hanns* von *Horningen* haben vnfere aygne Infigel *b)* auch an difen brief gehenckt für vnfer obgenant lieb husfrawen vnd für *Vlrich* vnd *Hainrich* die *Burggraffen* vnfer lieb fchwäger zu geziuknufs aller vorgefchribner fach. Dez find tädinger vnd bey dem kauff gewefen die Erwirdigen vnd gaiftlichen herren herren *Gottfrid Harfcher* Tumtechant zu Augfpurg vnd *Johanns Gwerlich* Tumherre vnd Cufter dafelbs Geben an Mitwochen nach fant Martins tag *c)* do man zalet nach Crifti gepurdt vierzehen hundert vnd darnach in dem fyben vnd dreyffigiften Jaren.

a) Ad amnem zufam in parochia ziemetfhufana.

b) De illaefis-figillis primum, tertium et quartum T. VIII. N. II. III. IV. adparent.

c) 13. Nouembris.

Num. CXCIX. Venditio iuris aduocatiae etc. in Bonnftetten. Anno 1438.

Ex Originali.

Ich Bartholome Langemantel Burger zu Augfpurg *Hartman Langenmantels* fäligen Sun vnd ich *Barbara* fein eliche husfraw vnd ich Barbara *Hartman Langemantels* fäligen witibe burgerin zu Augfpurg Vnd ich *Jörg* vnd *Hartman* die *Langemantel* beder vnfer eliche fun. Bekennen offenlichen mit difem brief für vns vnd für all vnfer erben vnd tun kunt allermenglichen

lichen Daz wir mit veraintem wolbedachtem mut vnd guter vorbetrachtung mit vnsern nachsten erben vnd friude raut vnd gutem willen vnser vogtey gericht zwing vnd pänn vnd was wir da gehebt haben wie daz selb genant oder gehaissen ist mit allem dem daz darzu vnd darein gehorret nichtz vsgenomen noch hindan gesetzt es sey an dem brief benent oder nicht die wir vnd vnser erben gehebt haben zu *Bonsteten* a) Der mit nomen ist sechs vnd dreissigk metzen habern Augspurger mass der da geit an yeglicher pfarrer da selbs zu *Bonsteten*, sechs metzen habern vnd ain vasnathun. *Abele Forster* da selbs geit auch sechs metzen habern vnd zway vasnathüner vnd geit der *meisskung* auch sechs metzen habern vnd ain vasnathun, vnd geit *Hanns Stüdlin* sechs metzen habern vnd zway vasnathüner vnd *Claus Gnerrer* geit zwelff metzen habern vnd zway vasnathüner vnd *Vtz Stächelin* geit ain vasnathun, vnd geit *Hanns Stachelin* ain vasnathun, vnd geit *Jacob Abelins* hofstat ain vasnathun, vnd *Hanns Wirt* daselbs geit auch alle Jar ainen guten reinischen guldin von der Tafern da selbs vnd ain vasnathun vnd geit auch von der Schmitten auch ain vasnathun vnd darzu geit yeglicher haffner fünff pfennig oder häffen dafür, vnd vier klaffter Scheitter, vnd wie daz alles genant oder gehaissen ist, an grossem vnd an klaynem vnd mit allem rechten vnd ehafften alz es danne vnser vordern säligen vnd wir mangew Jar mit nutz vnd mit gewer herpracht inne gehebt vnd genossen haben, vnd für rechts lehen recht vnd redlichen verkauft vnd ze kauffen geben haben vnd geben mit kraft des briefs Dem Erwirdigen vnd Gaistlichen herren *Hainrich* Abpt des Gotzhus sant *Vlrich* vnd sant *Affren* zu Augspurg vnd allen iren nachkomen oder wem sys hinafür gebent verkauffent schaffent oder lassent ze haben vnd ze nyezzen gerüwicklichen

vmb

vmb hundert guldin guter reinischer die wir also berait von in darumbe eingenomen vnd enpfangen haben vnd an vnsern vnd vnser erben nutz vnd frumen gelät vnd gewendt haben Vnd wir haben in irem Gotzhus vnd nachkomen die obgenanten vogttey vnd gericht zwing vnd pänn vnd was wir da gehebt haben zu *Bonstetten* vnd mit allem dem daz darzu vnd darein gehoret wie daz alles genant oder gehaissen ist, es sey an dem brief benent oder nicht alz vorgeschriben stat vfgeben vnd vns des verzigen für vns vnd für all vnser erben alz mon sich lehens durch recht vnd willichen vfgeben vnd verzeichen sol nach lehens recht vnd nach des landes recht oder der herschafft darynne es gelegen ist. Etc. — — Vnd darüber zu vrkunt gib ich obgenanter *Bartholome Langemantel* meinem oftgenantem herren seinem Gotzhus vnd nachkomen disen brief für mich vnd für mein erben besigelten vnd geuestnet mit meinem aygem anhangendem Insigel vnd darzu han ich obgenante *Barbara Bartholome Langemantelin* eliche husfrow auch ernstlichen erpeten meinen lieben vatter *Herman Nordlinger* daz er auch sein Insigel an disen brief gehenckt hat vnd darzu haun ich obgenante *Barbara Hartman Langenmantels* säligen witib, vnd ich *Jörg* vnd *Hartman* die *Langemantel* bed vnser Sun auch ernstlichen gepeten vnsern lieben Tochterman vnd Schwager *Gorgen Anforgen* vnd vnsern guten fruide *Chunraten Vogelin* alle Burger zu Augspurg daz sy bed ire Insigel *b*) an disen brief gehenckt habent zu gezeucknuss aller obgeschriben sachen Doch in allen vnd iren erben an schaden Vnder die Insigel wir vns für vns vnd für vnser erben verpinden alles daz war vnd stat ze halten daz an disem brief von vns geschriben stat Geben an freytag vor dem Suntag alz man singet in der hayli-

 gen

gen vasten Judica. Do man zalet nach Cristi gepurdt vierzehenhundert vnd darnach in dem acht vnd dreyssigisten Jaren.

a) In praefectura Zusmarhus.

b) De illaesis sigillis tria priora Tab. VIII. N. V. VI. VII. adparent.

Num. CC. Inuestitura Joan. Ruch ad Parochiam in Oberndorf. Anno 1438.

EX ORIGINALI.

JOHANNES KAUTSCH in decret. Licentiatus canonicus ecclesie Augusten. Reuerendique in Xpo pris et dni dni *Petri* dei et apostolice sedis gratia Epi Augusten. vicarius in spiritualibus generalis honorabili viro decano in Truchschain *a)* ceterisque ad presencium execucionem requisitis salutem in domino Vacante nuper ecclesia parochiali in *Oberdorff b)* Augusten. Dioc. per obitum quondam dni *Egloffi Valk* presbiteri eiusdem ecclesie nouissimi et immediati possessoris extra romanam curiam defuncti venerabilis pater dns *Hainricus* Abbas monasterii sanctorum *Vdalrici* et *Afre* Augusten. ad quem ius patronatus seu presentandi pleno iure dinoscitur pertinere dilectum nobis in Xpo *Johannem Ruch* in artibus baccalaureum clericum dicte Augusten. dioc. per suas patentes litteras eius sigillo communitas infra tempus debitum legitime presentauit, cum et pro eo supplicans humiliter et deuote quatenus eundem *Johannem* ad dictam ecclesiam instituere et de eadem inuestire dignaremur.

Nos

Nos vero *Joannes* vicarius antedictus supplicationibus huiusmodi fauorabiliter inclinati seruatis rite seruandis et premissis premittendis dictum *Johannem* modo premisso nobis presentatum ad dictam parochialem ecclesiam in *Oberdorff* pro vero et perpetuo eiusdem ecclesie rectore duximus canonice instituendum et de eadem inuestiendum ac instituimus et inuestimus per presentes curam animarum regimen populi et administrationem ipsius ecclesie sibi in animam suam fideliter committentes. Quocirca vobis decano supradicto mandamus quatenus eundem *Johannem* in vestrum confratrem recipientes ipsum in et ad dicte ecclesie in *Oberdorff*, iuriumque et pertinentiarum eiusdem possessionem per vos vel alium vestrum confratrem inducatis corporalem, ipsum populo et populum sibi fideliter committentes ac facientes sibi de ipsius ecclesie fructibus redditibus prouentibus iuribus et obuentionibus vniuersis integre responderi adhibitis in hiis solempnibus debitis solitis et consuetis. In cuius rei testimonium sigillum prelibati dni nri Augusten. quo in officio nostro communiter vtimur presentibus est appensum. Datum et actum Auguste Anno dni Millimo quadringentesimo tricesimo octauo XVI. Kl. Septembris.

a) Truisheim.

b) Oberdorf haud procul a Lico ditionis *Fuggeri* de *Glott*.

Num. CCI.

Num. CCI. Venditio praedii in Plienspach. Anno 1439.

EX ORIGINALI.

Ich Agnes Renhartin burgerin zu Augſpurg *Vlrich Renhart* des webers ſäligen wirt ich *Narcyſs* vnd *Gerg* bed vnſer elich ſun Bekennen vffenlichen mit diſem brief für vns vnſer erben vnd tun kunt allermenglich Daz wir mit wolbedachtem mut vnd guter vorbetrachtung auch mit raut willen vnd gunſt vnſer erben vnd beſten frunde vnſer gütlin daz da gelegen iſt zu *Plienſpach a)* vnd hat zu dorff ain hoffſtat vnd ainen garten die da ſtozzent vf Margreter garten vnd vf die andern ſeytten vf *Lienhart Marſchalks* garten vnd vorn vf die ſtrauzz vnd giltet garten vnd hoffſtat ierklichen ainen metzen öls hundert ayr zway herbſthuner vnd ain vaſnathun vnd hat darzu in daz erſt felde ain Juchart ackers ſtoſſet ze beden ſeytten an *Peter Puchlers* äcker vnd in daz ander felde auch ain Juchart ſtozzet ze beden ſeytten vf die holtzer ains genant der widenloch vnd daz ander der ſeyloch, vnd hat in daz dritt felde auch ain Juchart ſtoſſet ain klain haintz äcker vnd lit in der tunckgrub vnd dar mer ain acker iſt ain halbe Juchart, vnd iſt genant der Salach äcker neben *Haintzen Haynits* acker, vnd was darzu vnd darein gehorret an beſuchtem vnd vnbeſuchtem ze dorff vnd ze felde es ſey an dem brief benenet oder nicht, vnd alz wir vnd vnſer vordern daz danne genoſſen vnd ynne gehebt haben vſsgenomen daz dem Gotzhus zu ſant *Vlrich* vnd ſant *Affren* zu Augſpürg ierclichen daruſs gegangen ſind mit nomen ſechs ſchilling Augſpurger pfennig ye zwelff pfennig für ainen ſchilling für frey vnuogtbär vnd vndienſtbär vnd vnuerkumerts gut recht vnd redlichen verkauft vnd ze kauffen geben haben dem Erwirdigen vnd gaistlichen herren herren *Johannsen b)* Abt dez Gotzhus sant *Vlrich* vnd sant *Affren* zu Augspurg seinem Gotzhus vnd nachkomen oder wem sy es hinafür geben verkauffent, schaffent oder lassent ze haben vnd ze nyezzen ewicklichen vnd geruiwicklichen alz ander ir vnd ires gotzhus aygen güter vmb syben gut reinischs guldin die wir also berait von vnserm yetzgenanten herrn enpfangen haben vnd die an vnsern vnd vnser erben nutz vnd frumen gelet haben vnd wir haben im vnd seinem Gotzhus vnd nachkomen daz obgenant güttlin also vnbetwungenlichen vfgeben vf dez Reichs strauzz vnd vns dez für vns vnser erben verzigen wie daz kraft vnd macht haben sol vnd mag nach landes recht vnd gewonhait oder der herschafft da daz güttlin ynne gelegen ist. Also daz wir oder vnser erben vnd fruide noch sunst yemant anders von vnsern wegen hinnafür ewicklichen an daz egenant güttlin oder an ichtes daz darzu vnd darein gehorret nichtz mer zu vordern noch zu sprechen haben noch gewinnen sullen weder mit gaistlichem noch weltlichem rechten noch sunst mit dhainen andern sachen in dhain, vnd wir sullen in irem Gotzhus vnd nachkomen disen kauff also stäten vnd fertigen wie recht vnd gewonhait ist, darynne daz güttlin gelegen ist. Vnd des zu vrkundt geben wir vnserm oftgenanten herren seinem Gotzhus vnd nachkomen disen brief für vns vnser erben besigelten vnd geuestnet mit dez ersamen vnd weysen *Lienhart* von *Grünenbach* Statuogt zu Augspurg aygem anhangendem Insigel *c)* daz er durch vnser aller fleissigen bete willen an disen gehenckt hat zu gezucknusse aller obgeschribner sach doch im selbs vnd seinen erben an schaden. Dez sind zewgen vnd bete vmb daz Insigel die erbern *Vlrich Luitfrid* vnd *Vlrich Träschel* bed weber vnd burger

burger zu Augſpurg Geben an Samtztag vor dem hailigen vſfarttage *d*) do mon zalet nach Criſti gepurde vierzehenhundert vnd darnach in dem newn vnd driſſigiſten Jaren.

a) Pliensbach in praefectura Werting.

b) Joannes Hohenſteiner.

c) Sigillum quidem illaeſum; aſt parum agnoſcendum.

d) Nona Maii.

Num. CCII. Spiritualis Confoederatio cum Monaſterio Chriſtgarten. Anno 1440.

EX ORIGINALI.

Frater OSWALDUS humilis Prior ceterique conuentuales domus *Orti Xpi a*) Carthuſien. ordinis Auguſten. Dioceſis Reuerendo in Xpo pri dno *Johanni* Dei gratia Abbati ceteriſque ſingulis venerabilibus dnis et fratribus conuentualibus Monaſterii ſanctorum *Vdalrici* et *Affre* in Auguſta ordinis ſancti *Benedicti* ſalutem in domino ſempiternam. Cum non ſolum digna relacione, verum eciam ex tam caritatiuorum ſcriptorum veſtrorum aperta exhibicione didicerimus pium veſtrum erga nos affectum vt ſub vno capite Xpo ihu diuerſa licet membra. vnum tamen corpus efficiamur ſimul profectu congaudeamus, ſimul defectui condoleamus a compage capitis noſtri, neque proſperis illecti recedentes, neque aduerſis fracti deficientes ſed vtrique et nos vobiſcum. vosque nobiſcum aſpiciendo in auctorem fidei et conſumatorem ihm teneamus propoſitum nobis certamen ſalutis. Vt ſicut ille propoſito ſibi gaudio ſuſtinuit crucem confuſione contempta comtempta et hoc propter nos. ita et nos pro illius ineffabili caritate caritatisque immensitate exeamus cum eo extra castra mundane conuersacionis sequendo vestigia eius improperium ipsius portantes assidua gratiarum actione et deuota remuneratione sue benignissime passionis de cruce nostra assumpte videlicet religionis, nullis carnalium affectionum insultibus cedendo, sed pocius adiutrice gracia in ea proficiendo, descensum contempnamus, et in anteriora eterna videlicet de die in diem extendamur, Hinc quoque nos vestre sincere affectioni erga nos in bonum vicissitudinem rependentes plena vobis vestrisque successoribus participationem fauente deo communicamus omnium spiritualium que per nos nostrosque successores diuina operari dignabitur clemencia exerciciorum sicut et nos consortes vestri esse affectamus vt simul adiuti et vinculo caritatis astricti cursum religionis eatenus peragamus, quatinus brauium superne felicitatis iocunde apprehendamus. Insuper adiicimus vberiori gracia, vt cum obitus vestri aut singulariter cuiuslibet vestrum nobis nostrisque successoribus denunciatus fuerit pro anime vestre remedio per totam nostre domus congregacionem iniungemus suffragia celebari, que pro nostris carissimis comparticipibus fieri consueuerunt. Datum in domo Orti Xpi sub sigillo eiusdem *b*) in testimonium premissorum anno dni Millesimo Quadringentesimo quadragesimo in crastino sci Petri ad vincula. *c*)

a) Christgarten. V. Sup. N. CLIII.

b) Sigillum est illaesum.

c) Secunda Augusti.

Num. CCIII.

Num. CCIII. Venditio decimarum in Boksberg. An. 1442.

EX ORIGINALI.

Ich ERASEM ze BIBERBACH des hailigen Reichs Erbmarſchalk vnd mit mir ich ERRGINGER MARSCHALK Bekennen offenlich mit dem brief für vns vnd alle vnſer erben vnd tuen kunt allen den die diſen brief anſehent leſent oder horent leſen das wir mit veraintem wolbedachtem mut guter vorbetrachtung vnd mit ratt gunſt vnd gutem willen vnſer erben nachſten vnd beſten frewnd mein vorgenanten *Eraſems* burgzehende ze *Bogſperg a)* vnd den weiler zehenden daſelbs clain vnd gros alles mit allen zugehörungen nutzen gewonhaiten vnd rechten Als ich benanter den denne vntz her geruwiclich eingenomen inn gehebt vnd genoſſen han gantz nichtzit vsgenommen noch hin dan geſetzt vnd alle vnſere recht daran vnd ſunder als die vorzeiten von dem Biſtum ze Augſpurg rechtz lehen geweſen vnd geaignet worden ſind mit iren nutzen dienſten gülten vnd genieſſen die ſi gelten oder gelten mügen bey groſſem vnd bey clainem mit allen eehafftin gewaltſamin gewonhaiten vnd rechten vnd wie das alles genant oder gehaiſſen iſt Es ſey benempt oder vnbenempt nichtz vsgenomen noch hindan geſetzt für ledig vnuerkümbert vnd rechtz aigen frey vnuogtber vnd vndienſtber vnd für rechtz aigen recht vnd redlichen verkoufft vnd ze kouffen gegeben haben den Erwirdigen Erſamen vnd gaiſtlichen herren dem Pryor vnd Conuent des Gotzhus ze *Criſtgarten* Cartuſer ordens in Augſpurger biſtum gelegen dem ſelben Gotzhus vnd allen iren nachkomen oder wem ſi es hin für ewiclich gebent verkouffent ſchaffent oder laſſent ewiclich vnd geruwiclich ein ze nemen inn ze haben vnd ze nieſſen

vmb

vmb funffthalb hundert guldin guter Reinischer gemainer landes werung die wir berait von in darvmb eingenomen vnd furo an vnsern vnd vnser erben bessern nutz gelegt vnd bewendet haben. Vnd wir haben in irem Gotzhus vnd allen iren nachkomen die obgenanten zehenden mit allen nutzen gülten gewaltsamen gewonhaiten vnd rechten ze rechtem aigen vffgegeben vnbezwungelich vff offner vnd freyer ſtraſs des reichs mit allen den worten vnd werken die darzu gehorten wie recht ist vnd haben vns der aller vnd aller vnser recht vordrung vnd ansprach gar vnd gentzlich verzigen für vns vnd alle vnser erben vnd menglichs von vnsern wegen gen in irem Gotzhus vnd nachhomen vnd menclichs von iren wegen als man sich solichs aigens vnd zehenden durch recht vnd billich verzeihen vnd vffgeben sol nach solichs aigen vnd zehenden recht nach landes vnd der herschafft recht vnd gewonhaiten darinn si gelegen sint vnd nach dem rechten also das wir vnser erben vnd frewnd noch niemant anders von vnsern wegen dehain ansprach vordrung noch anclag daran vnd darnach nu hin für ewiclich noch aymer mer gehaben sullen noch mugen von dehainerlay sach wegen weder mit gaistlichen noch weltlichen rechten noch on gericht Vnd mit dehainen elltern briefen darinn die vorgenanten zehenden gros vnd clain mit iren zugehorungen gar oder ain tail vergriffen wären in wolicher weis form oder mainung das wär ir wär ainer oder mer der oder die selben brief all sullen nu hinfür tod sein vnd dehain kraft noch macht mer haben wa man si weder den kouff vnd brief vff but vnd fürzaigt Es sey vor gaistlichen oder weltlichen lüten vnd gerichten noch vor menglichem an dehainer ſtat in dehain weis noch weg Vnd wir sullen in ouch den kouff also ſtätten vnd vertigen vnd daruff ir recht geweren sein für aller menglichs irrung vnd anſprach die in mit dem rehten daran beſchähen nach zehenden recht noch Landez vnd der herrſchafft gewonhait vnd recht darinn ſi gelegen ſind vnd nach dem rechten gar vnd gentzlich on allen iren ſchaden. Vnd des allez ze merer vnd beſſer ſicherhait ſo haben wir in zu vns vnd vnſerm erben ze rechten burgen geſetzt vnd gegeben mit namen die veſten vnd erbern *Lienharten* ze *Hohenreichen* *Burkartten* ze *Biberbach* baid des hailigen Reichs *Erbmarſchalk* vnſer lieb vetter vnd ſwager vnd *Vlrichen* von *Weldenn* vnuerſchaidenlich mit der beſchaidenhait Etc. — — Vnd des allez ze veſtem gutem vrkund ſo geben wir egenanten ſelbſchollen ſelb gelter vnd burgen den obgenanten Pryor Conuent vnd Gotzhus ze *Criſtgarten* vnd allen iren nachkomen diſen brief verſigelten mit vnſer aller vnd yeglicher aigenn angehenkten Inſigeln *b*) Der auch krefftig mächtig vnd gut in alweg heiſſen ſein vnd pleiben ſol alle die weil vnd dirre inſigel ains oder mer dar an gantz iſt. Geben vff ſannt Jorigen dez hailigen Ritters vnd Martrers aubend dez Jars da man zalt nach Criſti vnſers lieben herren geburt Tuſent vierhundert viertzig vnd zway Jar.

a) Bocksberg in ditione Fuggeriana et praefectura Werting.

b) De ſigillis primum, quartum et quintum delineata Tab. VIII. N. VIII. IX. X. occurrunt.

Num. CCIV.

Num. CCIV. Transactio Fratrum de Hangenor. Anno 1442.

Ex Originali.

Ich Stephan der Hangenor vff ain vnd ich Jörg der Hangenor sein pruder ze der andern seyten bed burger zu Augspurg Veriehen offenlich mit dem briefe vnd tuen kunt allen den die in ansehend hörend, oder lesend, Als wir vor zeiten, alle vnd yeglich vnser vätterlich vnd mütterlich Auch was vns von vnsern vettern *Petern Hangenor* vnd *Jörigen Hangenor* säligen mit Erbschaft angefallen ist, Es sey ligend oder varend, habe, erb, vnd erbgüte, wauran das alles, oder wie es genant ist, nichts vsgenomen, noch hindan gesetzzet, mit andern vnsern geswistergitten, nach gemainer frivnd raut getaylt *Hansen Hangenor* vnsern pruder mit parschaft, vnd *Magdalenen Breyschuhin*, vnser swester, mit ettlichen ligenden guten, von vns kauft vnd geweyset Vnd wir bede vnser tayle, desselben mauls by ainander gelauffen haben, Also haben dornach wir obgenanten *Stephan* vnd *Jörig* die *Hangenor* geprüder mit veraintem wolbedachtem mut, vnd guter vorbetrachtung, aber nach vnser pesten gemainer friund raut vnd mit gutem willen, all obgemellt vnser beder väterlich vnd mütterlich vnd von vnsern vettern angefallen habe, erb, vnd erbgute, Es seye aygen, lehen, oder lipting ligend, oder varnd, wauran, oder wie das genant ist, nichts vsgenomen noch hindan gesetzzet lieplich vnd friuntlich mit ainander getaylet In mausse Das mir obgenanten *Stephan Hangenor* zu meinem tayl worden vnd gefallen ist, der halbtayle an den zehenden vsser zwölf huben zu *Bobingen a)* gelegen, mit namen, vsser des

Spitals

Spitals zum hailigen gaist zu Augspurg hube, vnd vsser den byäckern die darzu gehörend, die yetzo puwet *Thoman Mayr*, dornach vsser der Gaistlichen frawen zu sant *Katherinen* anderthalben huben, vnd vsser den byäckern die darzu gehörent, die der *Helm Mair* yetzo puwet, Mer vsser ainer hube ist der egemelten frawen zu sant *Katherinen*, vnd vsser den byäckern vnd zehen strangen ackers, die dartzu gehorend, die der *Rässlin* yetzo puwet, Auch vsser ainer hub, diu — — *Vögelins Gabriel Vögelins* säligen suns ist, diu *Hainrich Willd* yetzo puwet, vnd vsser ainer hub, diu der frawen zu sant *Stephan* ist, diu *Peter Gräslin* yetzo puwet, vnd vsser ainer halben hub, diu mein *Stephan Hangenors* vnd mir von *Afren* meiner vordern lieben elichin wirtin angefallen, vnd worden ist, die *Hanns Liumann* yetzo puwet, vnd vsser vierdhalben Juchart Ackers die von der yetz genanten halben hub verchauft, vnd yetzo der hayligen zu Bobingen sind, die *Conrat Hafner* yetzo puwet, Mer vss ainer hube, vnd auch vsser den byäckern, die darzu gehörent, die *Hansen Langenmantels* sind vnd die *Contz Mair* yetzo puwet, auch vsser ainer hub, was etwenn des *badschusters* ist yetzo halbiu *Hansen Hubers* von Bobingen, vnd der ander halbtayl — — des *Högelins* vnd *Haintzen Mairs* zu Inningen, vnd die puwend die vorgeschriben hub selber, Mer ain hub. des Mütings, puwet yetzo der *Neberschmid*, vnd die obgeschriben zwu hub mit sampt den byäckern, die darzu gehörend, gand iärlich gen ain ander ze waihsel, Dornach vsser ainer halben hub diu ist des Abbts zu sant *Vlrich* vnd sant *Afren* zu Augspurg die yetzo puwet *Haintz Röchlinger*, Mer vsser ainer halben hub, diu ist des Brobsts zu sant *Jörigen* daselbs, diu yetzo puwet *Peter Zawer*, aber vsser ainer halben hub diu yetzo in her *Hansen* des *Gewürlichs* Tumherren vnd

Custers

Custers des Tums zu Augspurg hande ist, vnd diu yetzo puwet *Bartholme Lacher*, Mer vsser ainer halben hub, diu ainem Capellan irn Sägrer vff dem Kor zum Tum zugehört vnd vsser den byäckern, die darzu gehörend die *Vl. Nägelin* yetzo puwet, vnd vsser ainer der frawen zum *Stern* zu Augspurg halben hube diu *Cristan Schaller* yetzo puwet, Vnd vsser drey viertaylen an ainer hub, diu ettwenn der *Eggelhouer* gepuwet haut vnd derselben dreyer viertayl ainer hube, hond yetzo *Hanns Müller* zehen Juchart Ackers — — der *Lacher* drey Juchart Ackers, vnd der *Liuman* auch drey Juchart Ackers, *Hanns Gesler* ain Juchart Ackers vnd ain Juchart Ackers gehört in *Hansen Langenmantels* hub obgemellt, So hann ich *Stephan Hangenor* ain Juchart vnd fünf Strangen Ackers gelegen vff den nällen, vnd haut *Hanns Gesler* acht strangen Ackers. Vnd also ist der egeschriben dreyer viertayl der Hube niuntzehen Juchart vnd dreytzehen strangen Ackers, vnd machent mit sampt dem Stadel vnd hoffach der darzu gehört ain gantze hube, Derselb stadel vnd hoffach mir obgenanten *Stephan Hangenor* auch halber zugetaylt ist, Dornach ist mir zu meinem tayle worden, der halbtayle ainer Juchart vnd an fünf strangen Ackers obgemellt auch zu Bobingen gelegen vff dem Nällen, zu sampt dem halbtayle doran den ich vor der taylung die weyl wir vnser obgemelt erbgut noch den by ainander hetten von dem benenten meinem pruder *Jörigen Hangenor* nach meins kaufbriefs vsweysung erkauft haun, ze haben vnd ze nyessen. Dornach ist mir zugetaylt vnd gefallen ain viertayl an ainem hof zu *Othmarshusen* vff dem Lechfelld gelegen den yetzo puwet *Hainrich Peter* mit aller seiner zugehörung in dorff vnd zu fellde, Vnd an niuntzehen Juchart Ackers auch an vier vnd tzwaintzig tagwerk wismads ain Jar vnd das ander

Jar

Jar, an sechs vnd tzwaintzig tagwerken vnd gond zu wächsel die gelegen sind vff dem Lechfelld zwüschen Hustetten vnd Othmarshusen, Auch ain viertayl an siben hoffstetten, vnd Sölden, zu Othmarshusen gelegen zu dem viertayl an demselben hofe zu Othmarshusen an den niuntzehen Juchart Ackers vnd an dem wismad, Auch an der syben hoffstetten vnd söllden, den mein obgenanter pruder *Hanns Hangenor* von erbschafft wegen, doran gehebt, vnd mir zu chauffen geben haut, nach des kaufbriefs den ich von im darüber haun, lut vnd sage. Auch zu dem viertayl an denselben guten, der mir vnd *Jörigen Hangenor* meinem egeschriben pruder von vnser obgenanten Swester *Magdalenen Breyschuhin* in taylunge worden, vnd desselben, meins pruders *Jörigen*, halber viertayle yetzo gemellt, als ich dan von im kauft haun, auch nach meins kaufbriefs lut vnd sage, Vnd also in taylunge, vnd in kaufsweyse drey viertayl, an den yetz gemellten guten, zu meinem Gewalt, vnd handen komen, min worden vnd gefallen, vnd diu obgeschriben gut alle, nihts hindan gesetzt, lehen sind von ainem Bischoff, vnd seinem gotzhus hie zu Augspurg, Als ich auch die meintayls, von meinen genädigen lehenherren Bischoff *Petern* zu Augspurg etc. zu lehen enpfangen vnd innhändig haun, Nachdem sind mir zugetaylt vnd worden ain halbtayle an nuintzig tagwerk wismads, genant die Wildaw oberhalb Hustetten gelegen, die rechts aygen sind, Dornach ist mir an der taylung gefallen ain gart halber gelegen hie zu Auspurg vor dem Rosenawtor am gässlin der Egg Gart Auch zu dem halben tayl desselben garten, den ich von den egenanten meinem pruder *Jörigen Hangenor* erkauft haun, vnd derselb gart aller mit seiner zugehörung mein rechts lipting ist von ainem brobst vnd seinem Gotzhus zu sant *Jörigen* hie

zu

zu Augspurg alles nach der brief darüber gehörnd lut, vnd sage, zum letsten, so ist mir obgenanten *Stephan Hangenor* zugetaylt vnd worden, mein tayle an parschaft an Silbergeschirr vnd an allem husraut, so mir danne von vatter vnd muter, vnd von vnsern vettern egemellt zugehört haut, nichts vssgenomen, vnd gentzlich on abgang. So ist mir obgenanten *Jürigen Hangenor* zu meinem tayle an vorgeschribner erbschafte zugetaylt vnd worden, der ander halbtayle an den zehenden, vsser den zwölf huben zu *Bobingen*, als die hieuor benamet, vnd begriffen sind, mit sampt halben tayle an dem stadel vnd hoffach der darzu gehöret, Darnach ist mir zugetaylt der halbtayl an ainer Juchart vnd an fünf strangen Ackers zu Bobingen, vff den Nöllen gelegen, obgemelt, den ich dem vorgenanten meinem pruder *Stephan Hangenor* als hieuor begriffen ist zu chauffen geben haun, Nachdem ist mir zugetaylt ain viertayl an aim hof zu *Othmarshusen* vf dem Lechfelld, mit seiner zugehörung in dorff vnd zu felld, dem *Hainrich Peter* yetzo puwet, an niuntzehen Juchart Ackers auch an vier vnd zwaintzig Tagwerk wismads ain Jar vnd das ander Jar an sechs vnd zwaintzig tagwerken, vnd gond zu wächssel gelegen vff dem Lechfelld, so vorgeschriben staut, Mer ain viertayl an syben hofstetten, vnd söllden auch zu Othmarshusen gelegen, Mir ist auch an den yetzgeschriben guten, doran ich ain viertayl haun in taylunge von *Magdalenen Breyschuhin* meiner swester worden, vnd zugetaylt, ain halber viertayle, den ich auch meinem pruder *Stephan Hangenor* zu chauffen, vnd im des ain kaufbrief so vorbegriffen ist darüber geben haun, Das alles so vor lutet lehen ist etc. Als ich auch mein obgenanter tayle doran von meinem genadigen lehenherren obgenant empfangen haun, Mir ist auch zugetaylt der halbtayle an niuntzig tagwerken wismads genant die wildaw gelegen oberhalb Hustetten die rechts aygen sind, Dornach der obgemelt gart halber der vor dem Rosenawtor gelegen vnd lipting ist etc. den ich auch dem vorgenanten meinem pruder *Stephan Hangener* zu chauffen, vnd im des ain kaufbriefe geben haun, so vorgeschriben staut, zum letsten so ist mir vorgenanten *Jörigen Hangener* auch zugetaylt vnd worden, mein tayl an parschaft, an silbergeschir, vnd an allem husraut, so mir danne von vatter vnd mutter, vnd von vnsern vettern egemelit zugehört haut, nichts vsgenomen, vnd gentzlich on abgang. Vnd also sullen vnd wollen, kunden vnd enmügen vnser yettwedets tayl vnd desgleich vnsers yettweders tayl erben seinen tayle, wol innhaben, pruchen nutzen vnd nyessen, vnd damit tun vnd schaffen, was er wil mit verchauffen mit versetzzen, vnd mit verschaffen, mit gesondem leib oder an siechbette, Das sy der ander tayl noch sein erben nichts irren, noch engen sullen, noch enmügen, weder mit Gaitlichem noch weltlichem rechten, noch one gericht noch sunst mit dehainen andern sachen, an dehainer stat in dehain weys, noch wege, triulich vnd vngefarlich, Es ist auch hierinne Als von des obgemellten zehenden wegen, die wir schlechtlich yedem tayle halbs ze werden, so vorgeschriben staut, getaylt haben, mit namen abgeredt, vnd bedingt worden, wellicher tayle vnder vns, oder vnsern erben die obgenanten zehenden nach der hube nun füro taylen, von dem andern tayle oder seinen erben, besundern, vnd in des ermanen wölt oder würde, das im dann der ander tayle vnd sein erben in ainem monat oder zwayen, nach der ermanvnge sollicher taylunge aber nach friund raut, gut stat tun nit sperren noch wider sein sullen alles ongefärde. Vnd darüber zu waurem stätten, vnd gutem vrkund haben wir disen briefe machen

vnd

ſchreiben lauffen verſilgeten, mit vnſer beder aygen anhangenden Inſigeln, vnd mit *Hanſen Goſſembrots* mein *Stephan Hangenors* Tochtermans vnd mit *Thoman Breyſchuths* vnſer beder ſchwagers Burgere zu Augſpurg beder inſigeln *b*) diu ſy durch vnſer fliſſiger bette willen dartzu gehenkt hond zu merer geziuknuſſe in ſelb vnd iren erben on ſchaden, Der brief iſt geben an freytag vor ſant Johanns tag zu Sunnwenden *c*) do man zallt nach Chriſti vnſers herren gepurt viertzehenhundert vnd dornach in dem zway vnd viertzigiſten Jaren.

a) Decimas ex duodecim hubis Bobingae ſitis *Wilhelmus Hangenor* an. 1479. Monaſterio SS. Vdalr. et Afrae donauit. V. infra.

b) De Sigillis illaeſis tria poſteriora Tab. VIII. N. X. XI. XII. exhibet.

c) 22. Junii.

Num. CCV. Admodiatio curiae Villici. Anno 1443.

Ex Originali.

Jch Vlrich Püschel von Lutterbach Bekenn offenlichen mit diſem brief für mich vnd für mein erben vnd tun kunt allermenglich daz mir der Erwirdig vnd Gaiſtlich herr herre Johanns Abpt des Gotzhus zu ſant *Vlrich* vnd ſant *Affren* zu Augſpurg verlihen hat ſein vnd ſeines Gotzhus Mairhoff ze Augſpurg gelegen hinder irem Cloſter an der Engen kirchgaſſen vnd der ſein vnd ſeines Gotzhus rechtz aygen iſt die nachſten ſechs Jar die von dato dez briefs ſchirſt nach ein ander koment mit der hernach geſchriben ſeiner zugehörung mit nomen das Stamhus vnd die ſtallung daran mit ſampt dem gemach den *Walcher* der Miller vnd ſein wirtin vor gehebt habent, Mer hat mir mein herre gelihen den ſtadel mit der ſchüpffen oben daran vſsgenomen dez vndern fiertails des ſtadels gegen den Spital mit dem roſsſtal vnd mit dem kueſtal vorn an daran vnd darzu mit der nuien ſchuppfen die hindan gebwen iſt vnd des Tennen vor dem vorgenanten fiertail des ſtadels damit ich nichtz ze tun noch ze ſchaffen haben ſol danne allain daz mir mein herre oder ſein nachkomen gunnen ſullen darüber hinein ze faren vnd mein koren zu entladen in meines herren tayle dez ſelben ſtadels vnd auch daran zu treſchen vngeuerlichen ob ich dez ſein bedorff doch ob dez vf die zeit mein herre oder ſein nachkomen nicht bedorfften Mer hat mir mein herre darzu vnd darein auch verlihen feldiklichen in daz Oberfelde viertzig Juchart ackers. Item in daz Mittelfelde aine vnd viertzikg Juchart ackers. Item in daz vnderfelde acht vnd viertzigk Juchart ackers vnd ich ſol auch den vorgenanten hoff alſo die obgenanten ſechs Jar bwlichen vnd weſenlichen halten vnd haben vnd den bwen vnd nyezzen truilichen vnd vngeuerlichen doch mit ſolicher beſchaidenhait daz ich meinem herrn ſeinem Gotzhus vnd nachkomen die vorgenanten ſechs Jar yeglichs Jar beſunder davon geben verdienen vnd antwurten ſol vf ſeinen vnd ſeines Gotzhus kaſten von yeglicher Juchart ackers beſunder die danne mit wintrigen oder mit Sumrigen koren ſtat ain ſchaff korns daz iſt von dem winterbw keren vnd roggen doch daz ich iercklicken von dem winterbw vier ſchaff roggens mer danne des kerns geben ſol vnd von dem Sümrigen Gerſten vnd haber die zway tayl habers vnd daz drittail gerſten vnd daz alles an kern roggen Gerſten vnd haber gut redlich korn Augſpurger maſs geſtrichens

chens vnd vf yeden schöffel besunder ainen metzen dez selben korns on alle widerrede darzu sol ich meinem herrn seinem Gotzhus vnd nachkomen alle iar iercklichen geben ze wiss-gülte sechtzehen nui gut vngrisch guldin, Mer hat mir mein herre verlihen ain äckerlin stozzet vf den weg ob ich daz bwen wil ist aber daz ich daz bwen wil so sol ich daz auch meinem herrn seinem Gotzhus vnd nachkomen verdienen alz ander die vorgenanten äcker. Mon sol auch wissen welhes Jars daz beschäch daz ain gemainer vnd scheintberlicher geprest vnd schade hie vmb die Stat wär von Schurr hagel oder pylazz da got vor sey so sol der yetzgenant mein herre oder sein nachkomen vnd auch ich ob genanter mair von yettwederm tavl zwey mann darzu geben vnd nach denselben vier manne erkantnuss was mir mein herre dez selben Jars faren sulle lazzen vnd daz sol ich meinem obgenanten herren oder seinen nachkomen zu rechter zeit kumen mit nomen acht tag vor eemals daz ich mit der sichel daran gang Wär aber sach ob ich daz mit bwen oder mit tungen oder mit vngewonlicher statt versawmet daz sol ich engelten vnd dez mein herre oder sein nachkomen dhainen schaden haben, auch sol man wissen daz alle meines herrn, vnd seines Gotzhus mair zu Hustéten mir egenanten mair den mist ab dem huffen vf die vorgenanten äcker helffen füren sullen die vorgenanten sechs Jar alle Jar alz sy daz von alter vnd guter gewonhait pisher getan haund ich sol auch meinem herren seinem Gotzhus vnd nachkomen die vorgenanten sechs Jar in dem egenanten meines herrn, vnd seines Gotzhus mairhoff getruilich gewartent sein vnd darzu die sechs Jar yeglichs Jars besunder Sibentzigk fuder holtz redlicher fuder pringen vnd antwurten von Berckhain meinem herrn oder seinen nachkomen in ir Gotzhus an alle widerrede, doch zu welhar zei

mir

mir daz in dem Jar aller peste füget vngeuarlichen vnd wär auch sach daz ich soliche fuder prachte daran meinen herrn oder sein nachkomen nicht benugte so solle mein egenanter herre oder sein nachkomen vnd auch ich vorgenanter mair yettweder tail ainen frumen man darzu geben, vnd die sullen danne die fuder schätzen vnd was die selben zwen frum manne darumbe erkennet das sol vns von beden seytten wol an benügen. Auch so sol ich mich selbs beholtzen vss meines herrn vnd seines Gotzhus holtz zu Berkhain, alz vil ich danne dez sein zu prennen vnd zu zewnnen bedorff angeuarlichen doch nach anwisung meines herrn vnd seines Gotzhus holtzwarten Auch hat mir mein herre mer gelihen in den obgenanten hoff die egenanten sechs Jar daz Grass in dem Cappelgarten vnd nichtz anders darynne vnd darzu mer acht tagwerck mads in dem Prüll der stozzent vier tagwerck ain halb an *Vlrich Millers* tagwerck vnd anderhalb an *Hainsen Planckenmillers* tagwerck daz sy auch bed von meinem herren vnd seinem Gotzhus ze Jaren habent vnd vnden an dez *Ridlers* Anger, vnd andern vier tagwerck wissmad stozzent vnden vf der *Krebsserin* Garten vnd vf die andern seytten an sein vnd seines Gotzhus Anger genant der Prül mit sampt der zehent der daruss gat vnd darzu den Anger zu Berckhain Mer vier tagwerck mads da selbs zu Berckhain genant der Tübel darumbe ain holtzwart dez Angers pflegen sol mit wassern vnd mit behütten alz daz von alter vnd guter gewonhait he.komen ist vnd darzu auch sein vnd seines Gotzhus Prayttwiss zu Hustetten, Auch wanne daz ist, daz ich in dem Pfisterhus bachen wolte dez sol mir mein herre oder sein nachkomen gunnen ze tun doch mit meinem holtz doch daz ich in sein nachkomen vngeirret darynne liess ob sy selbs darynne bachen wolten,

Mer

Mer hat mir mein herre verlihen fein vnd feines Gotzhus garttlin vnden an dem Stadel alz daz danne vfs bezaichnet vnd gemercket ift, vnd nicht mer Auch fo fol ich meinen herren oder feinen nachkomen die oftgenanten fechs Jar ainen ehalten oder zwen in meinen gemach behalten wanne fy dez bedürffen an widerrede doch daz fy in fpeis vnd lon geben fullen Es ift auch ze wiffen ob in dem vorgenanten hoff was mir dez verlihen ift yetzunt ettewas zeprochen wär oder fürbas gebrach an bwe oder an decken daz ain werckman aines tages gedecken oder gebeffern mag daz fol ich felber machen vnd peffern meinem herrn feinem Gotzhus vnd nachkomen an fchaden was aber ain werckman aines tages nicht gepeffern mag, daz fol mein herre oder fein nachkomen machen vnd bwen mir an fchaden Wan auch die obgenanten fechs Jar gantz vnd gar vergand vnd hinkomen find fo fol ich in irem Gotzhus vnd nachkomen den vorgenanten hoff zu feld wol gebwen vnd wefenlichen nach mir ligen lazzen, auch darzu ledig vnd lofs fein von mir vnd meinen erben alfo daz weder ich noch mein erben noch nyemant von vnfern wegen daran vnd darnach dhain recht fordrung noch anfprach nicht mer daran gehaben fullen noch mugen in dhain weyfs Es mag auch mein herre oder fein nachkomen zu mir oder zu meinen erben vmb verpaw vnd vmb hoffgült vnd vmb all ander fach die an difem brief gefchriben ftanden alle die recht zu vns haben die danne fy oder ir nachkomen zu andern iren vnd ires Gotzhus hinderfazzen vf dem Lande habent nichtz vfsgenomen noch hindan gefetzt vnd dez alfo habent vnd gewartent fein zu aller meiner habe ligende vnd farende mit angreiffen vnd mit nötten alz ander fein vnd feines Gotzhus hinderfazzen vf dem lande alz lang vnd alz vil pis daz meinen herrn feinem me fein Gotzhus vnd nachkomen ain benügen befchicht nach dez briefs fag an allen feinen vnd feines Gotzhus fchaden. Auch ift berett worden ob ich obgenanter mair alz in den obgenanten fechs Jaren abgieng von todes wegen dez Got nicht enwelle fo fol der yetz genánt mein herre oder fein nachkomen mein wib oder meine kinde bey dem hoff beliben lazzen die obgenanten fechs Jar doch mit der befchaidenhait, daz fy meinen herrn feinem Gotzhus vnd nachkomen ain gantz benügen tun fullen vmb fein vnd feines Gotzhus recht vnd gülte, vnd vmb daz alles vnd yeglichs befunder daz an difem brief von mir gefchriben ftat. haun ich meinen herrn feinem Gotzhus vnd nachkomen zu rechten purgen vnd geweren zu mir vnuerfchaidenlich gefetzt *Hainrichen* vnd *Vlrich* bed mein lieb elich fun, Alfo vnd mit der befchaidenhait Tatt ich dez nicht daz an difem brief von mir gefchriben ftat, fo hat mein herre fein nachkomen oder wer daz von feinen wegen tut vollen gewalt vnd gut recht vns alle drey vnuerfchaidenlichen darumbe anzekomen ze notten, vnd ze pfenden mit gaiftlichem oder mit weltlichem rechten alz lang vnd alz vil pis daz vnferm herrn feinem Gotzhus vnd nachkomen ain benügen befchicht nach dez briefs fag vnd wes er fein Gotzhus vnd nachkomen dez fchaden genomen hetten, vnd des alles zu gutem vrkunt gib ich obgenanter *Vlrich Püfchs* vnd wir yetzgenant *Hainrich* vnd *Vlrich* fein purgen vnd geweren allen drey vnuerfchaidenlichen vnferm oftgenanten herren feinem Gotzhus vnd nachkomen difen für vns vnfer erben befigelten vnd geueftnet mit der Erfamen vnd weyfen *Hainrich Langenmantels* vnd mit *Andres Frickinger* bed burger zu Augfpurg aygen anhangenden Infigel *a*) daz fy bed durch vnfer aller dreyer fleiffigen bete willen an difen brief gehenckt haund

zu

zu gezucknüſs aller obgeſchribner ſach doch in ſelbs vnd iren erben an ſchaden dez ſind zewgen vnd bete vmb die Inſigel die erbern vnd beſchaiden *Vlrich Wagner* vnd *Betz* der huſſchmid bed burger zu Augſpurg Geben an freytag vor dem Weiſſen Suntag *b)* Do man zalt nach Criſti gepurdt vierzehenhundert vnd darnach in dem drey vnd viertzigiſten Jaren.

a) Primum ſigillum laeſum; ſecundum illaeſum.
b) Octaua Martii.

Num. CCVI. Venditio cenſus feni in Schoenenbach. Anno 1443.

Ex Originali.

Ich Hainrich Pirkteried die zeit geſezzen zu Praytenprun vnd ich *Margret* ſein eliche huſſraw Bekennen offenlichen mit diſem brief für vns vnſer erben vnd tun kunt allermenglich, daz wir mit wolbedachtem mut vnd guter vorbetrachtung mit raut willen vnd gunſt vnſer nachſten erben vnd fruide vnſriu zway fuder häws iercklicher nutzung die wir gehebt haben mit nomen daz ain fuder häws vſs aines Abbts vnd ſeines gotzhus zu ſant *Vlrich* vnd ſant *Affren* zu Augſpurg e vſser zwain tagwerk wiſsmat die gelegen ſind in *Schönebach* genant inn Bäcken, vnd das ander fuder häws vſser ainer Abbtiſſin vnd ires Gotzhus ze *Obern Schönefeld.* Auch vſs zwain tagwerk wiſsmad die auch gelegen ſind zu *Schönebach* auch genant

nant in Bächen die yetzgenanten zway fuder häws ierckliches nutzung vffer den obgeschriben vier tagwerck wissmads mit allen iren rechten nutzen vnd ehaftin vnd die wir auch erkauft haben von *Peter Vogel* dem Schnider Burger zu Augspurg vnd von *Affra* seiner elichen wirtin recht vnd redlichen verkaufft vnd ze kauffen geben haben vnsre recht, die wir daran gehebt haben dem Erwirdigen vnd gaistlichen herren herren *Johannsen* Abt dez obgenanten Gotzhus zu sant *Vlrich* vnd sant *Affren* zu Augspurg vnd allen seinen nachkomen oder wem sy iriu recht daran hinafür ewicklichen geben schaffent oder lazzent ze haben vnd ze nyezzen geruwicklichen alz ander ir vnd ires Gotzhus aygenliche güter vmb füniffzehen guter gerechter reinischen guldin die mir also berait von in eingenomen vnd enpfangen haben vnd anderswo an vnsern vnd vnser erben nutz vnd frumen gelat haben vnd haben in irem Gotzhus vnd iren nachkomen alle vnsre recht, die wir daran gehebt haben vfgeben vnd vns der verzigen für vns vnser erben vnd für menglich von vnsern wegen nach aygens recht vnd landes recht vnd der herschafft darynne es gelegen ist. Etc. — — Des zu vrkunt geben wir dem oftgenanten vnsserm herren seinem Gotzhus vnd nachkomen disen brief für vns vnser erben besigelten vnd geuestnet mit dez frumen vesten *Lienharten* von *Grünenbach* Statuogt zu Augspurg aygem anhangendem Insigl vnd mit *Seyfrieden Zuglers* Burgraff daselbs auch aygem anhangendem Insigel *a*) daz sy bed vnser fleissigen bete willen an disen brief gehenckt hand zu gezucknuss aller obgeschribner sach doch in selbs vnd iren erben an schaden, Dez sind zewgen vnd pete vmb die Insigel die erbern vnd beschaiden *Andres Födmer* vnd *Caspar Schilher* bed weber vnd burger zu Augspurg, Geben an Mitwochen vor vnser lieben

frawen

frawen tag alz ſy geborn ward do mon zalet nach Criſti gepurd vierzehenhundert vnd darnach in dem drey vnd viertzigiſten Jaren.

a) Sigillum primum illaeſum occurrit; Tab. X. N. II. ſecundum periit.

Num. CCVII. Venditio praediorum in Haunſtetten. Anno 1443.

EX ORIGINALI.

Ich HANNS TEVMER die zeit geſezzen zu Huſteten Bekenn offenlichen mit diſem brief für mich vnd für mein erben vnd tun kunt allermenglich, daz ich mit wolbedachtem mut vnd guter vorbetrachtung mit raut, willen vnd gunſt meiner nächſten erben vnd frunde, die recht, die ich gehabt han zu *Huſteten* vf vier hofſteten die da gelegen ſind da ſelbs zu *Huſteten* vnd die des Gotzhus zu ſant *Vlrich* vnd ſant *Affren* zu Augſpurg rechtes aygen ſind, vnd vf den ſelben vier hofſteten ich vnd mein erben erbrecht gehebt haben, vnd was darzu vnd darein gehorret, vnd daruf gebwen iſt, vnd mit allen nutzen eehaftin vnd rechten recht vnd redlichen verkaufft vnd ze kauffen geben haun alle vnſere recht, die wir daran gehebt haben. Dem Erwirdigen vnd Gaiſtlichen herren herren *Johannſen* Abpt des Gotzhus ſant *Vlrich* vnd ſant *Affren* zu Augſpurg ſeinem Gotzhus vnd allen iren nachkomen oder wem ſy es hinafür geben ſchaffen oder lazen ze haben vnd ze nyezzen ewicklichen vnd geruwicklichen vmb fünifhalben vnd dreyſſigk guter reiniſcher guldin die ich alſo berait von im eingenomen vnd enpfangen haun vnd anderſswo an meiner erben nutz vnd frumen gelegt haun, vnd haben in irem Gotzhus vnd nachkomen alle vnſsre recht, die wir daruf gehebt haben vfgeben vnd vns der verzigen für mich vnd für all mein erben vnd für menglich von vnſern wegen nach landes recht, Alſo daz ich noch dhainem erben noch frunde noch ſunſt yemant anders von vnſsern wegen darnach vnd daran an dieſelben recht fürbas ewicklichen nihtz mer zu ſprechen zu fordern vnd ze klagen haben von dhainerlay ſache wegen weder mit gaiſtlichem noch weltlichem rechten in dhain weyſs Auch iſt nemlichen berett worden von der ſchulde wegen die mir obgenanten *Hanns Teymer Gorg Krug* den mon nennet den *Huſſen* vor zeitten geſezzen zu Huſteten ſchuldig iſt, vnd vmb die ſelben ſchulde ich vermainte ſpruche vnd fordrung ze haben zu dem obgenanten meinem herrn vnd zu ſeinem Gotzhus. Der ſelben ſpruch vnd fordrung ich yetzgenanter *Haus Teymer* meinen yetz genanten herren ſein Gotzhus vnd nachkomen gantz vnd gar ledig vnd loſs ſage für mich vnd für mein erben vnd menglichen von meinen wegen Vnd des alles zu ſtättem vnd warem vrkunt gib ich meinem oft genanten herren ſeinem Gotzhus vnd nachkomen diſen brieff für mich vnd für mein erben beſigelten vnd geueſtnet mit des frumen veſten *Lienharten* von *Grünenbach* Statuogt zu Augſpurg aygen anhangendem Inſigel daz er durch meiner fleiſſigen bette willen an diſen brief gehenckt hat *a*) zu gezücknuſs aller obgeſchrihner ſach doch im ſelbs vnd ſeinen erben an ſchaden. Dez ſind zewgen vnd pete vmb daz Inſigel die erbern vnd beſchaiden *Hanns Perringer* der Weinſchenck vnd *Chuntz Krafft* der weinkoſter bed burger in Augſpurg Geben an Afftermontag nach ſant Kathrein tag *b*) der hailigen Junckfrawen Da

mon

mon zalet nach Cristi gepurdt vierzehenhundert vnd darnach in dem drey vnd viertzigissen Jaren.

a) Sigillum illaesum

b) 26. Nouembris.

Num. CCVIII. Sentential pascuum in Kizighofen concernens. Anno 1444.

Ex Originali.

Ich Stephan Hangenor Burger ze Augspurg als ain gemain man in der nachgeschriben sach Ich Vlrich Hofmayr vnd Ich Andres Frickinger auch burger ze Augspurg als zugesetzt spruchlüt zum rechten von wegen der Erwirdigen vnd Ersamen herren hern Johannsen abt des Gotzhuses zu sant Vlrich vnd sant Affren ze Augspurg ouch der Thumherren des Cappitels zum Thumb zu vnser lieben frowen daselbs vnd ettlicher ander so denn mit in im rechten stunden vnd die die sach angieng von iren vnd irer armen lüt zu Kitzikofen a) wegen an ainem Ich Jos. Pfetner von Landtsperg vnd ich Jörig Strawss burger ze Augspurg als zu gesetzt Spruchlüt zum rechten von des Erwirdigen herren hern Jorigen Brobst des Gotzhuses ze Raytenbuch vnd seiner armen lüt ze müllhusen b) wegen an dem andern tailes Bekennen offenlich mit dem brief vnd tuen kunt aller mengliohen als baid obgenant parthyen vnd tail aber vff hewt als dirre brief gegeben ist für vns zum rechten komen sind vnd von baider yetz genanter tail vlyssiger bete willen zum rechten gesessen seyen hie ze Augspurg in der

newen

newen Rautſtuben Alſo ſind die benanten herren der Abt die Thumherren vnd ander vff irem tail für geſtanden mit irem redner dem Erwirdigen herren *Lienharten Geſſel* Lerer der Recht Vicari des hofs ze Augſpurg vnd mit irem anweyſer *Jörigen Nördlinger* burger daſelbs vnd hand gemeldet Das der *Thoman Fennd* ze *Raytenbug* an ſtatt des egenanten herren des Brobſts der nicht ze gagen vnd von ſeinen wegen in das recht geſtanden ſey ob er denn icht billich erſcheinen lauſs gewalt vnd gewaltzbrief des zu recht gnug ſey Dawider der yetzgenant Techant durch ſeinen redner den Erbern wyſen *Vlrichen Zeyſſer* von Landtſperg vnd durch ſeinen anweyſer *Cunraten* von *Hall* burger ze Augſpurg genantwurtt hatt wie der vorgenant ſein herr der Brobſt durch ain ernſtlich ſchrifft von dem hochwirdigen Fürſten vnſerm gnädigen herren dem Biſchof von Freyſingen im getan gemant vnd eruordert ſy on verziehen zu ſeinen gnaden ze komen nach innhalt ainer Lattiniſchen miſſyf die er in recht begert ze verhoren vnd mainde daz mit ſolichem merklichem geſchäfft ſein Abweſung entſchuldiget vnd des gewaltz an im zum rechten gnug ſein ſolt Ob aber des gewaltz zu recht ye nicht gnug wär wie er dann das recht nach vnler erkantnuſs zu im vertröſten ſolt das wolt er tun etc. Daruff redten die benanten herren die lattiniſch miſſif hielt nicht inn dehainen gewalt wider ze gewin noch ze verluſt vnd hofften das er billich gewalt haben ſoll des zum rechten gnug wär Alſo ſprach er er wolte das recht vertröſten vnd vertroſt ouch das zu ſampt im mit dem egenanten *Joſen Pfettner Vlrichen Zeyſſer* vnd *Hannſen Schmalholtz* all von Landtſperg Alſo was dazu recht erkannt vnd geſprochen wurd das der benant ſein her der Brobſt zu *Raytenbug* der Conuent vnd ouch der armen lüt ze *mülhuſen* ain gantz völlig benügen

nügen

nügen daran haben folten vnd wolten on alles verwaigern vnd widerfprechen in allwys Desfgleich herwiderumb begert der egenant her *Thoman* an die vorgenanten herren ouch gewalt ze zaigen oder ze vertröften für die andern die nicht ze gagen ftunden vnd die die fach berürte etc. Die anwurtten alle die fo die fachen berürten die ftunden da gegenwürtig defshalb nicht notdurfft war vff irem tail dehains gewalts noch troftung vnd tetten vff das reden durch iren vorgenanten redner wie das fi zum nächften vorrecht gewefen wären vnd hetten fich erklagt daz fi *Kitzenkofen* gar vor langer zeit vnd lenger denn lands lehens oder aigens recht war erkaufft vnd nutzher inngehebt hetten mit zwingen pännen gerichten gefetzen vnd entfetzen vnd allen ehafftin vnd zugehörungen lenger denn yeman verdenken möcht dar ir rechtz aigenlichs gut wär darein der *Naffenwang* gehorte Vnd daran fi von den von *Mülhufen* geirret vnd mit iren roffen vnd vich vbertriben wurden darumb denn ettlich vrtailen vnd recht ergangen vnd des ain vrttailbrief vorhanden wär den fi in begerten ze verlefen vnd funderlich die vrttail als ouch die verlefen vnd verhört ward die vff folich maynung innhielt möchten mein her der Abt zu fant *Vlrich* vnd die Thumherren vnd wer mit in im rechten ftund vnd den die fach angieng fürbringen des zu recht gnug wär das die von *Mülhufen* dehainerlay gerechtikait hetten in den naffenwang zetryben vnd ir aigen gut war als fi denn das im rechten gebraucht hetten das fi des billich genüffen möchten fi aber das alfo nit fürbringen des zu recht genug wär das denn darnach aber gefchach das recht wär Der yetzgenanten vrtail in obgenanter gemain verfolget vnd ain merers gemacht hett Daruff zu lutterkalt füro zu recht ainhellklich erkent wär folich fürbringen zetund mit briefen oder mit lütten oder mit

mit inbaiden des zu recht gnug wär vnd solt darnach aber geschehen das recht wär etc. Als denn der benant vrttailbrief wolliklich begriffen innhielt Vnd redten daruff das si solich fürbringen yetz wol getun möchten vnd wolten Vnd liessen daruff ettwieuil alter kaufbrief tütsch vnd lattinisch verlesen vber ettwieuil gutz ze *Hiltenfingen* sagend die selben gut wären erkoufft für ledig vnuerkümert vnd für rechtz aigen mit allen nutzen rechten eehafftin gewonhaiten vnd zugehörungen vnd nach verhörung derselben brief hofften si wan der nassenwang die tratt vnd waid ir aigen wäre darein ye vnd ye gehört als man an den briefen wol vermerkt hett Si hetten ouch das damit wol fürbracht des zu recht gnug wär wan sunderlich der ain brief den nassenwang mit anstössen ouch mit ettlichen guten darinn gelegen gar merklich berürt hett ob aber des zu recht nit gnug wär so hofften si daz mit erbern lüten hewt oder ze tagen wol für ze bringen dez zu recht gnug wär Das verantwurt der egenant her *Thoman* durch seinen vorgenanten redner si hetten die sachen yetzo anders im rechten fürgetragen denn vor vnd wie der vrttailbrief mit dem fürbringen vnd allen sachen innhielt Daby liesse er es besten vnd machte die ding weder kürtzer noch lenger vnd gedruwete das des fürbringens mit den briefen vnd durch ire wort zu recht nicht gnug wär Denn er redete in inn ire gut nicht ze Hiltenfingen vnd sagte ouch dehain brief das die tratt vnd vichwaid des Nassenwangs ir wär sunder nu ettliche güter daran stiessen Brächten si aber das für innhalt der vrttail daz denn darnach geschach daz recht war Also nach vil worten der nicht notdurfft sind ze berüren stallten si dar ir nun mit den si die sachen furbringen maindten vnd begerten Lüttrung wie si die sachen mit den fürbringen solten dez zu recht

genug

genug wär Da wara erkennt in die vrtail vor ze lesen vnd daruff ze sweren das si ain warhait sagen wolten was in dauon kunt vnd wissend wär niemand ze lieb noch ze laid weder durch miett noch durch gäb Vnd allein der gerechtigkait ze hilf Also swuren die nachnün man wie erkennt ward gelert ayd zu got vnd den hailigen mit vffgeLoten vingern vnd vff das sagt des ersten *Künlin* der altuogt von Thunhusen Es sey by sechtzig Jaren gewesen da käm er gen *Kitzikofen* da wär gar vil Jar her das die Knaben ze mülhusen in den Nassenwang getriben hetten vnd triben ainzyt haimlich vnd ain weil offenlich vnd hett nie verstanden von den von *mülhusen* das si darein ze recht tryben solten vnd hetten allweg darumb in irrung gehept Vnd die Thumherren hetten die lütt darumb gebüsset vnd der Nassenwang sey ouch ir zerecht So sagt *Hanns Wernshofer* das er vff dem mairhoff ze *Kitzikofen* erzogen sey seyder des Bayrischen Kriegs vntz das er achtzehen Jar alt wurd vnd kund nit gewissen das die von *mülhusen* von rechtz wegen in den Nassenwang treyben solten vnd si hetten vorzeiten nicht als vast darein getryben als yetz vnd sagt sunst ze gutermass als der alt vogt vorgenant vnd das die selb tratt gehör den von *Kitzikofen* ze aigen zu Jtem *Hanns Sturner* ze Augspurg ist by vier vnd zwainzig Jaren da gewesen vnd sagt ouch vff seinen ayd als die vordern zwen das die von *mülhusen* dehain recht in den Nassenwang getryben haben vnd die waid oder tratt daselbs sey der von *Kitzikofen* aigen Jtem *Hanns mair* von *Kitzikofen* gedenkt by fünffzig Jaren vnd sagt als die vorigen. Jtem *Stephan magg* von Lindenberg sagt ouch vff seinen ayd das er gedenk seyder Kunig *Ruprecht* hie ze land wär das die von *mülhusen* in Nassenwang getriben haben da seyen si von den von *Kitzikofen* offt gepfendet worden vnd hab nie gehört das si zu recht darein tryben sullen, sunder die tratt oder waid gehör mit aigenschafft den von *Kitzikofen* zu vnd nicht den von *mülhusen* Jtem *Peter Schnyder* von *Kitzikofen* yetzo burger ze Koufburen sagt vff seinen ayd wie er mit recht darzu gehalten sey ze sagen vnd sein sag lutt als die nachst sag dauor Jtem *Michel* ze Nassenburen gedenkt by vierzig Jaren sagt vff seinen ayd das er hab helffen die von *mülhusen* pfenden in dem Nassenwang so si darein haben getriben vnd sunst sagt er als die nächsten zwen gesagt haben dauor Jtem *Hanns Gessel* ze Klain Kitzenkofen gedenkt ob fünffzig Jaren vnd sagt vff seinen ayd das die aigenschafft des Nassenwangs gehör zu recht den von *Kitzikofen* zu vnd die von *mülhusen* haben ganz dehain gerechtikait darein getryben Jtem *Hanns Reintmair* von Begstetten gedenkt by dreyssig Jaren das er da ze *Kitzenhofen* wäre vnd sagt vff seinen ayd das er hülff den von *Kitzenkofen* die von *mülhausen* von trybens wegen im Nassenwang pfenden die pfand wurden in wider gegeben vnd hab nie gehört das die von *mülhusen* darinn gerechtigkait gehept haben zetryben vnd wiss anders nit vnd hab nie anders gehört die tratt oder waid im Nassenwang gehör mit aigenschafft den von *Kitzikofen* zu vnd die von *mülhusen* haben dehain gerechtigkait darein zetryben Auch ward ain sag verhört des ain versigelt also luttet Jch *Vlrich pfister* die zeit vnderrichter vnd geschworner gerichtschreiber ze Landtsperg Bekenn offenlich mit dem brief das ich ze Landtsperg an offem gast rechten zu gericht gesessen bin vnd den stab in der hannd hett vnd meiner herren buch by mir da kam für mich in recht der Erwirdig herre her Jörig der *Hallder* die zeit Bursner des Tumbs ze Augspurg als ain vollmächtiger procurator vnd gewalt fur des benannten Thumbs vnd *Cunrat Schmalholtz* als sein anwayser vnd batten gerichtz zu zu *Vlrichen Hügniberg* als von ainer gezeugschafft vnd fürbringes wegen zwischen der von *mülhusen* vnd des Nassenwangs als von etzens vnd vbertrybes wegen &c. Alsdann darumb ain vrttailbrief vor offem rechten darin ain vrttail verlesen ist Als denn derselb brief mit mer wortten innhellt &c. Daruff han ich dem benanten *Vlrichen Hügniberg* zu gesprochen vnd gebotten von gerichtz wegen vnd darumb ze sagen was im kunt vnd wissent sey Der hett bekennt vnd gesagt vff seinen ayd das im kunt vnd wissent sey vnd gedenk als by der zyt da Kunig *Ruprecht* gen Rom wolt vmb dieselben zeit sey er ain Knab gewesen vnd hab seinem vatter die Ross gehüt zu mülhusen vnd ander mit im vnd haben getriben in den Nassenwang da seyen die von *Kitzikofen* komen vnd haben in die Ross genomen wen si zeuil darein triben haben vnd haben die gefürt in ir gericht des aber ir vätter allwegen mit gut die Ross von in wider vssbracht haben vnd hinfür wollen si mit iren Knaben schaffen vnd reden das si in den Nassenwang nimmer tryben sullen Er hätt ouch daby bekennt er heb es darüber nit gemitten sunder er vnd ander haben darnach haimlich und offenlich darain getriben Er hätt nie daby bekennt Er sey ze *mülhusen* erzogen vnd wol by zwainzig Jaren vngeuärlich da gewesen &c. da das beschach begert der benant der *Jörig* an mich ich gäb im der sag vnd des gerichten rechtens ainen gerichtz brief den ich im also gib von gerichtz wegen besigelt mit des frommen vesten *Hainrichen Diessers* Land vnd Stattrichters ze Lanndtspergs aigen angehenktem Jnsigel besigelt den ich darumb gar vlyssig gepetten han wan ich aigens Jnsigels nicht enhab Doch im ouch mir vnd vnser baiden erben on schaden by dem rechten sind gewesen Die Ersamen weysen *Peter Zeisser Hanns Zwin Hanns Weygel* vnd ander erber lut genug Das ist beschehen des nächsten Affter termäntags nach sant Veytztag als man zelt von Crist gepurt Tusent vierhundert vnd in dem vier vnd viertzigsten Jaren. Vnd nach solicher sag vnd furbringung hoffen si aber zum rechten das si das gar völliklich vnd genugsamklich fürbracht hetten als denn die vorgemelt vrttail innhielt, ob aber wir obgenanten zusatz erkannten zum rechten das des ouch nicht gnug wär Getruwetten si Si wolten das nochmals hewt oder ze tagen noch volliklich fürbringen des zurecht genug sein solt Vnd satzten das hin zum rechten Dawider aber der egenannt Techant Ertrawete nach innhalt der vrttail das des fürbringens ouch nicht gnug sein solt vnd ob man die vrttail nicht klärlich vermerket hett Das man denn die mer läss vnd satzt daruff die sach ouch hin zum rechten Also ward die vrttail aber gelesen vnd ouch die vorgemelten geschriben sagen des fürbringens Vnd von vns egenanten spruchlüten ain helliklich zum rechten gesprochen Das des vorgemelten fürbringes nach innhalt der offt gemelten vrttail gnug vnd wol fürbracht wär Also redten aber die egenanten herren daruff Wann nu nach solichem fürbringen aber geschehen solt das recht wär Also getruweten si das die vorgenanten von *mülhusen* mit iren rossen vnd vich in den Nassenwang nicht mer tryben solten vnd si daran vnbekümert vnd vnbeschwärt lauffen Darzu antwurt aber der egenant Techant durch seinen benanten redner wie der vorgemelt sein herr der Bropst vormals ouch im rechten hett erscheinen lauffen das er besunder gut im Nassenwang hett hoffte er das er vnd des Gotzhus Armlüt das nach irer notdurfft niessen solten vnd möchten vnd si wolten gern bestellen das si sunst in den Nassenwang nicht treyben solten &c. Da redten aber die egenanten herren vnd die by in im rechten stunden der benant herr der Bropst von *Rayttenbug* hette by ainem Jar gut darinn erkaufft Das wolten si ſi im wol gunnen genieſſen als denn ſolichs gutz recht vnd herkomen wär Aber ſi getruweten das die von *mülhuſen* in den Naſſenwang in dehain weyß mit irem vich vnd roſsen treyben ſolten vnd ſazten das von baiden tailen aber hin zum rechten. Alſo ward aber von vns egenanten ſprachlüten ainhelliklich zum rechten geſprochen das mein herr der Propſt vnd die von *mül-huſen* vnd die iren die vorgenanten herren Abt vnd Thumherren mit dem Tryben irs vichs vnd roſſen in den Naſſenwang gantz vngeirrt lauſſen vnd furo darein nicht mer tryben ſolten Aber ſein vorgemelt erkoufft gut das möcht er nieſſen Als denn daſelb gut herkomen vnd billich wär der vrttailen aller benügt ſi da wol ze baider ſeit vnd begert im der egenant mein herr der Abt von ſant *Vlrich* des ainen vrtailbrief ze geben der im ouch zegeben erkennt iſt Darumb vnd des alles ze veſtem gutem vrkunt ſo geben vir obgenanten gemain vnd Spruchman im vnd ſeinem Gotzhus diſen ſpruchbrief von vnſer aller vnd yeglicher wegen mit vnſer egenanten *Stephan Hangenors* des gemain *Joſen Pfettners* vnd *Andreſſen frikingers* aigen angehenkten Inſigeln c) verſigelten Doch vns ſelbs vnd vnſern erben vnſchädlich vnd der wir andern ſpruchlüt dizmals mit gebruchen Geben vff donrſtag nach ſant Johannes Baptiſten tag ze Sunwenden d) Des Jars de man zalt nach Criſti vnſers lieben herren geburt Tuſend vierhundert vierzig vnd vier Jare.

a) Groſskizighofen in praefectura Schwabmenchn.

b) Mühlhauſen in campo Licio in eadem praefectura.

c) De ſigilis bene conſeruatis duo poſteriora Tab. X. N. III. IV. exhibet.

d) 25. Junii.

Num.

Num. CCIX. Sententia pascuum in Leitershofen concernens. An. 1444.

EX ORIGINALI.

Ich LIENHART von GRÖNENBACH an der zitt Stattuogt zu Augspurg Tun kunt allermänglichen mit disem briefe von Gerichtz wegen Das vff huit den tag gebunge ditz briefs für die fürsichtigen Ersamen vnd Weysen mein liebe herren Burgermayster vnd Rautgeben der Statt zu Augspurg in ir Räte do der Rautgeben genug engagen wäre Komen sind die gepawrschaft gemainlich des dorffes ze *Lutershouen* a) vnd clagten da durch iren redner *Vlrichen* den *Röchlinger* hintz den erbern *Petern Egen* dem Elltern wie in der ain verbott durch das lantgericht getan hätte ir vich in sein holtz by *Lutershouen* nit mer ze treyben das sy tzemal fraind vnd vnbillichen näme nach dem vnd sy vnd ir vordern sälig allwegen darein getriben hätten lennger dann yeman verdenken möcht vnd batten alf darauf denselben *Peter Egen* ze vnderrichten sollich verbott abzetun vnd sy an dem treyben irs viches in dasselb holtz vngehindert zelaussen. Dauider der yezogenant *Peter Egen* durch seinen redner *Haunsen* den *Aunsorgen* wie sein vordern salig vnd ouch er dasselb holtz lennger dann lantzrecht vnd Stettrecht wäre in nutz vnd in gewer eingehept vnd genossen hätten vnd wäre auch ain rechtz bann-holtz vnd des Gotzhauses zu sant *Jörgen* rechtes aigen nach innhalt ains briefes von demselben Gotzhaus darumb gegeben den er begert zu verhören vnd seine wort darauf vnd darnach zubeschechen was recht wär der auch also verlesen warde vnd liesse im der benampt *Egen* furo darauf reden wie die von *Lutershofen* in dasselbe holtz nye getriben hätten dann mit gunst vnd

vnd erloubnuſſe der herſchaft deſſelben holtzes vnd obe ſy an erloubnuſſe darein getriben hätten das wär haimlich tzugegangen vnd beſchechen Dawider aber die von *Luterſhouen* durch iren vorbenampten Redner guter maſs als vor vnd des mer. ſy lieſſen den brief ſein als er wär Aber ſy vnd ir vordern ſälig hätten ir vich in daſſelb holtz allwegen offenlich vnd nit haimlich getriben vngehindert allermänglichs vntz biſs an denſelben *Egen* der ſich allererſt vnderſtannden hätte in das zeweren vnd ſy hoffen auch das mit alter erberger Kuntſchaft wol fürzebringen ob des nott beſchäch vnd ſatzten das hintz ains Rautzſpruche Dawider aber der Egenannt *Egen* auch guter maſs als vor vnd des mer sein Mum von *Kunigſegk* ſälig hätte denſelben von *Luterſhouen* allwege gewert ir vich in das holtz zetreyben vnd wenne ſy auch aun iren willen daſein getriben hätten ſo hätte ſy ir amptlüte allwege darumb pfännden lauſſen als denne das oft vnd dick beſchechen wäre das möchte er mit fromen erbern lüten auch wol fürpringen wie er recht wär vnd ſatzt das auch hintz ains Rautzſpruche Alſo nach bayder tayl clag red vnd widerred vnd nach verhörung des obgemeldten briefes habent die obgenänten mein herren ainhalliclich tzu recht erkennet Das dieſelben *Peter Egen* vnd auch die von *Luterſhouen* from alt lüt denn vmb ſollichs Kund vnd wiſſent wär für ainen raut ſtellen vnd die verhören lauſſen ſollten Mitnamen yedwedertayl ſiben Man vnd nit darob oder fünf Man vnd nit darunder vnd wenne die alſo verhört wurden das denne darnach aber beſchäch was recht wär vnd das auch dieſelben die alſo darumb ſagen wurden an den dingen weder tayl noch gemain haben vnd auch kainen tayl weder ze gült noch ze gib ſitzen vnd das ſolt beſchehen in ſechs wochen vnd drey tage vnd das auch das verbott des lantgerichtz alſ darauf abgetan

getan werden solte vntz das diu sach tzu end vnd vsstrag käme Darauf auch bayd tayl yeglich in derselben tzitt siben man für ainen Rautt stallten die auch zu gott vnd den hayligen gelert ayd mit vfferbotten vingern swuren ain wahrhait in den sachen tzesagen nyemand zu lieb noch ze layd. Vnd als nun die sag durch die Kunschaftlüte beschehen vnd in Schrift gesetzet was Kamen bed obgenant tayl widerumb für ainen Raut vnd batten dieselben Kuntschaft tzuuerhören vnd darnach tzubeschehen was recht wär Darauf auch die Kuntschaft vor ainem Raut verlesen ward darane sich luter erfand das die von *Lutershouen* die bessern sag vnd Kuntschaft hätten. Erkannten die obgenannten mein herren aber zu recht das dieselben zu *Lutershouen* ir vich in das obgenanut holtz wol treyben mochten vngehindert des benannten *Peter Egers* seiner Erben vnd nachkomen vnd mänglichs von iren wegen doch in samlicher beschaidenhait das sy in kainen nuen gehaw nach dem vnd der abgehawen wirt in drey gantzen Jaren nicht treyben vnd das von bayden taylen mit dem treyben vnd auch mit dem gehawen tzemachen vngefarlichen hallten vnd hanndeln sullen an alt arglist vnd gefärde Des rechtlichen Spruches benugte sy bayderseitt wol vnd begert alss darauf der benämpt *Peter* im des Spruches ainen brief zegeben der im auch mit recht ward erkennet Vnd vmb des willen das sein nit vergessen werd so gib ich den benampten *Peter Egen* den brief von gerichtz wegen mit meinem aignen anhangenden Insigel *b*) besigelten das ich nachgeschaft vnd hayssen der benampten meiner herren offenlich daran gehenket han mir selbs vnd meinen erben on schaden Des sind getzuigen die Ersamen weysen h. *Cunrat* der *Vögellin* her *Peter* von *Argun* bayd an der zitt Burgermaister zu Augspurg hr *Vlrich* der *Röchlinger* her *Hanns* der *Aunsorg* bay-

baydertayl redner obgenant vnd ander Rautgeben genug das geſchah an donrſtag nächſt vor ſant Jacobs Tage c) nach criſti gepurt viertzehundert vnd darnach in dem vier vnd viertzigoſten Jaren.

a) Leitershofen prope Wellenburg.

b) Sigillum optime conſeruatum. c) 23. Julii.

Num. CCX. Venditio iuris aduocatiae in Westererringen. Anno 1444.

Ex Originali.

Ich Hanns Mütting der Peter Burger ze Augſpurg vergich vnd bekenn offenlich mit diſem brief vnd tun kunt allermenglich als ich vor zeiten ettlich vogthey vnd vogtrecht, ſo zu Iglingen gehorrent, von dem durchlautigen hochgeborn fürſten vnd herren meinen genedigen herrn hertzog Ludwigen in Bayren vnd Grauffen zu Grayſpach &c. vff zwayer meiner Sün mit nomen *Ludwigs* vnd *Philips* leibe erkauft haun nach ynnehalt dez Kauffbriefs mir darüber gegeben, vnd nu der Erwürdig vnd gaistlich herre herre *Johanns* Abpt des Gotzhus ſant *Vlrich* vnd ſant *Affren* zu Augſpurg zwen hoff zu *WeſterErringen* a) bey der Strauzz gelegen hat vnd genant ſind die *rewthoff* vnd den ainen yetzund bwet ainer genant *Chuntz Wagner* vnd den andern hoff ain witibe genant die *Storhaſſin* pin ich mit dem obgenanten meinen herren ſeinem Gotzhus vnd nachkomen mit wohlbedachtem synne vnd mut vnd mit rechter wissend ains worden Alſo daz ich im ſeinem Gotzhus vnd nachkomen alle meine recht an den obgenanten zwain hoffen meiner egenanten zwayer sun lebtag dez ich auch wohl macht gehebt ergeben vnd gegeben hann Ergib auch ytzo mit disem Brief mit allen den worten vnd wercken die zu solichem gehorrent, vnd nottürftig sind darumbe mir also bar geben vnd bezahltet hat füniff vnd funfftzigk guter reinischer Guldin der Stat werung zu Augspurg Hierüber verzeich ich mich der benannten meiner zwayer Sun lebtag an den benanten zwain hoffen solicher vogtrecht vnd aller meiner recht. So ich denn durch den gemelten Kauf daran darzu vnd darauff ynendert gehebt oder ze haben vermaint han in dez obgenanten meines herrn seines Gotzhus vnd nachkomen hand vnd gewalt, alz mon sich den solicher vogtrecht durch pillich vnd recht verzeichen sol, Also daz ich noch dhain mein erben noch frunde noch nyemand ander von vnsern wegen der obgenannten meiner baider Sun oder ir ains lebtag dhain vordrung noch ansprach an den obgenanten vogttrechten vnd was darzu gehorret daran vnd darein darzu noch daruff nymmer mer haben noch gewinnen kunden sullen, noch enmugen weder mit gaistlichem noch weltlichem rechten noch an recht noch gemainlichen mit dhainen andern Sachen in dhayn weyss vnd ich vnd mein erben vnuerschaidenlichen sullen dem obgenanten Abpt *Johannsen* seinem Gotzhus vnd nachkomen die obgeschrieben vogtrecht also stätten vnd fertigen vnd daruf ir recht geweren sein Mit solicher beschaidenhait &c. Des zu warem vrkund so gib ich dem obgenanten meinem herrn seinem Gotzhus vnd nachkommen disen brief besigelten mit meinem vnd dez benanten meines Suns *Ludwigs* aigen anhangenden Insigeln vnd zu merer vnd besser sicherhait haben wir mit Fleis erbeten vnsern lieben Schweher *Vlrichen Röchlinger* daz er sein aygen Insigel zu warer gezivknüss obgeschribner sach auch offenlich an disen brief ge-

gehenckt hat, doch im vnd feinen erben on fchaden. Der geben ift vf Dornftag vor fant Thomastag des Hailigen Zweltpoten *c*) Do mon Zalet nach Cristi gepurdt vierzehenhvndert vnd darnach in dem vier und viertzigiften Jaren.

a) Weftererringen ad amnes Senkel et Gennach.

b) Sigilla optime conferuata.

c) 17. Dec.

Num. CCXI. Venditio decimarum in Bobingen. Anno 1445.

Ex Originali.

Ich Jörig Hangenor Burgere zu Augfpurg vnd Ich *Juliana* fein ehliche wirtin Bekennen offenlichen mit dem briefe vor allermänglichen für vns vnd für all vnnfser erben Das wir mit veraintem wohlbedachtem mut vnd guter vorbetrachtunge nach vnnfer nachften vnd beften fruinde Raut gunft vnd gutem willen vnnfern halbentail des zehenden ze *Bobingen* des aufs zwölf höfen dafelbs iahrlichen gatt mit fampt dem halbentail des ftadels der zu demfelben zehenden gehöret vnd alle vnnfre recht fo wir an demfelben halbentayl des zehenden gehept haben oder ze haben vermainten dehainerlay noch nichtz vffgenomen noch hindan gefetzzt vnd des der annder halbtail ift vnnfers lieben Bruders vnd Swagers *Stephan Hangenors* an der zitt Burgermayfters zu Augfpurg alles nach dem Tailungsbriefe die vorher datzwifchen gemachet vnd geben find lut vnd fage der-

derſelbe zehend aller rechtes lehen iſt von ainem Biſchoff vnd ſeinem Gotzhauſe zu Augſpurg recht vnd redlichen den benampten vnſern halbentaile deſſelben zehenden mitſampt dem halben ſtådel für ain freyes ledigs vnuerkumbertz gut vnd für ein rechtes lehen verkauft vnd zu kauffen gegeben haben vnnſerm lieben Swager *Thoman Preyſchuch* Burgere zu Augſpurg vnd allen ſeinen erben oder wem ſy den hinfüro ewiglichen gebent verkauffent ſchaffent oder laſſent zehaben vnd zenyeſſen geruwiclich zum rechten lehen vmb fünfhundert vnd dreyſſig guldin guter riniſcher die wir beraitt von im darumb eingenommen vnd enpfangen haben vnd ſy anderhalben an vnnſern vnd vnnſerr erben beſſern nutz vnd fromen gelegt vnd gewanndet. Vnd alſo haben wir Im vnd ſeinen Erben den vorgenannten vnnſern halbentail des benampten zehenden mit ſampt dem halben ſtadel dem benampten vnnſerm Swager zu rechten lehen vffgegeben vnbezwungenlich mit freyer hand in des benampten vnnſers lehenherren hånd nämlichen ich obgenannter *Jörg* als für mich ſelbs vnd ich egenante *Juliana* durch meinen lehentrager *Jörigen Sulzer* vnd haben als darauf den benampten vnnſern lehenherren gepetten das er im das alles ze rechtem lehen verlyhen haut vnd haben vns ſein verzigen mit gelerten worten für vns vnnſer erben vnd für mänglichen von vnſern wegen als man ſich lehens durch recht vnd billich verzeyhen vnd es vffgeben ſoll nach lehensrecht nach landes vnd der herrſchafft recht vnd gewonhaitt darinne das gelegen iſt vnd nach der Statt rechte hie zu Augſpurg. Alſo das weder wir dehain vnnſer Kind erben oder fruinde nyemand von vnnſern wegen noch ſunſt yemand anders nunn fürohin ewiglich darnach noch daran nymmermer nichtz zeſprechen, zefordern noch zeclagen haben ſullen kunden noch enmigen von dehainerlay ſachen wegen

weder

weder mit gerichte gaiſtlichen noch weltlichem noch ain recht noch ſunſt mit dehainen anndern ſachen an dehainer ſtatt in dehain weyſe. Wir ſullen im den benampten halben zehenten mit ſampt den halben ſtadel auch alſo ſtäten vnd fertigen vnd ſein rechte gewern ſein für allermänglichs irrung vnd anſprach die mit den rechten daran beſchicht nach lehensrecht nach landes vnd der herſchaft recht vnd der gewonhaitt darinne das gelegen iſt vnd nach der Statt rechte hie ze Augſpurg &c. Des alles tze veſtem gutem vrkund ſo geben wir im den briefe beſigelten mit meinem des obgenannten *Jörigen Hangenors* aigem Inſigel das ich offenlich zu getzuignuſſe daran gehenket han vnd darzu mit der erſamen weyſen vnnſers lieben bruders vnd Swagers *Stephan Hangenors* der tzitt Burgermaiſters zu Augburg obgenannt vnd *Vlrichen Sultzers* Burgere daſelbs aigen Inſigeln diu ſy durch vnnſer ernſtlichen pette willen tzu getzuignuſſe In vnd iren erben an ſchaden auch offenlichen an den brief gehencket hand. Darunder ich obgenannte *Juliana* mich veſtilich verpünd für mich vnd all mein erben war vnd ſtätte tzu hallten was hieuor geſchriben ſtaut an allſ gefärde. Geben an Mäntag nächſt vor des hailigen Crutz tage als es erhöcht ward *a*) nach Criſti gepurt viertzehenhundert vnd im fünf vnd viertzigſten Jaren.

a) Decima tertia Septembris.

Num. CCXII.

Num. CCXII. Litteræ feudales. Anno 1445.

EX ORIGINALI.

Wir PETER von Gottes genaden Bischoue zu Augspurg Bekennen vnd tun kunt offenlich mit dem brieue vor allermeniglichen das wir dem Ersamen weysen *Thoman Preyschuch* Burger zu Augspurg zu rechtem lehen verlihen haben den halbtail des zehenden zu *Bobingen* gelegen vnd gat der gantz zehend vss zwölff höfen daselbs gelegen vnd derselb zehend vz den genanten zwelff höfen gantz von vns vnd vnserm Gotzhus zu lehen rüret, Vnd als der Ersame *Georig Hangenor* Burger zu Augspurg, denselben halbtail des zehenden vor zeiten von uns zu lehen emphangen vnd darnach sein ehlich husfrawen *Julianen Vlrich Sturs* tochter ir haymstür morgengab vnd widerlegung daruff beweiset hatt denselben halbtail des genanten zehenden wir auch der egenanten *Julianen* in irs tragers hand, des Ersamen *Georien Sultzer* Burger zu Augspurg in tragers weyse verlihen haben. Vnd also seind nun der egenant *Georig Hangenor* vnd *Juliana* sein ehliche husfrawe mit einander aynig worden, daz sy denselben halbtail des zehenden verendern vnd verkauffen vnd in andern iren nutz bekeren vnd wenden wöllen, Vnd hat vns *Georig Sultzer* als ein trager der genanten *Julianen* denselben halbtail des zehenden, von der genanten *Julianen* wegen mit seinem offenen besigelten brieue aufgeben vnd gebeten denselben halbentail des genanten zehenden von im aufzenemen vnd füro zuuerleihen, wem denn die genannten *Georig Hangenor* vnd *Juliana* sein eliche husfrawe denselben halbthail des gemelten zehenden zekauffen geben oder gen wem sy den verendern, Vnd als sy nun denselben halbentail zehenden gen

dem

dem vorgenannten *Thoman Pryſchuch* verendert vnd im den zekauffen geben haben, Alſo haben wir denſelben halbtail zehenden von dem genanten *Georig Sultzer* als einem trager vnd in tragers weyſe von der egenanten *Julianen* wegen vſgenomen Vnd verleihen den dem vorgenanten *Thoman Pryſchuch* zu rechtem lehen wiſſentlich vnd mit craft des briefs, was wir im p'llich vnd von rechts wegen an demſelben halbtail zehenden leyhen ſollen, als denn vnſere vnd vnſers Gotzhus lehenrecht ſtend, Doch vns vnſerm Gotzhus vnd yedermannes rechten vnſchedlichen vnd auch alſo das er vns vnd vnſern Gotzhus, davon getruwe vnd gewär ſein ſoll vnſern ſchaden ze warnen vnd fromen ze fürdern vnd tun als ein lehenmann ſeinem lehenherren von lehen wegen pillich vnd zu recht tun ſol getrulich vnd on alle geuerde Mit orkunde des briefs Geben vnd beſigelt mit vnſerm anhangendem Inſigel a) am nechſten Frytag vor ſand Michels tag des furſtenengels b) Do man zalt nach Criſti gepurt viertzehenhundert Jare vnd dornach in dem funf vnd viertzigiſtem Jare.

a) Sigillum optime conſeruatum.

b) 24. Septembris.

Num. CCXIII. Permutatio feudi in Bocksberg. Anno 1446.

Ex Originali.

Wir PETER von Gottes genaden Biſchove zu Augſpurg Bekennen vnd tun kund offenlich mit dem briefe vor allermeniglich für vns vnſer Gotzhus vnd alle vnſer nachkomen Biſchoue vnd

vnd pfleger das für vns komen ist der Erber vefte *Erasem* zu *Biberbach* des heiligen Reichs *Erbmarschalk*, vnd hat vns mit vleis gar dyemütiglich gebeten, daz wir im so genedig vnd gütig seyen vnd im seinen zehenden zu *Boxsperg a)*, den Burgzehenden vnd weylerzehenden als der an im selbs ist, der von vns vnd vnserm Gotzhus zu lehen rüret, aygenen wölten, da wider vnd zu ayner ergetzunge solicher aygenunge so wölt er vns vnserm Gotzhus vnd nachkomen, seinen zehen zu *Feysenhofen b)* in dem dorffe als er an im selbs ist vnd gilt zu gewonlichen Jaren zehen schaff Rocken vnd zehen schaff habern nach zehenden recht, der sein recht aygen was, widerumb zu lehen machen vnd empfahen, Des haben wir also angesehen sein vleyssig dyemütig bete, Och guten willen vnd Fruntschafft, die er bisher zu vns vnd vnserm Gotzhus gehabt vnd beweiset hatt, vnd noch hinfüro ob got wil lang tun sol Vnd dorumb mit wolbedachtem synne vnd mute Vnd sonder mit raute willen vnd gunste der wirdigen herren *Haimrichs Truchsessen* Thumprobsts herrn *Gottfrid Harschers* Thumdegants vnd gemainlich vnsers Capitels zu dem Thum zu Augspurg. Daz dorumb besammet ward mit belüter Glocken als sittlich vnd gewohnlichen ist So haben wir dem obgenannten *Erasem Marschalk* den vorgenanten zehenden zu *Boxsperg*, den Burgzehenden vnd den weylerzehenden mit aller zugehörunge recht vnd redlich geaygnet vnd zu rechtem aygen gemachet, aygnen vnd machen im och den zu rechtem aygen wissentlich vnd in crafft diss brieffs vnd mit allen den worten vnd werken der dartzu notturftig ist vnd damit man nach vssweisungen aller gaistlicher vnd weltlicher rechten, lehen aygnehen vnd zu rechtem aygem machen sol vnd mag, das es hinfüro an allen steten vnd vor allen luten vnd gerichten geistlichen vnd weltlichen pillichen

craft

craft vnd macht hat haben ſol vnd haben mag Vnd wir verzeihen vns doran vnſerr recht, die wir vnd vnſer Gotzhus von lehenſchaft vnd aigenſchaft wegen ye doran gehebt haben oder haben ſollten oder möchten, ob wir im den nit geaygnet hetten Alſo das der vorgenant *Eraſem Mareſcalk* vnd ſein erben, oder in wes hand der egenant zehend kompt der auch zu gewohnlichen Joren gilt zehen ſchaff Roggen vnd zehen ſchaff habern ongeuerlich nun für baz ewiglich vnd aigenlich innhaben vnd nieſſen vnd da mit tun vnd laſſen, als mit anderm irem aigentlichen gut Das wir vnſer Gotzhus vnd nachkommen, in oder ſein erben daran nit irren noch engen ſollen in dehain weyſe Wan da wider ſo hat vns vnſerm Gotzhus vnd nachkomen, der vorgenant *marſchalk* ſeinen zehenden zu *Feyſenhouen*, als der an im ſelbs iſt mit ſeiner zugehörde, der ſein recht aigen geweſen iſt zu rechtem lehen gemacht vnd emphangen mit allen worten und wercken damit man aigen nach auſswiſung aller gaiſtlicher vnd weltlicher rechten zu lehen machen ſol vnd als das pillich Craft vnd macht hat haben ſol vnd haben mag, vnd ſich auch aller ſeiner recht von aygenſchaft wegen doran verzigen daz der gemelt zehend zu *Feyſenhofen* nun mit allen rechten vnd zugehörungen recht lehen ſein ſol vnd iſt alsdenn ayn Gagenbrieue, den er vns vnd vnſerm Gotzhus darumb geben hatt innhelt vnd aygentlich vſsweiſet, vnd denſelben zehenden mit allen rechten vnd zugehörungen den vorgenant *Eraſem Marſchalk* vnd ſein erben oder in wes gewalt er komet, nun fürbas ewilich von vns vnſerm Gotzhus vnd nachkommen zu rechtem lehen vnd nach lehens vnd landes recht innhaben vnd nieſſen, vnd als offt das zu vällen oder zu ſchulden kompt emphohen vnd vns vnſerm Gotzhus vnd nachkomen dauon gewärtig gehorſam vud getriuve ſein ſollen vnſerm ſchaden zu warnen vnd fromen zufürden vnd tun als lehenlute iren lehenherren von lehen wegen pillich vnd zu recht tun sollen getrulich vnd on alles geverde. Vnd des alles zu gutem worem vrkunde, so geben wir dem genanten *Erasm Marschalk* vnd seinen erben disen brieue besigelten mit vnserm vnd vnsers vorgenannten Capitels zu dem Thum zu Augspurg anhangenden Insigeln *c*) Vnd wir *Hainrich Truchsäs* Tumprobst *Gotfrid Harscher* Tumdegant vnd gemainlich das Capitel zu dem Tum zu Augspurg Bekennen och an disem brieue das soliche aygenunge vnd alle vorgeschriben sachen nach diss briefs vssweysunge mit vnserm raute willen vnd gunste zugangen seind vnd beschehen Vnd haben dar vmb vnsers Capitels gemain Insigel auch offenlich an disen brieue tun henken Doch vns vnserm Capittel vnd nachkomen ohn schaden Der geben ist am Mentag nach dem Suntag Letare zu Mitvasten Do man zalt von Crists geburt vierzehenhundert Jare vnd darnach in dem sechs vnd viertzigisten Jare.

a) Boksberg V. Sup.

b) *Feisenhofen* omnino locus ignotus; forsitan nunc *Feigenhofen* prope Biberbach.

c) Sigilla tam Episcopi quam Capituli sunt illaesa.

Num. CCXIV. Permutatio Curiae in Schönenbach. Anno 1447.

Ex Originali.

Wir Gertrud von Gotes genaden Abbtissin vnd mit vns der gemain Conuent des Gotzhus zu *Obern Schönefeld a*) gelegen in der Reischenaw sant *Bernhartz* Ordens Bekennen offenlichen

mit

mit difem brief für vns vnfer Gotzhus vnd nachkomen vnd tun kunt allermenglich, Daz wir mit veraintem wolbedachtem mut vnd guter vorbetrachtung in vnferm Cappitel da wir all ze famen komen wauren mit belütter Gloggen alz fitlichen vnd gewonlichen ift vnd daz da dhainne widerfprach ainen ewigen wechfel getan haben mit dem Erwirdigen vnd gaistlichen herren herren *Johanns* Abpt, vnd gemainlich mit dem Conuent dez wirdigen Gotzhus zu sant *Vlrich* vnd fant *Affren* zu Augfpurg fant *Benedicten* Ordens, Alz vmb ainen hoff den wir vnd vnfer Gotzhus gehebt haben zu Schönebach in der Reifchenaw vnd yetzund aine bwet genant *Elpet Criftanin* vnd der vnfer vnd vnfers Gotzhus rechtz aigen gewefen ift, vnd darzu vnuogtber ift gewefen mit allem dem daz darzu vnd darein gehorret, oder von recht gehorren fol wie daz alles genant oder gehaiffen ift nichtz vfsgenommen Vnd vmb folichen wechfel.vnd an ftat dez yetzgenanten hoffs fo hat vns der yetzgenannt Abpt *Johanns* zu fant *Vlrich* vnd fant *Affren* zu Augfpurg &c. geben vnd verwechflet ir vnd ires Gotzhus hoff den fy ir Gotzhus gehebt haben zu *Wollifshufen* b) vnd den yetzunt ainer bwet genant *Hanns Stegman* auch mit allem dem daz darzu vnd darein gehorret oder von recht gehoren fol wie daz alles genant oder gehaiffen ift, nichtz vfsgenomen Alfo vnd mit der befchaidenhait das wir vnfer Gotzhus noch dhain vnfer nachkomen noch funft yemant anders von vnfern wegen an den egenanten hoff zu *Schönebach* oder an ichte das darzu vnd darein gehorret, oder von recht gehorren foll darnach vnd daran dhain recht vordrung noch anfprach nymmer mer gehaben fullen noch enmugen weder mit gaiftlichem noch weltlichem rechten noch funft mit dhainen andern fachen in dhain weifs vnd Sy ir Gotzhus vnd nachkomen mugen hins für ewicklichen damit tvn vnd lazzen mit befetzen

 vnd

vnd entfetzen vnd wie fy verluft, alz mit andern ires Gotzhus aigenlichen gütern vngeirret vnfser vnfers Gotzhus vnd aller vnfer nachkomen Auch ift berett vnd getadingt worden vm der vogttey wegen die da gewefen ift vf dem obgenannten hoff zu *Wollishufen* den fy gen vns vnferm Gotzhus verwechflet haben. Durch gunft vnd willen des Hochwirdigen Fürften vnd herren herren *Peter* von Gotes genaden Byfchoff zu Augfpurg vnfers genedigen herren hat dem obgenanten Abpt *Johannfen* feinem Gotzhus vnd nachkomen fein genad verwillet vnd vergunnet diefelben vogtey vf dem yetzgenanten hoff zu *Wollishufen* den Sy ir Gotzhus gen vns verwechflet haben dar ab ze tun vnd vns vnferm Gotzhus vnd nachkomen den gefreyet vnd diefelben vogtey gelät hat hinafür ewicklichen ze nemen vnd ze geben vff dem hoff zu *Schönebach* den wir vnfer Gotzhus vnd Conuent gen dem vorgenanten Abpt *Johannfen* feinem Gotzhus verwechflet haben nach Ynnehalt des briefs den der yetzgenant Abpt *Johanns* fein Gotzhus von dem yetzgenanten vnferm gnedigen herrn dem Byfchoff auch von Edeln vnd veften herrn *Hainrich* von *Elerbach* Ritter habent dem danne ze difen malen in pfantweis ftat, was zu dem Hattenberg gehoret, vnd wurde dem oftgenanten Abpt *Johannfen* feinem Gotzhus vnd nachkomen der oft genante Hof zu *Schonebach* aller oder fein ain tayl oder ichtes daz darzu vnd darein gehorret oder von recht gehorren fol von yemand anfprach mit dem rechten in folichen zillen vnd zeitten darynne mon aigen nach aigens recht vnd landes recht vnd der herfchafft recht alz hie vor begriffen ist pillichen ftätten vnd fertigen fol diefelben irrung vnd anfprach ir war aine oder mer vnd was fy der fchaden namen fullen wir vnfer Gotzhus vnd nachkommen in irem Gotzhus vnd nachkomen truilichen vnd vnuerzogenlichen abtun keren vnd vfstragen an alles

alles widerſprechen Etc. — — Vnd des zu vrkund geben wir dem oftgenanten Abpt *Johannſen* ſeinem Gotzhus vnd allen iren nachkomen diſen brieff fur vns vnſer Gotzhus vnd für all vnſer nachkomen beſigelten vnd geueſtnet mit vnſerm oftgenanten frawen *Getruden* Abbtiſſin Inſigel vnd darzu mit vnſers Conuents Inſigel *c)* die bede an diſem brief offentlichen hangent, Geben an Freytag nach ſant Nyclaus tag *d)* dez hailigen Byſchoffs Do mon zalt nach Criſti vnſers herren gepurdt vierzehenhundert vnd darnach in dem ſiben vnd viertzigiſten Jaren.

a) V. Sup.

b) Haud procul a monaſterio Schönenfeld.

c) Abbatiſſae Sigillum valde laeſum; Conuentus vero illaeſum.

d) Octaua Decembris.

Num. CCXV. Confirmatio ſuperioris Permutationis ab Epiſcopo facta. Anno 1447.

EX ORIGINALI.

Wir PETER von Gotes genaden Biſchoue zu Augſpurg Bekennen mit dem briefe vor allermeniglich für vns vnſer Gotzhus vnd alle vnſer nachkomen Biſchoue vnd Pfleger Als die würdigen gaiſtlichen vnſer andechtigen vnd beſunder lieben vnd getruwen *Johans* Abbte des Gotzhus zu ſand *Vlrich* vnd ſand *Afran* zu Augſpurg vnd frawe *Gerdrut* Abbtiſſin des Gotzhus zu *Obern Schönenfelt*, eynen wechſel mitainander geton haben Alſo das der genant Abbte *Johans* der gemanten *Gertruden* Abbtiſſin

tissin irem Gotzhus vnd nachkomen zu *Schönenfeld* seinen vnd seins Gotzhus hofe zu *Wollisshusen*, den yetzo der *Sigman* buwet vnd bisher vogtber ist gewesen vnd gehört hat zu dem Hattenberg mit der vogteye, gegeben hat vmb eynen hofe zu *Schönenbach*, der aygen gewesen ist des Gotzhus zu *Schönenfelt* vnd vnuogtber ist gewesen vnd yetzo buwet ayner genant der *Cristan*, nach innhalt der wechselbriefe, die sy einander geben haben Vnd wan nun der Hattenberg mit seiner zugehörunge vns vnd vnserm Gotzhus zugehört vnd der strenge *Hainrich* von *Ellerbach* Ritter yetzo von vns vnd vnserm Gotzhus innan hat Also haben wir vnsern Gunste vnd willen zu solichem wechsel gegeben vnd geben auch wissentlich mit disem brieue, wie es denn pillich an allen stetten vnd vor allen lüten vnd gerichten Gaistlichen vnd weltlichen craft vnd macht hat haben sol vnd gehaben mag, das der hofe zu *Wollishusen*, mit seiner zugehörunge, der vogtber gewesen ist nun füro in ewige zeite recht aygen sein sol vnd ist dem Gotzhus zu *Schönenfelt* vnd vnuogtber. Vnd der hofe zu *Schönenbach* der aygen gewesen ist, soll für bas in ewige zeyte mit seiner zugehörunge vogtber sein vnd zu dem Hattenberg mit der vogtey gehören in aller der mass, als der oftgenant hofe zu *Wollisshusen* gewesen ist. Vnd ich *Hainrich* von *Elerbach* Ritter Bekenne och besunder an disem brieue, das solicher wechsel vnd alle vorgeschriben sachen, och mit meynem gunste gutem willen vnd wissen beschehen seind vnd dowider nit sein noch tun sol noch wil noch nyemantz von mynen wegen dehains weges, alle geuerde vnd argenliste in allen vnd yeglichen obgeschriben puncten artikeln vnd maynungen gentzlich vssgeschai. den vnd hindan gesetzt Vnd des alles zu gutem vrkunde so haben wir vorgenant *Peter* von Gottes gnaden Bischoue zu Augspurg vnd ich *Hain-*

Hainrich von *Elerbach* Ritter vnsere Insigel offenlich vnd mit wissen tun hencken an disen brieue *a*) Der geben ist am nechsten Freytag nach sand *Nyclas* tag des hailigen Bischofs Do man zalt nach Cristi vnsers lieben herren gepurt viertzehenhundert Jare vnd darnach in dem Syben vnd viertzigistem Jare.

a) Sigillum Episcopi illaesum; *Elerbachi* paululum laesum.

Num. CCXVI. Conuentio cum parochia Modelshausana. Anno 1448.

Ex Originali.

Ich Albrecht Schrag von Emersacker an der zeit der Stat zu Augspurg diener, Bekenn offenlichen mit disem brief vnd tun kund allermenglich Alz von solicher irrunge vnd Spenne wegen die da gewesen sind zwischen dez Erwirdigen vnd gaistlichen herren herren *Johannsen* Abpt dez Gotzhus sant *Vlrich* vnd sant *Affren* zu Augspurg vf ainem, vnd vf dez Ersamen vnd weisen *Jacoben Ramen* von *Boxsperg* vnd burger ze Augspurg vf dem andern tayl Alz von der Kirichen wegen zu *Modeltzhusen a*) die selb Kirichen von dem obgenanten Abpt *Johannsen* vnd von seinem Gotzhus zu lehen rüret, dieselben irrunge vnd Spenne gen ainander bed tayl vor mir geoffnet vnd fürgelegt habent mit nomen von aines wissmads wegen daz da gelegen ist vnderhalb dez weyers zu *Buech* vnd mer von ainer pewnde wegen die da gelegen ist vnder der veste

Box-

Boxsperg vnd darzu von ainer wassers wegen genant die *Laugen*, vnd vmb soliche habent mich bed tayl fleissicklichen gebeten Sy also der spruch die sy zu ainander gehebt haben in der güttlichait zu entschaiden vnd was ich also in den sachen gütlichen Sprache darbey sol es hinnafür ewicklichen beliben vnd daz von beden taylen in künftig zeit truilichen vnd frundlichen gehalten werden, vnd vf soliche so han ich bed parthey also mit irem guten willen vnd wissen entschaiden alz hernach geschriben stat zum ersten han ich gesprochen daz ain yeglicher kiricherre zu Modelzhusen der yetzunt ist oder hinafür in ewigzeit kumet, daz mad vnderhalb dez weyers zu Buech daz vormals *Jacob Räm* halbes ynne gehebt vnd genossen hat, vnd daz ein kiricherre vnd der *Räm* vor mit ainander getailt haben daz sol nu hinafür ewicklichen der kirichen zu *Modelzhusen* vnd ainem kirricherren derselben kirichen zu gehorren vnd daz nyezzen mit aller zugehordt, nach seiner notturfft, Mer han ich gesprochen von der pewnde wegen vnder der veste *Boxsperg* vsser derselben pewnde sol auch hinfür ewicklichen der yetz genanten kirichen vnd ainem yeglichen kiricherre da selbs der zehent halber darvss volgen vnd werden, vnd der ander tayl dem obgenanten *Rämen* oder wem es zu gehoren sol auch volgen vnd werden, Auch von des wassers wegen genant die *Laugen* daz selb wasser sol auch hinfür ewicklichen ain yeglicher kiricherre zu Moldëlzhusen nyezzen vnd vischen mit nomen von dem zaun der vmb den Anger gat pis neben dem furt der in die Laugen gat von oben vf hin an die vier tagwerck wissmat die der kirichen daselbs zu gehorent, vnd die yetzund ainer ynne hat genant der Gross *Thoman*. Mer han ich gesprochen daz ain yeglicher kiricherre zu Modeltzhusen vnd sein nachkomen hinafür ewicklichen vnd all sein hindersazzen wunne waide vnd wasser

waſſer wol nyezzen ſullen vnd mügen alz ander dez *Rämen* hinderſazzen zu Boxſperg ruiclichen vnd vngevarlichen vnd an dem allem daz an diſem brief geſchriben ſtat ſol der obgenant *Jacob Räm* ſein erben oder ſunſt yemant anders von ſeinen wegen in kunftig zeit nicht daran irren noch engen in dhain weis, Mer han ich geſprochen daz aller alte handel vnd Spruch pis vf diſen huitigen tag die herr *Vlrich* yetzunt pfarrer in Modeltzhuſen mit *Jacob Rämen* gehebt hat, all abſein ſullen vnd der in Argem gen ainder nimmer gedenken trulichen vnd vngeuarlichen vnd des zu vrkunt gib ich bayden partheyen diſs ſpruche yeglichem tayl ainen brief alz diſer brief lutet vnd ſaget mit meinem aygem anhangendem Inſigel *b*) daz ich an diſen ſpruchbrief gehenckt haun zu ainer waren gezucknus diſs ſpruchs doch mir ſelbs vnd meinem erben an ſchaden Geben an Montag vor vnſers herrn Fronlichnams tag *c*) Do mon zalet nach Criſti gepurdt vierzehenhundert vnd darnach in dem acht vnd viertzigiſten Jaren.

a) Modelshauſen in Praefectura Werting.
b) Sigillum bene conſeruatum.
c) Viceſima Maii.

Num. CCXVII. Conuentio cum Comite de Montfort. Anno 1448.

Ex Originali.

Vff Affermentag Als das geben vnd geſchehen des anlaſs ſtat. Haben des Richs Stette der verainung in Swaben Ratzfrund

Als si vff die zite zu Vlme zu manung gewesen sind zwischen dem wolgebornen herren Graue *Hugen* von *Montfort* ains. Vnd des Erwirdigen gaistlichen herren hern *Johannsen* Abbte des Gotzhus zu sant *Vlrich* vnd sant *Affren* zu Augspurg des andern tails vmb ir Spenne vnd zwaiung gerett getadinget vnd si rechtz vberain bracht in massen hernach volget, vnd dem ist also des ersten das der ietzgemelt herre Graue *Hug* von *Montfort* das veranlasset recht zwischen ir baidersite vff den edeln hern *Jacoben Truchsässen* verbriefet abtun vnd in dem nachgemelten rechten nicht brüchen noch wägern sol in dehain wege, füro so sol der ietzgenant herre Graue *Hug* von *Montfort* vmbe solich Spenne vff den ersamen vnd wisen *Walthern Ehinger* burgermaister zu Vlme als vff ain gemainen man mit ainem glichen zusatz vnd vnuerdingtem vnuerwisstem vnd vnuerwegertem rechten komen vnd dem vorigen herren hern *Johannsen* Abbte zu sant *Vlrich* zu Augspurg vmb sin spruch rechtz vor in sin vnd gestatten Desglich auch der vorgenant her *Johanns* Abbte zu sant *Vlrich* dem obgenanten graue *Hugen* von *Montfort*, vff die zite ob er es begert vmb sin zuspruch vor in ouch vnuerdingts vnuerwissts vnd vnuerwägerts rechten sin vnd gestatten sol. Also das ains mit dem andern zugang vnd mit der beschaidenhait das baid vorgemelt parthien alle ir briefe es sien frihaiten lehenbriefe kauffbriefe vnd alle ander ir briefe vnd nottdurfft in solichen rechten wol bruchen fürziehen vnd geniessen mugen als vil als recht ist oder wirt vnd doch mit fürnamlichen worten also das dehain taile vff solich frihait lehen vnd annder briefe in recht nicht begern suchen noch bitten sol die obgenant sachen von dem vorgenant gemainen vnd zusätzen niendert anderswahin zu wisen noch zu wägern vnd ob das darüber von dehainen taile gesucht gefordert oder fürgenomen

ward

wurd So sullen doch die obgenant gemain . vnd zusätz solich recht niendert anderswahin wisen noch wägern sunder gantzen gewalt vnd macht haben solich recht by in zubehalten Vnd darumbe nach briefen rede vnd widerrede vnd aller hanndlung die in recht für si getragen wirt vmb ain ieglich sache vnuerwisst sunst sprechen vnd vrtailen was si darumb recht bedunkt Also was si Alle gemainlich oder mit dem meren vnder in vmb ain ieglich sach vrtailen vnd sprechen das es daby beliben vnd dem nachgegangen werden sol vngevarlich Sunderlich so sullen baid vorgemelt parthien vnd ir egliche in sunderhait ir ieglichs zusatz vnd ouch den obgenanten gemainen vermugen das si die obgerürten recht vnuerwisst by in behalten vnd darumbe vrtailen vnd sprechen in massen hieuor vnderschaiden ist wann sich baid obgenant parthien solicher recht in vorgeschribner massen mit gutem willen begeben haben Vnd vff das so sol *Märk* zum *Gerhart* der denne zu kempten in gefanknisse lit siner gefanknisse vff ain alt vrfeh dem egenanten hern *Johannsen* Abbte zu sant *Vlrich* zu Augspurg auch den von Augspurg vnd den von kempten zu tun ledig gezelt vnd gelassen werden vnd die sachen damit ganntz gericht sin Vnd des zu vrkunde vnd getzuknisse ist ieglicher vorgemelten parthie dirre anlasse ainer glichsagend besigelter gegeben mit der Ersamen wisen Burgermaisters vnd Rats der Stat Memmingen von der vorgenant Stette Ratz frund haissens vnd empfelhens wegen angehennktem Insigel in vnd ir Stat vnschadlich vnd dartzu mit der vorgenant herren Graue *Hugen* von *Montfort* &c. vnd her *Johannsen* Abbte des Gotzhuse zu sant *Vlrik* vnd sant *Affren* zu Augspurg aigen angehennkten Insigeln *a*) besigelt Geben vnd geschehen vff Afftermentag vor sant Margrethen tag *b*) Nach

Cristi geburt Tusent vierhundert viertzig vnd inn dem achtenden Jaren.

a) Duo priora sigilla illaesa.
b) Nona Julii.

Num. CCXVIII. Venditio decimarum in Bobingen. Anno 1449.

EX ORIGINALI.

Ich JÖRG HANGENOR burger zu Augspurg vnd ich *Juliana* sein eliche wirtin bekennen offenlich mit dem briefe vor allermenglich Als wir vor zeyten den halben zehenden mit sampt dem halben stadel der dartzu gehört zu *Bobingen* gelegen des der ander halbtayl vnsers lieben pruders *Stephan Hangenors* vnd lehen ist von ainem Bischof vnd seinem Gotzhus hie zu Augspurg vnserm lieben swager *Thoman Breyschuch* auch burger zu Augspurg vmb fünfhundert vnd dreyssig guldin guter Rinischer zukauffen geben haben *a*) vnd vns in demselben kauff der benent vnser Swager *Thoman Preyschuch* die liebe vnd früntschaft getan vnd erzaygt, vnd vns, vnd vnsern erben, den benenten halben zehenden mit sampt den halben stadel, von im seinen Erben vnd nachkomen vmd diu egeschriben som guldin ye zwischen dem hailigen weyhennächt tag vnd den viertagen *b*) eingeender vasten zulösen vergunt vnd gewilligt haut nach der briefe desmals darüber gegeben, völliger vsweysunge lut vnd sage Also haben wir yetzo mit wohlbedauchtem mute vnd guter vorbetrachtung dem egenanten vnserm lieben pruder *Stephan* *Han-*

Hangnor burger zu Augſpurg ſolich loſunge zutun, auch von Früntſchaft wegen, vergunt der auch alſo von dem obgenanten vnſerm Swager *Thoman Preyſchuch* mit finfhundert vnd dreyſſig guldin obgemelter werung gelöſt vnd dieſelben Som vnſerm yetz genanten Swager vſsgericht vnd bezalt haut, Vnd alſo haben wir den vorgemelten halben zehenden vnd halben ſtadel dem benenten vnſerm lieben pruder vnd allen ſeinen erben oder wem ſy iriu recht doran gebend verkauffend ſchaffend oder lauſſend mit ſampt irem halbtayle den ſy vorhin doran hond, zehaben vnd zenieſſen geruiclich zu rechtem lehen vſgeben in des obgenant vnſers genädigen lehenhern hend vnd haben den erbetten, das er den egemelten halben zehenden vnd halben ſtadel dem obgenant vnſerm bruder zu lehen verlyhen haut, vnd haben vns ſein vertzygen für vns vnd für alle vnſer erben vnd fründe vnd für menglich von vnſern wegen kain anvordrung clage noch anſprach dornach noch doran nymermer zu haben noch zu gewinnen weder mit gaiſtlichem noch weltlichem rechten noch one Gericht in dhain weyſe. Doch ander loſung ſo wir vnd vnſer erben als noch daruff haben vnengolten alles truilich vngefärde vnd darüber zu waurem vnd ſtätem vrkunde geben wir in den briefe verſigelt mit mein *Jörgen Hangnors* aygem anhangendem inſigel vnd mit des Erſamen weyſen *Jörgen Pfiſters* Burgrafen zu Augſpurg Inſigel. *c*) der das durch vnſer vleiſſiger bete willen offenlich an den briefe gehenckt haut zu gezuigknus im ſelber vnd ſeinen erben one ſchaden darunder ich vorgenante *Juliana Hangnorin*, mich veſticlich verpunden han bei guten truien für mich vnd mein erben ſtät zu halten was vorgeſchriben ſtat an dem briefe der geben iſt am Affter-mentag nach ſand Mathyas des hailigen zwelfboten tag nach

criſti

crifti gepurt viertzehenhundert vnd im newn vnd viertzigiftem Jaren.

a) V. Sup. N. CCXI.
b) Quatuor dies ante primam quadragefimae dominicam.
c) Pfifteri Sigillum illaefum.

Num. CCXIX. Sententia decimas in Laugna concernens. Anno 1409.

E x O r i g i n a l i.

In nomine dni Amen. Judices curie Auguften. Vniuerfis et fingulis prefencium infpectoribus falutem in dno. Cum noticia fubfcriptorum noueritis quod orta pridem coram nobis ad iufticiam reddendam in loco noftro folito mane hora caufarum confueta pro tribunali fedentes inter venerabilem et religiofos in Xpo Priorem et Conuentum domus *Orti Xpi a)* ordinis Carthufien. Auguften diocefis actores ex vna et difcretos *Johannem mair, Johem Gay Jacobum holtzbock* et dictum *Helmfchratt* laycos colonos fiue inquilinos ville *Laugnon* predicte diocefis reos, de et fuper decimis integre perfoluendis et earum occafione, partibus ex altera materia queftionis caufaque huiusmodi coram nobis legitime introducta ac partibus coram nobis iudicialiter comparentibus actores prefati petiuerunt in modum fumarie peticionis reos prefatos et quemlibet ipforum ad folucionem integram decimarum abfque diminucione et defalcacione manipulorum indecimatorum in precium mefforum et familie hactenus receptorum compelli Ex eo quod iure cautum fit decimas in

fignum

ſignum vniuerſalis dominii domini et creatoris orbis terrarum integre et ſine diminucione perſolui debere lite conteſtata acceptisque a partibus calumpnie iuramentis poſicionibus et articulis per actores factis et obſatis ac termino reis ad reſpondendum vel impugnandum prefixo, Et in eodem eisdem poſicionibus et articulis reſponſis termino quoque peremptorum ad probandum Et in eodem nonnullis litteris ſiue Cyrographis pro parte actorum in vim probacionum productis aſſignato copia earundem et termino peremptorum ad excipiendum et opponendum reis prefatis decreta et ſtatuto ac ſubſequenter in cauſa huiusmodi per nos et inter partes memoratas ſeruatis iure ſeruandis iuribus et iudiciario ordine non pretermiſſo vſque ad ipſius cauſe concluſionem incluſiue legitime proceſſo Tandem die date preſencium partibus ad audiendam in huiuſmodi cauſa diffinitiuam ſentenciam per nos ferri et promulgari prefixa, Procurator actorum prefatorum procurationis mandato nobis iudicialiter legitima exſtat facta fides creditiua Et *Jacobus Rem* dominus reorum et per ipſos reos in iudicio iudicialiter nominatus nomine dictorum reorum in noſtra preſencia hora et loco debitis conſtituti ſentenciam in huiuſmodi cauſa diffinitiuam per nos ferri debita cum inſtancia poſtularunt Nos vero iudices ſupradicti ad predictarum partium inſtanciam viſis per nos primitus et diligenter inſpectis omnibus et ſingulis actis et actitatis in huiusmodi cauſa coram nobis factis et habitis cognitisque et inueſtigatis ad plenum ipſius cauſe meritumque animum noſtrum mouere poterunt et debuerunt habito iuriſperitorum conſilio preuia quoque deſuper deliberacione matura ad noſtram huiusmodi cauſam proferendam ſentenciam procedendam duximus et proceſſimus Eamque per ea que vidimus et cognouimus in ſcriptis tulimus et promulgauimus ſub hac forma verborum Quia ex

hiis

hiis que coram nobis acta sunt et in judicium deducta inuenimus quod in modum subsequentem iudicare possumus et debemus Idcirco Xpi nomine inuocato pro tribunali sedentes et solum deum de cuius vultu iudicium et iusticia prodiunt pre oculis habentes per hanc nostram diffinitiuam sentenciam quam de iurisperitorum consilio ferimus dei nomine in hiis scriptis pronunciamus decernimus et declaramus prefatos reos et eorum quemlibet ad solucionem integram decimarum non deductis expensis et sic absque diminucione manipulorum indecimatorum in pretium messorum et familie teneri debere Eosque ad integre decimandum vt premittitur obligatos esse ac cogi et compelli debere Non obstante quadam abusiua consuetudine quam declaramus pocius tanquam omni iuri inimicam corruptelam que in villa ipsa dicitur in contemptum iuris diuini et sacrorum canonum inoleuisse prefatis reis super leuacione manipulorum indecimatorum in precium messorum et familie computatorum ac ausu dicte pretense peruerse consuetudinis siue pocius corruptele perpetuum silencium imponentes Preterea quia prefati rei de anno dni Millimo quadringentesimo tricesimo octauo proxime preterito propria temeritate contra inhibicionem ecclesiasticam eis canonice insinuatam tanquam spiritu perversitatis agitati et mandatorum ecclesie contemptores certos manipulos leuarunt indecimatos Ideo eos et quemlibet eorum ad partem eum contingentem pari nostra sentencia diffinitiua ad solucionem decimarum dictorum manipulorum decimatorum leuatorum decernimus et pronunciamus fore compellendos condempnantes eos nihilominus in expensis litis huiusmodi quorum manipulorum decime et eciam expensarum taxacionem nobis in posterum reseruamus lecta lata data et in scriptis promulgata et presens nostra sentencia diffinitiua in ciuitate Augusten. in loco quo communiter

pro

pro tribunali sedere consueuimus Anno a natiuitate domini Millesimo quadringentesimo nono VII. Kalen. Julii nostro sub sigillo *b*) presentibus in testimonium euidens appenso.

Wilhelmus Rosstausch Notarius.

a) Christgarten V. Sup.
b) Sigillum curiae est bene conseruatum.

Num. CCXX. Redemtio prati Augustae. Anno 1451.

Ex Originali.

Ich VLRICH der LANGENMANTEL Statuogt zu Augspurg vnd Ich *Jörig Pfister* Burggraf daselbs Bekennen offenlich mit dem brief von gerichts wegen vnd tuen kunt allermenglich das vff das Rauthuse zu Augspurg da der richter genug engagen waurn in gericht komen ist, diu erbere fraw *Elsbeth Esslingerin Hanns Esslingers* elich wirtin vnd durch vorsprechen offenlich gemelldt haut, wie das ir der genant ir elicher wirt *Hanns Esslinger* von geltschulde wegen die er ir schuldig wäre verpfennt hätt, mit seinem Aengerlin das gelegen ist ze Augspurg oberhalb sant *Nyclaus* an dem obern Griess stosset ainhalb an das Gässlin, das in den prül gaut, anderhalb an Vlricher Aygenschaft hindan vff die Enger vnd vorn vff die strauss dartzu mit aim Garten der auch gelegen ist ze Augspurg an dem Griess vnd an dem Engerlin vnd vff die andern seyten an *Conrat Toltmans* des webers Garten stosset hindan an den Anger genant der prül vnd vornan vff die strauss die mit aller ir zugehörung recht

Lipting ſind von ainem Abbt vnd ſeinem Gotzhus zu ſant *Vlrich* vnd ſant *Afren* hie zu Augſpurg nach der liptingbrief darüber lut vnd ſage, als ſy auch die brief darüber in rechter pfands gewer innhett vnd fürzaygt Vnd begert daruff gerichts vnderweyſung wie damit gefarn ſollt, das ſy recht tät vnd nit vnrecht, alſo fraugten wir zeſprechen was recht wär, da pracht vrtayl vnd vollg ainhälliclich vff die ayd ſy ſollte die ires obgenanten gellts gwalthaber *Conraten Eſslinger* ze acht tagen anpieten vnd dornach aber gefarn als recht iſt Alſo haut ſys von recht zu recht gehandelt nach vnderweyſung des rechten mit anpieten mit anlayt daruſs zenemen vnd damit als durch geſworen vnderkäuffel fayltragen vnd nach pfands recht gentzlichen verchauft vnd vergantet vmb hundert guter riniſcher guldin, die diu obgenant *Elsbeth Eſslingerin* ſelber, vnd nyemand vber ſy daruff gelegt hett, vnd wan aber der gotzpfennig dem Erwirdigen Gaiſtlichen herren herren *Johannſen* Abbts des Gotzhus zu ſant *Vlrich* vnd ſant *Afren* als liptings recht iſt, haimgangen iſt, haut er diu genanten Aengerlin vnd garten als zu ſeiner vnd ſeins Gotzhus notdo ft zu im genomen, vmb die vorgemellten Sum der hundert guldin die diu vorgenant *Elsbeth Eſslingerin* an ir Geltſchulde eingenommen vnd empfangen haut, Vnd alſo ſind dem obgenanten vnſerm gnädigen herren zu ſant *Vlrich* vnd ſant *Afren* ſeinem Gotzhus vnd nachkomen das obgenant Aengerlin vnd den garten mit allen iren zugehörungen Oberd vnd vndererde zu rechtem lipting mit ſampt den briefen darüber vnd mit allen rechten vnd ehaften nach derſelben brief ſage vnd nach pfands recht eingeantwort mit anlayt vnd Gerichts hande zu haben zu beſizzen, vnd zenyeſſen, geruwiclich vnd auch damit, als mit irem aygenlichen gut zetun vnd zeſchaffen was ſy wöllend one alle irrung vnd anſprach des obgenanten

Hanſen

Hansen Eßlingers. seiner wirtin, aller ir erben vnd fruinde vnd aller ander gellter vnd menglichs, wan das also mit vrtayl vnd Gericht gehandelt vnd vff der gant offenlich nach pfands recht verchaufft vnd verfallen ist mit stättigung zum rechten als dann vmb sollich gut, das nach pfands recht verchauft wirdet gewonlich vnd recht ist alles nach der stat recht zu Augspurg Vnd des begerten sy in zegeben gerichts brief, der ward in anerkennt mit vrtayl den wir in geben von gerichts wegen versigelt mit vnsern aygen Insigeln a) diu wir offenlich daran gehenkt haben zu gezuknuss, vns selber vnd vnsern erben on Schaden des sind gezuigen die Ersamen weysen *Bartholme Wallser Hanns* von *Hoy Wilhalm Langenmantel*, *Conrat Rat*, *Conrat Schmuker*, *Martin Lauginger*, *Peter Lominger*, *Hanns Zoller*, *Lienhart Gut*. vnd *Hanns Pyttinger* all Burger vnd die zeyt gesworen richter zu Augspurg vnd ander erber lut genug das geschach an Aftermäntag nach sant Erharts des hayligen Byschofs tag nach Cristi gepurt viertzehenhundert vnd in dem ain vnd funftzigisten Jaren.

a) Primum sigillum illaesum; alterum vero periit.

b) Duodecima Januarii.

Num. CCXXI. Apocha pro annatis solutis. Anno 1451.

Ex Originali.

Hainricus Tanheym vtriusque iuris doctor Canonicus Ecclesie Ratisponen. Apostolice sedis Nuncius fructuumque reddituum et prouentuum iurium ac bonorum camere Apostolice per ciuitatem et dyocesin Augusten etc. debitorum a Sanctissimo in Xpo patre et domino nostro dno NYCOLAO diuina prouidentia Papa quinto collector generalis deputatus. Recognoscimus per presentes Quod Venerabilis et Religiosus pater domnus Abbas Monasterii sanctorum *Vdalrici* et *Afre* Augusten. nobis vt Collectori dedit tradidit et assignauit certam pecuniarum summam in qua Camere Apostolice de quatuordecim annis proxime preteritis obligatus extiterat, de quolibet anno vnum Morabiticum qui ducatum valet Eumdem dictum Abbatem, Conuentum et Monasterium sanctorum *Vdalrici* et *Afre* predictum ac eius bona de dictis quatuordecim annis et omnibus annis preteritis vsque in diem presentem quittamus et liberamus per presentes In cuius rei testimonium sigillum quo in officio Collectorie vtimur presentibus est appensum a) Datum anno domini Millesimo Quadringentesimo quinquagesimo primo, die vero Mercurii decima septima Mensis decembris.

a) Sigillum illaesum.

Num. CCXXII. Traditio praedii in Gablingen. Anno 1452.

EX ORIGINALI.

Wir die nachbenanten mit namen JÖRG ONSORG, LUDWIG VÖGELIN, vnd HANNS ENDORFFER all drey Burger ze Augspurg vnd pfleger *Conrats Vögelins* weylant burgermeisters ze Augspurg säligen gescheſts vnd lezten willens Bekennen offenlich mit

mit dem briefe, an der pflege, pflegerswise, vnd thuen kunt allermeniglich, als der benant *Conrat Vögelin* sälger, in der zeite seins lebens mit guter vernunft vnd rechter wissen, sein gütlin zu *Gablungen a)* gelegen, das der *vogler* yetzo bawet, vnd järlich giltet zwen vngrisch guldin, dem Erwirdigen vnd Gaistlichen herren hern *Johansen* Abbte des Gotzhus sannt *Vlrichs* vnd sant *Affren* ze Augspurg seinem Gotzhus vnd nachkomen vermaint vnd verschaft haut drey ewig Jartäge, darumbe ze haben vnd zebegan, nach innhalt des briefs vber solch Jartag gegeben Also haben wir den obgenanten Abbte Conuente Gotzhus vnd nachkomen zu sant *Vlrich* vnd sant *Affren* zu Augspurg daz gemelt gütlin zu *Gablungen*, mit sampt dem kauffbriefe *b)* wie dann dasselb gütlin in des benanten *Conrat Vögenlins* seligen gewalte komen ist, vbergeben, vnd vbergeben vnd verzeihen vnns des yetz wissentlich mit disem briefe, mit aller seiner zugehörde rechten nutzen vnd gülten für vnns an der pflege, in pflegsweyse, vnd für meniglich von dez benanten *Conrat Vögenlins* salgen wegen, mit allen den worten vnd wercken, die darzu gehörrent vnd notdorftig sind, vnd als wir vnns des pillichen vnd durch recht vertzeyhen vnd vbergeben sullen, Also das die benant Abt Conuent Gotzhus vnd nachkomen, nun hinfür ewiglich, das gemelt gütlin in *Gablungen* mit aller seiner zugehörde Rechten vnd nutzen, innhaben, besetzen vnd entsetzen; vnd damit tun vnd lassen mügen, wie vnd was sy wöllend, nach allem irem willen vnd notdorft als mit anderm irem aigenlichem gute, on vnser vnd allermeniglichs von des benanten *Conrat Vögenlins* saligen wegen irrung hindernuss vnd widersprechen, in alle weyse, Vnd des zu gutem vrkunde, geben wir obgenanten pfleger, in den briefe, besigelten mit vnnsern anhangenden insigeln *c)* doch vnns vnd vnsern Erben

Erben one schaden, Der geben ist vff sannt Mattheus des hailigen zwelfpotten vnd Ewangelisten tage, nach cristi vnnsers lieben herren geburde viertzehenhundert vnd darnach inn dem zway vnd funfftzigisten Jaren.

a) In ditione Fuggeriana. b) V. Sup.
c) De Sigillis duo priora illaesa, tertium periit.

Num. CCXXIII. Compositio cum Plintheimensibus facta. Anno 1453.

EX ORIGINALI.

Ich VLRICH von RECHBERG von Hohenrechberg Ritter Pfleger zu Höchstetten Bekenne mit dem brieve als von der Spenne vnd irrunge wegen, die gewesen sind, zwischen des erbern *Wilhalm Diethenhaymers*, an ainem vnd der gepawrschafft zu *Plintheim* des andern tails, Also das die Gepawrschafft zu Plintheim veraint hond Das in der *Diethenhaymer* ſträwellen geben solt auff ir Thunawprucken daselbst, als offt in des nott beschehe, auss seinem werde genant der *Reinhartzwerde a*) Dawider aber derselbe *Diethenhaimer* redt vnd vermaint er wer den von *Plintheim* der nicht schuldig zu geben Darumbe sie dann zu baider seytten gen Hochstetten für gericht komen waren, Also sind nu die vorgenanten zwu partheyen solicher irrung vnd Spenne vff mich in der gütlichait komen als vff ainen gemainen man vnd hat der genant *Diethenhaimer* seins tails zu mir gesetzt, den strengen vnd vesten hern *Mangen* zu *Hohenreichen* des hayligen reychs *Erbmarschalck* ritter vnd *Hannsen Bewrlin* einen bur-

burger des rats zu Höchftetten, Defsgleichen hondt die von *Plintheim* auff irem taile zu mir gefetzt den veften *Wilhalmen Durlacher*, vnd *Vrichen Eberhartt* einen burger dez rats zu Höchftetten, Alfo hon ich nu mit baider taile zufetzen hilff folich irrunge vnd fachen fleifslich erfucht vnd nach gnugfamer verhörunge baider partheyen vnd mit ir baider wiffen vnd willen in der gütlichait veraint vnd verricht Alfo das der vorgenant *Wilhalm Diethenhaimer* der Gepawrfchafft zur Plintheim alle Jare verlichen aufs dem *Renhartzwerde* geben fol drewhundert ftrewellen holtze in der grofse, als man dann vormaln, die zu der bruek gehawen hat vngevarlichen die Thunawbrugg damit zu machen vnd zu beffern Es follen ouch die von *Plintheim* folich holtz nicht nemen noch zu kainen andern fachen prauchen dann zu notturfft der Thunawprugken, vnd welichs Jars fie der nicht bedurffen zu der pruggen fo fol man in der wellen ouch nicht geben, vnd wenn die von *Plintheim* folich wellen hawen wöllent. fo follen fie zu des *Diethenhaimers* knechte fchicken, den er dann vff daz felbe male zu Plintheim, oder in dem vorgenanten werde hette, der folle fie dann gütlichen anweifen, vnd wa fie alfo in den werde geweifst werden, da follen fie dann hawen, doch daz in nutze vnd gut darzu ift, wer aber das der obgenante *Diethenhaimer* folich holtze vngeuarlichen in dem *Renhartzwerde* nicht hette fo fol derfelb *Dietenhaimer* den von *Plintheim* das anderfwo geben do in das ouch als gelegen ift als in dem *Renhartzwerde*, doch daz er das vngeuarlichen halten fol vnd fol alfo daruff zwifchen den vorgenanten partheyen der fachen halbe der vnwille vnd irrung gantz abe verricht vnd gefchlichtt zu Vrkunde gibe ich yedem Taile der Tading ainen briefe vnder meinem anhangendem Infigel *b*) verfigelt gleich lautende vff montag nach fant Andreistage *c*) nach Crifti vnfers

lieben

lieben herrn gepurtt viertzehenhundert vnd in dem drew vnd fünfftzigistem Jare.

a) V. Sup. b) Sigillum illaesum.
c) Tertia Decembris.

Num. CCXXIV. Sententia decimas in Haunstetten concernens. Anno 1454.

Ex Originali.

In. Nomine. Domini. Amen. Nos LEONARDUS GESSEL in decretis Licentiatus Canonicus et Scholasticus ecclesie Augustn Reuerendissimique in Xpo pris et dni dni PETRI miseracione diuina Tt. sci Vitalis sce Romane ecclesie presbiteri Cardinalis et Epi Augustn Vicarius in spiritualibus et Officialis generalis Notum facimus vniuersis quod nuper coram nobis iudicio presiden inter discretum *Vlricum Wenck* plebanum in *Hawsteten* August. dioc. actorem ex vna et venerabilem patrem dnm *Johannem* Abbatem monasterii sanctorum *Vdalrici* et *Affre* Augusten defendenden. partibus ex altera orta materia question. de et super decimis prouenientibus de predio quod colit *Haunricus Gresel* ad presens quas plebanus ad se spectare asseruit dicens illas per antecessores suos fore receptas, dicto dno *Johanne* Abbate ex aduerso causante illas ad se et suum monasterium pertinere antecessoresque suos in possessione earumdem decimarum fuisse et se et monasterium suum per ipsum plebanum spoliatum et destitutum fuisse Nos auditis parcium hincinde peticionibus et responsionibus vtramque partem ad probandum duximus admittendam

dam et admisimus Nonnullis itaque testibus per vtramque partem super ipsarum intencionibus probandum coram nobis productis receptis et examinatis et in causa huiusmodi per nos et inter dictas partes de ipsorum consensu habito processu simplici et summarie tandem post factam in huiusmodi causa conclusionem in presencia parcium predictarum coram nobis constitutarum sententiam diffinitiuam in scriptis tulimus sub hac verborum forma, Cristi nomine inuocata pro tribunali sedentes per hanc nostram diffinitiuam sentenciam quam de Jurisperitorum consilio fecimus dei nomine in hiis scriptis pronunciamus decernimus et declaramus dnm Abbatem sanctorum *Vdalrici* et *Affre* Augußt ad possessionem decimarum de predio *Hainrici Gresel* prouenienciam de qua plebanus in Hausteten eumdem dnm Abbatem destituit retingregandum et restituendum fore et esse prout retingregamus et restituimus ipsumque dnm Abbatem in possessione decimarum huiusmodi tuendum et defendendum prout de iure fuisse et esse ac tuemur et defendimus imponentes ipsi dno plebano super spolio huiusmodi et destitucione silencium perpetuum expensarum contempnacionem in hac causa factarum ex causis animum nostrum mouentibus omittendam lecta lata data et in scriptis promulgata est hec presens nostra sentencia anno dni Millimo quadringentesimo quinquagesimo quarto VIII. ydus februarii sub sigillo dicti dni nri Augustn quo in nostro vtimur vicariatus officio presentibus tergotenus appresso a).

a) Sigillum impressum est paululum laesum.

Num. CCXXV. Fraternitas Spiritualis cum religiosis ord. S. Francisci. Anno 1454.

EX ORIGINALI.

Venerabili in Xpo Patri ac dno dno N Abbati ordinis sancti *Benedicti* monasterii sancti *Vlrici* in Augusta vnacum toto conuentu eiusdem monasterii ordinis Seraphici patris nostri Sancti *Francisci* benefactoribus deuotissimis Frater JOHANNES de CAPISTRANO *a*) eiusdem ordinis minimus et indignus heretice prauitatis generalis inquisitor Cum orationum suffragio salutari omnium incrementa virtutum. Quamuis ex caritatis debito omnibus teneamur Illis tamen longe amplius obligamur quorum dilectionem certis beneficiorum indiciis frequentius experimur. Proinde vestre deuotionis sinceritatem attendens quam ad nostrum et prefati patris nostri sancti *Francisci* geritis ordinem veluti clara experientia cognoui dignum putaui et diuine acceptabile voluntati vt ab ipso ordine prerogatiuam sentiatis spiritualium gratiarum Et quia nudi temporalibus bonis caritatis vestre subsidiis dignam rependere vicem nequaquam temporaliter valemus spiritualibus nihilominus beneficiis prout in nostris apud dnm deum nrm seruamus desideriis compensare spiritualiter affectamus Eapropter ego qui specialem auctoritatem habeo recipiendi quoscunque deuotos nostri ordinis ad confraternitatem fratrum minorum de obseruantia nuncupatorum et sororum minorissarum et sancte *Clare* seu sancti *Damiani* de obseruantia nuncupatarum et eorum religiosorum dę penitencia ordinum in partibus cismontanis Vos Venerabilem in Xpo patrem et dnm dnm N. Abbatem ordinis scti *Benedicti* ac monasterii S. *Vlrici* totumque conuentum in loco pretacto necnon animas vestrorum defun-

defunctorum ac omnes pro quibus intenditis ad confraternitatem nostram et ad vniuersa et singula nostre religionis suffragia in vita recipio pariter et in morte plenam vobis participacionem omnium carismatum et spiritualium bonorum videlicet missarum oracionum. suffragiorum. officiorum diuinorum. ieiuniorum. abstinentiarum. disciplinarum. penitenciarum. peregrinationum. inspirationum. predicationum. lectionum. meditationum. contemplationum. obseruantiarum. deuocionum. et omnium aliorum Spiritualium bonorum tenore presencium gratiose conferendo que per fratres nostros et dictorum ordinum sorores necnon aliorum de penitencia siue de tercio ordine bti *Francisci* in partibus cismontanis degentes operari et acceptare dignabitur clementia saluatoris Addens insuper de dono et gratia singulari quod cum diuine placuerit voluntati de exilio instantis miserie vos vocare vesterque obitus multo annuente dno tempore differendus nostro fuerit capitulo nunciatus Idem volo vt pro vobis fiat officium quod pro fratribus nostris defunctis recitatis ibidem annuatim ex more per totum ordinem fieri consueuit. Valeat feliciter vestra deuota et feruens caritas in Xpo ihu dno nro in eternum Amen. Datum in Tilling vicesima quinta die mensis Septembris Anno dni Millesimo quadringentesimo quinquagesimo quarto.

Num. CCXXVI. Venditio Siluae prope Leitershofen. Anno 1455.

Ex Originali.

Ich Vrsula Egnin wittib burgerin zu Augspurg Ich Hainrich Stainhoel der zeit Stattartzatt zu Vlm ich Anastasia sein

eeliche

eeliche wirtin ir tochter Ich Hartman Ich Vlrich die Egen gebrüder ir Sün für vnns vnd alle vnnser erben vnd ich Peter Contzelman Burger zu Augspurg vnd pfleger Junckfrow *Fronica Egnin* ouch irer tochter für si vnd ir erben ouch für mich vnd min nachkomen an der pfleg in pfleg wys. Bekennen offennlich vnd ainmütticklich mit disem brief vnd in sunderhait so versprechen wir obgenanten *Hainrich Steinhosl Anastasia* sein eeliche wirtin *Hartman* vnd *Vlrich* die *Egen* für *Zacharias Müller* burger zu Nordlingen vnnsern Schwayer, *Selinden* sein eeliche wirtin vnnser geschwyen vnd Schwester vnd alle ir erben, Vnd ich yetz genanter *Vlrich Egen* versprich ouch dartzu sunderlich für *Karoln Egen* minen lieben bruder der nicht by lannd ist des vollen gewalt vnd gewaltzbrief ich han, vnd alle sein erben Vnd tuen kunt allermenglichem, Das wir mit veraintem wolbedachtem mut vnd guter vorbetrachtunge vnnser vnd der obgenannten vnnser Kind geschwyen Schwäger, Brüder vnd Schwestern zehen tail an dem holtz vnd holtzmarck. by *Lutterßhouen* gelegen, des by vier vnd fünnfftzig Jueharten sein sol des da sechtzehen tail gewesen sind vnd die andern sechs tail yetzo die *Vögelin* innhänd stonssent hinauff gen Wellenburg, an der frönen zu sant *Steffan* zu Augspurg holtz, Das yetzo *Gilig* von Lütterßhouen inn hant stonsst ainhalben an der *Ansorgen* von Vlm holtz ander halben an des Bropstes zu sant *Jorigen* zu Augspurg, vnd an des genanten *Giligen* von Lütterßhouen höltzer, Vnd an der genanten *Vögelin* höltzer Vnd was zu den selben, zehen tailen, des holtz vnd holtzmarcken vberal yendert gehört von recht als von gewonhait gehören sol oder mag oberd vnd vndererd, an clainem vnd gronssem, wie das genant oder gehaissen ist nichtzit vsgenomen noch hin dan gesetzt, als es denn yetzo allenthalben mit marcken

vnd

vnd marckgruben zu allen örtern vſsbetzaichnet gemerkt vnd mit ſampt der obgenanten *Vögenlin* ſechs tail, rechts ewigs leibting ſind von dem obgenanten Bropſt vnd Gotzhus zu ſant *Jerigen* zu Augſpurg nach der verſigelten leibdingbrief, darüber gehorent laut vnd ſage ains ſtätten ewigen kouffs, mit diſem brief, yetzo recht vnd redlich verkoufft vnd zu kouffen gegeben haben dem erbern wyſen *Jacoben Gregken* burger zu Augſpurg *Annen Schmuckerin* ſeiner eehelichen wirtin, allen iren erben vnd nachkomen, oder wem ſi die hinfüro gebent verkauffent ſchaffent oder lauſſent, ze haben, ze nutzen ze verlyhen vnd ze nieſsen ewiklich vnd geruwiclich vmb zwayhundert vnd ſechtzig guldin reiniſcher gemainer Lanndes werunge. Die wir alſo berait von in darumb eingenommen, vnd anderhalben an vnſern, vnd der obgenanten vnnſer kind vnd geſchwiſtergitt, nutz vnd frommen gelegt vnd bewenndt haben. Vnd wir haben dem obgenannten *Jacoben Gregken Annen* ſeiner eelicher wirtin vnd allen iren erben, die obgenanten zehen tail, des holtz vnd holtzmarken, mit aller vnd yeglicher ehafftin rechten vnd zugehörungen zu rechtem ewigen leibting als obbegriffen ſtet auffgegeben, Vnd vnns des alles vnd yeglichs gentzlich vnd gar vertzigen, mit gelertten wortten für vnns vnd alle vnſer erben, ouch fur die obgenannten *Zacharias Müller Selinden* ſein eeliche wirthin, *Karelen Egen* vnd ir aller erben, Vnd ich *Peter Contzelman* für die genanten Junckfrow *Fronica* vnd ir erben ouch für mich vnd min nachkomen an der pfleg in pflegwys vnd menglich von vnnſer aller wegen, als man ſich ſolichs leibdings ze recht vnd pillich vertzyhen vnd begeben ſol nach leibdings recht nach der Stattrecht zu Augſpurg, vnd nach lannds vnd der herrſchafft recht vnd gewonhait darinne das gelegen iſt etc. Vnd des alles zu warem ſtättem

tem vrkunde geben wir iren erben vnd nachkomen den brief versigelten mit vnnser obgenannten *Vrsula Egnin* wittiben, *Hainrich Stainhoels Peter Contzelmans Hartmans* vnd *Vlrichs* der *Egen* aigen anhangenden Insigeln *a*) Vnder die Insigel alle wir obgenanten *Anastasia Stainhelin* vnd Junckfrow *Fronica Egnin* vnns verbinden vnd mitbekennen, alles obgeschriben stät zu-halten, Der geben ist vff Sambstag vor dem hailigen Palmtag *b*) Nach Cristi geburt vnnsers herrn Tausend vierhundert fünfftzig vnd fünff Jare.

a) Sigilla illaesa. *b*) 29. Martii.

Num. CCXXVII. Sententia pratum in Schönenbach concernens. Anno 1456.

Ex Originali.

Wir die nachbenanten mit namen CONRAT KASTNER Burger zu Augspurg HEINRICH BURCKART genant *Kastner* des Gotzhus zu sant *Vlrich* daselbst diener vnd HEINTZ STEGMAN von Schönenbach Bekennen offenlich mit dem briefe vnd thun kund allermeniglich. Als von solicher Spenn vnd irrung wegen. so zwischen dem Erwirdigen gaistlichen vnserm gnädigen herren herrn *Johansen* Abt des genanten Gotzhus vnd seins Amptmans des *Rudels* zu Schönenbach eins vnd *Cristan Wagners* des genanten Gotzhus hindersassen zu Schönenbach des andern teils, als von eins wismads vnd häes. das zu des genanten Gotzhus weyer gehört vnd der genant *rudel* gehaymet hat, gewesen sind. Darumb dann der genant *rudel* sich on des genanten seins herrn wissen

wiſſen vnd willen dem *Criſtan* vnbedingts rechts ze ſein zu Praytenprun verwillkürt vnd verfangen hätt etc. Das wir mit wilkur ſo ſy vns bi guten truien bei vnſerm Spruche zu beleiben gethon hond zwiſchen ir vſsgeſprochen vnd ſi entſchaiden haben zum erſten das das vorgemelt angefangen recht vnd all ſach die ſich zwiſchen meniglich darunder verdacht vnd gewant verlaſſen vnd ergangen hond biſs vff diſen huitigen tage mit worten vnd mit wercken nichtz vſsgenommen gantz ab. vnd furo gut fruind haiſſen, vnd ſein vnd dhain. tail ſolichs hinfüro endern noch äfern ſollen in dhain weys Darnach ſprechen wir das der *Criſtan* das wiſmad das der weyer noch nicht beſchlichen hat vnd dorumb dann die irrung geweſen iſt. hinfüro von gnaden wegen nieſſen ſol weil er den hof pawet vnd der weyer das nicht beſchlichen hat. Wenn aber hinfüro vber kurz oder langk der weyer das beſchliche vnd vbergienge ſo ſol der *Criſtan* noch yemand anders nichtz darnach reden vnd alsdann dem genanten gotzhus ſein gülte nichtz deſtomynder gantz geben vnd antworten. noch ſeins lehenbriefs dorinn genieſſen inn dhain weys. Mer Sprechen wir ob ichtes inn dem hofmark des weyerhuſes ſtadels vnd garten als das yetzot eingezewnt vnd vmbfangen iſt. begriffen vnd verfangen wäre das zu des *Criſtans* hofe gehört hätte, vnd darnach er ſprechen möchte wie das wäre daran vnd darnach ſol er auch kain recht noch Spruch haben vnd ſeins lehenbriefs dorinne auch nichts genieſſen in kain wege. Fürpas ſprechen wir wär das der *Criſtan* obgenant von den lantuögten oder der Thumbherren gericht wegen zu Praytenprun von der gemelten ſach wegen mit recht fürgenomen würd wie das bequäme. da ſol in der *rudel* verſprechen entheben vnd ledig machen on alle ſein ſchäden vnd entgaltnuſs zum iüngſten ſprechen wir das der *Rudel* dem *Criſtan*

für

für sein müe vnd zerunge die er der sachen halben bissher empfangen hat geben. vnd zalen sol drey reynisch guldin vnd ain Augspurger schaff Roggens aller getrewlich vnd ongeuerlich Vnd diss vnnsers Spruchs geben wir yettwedem tayl ain Spruchbriefe versigelt mit des obgenanten *Conrat Kastners* aigem anhangendem Insigel *a*) des wir obgenanten *Hainrich Kastner* vnd *Haintz Stegman* vns mit geprauchen geprechenhalb aigner insigele doch vnns allen dreyen vnd vnsern erben one schaden Darbei sind gewesen die Erbern vnd beschaiden. *Gilg* der Thumbherrn zu Augspurg vberreyter - - *Swarzenbach* des genanten *Cristans* Sweher burger zu Augspurg *Gastel motzhart* vnd *Heintz birchtenried* bed von Schönenbach Das ist geschehen an dem hailigen Oberstaubend genant Epiphania nach cristi vnnsers lieben herren gepurde viertzehenhundert vnd darnach inn dem sechs vnd fünfftzigisten Jaren.

a) Sigillum bene conseruatum.

Num. CCXXVIII. Compositio foeni decimas in Schönenbach concernens. Anno 1456.

EX ORIGINALI.

Ich HANNS STAINMAIR burger zu Augspurg vnd ich KUNIGUND sein eeliche wirtin Bekennen offenlichen mit dem brieue für vnns vnd vnnser erben gen allermeniglich. Das der Erwirdig Gaistlich herre her *Johanns* Abbte des Gotzhus sandt *Vlrichs* vnd sandt *Affren* zu Augspurg. vmbe solich fordrung vnd Sprüche. so wir zu im vnd seinem Gotzhaus gehebt haben. als von eins

fuders

fuders hayzehends wegen, der vnns gangen ist, vsser ainer wysen vnd Aeckern ze *Schönenbach* gelegen. daruss sein genade ainen weyer gemacht haut durch erber lüte güttlich vnd früntlich mit vnns vsskomen vnd vertädingt worden ist, Also das vnns der obgenant herre von sant *Vlrich* für solich vnnsern zehenden des fuder häes, vnd gerechtikait, die vns von des weyers wegen abget. also bar geben vnd bezalt haut, zwen vnd fünffzig guldin guter rinischer vff vnnser wolbenügen. Also sagen wir sein gnad Gotzhaus vnd nachkomen, auch denselben weyere. des gemelten fuder häezehendes, vnd aller fordrunge vnd Spruches so wir desshalben gehebt haben, vnd ze haben vermainten, für vnns vnd vnnser erben vnd für meniglich von vnsern wegen quit frey ledig vnd los. doch vns an anderm vnserm zehenden, den wir haben ze *Schönenbach*, gancz vnentgolten vnd one schaden. Vnd was der vorgenant herre von sandt *Vlrich*. hinfüro rewten oder Egerden rawmen liesse. das zu Schönenbach. vnd in vnsern zehenden gehorte, dauon sol vnns sein Erwirdikeit den zehenden auch volgen lassen. one irrunge getrewlich vnd ongeuerlich. Darüber zu vestem gutem vrkunde So geben wir vnserm herren von Sandt *Vlrich* seinem Goczhus vnd nachkomen disen brieue versigelten, mit des vesten vnd Erbern *Erasem* von *Dieperskirch* Statuogts zu Augspurg vnd mit des Ersamen weysen *Georigen Pfisters* Burggrafen daselbs beder aigen insigelen a) die sy durch vnnser vlissiger pette willen offenlichen daran gehenckt hond zu gezuicknus. doch in vnd iren erben one schaden. Darunter wir aller obgeschribner sachen bekennen vnd vnns verpinden bey vnsern trewen für vnns vnd alle vnnser erben vnd nachkomen. wär vnd stätt zu halten innhalt des briefs. Der pette vm die insigele sind gezewgen vnd der sachen tädinger gewesen. die Erbern vnd weysen

sen *Thoman Ochem* vnd *Linhard Kreutter* bed burger zu Augspurg vnd ander erber lüte genug. Geben an Mentag vor sandt Gallen tage *b*). Nach Cristi vnnsers lieben herren gepurde viertzehenhundert vnd darnach in dem sechs vnd funffczigisten Jaren.

a) Sigilla optime conseruata.
b) Vndecima Octobris.

Num. CCXXIX. Calixti Papae III. Bulla reformationem monasteriorum concernens. Anno 1456.

EX COPIA VIDIMATA.

In Nomine Domini Amen Nouerint vniuersi et singuli presentes nostras litteras siue presens publicum transsumptum visuri Quod nos *Leonardus Gessel* in decretis licentiatus Canonicus et Scholasticus ecclesie Augusten. Reuerendissimique in Xpo pris et dni dni PETRI miseracione diuina tt. sancti *Vitalis* sacrosancte Romane ecclesie presbiteri Cardinalis et apostolice sedis permissione Epi Augusten. Vicarius in Spiritualibus et Officialis generalis ad discreti viri *Conradi Mack* Notarii publici nuntii Venerabilis pris dni *Johannis Hohenstainer* quondam Abbatis monasterii sanctorum *Vdalrici* et *Afre* ordinis sancti *Benedicti* Augusten. instantiam et requisicionem omnes et singulos quorum interest intererit aut interesse poterit quomodolibet in futurum et eorum procuratores si qui essent in ciuitate et diocesi Augusten. ad videndum et audiendum nonnullas litteras originales sanctissimi in Xpo pris et dni nri dni CALISTI diuina prouidencia Pape tercii eius vera bulla

bulla plumbea in cordula canupi more romane curie impendenti bullatas transsumi et exemplari et in hanc publicam formam redigi mandare necnon auctoritatem et decretum nostrum vt moris est interponi vel dicendi et causas racionabiles allegandi quare id fieri minime deberet in valuis ecclesie maioris Augusten. per modum edicti publici vt moris est citari mandauimus et fecimus ad diem et horam infra scriptas per nostras litteras speciales in quibus *Conradus* nomine supradicti dni *Johannis* coram nobis iudicialiter comparuit, et dictas litteras citatorias in valuis dicte ecclesie vt moris est debite executas representauit et citatorium in eis contentorum non comparentium neque termino huiusmodi in aliquo satisfacientium contumaciam accusauit ipsosque contumaces reputari per nos debita cum instantia postulauit et in eorum contumaciam dictas litteras apostolicas sanas integras et illesas ac omni prorsus vitio et suspicione carentes coram nobis exhibuit et produxit huiusmodi sub tenore

CALISTUS Epus Seruus Seruorum Dei. Dilecto filio *Petro* tt. sancti Vitalis presbitero Cardinali Salutem et apostolicam benedictionem. Dum exquisitam tue circumspectionis industriam diligenter attendimus et paterna consideracione pensamus quo tu Romanam ecclesiam cuius honorabile membrum existis tuorum honores plenius magnitudine meritorum dignum reputamus et debitum vt illa tibi fauorabiliter concedamus per que monasteria domus et loca quorumcunque ordinum tibi subiecta in capite et in membris valeant reformari ac in spiritualibus et temporalibus continuum dante domino suscipiant incrementum Dudum siquidem felicis recordationis NICOLAUS Papa predecessor noster ex certis tunc expressis causis tibi qui tunc ecclesie Augusten. ex concessione apostolica, vt Episcopus preesse noscebaris ecclesias et monasteria etiam exempta ac sedi apostolice qualitercunque ſubiecta, quorumcunque ordinum ſiue ſexuum ciuitatis et dioceſis Auguſten. quibus ex Conceſſione predicta vt Epiſcopus etiam preeſſe dinoſcebaris per te vel alium ſeu alios quem ſeu quos ad id duceres pro tempore deputandum ſeu etiam deputandos intrandi illaque quotiens tibi placeret, et expediens videretur viſitandi necnon officium viſitationis inibi plenarie exercendi ac vtriuſque ſexus perſonas eccleſiarum et monaſteriorum huiuſmodi in capitibus et in membris reformandi ac ab earum dignitatibus officiis et beneficiis ſi earum exceſſus id exigerent priuandi ammouendi vel ad tempus vel tempora de quo vel quibus tibi videretur ab illis et eorum adminiſtracionibus ſuſpendendi necnon alias perſonas ydoneas monaſteriis prefatis preficiendi ac beneficia predicta aliis etiam perſonis ydoneis conferendi ac vt in eiſdem monaſteriis regularis obſeruantia vigeret ordinandi et diſponendi necnon omnia que ad viſitationis et reformationis officium pertinerent et aliam premiſſis et circa ea neceſſaria vel opportuna et plura alia faciendi exequendi ordinandi et diſponendi plenam et liberam auctoritate apoſtolica motu proprio per ſuas litteras conceſſit facultatem prout in eiſdem plenius continetur Et deinde nobis pro parte tua expoſitum fuit quod licet tu poſt Conceſſionem facultatis huiuſmodi omnem diligentiam tibi et tuis in hoc poſſibilem adhiberes vt eccleſie et monaſteria huiuſmodi eciam exempta ſuis temporibus viſitarentur ac in capitibus et membris reformarentur, et regulari obſeruantie ſubicerentur, nihilominus per te inceptum viſitacionis et reformacionis officium diuerſis tibi obſiſtentibus iuxta tuum deſiderium perficere nequiuiſti illudque adhuc perficere cupis nobis tibi in hoc ſuffragante, Nos pium propoſitum tuum in domino plurimum commendantes et vt id perficere valeas oportunos fauores impendere tibi volentes Cir-

cumcircumſpectioni tue qui eccleſie ciuitati et dioceſi predictis ex conceſſione prefata adhuc preeſſe dinoſceris aſſumptis ad te reformatoribus prelatis ſiue perſonis duobus vel tribus monaſteria vel monaſteriorum viſitandi vel viſitandorum per te vel per alium ſeu alios ad hoc deputandos quorumcunque ordinum et ſexuum tibi ordinario iure ſubiecta et preſertim ſancti *Magni* in *Füſſen* ſiue *Faucibus* et ſancti *Alexandri* in *Ottenburn* ordinis ſancti *Benedicti* prefate dioceſis et alia quecunque monaſteria domus et loca etiam vtriuſque ſexus perſonas ſolum deum pre oculis habendo quotiens opus fuerit accedendi viſitandi intrandi inquirendi et in capitibus ac membris reformandi corrigendi et iuxta exceſſuum et tranſgreſſionum qualitates et quantitates puniendi et incorrigibiles incarcerandi, ac rebelles et delinquentes debitis penis percellendi eoſque ex illis quorum demerita id exegerint excommunicacionis ſentenciis innodandi et excommunicatos declarandi, necnon ab illis ſi id humiliter petierint in forma eccleſie conſueta abſoluendi, ac cum ipſis ſuper irregularitate ſi quam huiuſmodi excommunicationis ſentenciis ligate miſſas et alia diuina officia non tamen in contemptum clauium celebrando vel ſe illis immiſcendo aut alias quomodolibet contraxerint diſpenſandi omnemque inabilitatis et infamie maculam ſiue notam per ipſas perſonas quomodolibet contractam abolendi easque perſonas ſi exceſſus et demerita id exegerint ab earum Abbaciis Abbatiſſatibus dignitatibus officiis et beneficiis auctoritate noſtra priuandi et ab eiſdem amouendi vel ſuſpendendi necnon alias perſonas ad id ydoneas in Abbates et Abbatiſſas prefici faciendi ac dignitates officia et beneficia ipſa aliis perſonis ydoneis conferendi et prouidendi, necnon racionabilia et ſalubria ordinaciones et ſtatuta pro monaſteriorum domorum et locorum predictorum vtilitate et diuini cultus incremento necnon

 regu-

regularis obſeruantie directione et proſecutione dicta auctoritate ſtatuendi ordinandi faciendi et condendi necnon conſtituciones et ſtatuta alterandi immutandi et tollendi ac racionabilia ſtatuta huiuſmodi per cenſuram eccleſiaſticam et alia iuris remedia oportuna obſeruari faciendi necnon omnia alia et ſingula in premiſſis et circa ea neceſſaria vel quomodolibet opoртuna faciendi diſponendi ordinandi et exequendi Conuentibus ipſorum monaſteriorum ad hoc minime requiſitis ſiue vocatis aut conſentientibus plenam et liberam auctoritate apoſtolica tenore preſentium concedimus facultatem Non obſtantibus conſtitucionibus et ordinacionibus apoſtolicis ac monaſteriorum et ordinum predictorum iuramento confirmacione apoſtolica vel quauis firmitate alia roboratis ſtatutis et conſuetudinibus necnon quibuscunque priuilegiis indultis et litteris apoſtolicis quorumcunque tenorum exiſtant eccleſiis monaſteriis et locis prefatis per nos ſeu Romanos Pontifices predeceſſores noſtros monaſteriis domibus et locis predictis conceſſis vel impoſterum concedendis etiam ſi in illis caueretur expreſſe quod ipſi neminem ad viſitandum monaſteria domos et loca admittere ſeu illi obedire tenerentur etiam ſi de eis eorumque totis tenoribus plena et expreſſa mentio in preſentibus habenda foret quibus omnibus illis alias in eorum pleнario robore permanſuris auctoritate apoſtolica tenore preſentium quoad effectum preſencium ſpecialiter et expreſſe derogamus ceteriſque contrariis quibuſcunque aut ſi abbatibus Abbatiſſis et perſonis prefatis vel quibuſuis aliis communiter vel diuiſim et dicta ſit ſede indultum quod interdici ſuſpendi vel excommunicari non poſſint per litteras apoſtolicas non facientes plenam et expreſſam ac de verbo ad verbum de indulto huiusmodi mencionem Contradictores per cenſuram eccleſiaſticam appellatione poſtpoſita compeſcendo Datum Rome apud ſanctum Petrum

Petrum Anno Incarnacionis dnice Millesimo quadringentesimo quinquagesimo sexto V ydus Nouembris Pontificatus nri anno secundo.

Post quarum quidem litterarum Apostolicarum exhibitionem et productionem coram nobis vt premittitur factas Nos *Leonardus* Vicarius et Officialis supradictus dictos citatos non comparentes neque termino huiusmodi in aliquo satisfacientes reputauimus merito prout erant iustitia suadente contumaces in eorumque contumaciam supra dictas litteras superius de verbo ad verbum fideliter descriptas et cancellatas ad supradicti *Conradi* instantiam et requisitionem per Notarium publicum infra scriptum et coram nobis scribam iuratum transsumi et exemplari ac in hanc publicam formam redigi mandauimus et fecimus Volentes et auctoritate nostra ordinaria decernentes quod huic transsumpto publico in iudicio et extra ac vbique locorum stetur et adhibeatur de cetero tanta fides quanta ipsis litteris originalibus antedictis quibus omnibus et singulis supradictis tanquam rite factis et celebratis nostram auctoritatem interposuimus ac presentibus interponimus pariter et decretum In quorum omnium et singulorum fidem robur et testimonium premissorum presentes litteras exinde fieri et per Notarium publicum infrascriptum subscribi et publicari mandauimus sigillique supradicti Reuerendissimi dni Cardinalis et Epi Augusten. quo in nostro communiter vtimur officio iussimus et fecimus appensione communiri Datum et actum Auguste in curia nostre solite residentie anno a Natiuitate dni Millesimo quadringentesimo quinquagesimo octauo Indictione sexta Pontificatus supradicti dni nri dni CALISTI Pape tercii anno tercio die vicesima tercia mensis Marcii hora terciarum vel quasi Presentibus ibidem Venerabili viro dno *Georio Pistoris* in decretis Licentiato et discretis viris *Jacobo* *Wir-*

Wirsing et *Johanne Küsinger* Vicariis chori dicte maioris ecclesie Augusten. ac *Hainrico Burkschinder* ciue Augusten. Causarum iurato Notariis publicis testibus ad premissa vocatis pariter et rogatis.

Et ego *Nicolaus Bernyr* de Torgaw Clericus Misnensis dioc. publicus sacra imperiali auctoritate notarius et curie Augusten. scriba iuratus etc.

Num. CCXXX. Instrumentum super resignatione Joannis Abbatis. Anno 1458.

Ex Originali.

In Nomine Domini Amen. Presentis publici instrumenti serie cunctis pateat euidenter Quod anno a Natiuitate dni Millesimo quadringentesimo quinquagesimo octauo a) Indictione sexta Pontificatus sanctissimi in Xpo pris et dni nri dni CALISTI diuina prouidentia pape tercii anno tercio die vero Lune tredecima mensis Marcii hora vesperorum vel quasi in monasterio sanctorum *Vdalrici* et *Afre* ordinis sancti *Benedicti* Augusten. et in stuba infirmarie ibidem coram Reuerendissimo in Xpo pre et dno dno PETRO miseracione diuina tt. sancti Vitalis sacrosancte Romane ecclesie presbitero Cardinali et sancte sedis apostolice permissione Episcopo Augusten. in meique Notarii et testium subscriptorum ad hoc specialiter vocatorum et rogatorum presentia personaliter constituti Religiosus pater dns *Johannes* Abbas dicti monasterii ex vna et deuoti viri dns *Matthias* Prior Fratres *Johannes Wessobrunner Johannes Keck*, *Michael Egleffer* *Thomas* de de *Thierhaupten*, *Hainricus Friefs Hainricus Pittinger Vdalricus Grafshay Johannes Clesattel Erafmus Marfchalk Matthias Vmhauer Johannes Franck Georius Helffer Johannes Lanificis* et *Johannes Pellificis* profeffi Conuentuales dicti monafterii et Conuentum ibidem facientes et reprefentantes partibus ex altera Poft diuerfos et multiplices tractatus prioribus et fupradicto diebus fuper difcordiis et diffenffionibus inter dictas partes exortis per dictum Reuerendiffimum dnm Cardinalem et teftes infra fcriptos cum predictis partibus fepe numero habitos et aliquamdiu continuatos fponte libere et premeditate ac ex certa ipforum et cuiuslibet eorum fcientia et mera liberalitate confenferunt et annuerunt ac conuenerunt in modum concordie et vnionis fequentem Videlicet quod ipfe dns *Johannes* Abbas realiter et cum effectu fpontaneus confenfit et paratum fe obtulit velle libere refignare abbatiam fuam in manibus fupra dicti Reuerendiffimi dni Cardinalis et Epi ita tamen quod ipfi monafterio preficeretur perfona reformata in Abbatem et quod ipfe dns Reuerendiffimus Cardinalis fibi prouifionem conftitueret et crearet de fructibus redditibus et prouentibus monafterii quam in ipfius arbitrium et moderationem ponere vellet Ex aduerfo fupradicti dni Conuentuales vnanimiter nullo penitus difcrepante fponte et libere in hoc confenferunt et affenferunt, quod facta refignatione Abbatie per prelibatum dnm Abbatem fepedictus Reuerendiffimus dns Cardinalis et Epus vnacum reuerendo pre et dno dno *Martino* Epo Adrimitano et ven. viro dno *Johanne Kautfch* Cuftode et Canonico Auguften. aut magiftro *Hainrico Laur* in decretis licentiato plebano in Dillingen ibidem eciam prefentibus plenam habere debeant facultatem et poteftatem prouidendi ipfi monafterio de Abbate et eligendi ac preficiendi eis perfonam ydoneam et reformatam ex ipfis fratribus Conuentualibus aut aliunde de

 alio

alio monasterio reformato illam recipiendo et quamcunque personam siue de ipsorum conuentu siue alio monasterio sic elegerint et prefecerint illam recipere et habere velint in ipsorum Abbatem et Prelatum contradictione et resistentia cessantibus quibuscunque sic tamen quod presens ipsorum consensus eis et ipsorum successoribus non debeat esse prejudicialis quantum ad futura nec ipsi dno Cardinali aliquod speciale jus tribuere quominus imminente casu vacationis dicte Abbatie futuris temporibus liberam valeant habere electionem de quo etiam publice fuerunt protestati Consenserunt etiam supradicti Conuentuales concorditer et vnanimiter quod prelibatus Reuerendissimus dns Cardinalis et Epus possit de fructibus redditibus et prouentibus monasterii prefato dno *Johanni* Abbati post resignationem et cessionem suam prouisionem specialem facere constituere et creare iuxta condignum condicione dni Abbatis et status et facultate monasterii attentis Vnde supradicte partes premissa omnia et singula effectualiter prosequentes et ad executionis debite effectum perducentes ac illis plenarie innitentes Primum sepe dictus dns Abbas coram dicto Reuerendissimo dno Cardinali et Epo ad genua procidens sponte sua vltro libere et premeditate bene recollectus et deliberatus ac sano et maturo fretus consilio regimini Abbatiali cessit et modo et forma melioribus quibus potuit suam Abbatiam cum omnibus iuribus et pertinentiis suis pure libere simpliciter et absolute solum deum pre oculis habendo in manibus dicti Reuerendissimi dni Cardinalis et Epi realiter et cum effectu resignauit et dimisit ac illi et omnibus iuribus sibi in ea competentibus renuntiauit per expressum Prelibatus vero Reuerendissimus dns Cardinalis et Epus cessionem resignationem et dimissionem huiusmodi per dictum dnm *Johannem* de ipsa Abbatia sicut premittitur factas tam apostolica qua-

fun-

fungebatur quam ordinaria auctoritatibus duxit admittendas et admisit Deinde vero supra nominati dni et fratres Conuentuales bene recollecti et deliberati sponte et libere in prelibatum Reuerendissimum dnm Cardinalem et Epm vnanimiter nullo penitus discrepante realiter et cum effectu compromiserunt vt vnacum Reuerendo pre et dno dno Ardrimitano Episcopo supradicto dno *Johanne Kautsch* Custode vel ingro *Heinrico Laur* predicto plenam habeat et habere debeat potestatem et facultatem prouidendi ipsi monasterio de Abbate et eligendi ac preficiendi eis personam ydoneam reformatam ex ipsis fratribus Conuentualibus aut aliunde de alio monasterio reformato recipiendo prout eis visum fuerit expedire ac creandi et constituendi prefato dno *Johanni* cedenti de fructibus redditibus et prouentibus prouisionem condignam ipsius persone condicione ac statu et facultate monasterii attentis, Promiserunt denique supradicti dni et fres Conuentuales et quilibet eorum promisit bona fide loco prestiti iuramenti ad manus mei Notarii publici infra scripti solemniter stipulantes et recipientes vice et nomine omnium et singulorum quorum interest vel intererit quomodolibet in futurum manualiter data quod illum quem memoratus dns Cardinalis vnacum sibi adiunctis compromissariis supradictis elegerit et prefecerit in ipsorum et dicti monasterii Abbatem recipient et Prelatum et prouisionem quam dicto dno *Johanni* cedenti creauerit et constituerit ratam et gratam habebunt et inuiolabiliter obseruabunt et contra non venient dicent vel facient de iure vel de facto quouis quesito ingenio vel colore, Repetiuerunt etiam sepe dicti dni et fres Conuentuales protestationem ipsorum premissam videlicet quod ipsorum consensus et omnia et singula premissa in futurum in nullo debeant eis et successoribus ipsorum preiudicare nec ipsi dno Cardinali aliquod ius speciale tribuere quo

 minus

minus imminente casu vocationis Abbatie futuris temporibus liberam electionem valeant habere super quo eciam dictus Reuerendissimus dns Cardinalis et Epus eis respondit quod omnia et singula premissa non deberent sibi aliquod nouum ius tribuere nec sibi aut eis aliquatenus esse preiudicialia quo minus in futurum vterque libere vti posset iure suo Super quibus omnibus et singulis tam per sepe dictum Reuerendissimum dnm Cardinalem quam per dnm cedentem et Conuentum supra dictum quatenus desuper vnum vel plura publicum seu publica conficerem instrumentum seu instrumenta ego Notarius publicus infra scriptus fui publice requisitus Acta sunt hec Auguste Anno Indictione Pontificatu mense die hora et loco superius descriptis Presentibus ibidem Venerabilibus et circumspectis viris dno *Leonardo Gessel* in decretis licentiato Canonico et Scholastico ac Prelibati Reuerendissimi dni Cardinalis in Spiritualibus Vicario et Officiali Generali dno *Ottone* de *Schaumburg* dno *Alberto* de *Rechberg* sancti *Mauricii* et sancti *Petri* ecclesiarum Augusten. Prepositis dno *Georio* de *Gamsfeld* Archipresbitero et Canonicis maioris ecclesie Augusten. dno *Johanne Gossolt* in decretis Licentiato dicte ecclesie sancti Mauricii Decano et dno *Hainrico Laur* in decretis Licentiato plebano in Dillingen Augusten. Dioc. Testibus ad premissa vocatis pariter et rogatis.

Signum Notarii

Et Ego *Nicolaus Bernyr* de Torgaw
clericus Misnen. dioc. publicus etc.

a) *Khammius* in Hierarch, P. III. p. 72. *Joannem Hohensteiner* an. 1459. Abbatiam resignasse, false adfirmauit.

Num. CCXXXI.

Num. CCXXXI. Pensio Abbati Joanni ab Episcopo destinata. Anno 1458.

Ex Originali

Petrus Miseratione diuina tt. sancti Vitalis sacrosancte Romane ecclesie presbiter Cardinalis et sancte sedis Apostolice permissione Epus Augusten. Vniuersis et singulis hanc paginam inspecturis Salutem et sinceram in dno Caritatem cum subscriptorum noticia indubitata Pastoralis officii nobis cura desuper data hoc exigit potissime vt circa personarum nobis subiectarum merita vigilantes maiora merita maioribus beneficiis compensemus ac benemeritis sic gratiosius prouideamus vt alii nobis subiecti ex beneficentia in hos collata ad vtiliora et meliora frequentius incitentur Sane cum dilectus nobis in christo *Johannes Hohenstainer* Abbas monasterii sanctorum *Vdalrici* et *Afre* ordinis sancti *Benedicti* Augusten recta meditatione aduertens quod ipse in commisso sibi monasterii et subditorum gubernaculo variis de causis sicut erat maxime pro incremento sancte regularis obseruantie expediens se fructuose gerere non valebat ac proprium et subditorum periculum reformidans zelo caritatis inductus re occasione sue inualitudinis subditos sibi commissos inimicus insidiator inuaderet regularis obseruantia adudum incepta et inibi continuata *a*) decresceret ac monasterii vtilitates per dispensatoris impotentiam forsitan deperirent regimini ipsius monasterii elegerit sponte cedere, ac coram nobis ac in nostris manibus cesserit cum effectu Nos tam ipsius *Johannis* quieti et commeditatibus prouidere quam dicti monasterii occurrere dispendiis oportuna diligentia intendentes, cessionem ipsius tam apostolica qua in hac parte fungimur quam ordinaria auctoritatibus duximus admitmittendam et admisimus, et animaduertentes quod is qui in vinea domini fideliter laborauit merito exinde denarium debeat reportare quodque dictus *Johannes* sponte cedens et bene meritus multis retroactis temporibus ipsi monasterio bene et laudabiliter prefuit et profuit, edificia monasterii notabiliter refecit. redditus cum censibus perpetuis in notabili summa adauxit et propterea racioni consentaneum fore iudicauimus vt ipse *Johannes* aliqualiter remuneretur et sustentacionem congruentem ad status sui decentiam habeat nec deficiat de expresso tocius conuentus consensu et voluntate et auctoritatibus quibus supra ipsi *Johanni* de fructibus redditibus et prouentibus dicti monasterii prouisionem et prebendam infra scriptum pro sua sustentatione quoad vsque vixerit annuatim sibi per Abbatem pro tempore existentem et dictum Conuentum dandam et assignandam deputauimus creauimus et ordinauimus et reseruauimus Mandantes nihilominus et precipientes ipsi Abbati pro tempore existenti, et fratribus Conuentualibus eiusdem monasterii in virtute sancte obedientie sub interminatione diuini iudicii et excommunicationis pena quatenus prouisionem et prebendam sic per nos deputatam creatam et ordinatam et reseruatam ipsi *Johanni* ad tempus vite sue annuatim dare et tradere debeant contradictione resistentia et impedimentis cessantibus quibuscunque ac omni dolo et fraude penitus circumscriptis Primo namque nomine prouisionis prebende siue pensionis annue ordinauimus et reseruauimus ipsi *Johanni* in qualibet angaria quorumlibet annorum quibus vitam duxerit in humanis sexaginta florenos renenses communiter datiuos et legales in ciuitate Augusten dandos et persoluendos per Abbatem pro tempore existentem et Conuentum dicti monasterii et vltra dictos florenos debeant et teneantur eidem *Johanni* dare et tradere annuatim duodecim scaffas siliginis, duodecim scaffas

tritici

tritici et quadraginta sceffas avene mensure Augusten. duo plaustra feni vnum plaustrum straminum et quindecim plaustra lignorum Item prefatus *Johannes* pro sua habitatione habere debet castrum fossatum in *Fümingen* cum orto annexo et piscina per eum constructa per tres annos, quibus elapsis vel si ante lapsum trium amorum plaeuerit in Augusta morari prouidere sibi tenebuntur dicti Abbas et Conuentus circa monasterium de aliqua habitatione et domo decenti et honesta ad ordinationem nostram vel nostrorum successorum Insuper prefatus *Johannes* habere debeat duntaxat ad vsum suum citra alienationem de vasis argenteis ciphum argenteum duplicatum vnum picarium cum coopertura vulgariter ain verdeckten pecher et quatuor paruos picarios argenteos Item habere debet lectisternia et vestimenta et libros horarum quibus hucusque vsus est ad personam suam et duos lectos cum suis pertinenciis pro familia et vnum lectum cum pertinentiis suis pro vno hospite. Debet eciam sepefatus *Johannes* habere et pro se retinere duos equos quos elegerit de equis existentibus in stabulo abbatiali Volumus eciam et ordinamus quod ipse *Johannes* superius specificata vasa argentea lectisternia et libros ad vsum suum duntaxat habeat et illa in toto vel in parte nullatenus distrahat seu alienet sed quod illa ac omnes alie res per eum post ipsius obitum relinquenda er relinquende in quibuscunque huiusmodi res fuerint redire debeant et deuolui ac reuerti ad monasterium supra dictum Et idem *Johannes* poterit extra monasterium predictum ymo extra ciuitatem Augusten in aliqua vniuersitate vel alio loco sibi apto honeste morari iuxta et secundum nostram et successorum nostrorum dispositionem et voluntatem sub quorum obedientia et non Abbatis peramplius debeat manere Demum volumus decernimus et statuimus quod futurus et quilibet Abbas pro tempore existens presentem nostram

pro-

prouisionem ordinationem et reseruationem ac omnia et singula supra et infra scripta per suas speciales et patentes litteras ratificare et approbare teneatur Nos itaque *Mathias* Prior et Custos totusque Conuentus dicti monasterii sanctorum *Vdalrici* et *Afre* Recognoscimus supradictas prouisionem ordinationem et reseruationem per prelibatum Reuerendissimum dnm nrm Cardinalem et Epm Augusten. sicut premittitur factas et creatas de nostris beneplacito consensu vnanimi et voluntate processisse Recognoscimus quoque publice pro nobis et successoribus nostris et bona fide fatemur, ac promittimus per presentes premissa omnia et singula ac infrascripta rata grata et firma velle habere tenere et obseruare ac adimplere et non contrafacere vel venire per nos vel alium seu alios aliqua ratione vel causa de iure vel de facto. Quod si dictis loco et tempore vt predictum est dictorum florenorum summam et frumenta ac alia premissa nomine prebende seu pensionis annue annuatim dande non soluerémus et omnia et singula premissa et infra scripta non obseruaremus et effectualiter non adimpleremus. promittimus eidem dno *Johanni* per pactum appositum et stipulationem solemnem interpositam velle soluere resarcire et refundere omnia et singula damna expensas et interesse que quas et quod ob defectum non solutionis pro ipsa pensione exigenda in iudicio vel extra se fecisse et incurrisse dixerit nude verbo sine sacramento vel alterius probacionis onere iudicis taxatione seu cause cognitione in hoc stando et credendo sub ypoteca et obligatione omnium rerum et bonorum mobilium et immobilium nostri monasterii presentium et futurorum quas et que cum expresso consensu et auctoritate sepedicti Reuerendissimi dni nri Cardinalis et Epi eidem dno *Johanni* pro premissis obseruanda et fideliter adimplenda impignoramus et pignori et ypotece supponimus per presentes. Et Volumus et

de

de consimili consensu et auctoritate dicti Reuerendissimi dni Cardinalis consentimus vt Abbas pro tempore existens pro dicta prouisione annua danda et porrigenda annuatim necnon expensis damnis et interesse predictis tanquam pro re in iudicio legitime confessa ad requisitionem ipsius dni *Johannis* cogi et compelli possit realiter et cum effectu ad solutionem et satisfactionem integram omnium predictorum per quemcunque ecclesiasticum iudicem quem idem dns *Johannes* duxerit eligendum eiusdem iurisdictioni cohertioni et compulsioni ex nunc per presentes nostras litteras sponte et voluntarie submittendo pariter et subdendo Volentes et consentientes quod sola exhibitio presentium nostrarum litterarum cuilibet iudici ecclesiastico sufficiat ad condemnationem contra Abbatem et nos fiendam pro solutione et satisfactione omnium et singulorum premissorum Renuntiantes in premissis omnibus et singulis penitus et expresse omnibus et singulis libertatibus priuilegiis indulgenciis emunitatibus fori et ordinis omni exceptioni doli mali omnis appellationis remedio iuri renocandi domum omni petitioni et dationi libelli omnibusque aliis et singulis subterfugiis remediis cautelis ac iuris canonici et ciuilis suffragiis quibus contra premissa nos iuuare possimus quomodolibet vel tueri In quorum omnium et singulorum fidem robur et testimonium premissorum Nos PETRUS Cardinalis et Epus supradictus presentes litteras exinde fieri nostrique et supradicti Conuentus Sigillorum *b)* iussimus et fecimus appensione communiri Et nos *Mathias* Prior et Custos totusque Conuentus supradictus fatemur notum facimus et testamur premissa omnia et singula de nostris beneplacito consensu et voluntate processisse Et propterea sigillum nostrum vna cum supradicti Reuerendissimi dni nri Cardinalis et Epi sigillo in testimonium premissorum appendisse Datum et actum Auguste Anno a natiuitate dni Millesimo quadringentesimo quinquagesimo octauo feria quinta post Dominicam letare c).

a) *Joannes* Abbas monasticam disciplinam vix non penitus delapsam iuxta Constantiensis Concilii statuta, vocatis e Mellicensi monasterio, in quo reformatio monastici status sumpsit initium, viris religiosis restaurauit. V. Khamm. loc. cit. pag. 70, Braunii Notit. liter. Codd. MSS. Vol. III. pag. 16.

b) Sigillum Episcopi est valde laesum; conuentus vero bene conseruatum.

c) Decima sexta Martii.

Num. CCXXXII. Instrumentum Electionis Melchioris de Stammham Abbatis. Anno 1458.

EX ORIGINALI.

In Nomine Domini. Amen. Presentis publici Instrumenti serie cunctis pateat etc. a) Deinde Anno Indictione et Pontificatu quibus supra die vero Saturni b) decima octaua mensis Marcii que fuit dies ad preficiendum et eligendum in dicto monasterio Abbatem prefixa hora terciarum vel quasi post officium misse de sancto Spiritu in choro dicti monasterii solemniter decantatum sepe dictus Reuerendissimus dns Cardinalis et Epus ad locum capitularem se recepit et Reuerendum in Xpo patrem et dam dnm *Martinum* Epm Adrimitanum et Venerabilem virum dnm *Hainricum Laur* in decretis Licentiatum compromissarios suos supradictos qui eciam eadem die ibidem missas legerunt sibi adiunxit et habitis inter se aliquamdiu tractatibus ac digesta meditacione quem vellent in ipsius monasterii Prelatum preficere mature prehabita, tandem vocatis et accersitis testibus infra scri-

ptis

ptis et me Notario publico subscripto sepe dictus Reuerendissimus dns Cardinalis et Epus vnus ex Compromissariis supradictis de voluntate et consensu aliorum Compromissariorum deuotum fratrem *Melchior* de *Stamham* professum sacerdotem monasterii in *Biblingen c)* dicti ordinis sancti *Benedicti* Constan. dioc. absentem tanquam presentem in dicti monasterii Abbatem elegit et Prelatum prefecit ac electionem eandem pronuntiauit in scriptis hoc modo In nomine patris et filii et Spiritus sancti Cum vacante hoc monasterio sanctorum *Vdalrici* et *Afre* per liberam resignationem dilecti nobis in Xpo *Johannis Hohenstainer* nouissimi Abbatis et possessoris deuoti fratres Prior Custos et totus Conuentus nobis et venerabili patri dno *Martino* Epo Adrimitano et nobis dilecto mgro *Hainrico Laur* plebano in Dillingen plenam et liberam dederint facultatem et potestatem prouidendi ipsi monasterio ac eligendi et preficiendi eis personam ydoneam reformatam ex ipsis fratribus vel aliunde de alio monasterio reformato. Nos studiose vocauimus ad exquirendum virum talem qui ad ipsius monasterii regimen ydoneus haberetur, et post inquisiciones et discussiones multiplices de pluribus personis in deuotum fratrem *Melchior* de *Stamham* direximus concorditer vota nostra virum vtique prouidum et discretum litteratum sciencia preditum de vita et moribus commendandum in sacris ordinibus et etate legitima constitutum, de legitimo matrimonio procreatum in spiritualibus et circumspectum ac sancte regularis obseruantie zelatorem Vnde nos vice nostra et dictorum collegarum seu sociorum nostrorum ex potestate nobis et ipsis tradita inuocata sancti Spiritus gratia ad honorem dei et gloriose virginis *Marie* ac sanctorum *Vdalrici* et *Afre* quorum negotium agitur *Melchior* predictum in dicti monasterii Abbatem concorditer eligimus et preficimus, ac ipsi monasterio cum eius persona prouidemus de Abbate et Prelato et electionem nostram huiusmodi pronunciamus in his scriptis. Et subsequenter antedictus Reuerendissimus dns Cardinalis et Epus electionem eandem dictis dnis Priori custodi et fratribus Conuentualibus ibidem eciam capitulariter existentibus modo et forma melioribus quibus potuit et debuit solemniter publicauit qui post publicationem huiusmodi ad partem capituli se receperunt et habita inter se aliquandiu deliberacione reuersi vnanimiter et concorditer nullo penitus discrepante per organum venerabilis viri dni *Johannis Gossold* Decani sancti Mauricii supradicti electionem supradictam sicut premittitur per dictos duos Compromissarios de persona dicti fratris *Melchior* factam ratam et gratam habuerunt ac modo et forma melioribus quibus potuerunt illam gratificarunt emologarunt et approbarunt sepe dictis dnis Compromissariis humillimas gratiarum actiones referentes Et his perfectis Reuerendissimus dns Cardinalis et Epus prelibatus accersiri mandauit Religiosum et Venerandum prem dnm *Vdalricum* Abbatem supradicti monasterii in *Biblingen* et fratrem *Melchior* supra dictum extra dictum locum capitularem existentes et illis ad eundem locum capitularem et coram sua reuerendissima dominatione in presentia prefatorum dominorum et fratrum Conuentualium comparentibus idem Reuerendissimus dns Cardinalis et Epus modo et forma melioribus quibus potuit, premissa omnia et singula eis enarrauit et declarauit sicut premittitur fore gesta et acta et supplicauit prefato dno *Vlrico* Abbati quatenus consentire vellet vt dictus frater *Melchior* subditus suus supradicte electioni et prefectioni consensum suum preberet et in prelatum dicti monasterii preficeretur ymo eidem precipere et mandare in casum quo renuiti moliretur, Qui quidem dns *Vdalricus* Abbas bene deliberatus annuit et consensit, Predictus eciam fr. *Melchior* per sepe dictum

Re-

Reuerendiſſimum dum Cardinalem et Epm ac alios Compromiſſarios inſtanter rogatus, variis de cauſis ſe inſufficientem ad regimen dicti monaſterii aſſerens ſe multipliciter excuſauit et cum conſentire vtique renueret prelibatus dns *Vdalricus* Abbas in virtute ſancte obedientie vt aſſentire deberet eidem mandauit, qui tanquam obedientie filius eciam diuine voluntati ſecundum quam premiſſa omnia firmiter geſta creduntur reſiſtere nolens electioni et prefectioni prefatis de perſona ſua factis inuocato diuine pietatis auxilio tam timide quam deuote conſenſum ſuum libere prebuit pariter et aſſenſum Ex tunc ſupradicti dni et fres Prior Cuſtos et Conuentuales vnanimiter premiſſa rata et grata habentes electum prefatum ad eccleſiam deportarunt et ante altare proſtratum et deinde ſuper altare collocarunt, pulſatis campanis et ymno Te deum ibidem altis vocibus ſolemniter decantato ac aliis ſolemnitatibus premiſſis et adhibitis que in talibus fieri conſueuerunt Demum Reuerendiſſimus dns Cardinalis et Epus honorabili viro dnō *Johanni Ruch* plebano ibidem iniunxit et mandauit quatenus premiſſa populo in eccleſia publicaret et publicum de premiſſis faceret proclamacionis edictum citando peremptorie omnes et ſingulos ſua intereſſe putantes et credentes vt feria ſecunda proxima poſt dominicam *Judica* coram eo in aula epiſcopali Auguſte comparere curarent viſuri et audituri dictum electum canonice confirmari alioquin dicturi contra omnia et ſingula quicquid verbo vel in ſcriptis dicere haberent ac ius ſuum ſi quod in premiſſis habere pretenderent legitime proſecutus Comminando eciam eiſdem citatis quod in ipſorum contumaciam ad premiſſa omnia et ſingula procederetur et alias quod iuſtum foret fieret ipſorum abſencia ſeu contumacia in aliquo non obſtante Qui quidem dns *Johnes* plebanus iniunctum ſibi officium et mandatum obedienter exequi volens locum

locum capitularem exiuerat et postquam aliquamdiu absens erat reuersus e conuerso ad dictum locum capitularem dicto Reuerendissimo dno Cardinali et Epo relationem fidelem fecit asserens se fuisse in ecclesia dicti monasterii et ibidem coram populo qui ibi ad sonum campanarum confluxerat proposuisse de premissis omnibus et singulis publice proclamationis edictum; seque peremptorie citasse omnes et singulos sua interesse putantes et se premissis opponere volentes in dictam feriam secundam post Dominicam *Judica* ad horarum tertiarum cum comminacione quod in ipsorum contumaciam ad confirmationem electionis prefate et ad alia premissa vtique procederetur ipsorum absentia seu contumacia in aliquo non obstante Super quibus omnibus et singulis Ego Notarius publicus subscriptus quatenus desuper vnum vel plura publicum seu publica conficerem instrumentum seu instrumenta fui publice requisitus Acta sunt hec Auguste anno Indictione Pontificatu mense diebus horis et locis quibus supra Presentibus ibidem Religioso et Venerando patre dno *Johanne* Abbate monasterii in *Elwangen* dicti ordinis Augusten dioc. venerabilibus et circumspectis viris dno *Leonardo Gessel* Scolastico Vicario et Officiali dno *Ottone de Schaumburg* dno *Georio* de *Gotzfeld* dno *Johne Gessult* Decano testibus etiam supra dictis et dno *Johanne Hailger* Canonico ecclesie sti *Mauritii* Testibus ad premissa vocatis pariter et rogatis

Signum et Subscriptio Notarii: Et ego *Nicolaus Bernyr* etc.

a) Praemittitur resignationis instrumentum supra N CC. XXX. relatum, quod hic iterum repetere, superuacaneum videtur.

b) Saturni dies Sabbatum adpellatur.

c) Wiblingen nobilissimum Sueuiae monasterium haud procul ab Vlma inter Ileram et Danubium situm.

d) De

d) De huius praestantissimi viri virtute, oeconomia, doctrina, litterarumque propagatione Conf. *Khamm* l. cit. *Braun* Praefat. Notit. lit. de Incunab. p. VIII. et Notit. codd. MSS. Vol. III. *Veithii* Bibl. August. Alphab. III. p. 121. et citat.

Num. CCXXXIII. Zechae magistrorum reuersales litterae. Anno 1459.

Ex Originali.

Ich Hanns Knoll ich Seytz Gross vnd ich Vlrich Kicklinger alldrey Burger vnd die zeit Zechpfleger *a)* der pfarr zu sant *Vlrich* vnd sant *Affren b)* ze Augspurg Bekennen offenlich mit dem brief für vns vnd alle vnnser nachkomen an der pfleg in pflegweyse der obgenanten pfarrzech auch für das gemain pfarVolk vor allermeniglich Das vns der Erwirdig gaystlich herr her *Melchior* Abbt des wirdigen Gotzhawses der obgenanten pfarr sant *Vlrichs* vnd sant *Affren* zu Augspurg vnnser gnediger herre vnd der Conuent gemainlich daselbs den vmbgeenden Orzayger *c)* den wir vorn an den Schiessen, als man vff die Gred gen sant *Vlrich* hinein gat gemacht vergundt habent von genaden vnd vnnser fleyssiger bete wegen. Also wenn der obgenannt vnnser genediger herr von sant *Vlrich* vnd sein Conuent oder nachkommen nun füro vber kurtz oder lang denselben zayger daselbs nicht lenger haben noch leyden wollen, Das denne wir oder vnnser nachkomen an der pfleg in pflegweyse der obgenant pfarrzech den on verziehen abthun vnd nicht mer da haben sullen noch wollen in kain weg so lang

biss

biss das vns der durch sie oder ir nachkomen widerumb vergundt vnd ze haben erlaubt wirt. Getrulich des ze warem gutem vrkund, so geben wir in irem Gotzhaus vnd nachkomen disen brief für vns vnd das gemain pfarrvolk vnd für alle vnser nachkomen versigelten mit der obgenanten pfarrtzech Insigel *d*) das wir offenlich hieran gehenket haben. Der geben ist an sant Jacobs Aubend nach Cristi geburt Tausent vierhundert funffzig vnd im newnden Jare.

a) Zechpfleger sunt ecclesiae prouentuum administratores.

b) Prouentus ecclesiae parochialis S. *Vdalrici* et *Afrae* reformationis tempore confessioni Augustanae Addicti sibi vendicarunt, iisque adhuc fruuntur.

c) Vhrzeiger. *d*) Sigillum optime conseruatum.

Num. CCXXXIV. Venditio praedii in Hausstetten. Anno 1461.

Ex Originali.

Wir Ludwig der Bomgarter Prior vnd der gemein Conuente des Closters zu den *Predigern* ze Augspurg bekennen offenlichen mit dem briefe für vnns vnd vnser nachkomen vor allermeniglichen Das wir mit veraintem mute vnd guter vorbetrachtunge in vnserm Capitel darein wir alle zusamen komen wären mit belütter Gloggen, als sittlich vnd gewonlich ist vnser güttlin zu *Hußstetten* gelegen, das vnserm Gotzhaus vortzeiten von den erbern frawen *Annen Röttin* vnd *Margarethen Lechspergerin* geben worden ist, nach lut vnd sage ains versigelten briefs vnd nun der lech, das mit sampt andern guten hingefürt vnd geödet haut, souil des noch vorhanden, vnd vssbezaichent vnd gemerkt vnd vns Jarlich bey ainem halben guldin zinnsst haut, vnd alles das dartzu vnd darein gehört in dorff vnd ze fellde nichtz vsgenomen vnd das alles vnnser vnd vnsers closters rechts frey aigen gewesen ist vnd wir das bysher in stiller nutz vnd gewere inngehebt vnd genossen recht vnd redlich verkaufft vnd ze kauffen gegeben haben den Erwirdigen herren heren *Melchior* Abbte vnd gemainem Conuente des Gotzhus sant *Vlrichs* vnd sant *Afren* zu Augspurg vnd allen iren nachkomen, zehaben vnd zeniessen ewiglich vnd geruiclichen, vmb zehen gut rynisch guldin die wir darumbe von ir also berait eingenomen vnd anderhalben an vnsern vnd vnnsers Closters nutz vnd frommen gelegt vnd bewendet haben, Vnd also haben wir in irem Gotzhus vnd nachkomen, das vorgenant Gütlin vnd alles das dartzu vnd darein gehördt mit grund vnd podem, mit sampt den eltern briefen darüber gehörend vnd mit allen rechten puncten vnd artickeln nach derselben briefe lut vnd sage zu rechtem aygen vffgeben vnd haben vns sein alles vertzygen. für vns vnser closter vnd all vnser nachkomen als man sich aygens durch recht vnd pillich verzeihen vnd vffgeben sol, vnd wir sullen in das auch also stätten vnd fertigen vnd daruff ir recht Geweren sein für allermenigliche irrung vnd ansprach, die in mit dem rechten daran beschähen, im den zilen darinne man aygen pillich vnd zu recht stätten vnd fertigen sol, alles nach aygens vnd des lannds darinn das gelegen ist recht vnd gewonhait vnd nach dem rechten gantz vnd gar one allen iren schaden alles getrewlich vnd one gefärde. Vnd des zu gutem vnd warem vrkunde geben wir in den briefe mit vnsern Priors vnd Conuents, aigen anhangenden Insigeln a) versigelt vnd geben

hen an Mittwoch vor vnnser lieben frawen tage zu Liechtmess *b*) nach cristi vnsers lieben herren gepurde als man zelet Tawsent vierhundert vnd inn dem ain vnd sechtzigisten Jaren.

a) Sigilla sunt illaesa. *b*) 28. Januarii.

Num. CCXXXV. Litterae reuersales aquam a magistratu concessam concernentes. Anno 1464.

EX ORIGINALI.

Wir MELCHIOR von Gottes verhengknus Appt des Erwirdigen Gotzhaus zu sant *Vlrich* vnd sant *Afren* zu Augspurg vnd der Conuent gemainlich des benenten Gotzhaus Bekennen vnd tuen kunt allermenglichen mit disem brief für vns vnnser Gotzhaus vnd alle vnnser nachkomen Als vns die fürsichtigen Ersamen vnd wysen Burgermaister vnd Rattgeben der Statt Augspurg vnnser lieb heren vnd gut frewnd von vnnser vleissigen gebett vnd begerens wegen das wasser in vnnser Gotzhaus vff vnnser selbs Cost ze laiten vnd alda ain Roren vnd nicht mer in ainen Kasten ze gen ze machen auf nachgemelt maynung vergont erlaubt vnd zugesagt haben Also vnd mit dem geding das wir vnd vnnser nachkomen das obgemelt wasser in die Roren laiten die Roren vnd nicht mer haben die wir ouch zu vnnsers Gotzhaus nutz vnd nottorft gebrauchen vnd nuessen mogen vngeuarlich Doch wenne den genanten von Augspurg vnd iren nachkomen vber kurz oder lanng zeit das obgemelt wasser vnd die Roren obberürter massen lenger ze haben nicht mer füglichen liche wär oder sein welte so haben si zu ainer yeden zeite sollich egedacht einlaitung des wassers ouch die Roren ab ze tun ze schaffen vnd das also nicht mer ze haben das ouch wir oder vnnser nachkomen so bald vns sollichs verkundt wirt von stund an abtun vnd des ainich einred haben sollen noch wollen in dehain weis getrulich sonder arglist vnd geuerde Mit vrkund ditz briefs geben wir den obgenanten von Augspurg irer Statt vnd iren nachkomen disen brief versigelten mit vnnser appt *Melchiors* vnd des Conuentz angehenkten Innsigeln a) Der geben ist vff Samstag vor dem Sonntag Misericordia domini nach Ostern b) Nach Cristi geburt Tausend vierhundert sechtzig vnd vier Jare.

a) Sigilla sunt laesa. b) 14. Aprilis.

Num. CCXXXVI. Confoederatio cum Monasterio Elchingano. Anno 1464.

Ex Originali.

Venerabilibus in Xpo ac Religiosis patribus et fratribus *Melchior* Abbati *Mathie* priori totique Conuentui Monasterii sanctorum *Vdalrici* et *Affre* ordinis scti *Benedicti* Augusten. dyoc. Nos fratres Paulus Abbas Martinus prior Totusque Conuentus Monasterii scte *Marie* semper virginis in *Elchingen* ordinis et dyocess. eorundem cum sincero fraterne caritatis affectu salutem in dno perhenniter adipisci Quia mediante caritate que vinculum perfectionis ab apostolo predicatur membra singula in corpore ſite eccleſie ſibi inuicem coherent et Xpo ſuo capiti ad percipiendam per ipſum et in ipſo gratiarum ſpiritualium influenciam vniuntur tanto liberius atque libencius ſinum caritatis inampliande confraternitatis conſorcium dilatamus. quanto ad participationem fructus huius feruentius anhelamus Vnde veſtrarum paternitatum religioſitate moti matura deliberacione prehabita plene confraternitatis bonorum ſcilicet omnium conſorcium et communionem in miſſis. oracionibus. abſtinencys. elemoſinis. vigilys. ac alys quibuſuis virtutum exercicys que diuina clemencia per preſentes nos et ſucceſſores noſtro in dicto Monaſterio *Elchingen* dignabitur operari vobis ac ſucceſſoribus veſtris tenore preſencium libere concedimus Adicientes quod cum obitus fratris vnius vel plurium predicti monaſterii veſtri profeſſi vel profeſſorum nobis intimatus fuerit vigilias et miſſam defunctorum iuxta conſuetudinem noſtri Monaſterii perſoluemus Sed et ſinguli ſacerdotes miſſas legentes ſingulas miſſas *Clerici* vero miſſas non legentes officium defunctorum totum veſperas ſc. et vigilias nouem lectionibus cum laudibus Conuerſi quoque centum pater noſter et tottidem aue maria in remedium animarum eorundem dicent In quorum omnium teſtimonium et robur hanc paginam ſigillis noſtris *a*) munitam vobis tradere decreuimus. Datum in monaſterio noſtro prefato Anno dni 1464. ipſo die ſanctorum Martyrum Abdon et Sennen.

a) Sigilla ſunt laeſa.

Num.

Num. CCXXXVII. Litterae reuersales a Parocho Ottmarshusano. Anno 1465.

Ex Originali.

Ich LEONARDUS LODER pfarrer zu Ottmarſshuſen Bekenn offenlich vnd tun kunt allermenglich mit dem brief als mir die Erwirdigen herrn herren *Heinrich Truchſeſs* von Hofingen Tumpropſt herr *Lienhart Geſſel* Dechant vnd das Capitel gemeinlich des Tumbs zu Augſpurg vmb bete der Erwirdigen herren von Capitel zu ſant Mauritzen zu Augſpurg die denne der pfarrkirchen zu *Othmarſshuſen* recht Lehenherren ſind mir ain pletzen vſs irem anger ſtoſſet an ainem ort an die Kirchmauer der denne in iren hof ſo *Vlrich Derrer* daſelbs von in bawet gehort vergont hand, vnd daruff ain Stadel zu bawen zu dem pfarrhoue zuhaben vnd zenyeſſen in ewig zeit, Das ich darumb den genanten meinen herren Tumpropſt Dechant vnd Capitel vnd iren nachkomen mit ret gunſt willen vnd erlouben meiner lechenherren verſprochen vnd verheiſſen han verſprich vnd verheiſs auch ietzo mit dem brief, das ich vnd all mein nachkomen pfarrer hinfüro ewigklich dem genanten *Vlrichen Derrer* oder ſein nachkomen bawren ſo den egemelten hofſtat daruff ich den ſtadel gebawen han aller ierlich vnd ains yeden Jars beſonder allwegen vff ſant Gallen tag fünff pecher groſs ye acht pfennig für ain pecher zu zelen Augſpurger werung zu rechten zinſs geben vnd antwurtten ſollen one allen abgangk vnd allen iren ſchaden vnd wer es das ich oder mein nachkomen mit den genanten herren Tumpropſt Dechant vnd Capitel oder iren nachkomen oder mit dem genanten *Vlrichen Derrer* oder ſein nachkomen iren gebawren ir ainen oder mer oder Sie ir ainen oder

mer

mer mit mir fpennig oder irrig wurde die genanten hoffat vnd ftadel auch zinfs dauon berürende wie das war Darumb follen wir allweg für das Capitel des gemelten Tumbs komen vnd wie das Capitel oder der merer tail des Capitels vnns darumb entfchaidet vnns des benügen lauffen one alles weiter waigern fürnemen vnd vfszug in allweg alles getruwlich vnd vngeuerlich Des alles zu warem vrkund vnd ewiger ficherhait fo gib ich obgenanten meinen herren Tumpropft Dechant Capitel vnd iren nachkomen für mich vnd mein nachkomen pfarrer zu Othmarfshufen difen brief mit des obgenanten Capitels zu fant *Mauritzen* zu Augfpurg als lehenherrn der gemelten pfarrkirchen anhangenden Infigel *a*) befigelt Das diefelben mein herren hieran gehengkt hand Geben vff Montag nach fant Martins tag *b*) nach Crifti geburt Tufent vierhundert vnd im fünff vnd fechtzigiften Jare.

a) Sigillum auulfum. *b*) 18. Nouemb.

Num. CCXXXVIII. Litterae conductitiae Architecti San-Vlricani. Anno 1467.

EX ORIGINALI.

Ich VALLENTIN KINDLIN der Steinmetz von Strafburg dirr zeyt wonhaft zu Landfperg Bekenn offennlich mit difem briefe für mich vnd mine erben vor allermengklich. als durch fchickung gottes ouch fant *Vlrichs*. fant *Simprechts*. fant *Afren* vnd andrerr hailigen in dem Gotzhufe zu fant *Vlrich* vnd fant *Afren* zu Augfpurg raftende. der erwirdig gaiftlich min gnediger herre her

her *Melchior* Abbte daselbs die bemelten kirchen zu bawen fürgenommen. darzu sein gnade vnd seiner gnaden pawmeister mit namen der ersam her *Hainrich Flotz* Prior, vnd die fürsichtigen wysen *Thoman Oshem Hanns Laugingen*, *Hanns Schuster*, *Wilhalm Vbeleysen*, vnd *Hanns Beringer* Burger zu Augspurg mich, mitsampt maister *Hannsen* von Hildeshain zu werkmeister vffgenommen vnd bestelt hand etc. Bekenn ich das solchs zugangen vnd beschehen ist vff maynung so hernach aigenlich geschriben stät, dem ist also, des ersten, das ich vnd der bemelt maister *Hanns* gleych für ainen man zu rechnen vnd vnnser kains gewalt, der höher oder besser sein soll, sonder als ich vnd er dem benanten minen gnedigen herren vnd den obgenannten pawmeistern, oder iren nachkomen in allen sachen vnd befelhnussen, zu dem berürten paw dienende willig gehorsam, vnd ir getrewe werkmaister sein, zu dem paw das nutzlicht vnd beste rauten sollen, das wir verstanden könnden oder wissen, Vnd also das vnser kainer seiner arbeit vnd kunst, vor dem andern nichtzit verhalten oder verpergen sol in kainen wege, Vnd ob sich hinfüro vber kurtz oder lanng begäbe, das ich ainen weg für mich näme, den ich vermainte der beste wesen, desglich maister *Hanns* ouch ainen besundern wege. Also daz wir schrittig vnd vnains wurden, so sollen wir allewegen so offt das beschicht darumb mitt ainander für den vorgenanten min gnedigen herren, vnd die pawmaister komen, vns zuentschaiden, welcher dem andern seiner maynung verfolgen solle, Vnd ob inen alsdann vnnser baider maynung nicht gefielen, was sy denn sust mit vns baiden schaffen, dem soll vnd wil ich minss tails getrulich nachkomen one widerrede, ich sol vnd wil ouch für mich selbs nicht mer denn ainen gedingten knecht haben. dem sol ich zu essen geben. Vnd die pawmeister sollen

im,

im, wenn er an ir arbait ist, das taglon geben nachdem er das verdienen mag, vngeuarlich. Vnd die murer vnd tagloner, der man zu solchem pawe notdurfftig sein wirdet, sollen ich vnd maister *Hanns* bestellen, vmb ain zimlich taglon, nicht bey dem maisten noch minsten vngeuarlich, Doch vff ain gefallen der pawmaister, vnd welcher oder welche in nicht fügklich, oder eben weren, den oder die mügen sy alsdenn absten haissen an derselben statt sollen wir denn ander bestellen nach irem gefallen vngeuarlich. So offt sich ouch hinfüro begeit, das ich mins aigen gescheffzhalb von der arbait des paws ainen tag ausbeleyb so offt sind mir die pawmaister desselben mins vssbeliben taglonshalb nichtzit schuldig in kain weg Ich soll vnd wil ouch die weyle ich ir werckmaister obgemelter mass bin, kain ander werck nicht an mich nemen, denne mit irem willen vnd erlouben, ouch von dem berürten paw one redlich vrsach nicht absteen in kainen wege, Vnd wär es das ich vnd der obgenant maister *Hanns* ain vnainigkait mitt ainander gewunnen. oder sust wir baide oder vnser ainer, ettwas handeln oder fürnemen wölten wider des obgenannten mins gnedigen herren vnd der pawmeister gefallen, so sollen sy allewegen gewalt haben in die ding zusehen, vnd vns zuuertragen nach pillichen vnd als offt sy redlich vrsach an vnser ainem finden nach irrem erkennen, so mügen sy den absetzen, ain andern an sein statt bestellen oder sust in den dingen handeln wie das nutzest vnd beste sein beduncket vngeuarlich. Vnd vff das alles haben wir die pawmaister versprochen, alle die weyle ich also ir werckmaister bin vnd nicht füro zu taglon ze geben, des Summers zwen vnd drissig pfening vnd des wintters vier vnd zwaintzig pfening *a*) Vnd darzu yedes Jaurs zwaintzig rinisch guldin für Jaurlon, huszins, holtz Speys vnd all ander sache nichtzit vsgenomen.

Ob

Ob ſich aber begäbe daz ſy mich obgemeltermaſs abſetzen vnd ainen andern an min ſtatt nemen wurden, wenne ſy mir alſdenn geben mine taglon, vnd nach anzale an minem Jaurlon, ſo ich biſs vff dieſelben zeyt, verdient han, als vil mir der vnbezalt vſſtand. ſo ſind ſy mir weytter nichtzit ſchuldig noch pflichtig in kain wege. Das alles ſo hieuor an dieſem briefe von mir geſchriben ſtat, han ich zu halten, vnd dem vffrecht vnd redlich nachzegen ſonder ouch kainen aigen nutz noch vortaile darinn zugebruchen, by minen guten waren truwen an aids ſtatt gelobt verſprochen vnd verhaiſſen on all argliſt vnd geuerde. Des alles zu warem vnd offnem vrkunde gib ich minem herren von ſant *Vlrich* vnd den obgenanten pawmeiſtern diſen briefe, vmb miner fliſſigen gepette willen beſigelt mit des erſamen wyſen *Jorig Otten* ſtattuogtz zu Augſpurg aignem angehenktem Inſigel *b*) doch im vnd ſeinen erben one ſchaden Darunder ich mich by den vorgemelten minen truwen an aids ſtatt verpunden han ſtätt zu halten alles obgeſchriben Gezeugen der bette vmb das Inſigel ſind die erbern wyſen Maiſter *Hanns Inchenhofer* der *Sporer* vnd *Mang Schnellenweg* dermalen zu Augſpurg Der geben iſt vff donrſtag vor ſant Veytz tag nach Criſti vnnſers lieben herrn gepurt Tauſent vierhundert vnd im ſiben vnd ſechtzigiſten Jarn.

a) Juxta contractum cum murariis initum, vnicuique per aeſtatem 24. et per hiemem quatuordecim denarii ſingulis diebus ſoluebantur; Mane et veſpere etiam abaque obligatione iuſculum prorrigebatur.

b) Sigillum laeſum.

Num. CCXXXIX. Conuentio censum concernens. Anno 1467.

EX ORIGINALI.

Ich BARTHLOME HOCHHERR der Bierschenck Burger zu Augspurg bekenn offennlich für mich vnd min erben mit disem brief vnd tun kunt allermenglich. Als durch min altfordern vor zeyten den Erwirdigen geistlichen herren Abbte von Conuent des wirdigen Gotzhus sant *Vlrichs* vnd sant *Afren* zu Augspurg in ir oblay ain jerlichs vnd ewigs Selgerät nämlich ein halber guldin vnger vnd behem der Statt Augspurg werunge gegeben vnd geschafft worden ist. Ausser von vnd ab minem hus hoffsach vnd gesässe darinn ich diser zeyt mit wesen bin gelegen hie zu Augspurg vnderhalb des *Berlachbergs* an der alten eyche stosst ainhalb an *merklin Sowrlochs* anderhalb an *Hannsen Fuchters* huser vnd hoffsachen, hinden vff den lech vnd vornen vff die Strass wie denne das die briefe so ich vmb daz yetz genant hus hoffsach vnd gesäss han clarlicher vnd mit mer worten innhaben etc. Vnd nun seyderher ettlich min vorfarn, so vor mir dasselb min hus hoffsach vnd gesässe inn gehebt hand ouch ich an bezalung des berürten ewigen Selgeräts. Allso sumig gewesen, das der ain mergklich anzals vnd Somme vff mich gewachsen sind. Bekenn ich mit vrkund vnd in craft ditz briefs daz ich darumb mit den obgenanten herren durch erber leut von inen vnd nur darzu erbetten fruntlich betedingt vnd betragen bin wie hernach geschriben stat, dem ist Allso Das ich in für die vergangen vnbegalten Selgerät zwen rinisch guldin geben vnd bezaln soll, das ich ouch also getan han, Vnd das ich min erben vnd nachkomen in der gewalt dann das bemelt hus

hus hoffſach vnd geſäſſe hinfüro ymer komet den vorgenanten herren irem gotzhuſe vnd nachkomen den obgeſchriben halben guldin egerürter werung ierlichs ſelgeräts fürohin zu ewigen zyten aller iärlich vff ſant Jorigen des hailigen ritters tage oder zu iedem ſant Jorigen tag vierzehen tag die nechſten vor oder nach vngeuarlich auſſer von vnd ab dem berürten minem huſe hoffſach vnd geſäſſe mit aller ſeiner zugehö. rung antworten vnd geben ſollen vnd wollen in das benant ir gotzhuſe one alles vertziechen vnd widerrede vnd gantz on allen iren coſſten vnd ſchaden geuerd vnd argliſt hierinne gentz. lich vſgeſchloſſen. Des alles zu warem vnd offnem vrkund gib ich den obgenanten herren iren gotzhuſe vnd nachkomen diſen brief für mich min erben vnd nachkomen vmb miner fliſſigen gepette willen beſigelt mit des erſamen vnd wyſen *Hainrich mecolohers* Burggrauen zu Augſpurg aigem angehenktem Inſigel *a*) doch im vnd ſinem erben one ſchaden darunter ich mich verpind ſtätt zu halten alles obgeſchriben Getzugen der bette vmb das Inſigel ſind die erbern wyſen *Peter* vnd *Mang* die *Härtze* geprüder burger zu Augſpurg Der geben iſt vff ſant Marx tag Nach Criſti vnnſers lieben herrn gepurt Tauſent vierhundert vnd im ſiben vnd ſechtzigiſten Jaren.

a) Sigillum bene conſeruatum.

Num. CCXL. Venditio Cenſus in Algoia. Anno 1468.

Ex Originali.

Ich Hanns Härtz zu Weyer geſeſſen Bekennen offennlich für mich vnd min erben mit diſem briefe vor allermengklich, das ich mit guter vorbetrachtung vnd mit wolbedachtem ſynne vnd

 mute,

mute, dem Erwirdigen gaiſtlichem minem gnedigen herrn herrn *Melchior* Abbte des gotzhawſs ſannt *Vlrichs* vnd ſant *Afren* zu Augſpurg ſeinem gotzhuſe vnd allen ſeinen nachkomen geben han, ain pfund haller ewigs vnd ierlichs vallzins ſo ich han, vnd mir biſher gegangen iſt vſs der vordern *Weſtegk a)* die daz ſchniderlin in Wueſtnen vor mir erkoufft hat, nach lut deſſelben koufbriefs Da ich denn fünff pfund haller innehan, nach innhalt ains hoptbriefs, den ich von im darumb innhan, vnd nun füro mir vnd minen erben, nu vier pfund haller zins werden ſollen, vnd das fünfft dem vorgenanten minem herrn von ſant *Vlrich* ſeinem gotzhuſe vnd allen ſeinen nachkomen vnd ſoll das inen alle Jaure gegeben werden zu weyer zwiſchen ſannt Gallen tag, vnd ſannt Martins tag nach vallzins recht, vnd wenne das nicht geben wurde wie obſtät, ſo were denn dem benanten minem herrn ſeinem gotzhuſe vnd nachkomen daſſelb gut *Weſtegk*, vnd anders was denn derſelb hoptbriefe *Hannſen Härtzen* lutet, vmb die fünff pfund haller, darumb zinſfellig vnd verfallen, vnd han dem gotzhus. zu dem vorgenanten pfund hallerzinſs allſo pare gegeben, acht reiniſch guldin, vmb min tochter *allen Joſen Lutzen* elichen huſfrowen, vff das ſollen ich vnd min erben, des vorgenanten gotzhuſs recht ewig gewern ſein, vff das vorgenant pfund haller ierlichs vnd ewigs zins, mitt ſollichen vnderſchaid, was dem obgenanten vorgenanten pfund haller ewigs zins abgienge, mit recht oder ſuſt darumb ſollen ich oder min erben des vorgenanten gotzhus recht fürpfannd ſein, vnd alle min gut daruff, vnd was dem gotzhuſs daran widerfure, das alles ſollen ich vnd min erben den gotzhus erfallen vnd aufrichten one allen ſchaden, Es iſt auch zewiſſen, daz an den vorgenanten fünff pfund hallern, zins drii pfund haller ablöſig ſind, vnd zway ewig, vnd ſoll das pfund

haller

haller ewig fein, das dem gotzhufs gehört, vnd foll das alle Jaur, vnd yeds Jaurs befonnder dem gotzhus geben one allen fein fchaden geuerd vnd ärglifte hierinn gentzlich aufgefchloffen Vnd das zu warem offenn vrkunde han ich obgenanter *Hanns härtz* mit fleyfs ernftlich erbetten den Erfamen weyfen *Hannfen Stöben* die zit Stattaman zu Ymenftad das er fein Infigel *b*) für mich vnd min erben, im vnd feinen erben one fchaden offennlich an den brief gehenkt hat, Darunder ich mich by guten truwen verpind alles obgefchriben ftätt zu halten, Gezügen der bette vmb daz Infigel find die erbern *Conrat Bach* von Rötenberg vnd *Conrat Tberg* von Weyer. Der geben ift vff Mentag vor fannt Matheifs des hailigen zwölffboten tag nach crifti vnnfers lieben herrn gepurt Taufent vierhundert vnd im acht vnd fechtzigiften Jarn.

a) In Algoia. *b*) Sigillum illaefum.

Num. CCXLI. Confoederatio cum Monafterio Faucenfi. Anno 1468.

Ex Originali.

Nos Johannes diuina permiffione Abbas Prior totufque Conventus Monafterii fci *Magni* Confefforis in faucibus alpium *a*) ordinis fcti *Benedicti* Auguftenf. dioecefs. Venerabili in Xpo pri ac dno dno *Melchior* eadem diuina permiffione Abbati totique conuentui monafterii fctorum *Vdalrici* et *Affre* in Augufta ordinis et dioc prefatarum falutem in eo qui eft omnium vera falus et eterna Cum fecundum apoftolum omnes vnum idemque corpus

fumus

ſumus in Xpo et ad inuicem membra alterque alterius onera mutue compaſſionis portare et alterne ſeruitutis auxilio ſubleuare debemus, conſiderantes denique quod nemo ſibi ipſi ſufficiens ſed eciam egeat ſubſidio aliorum admodum corporis organizati materialis Quare huiuſmodi apoſtolicis monitis ac racionis indiciis permoti dignum duximus cum R. V. p. contrahere confraternitatem et tenore preſencium contradimus et contrahimus vti ſupplicacionibus ex vtraque parte ſignificatum eſt vt quod minus quiſquam egerit pro ſeipſo reciproco fraterno fulciatur auxilio Statuentes et toto deuocionis ſtudio confirmantes vos veſtroſque ſucceſſores participes fore omnium piorum noſtrorum operum exerciciorumque ſpiritualium que per nos et noſtros preſentes et futuros fratres profeſſos operari dignabitur clemencia diuina in vita pariter et in morte ſpecialiter tamen cum veſtrum alicuius tam preſencium quam futurorum obitus quem deus felicem faciat noſtro conuentui fuerit intimatus cum vigiliis et miſſa defunctorum cantatis iuxta piam et vſitatam noſtri monaſterii conſwetudinem memoriam fideliter et deuote peragemus Inſuper adicientes vt quilibet ſacerdotum vnicam miſſam priuatam quilibet ſub ſacerdocio vigilias nouem lectionum Quiuis fratrum conuerſorum quinquaginta pr nr expedire tenetur et nomina ſingulorum intimatorum annologio annotare Et ſi plures inſimul intimati fuerint vno contextu modo prefato ſub plurali numero memoria peragetur In cuius ſic fraterne vnionis euidens teſtimonium preſentes litteras damus ſigillorum noſtrorum appenſione fideliter communitas *b*) Datum in monaſterio nro fauccnſi ſci *Magni* Anno a natiuitate dni Milleſimo quadringenteſimo ſexageſimo octauo In die ſcti Lamperti martiris *c*).

a) Fuſsen. *b*) Sigillum Abbatis illaeſum conuentus vero laeſum. *c*) Decima ſexta Aprilis.

Num. CCXLII.

Num. CCXLII. Melchioris Abbatis litterae collectiuae. Anno 1468.

Ex Originali.

Allen vnd yegklichen in was wefens vnd ftannds - gaiftlich oder weltlich die feyen, den difer vnnfer briefe erzöugt wirdet. Entbietten wir MELCHIOR von gotz verhengnufs Abbte des Gotzhufs fant *Vlrichs* vnd fannt *Afren* zu Augfpurg fannt Benedicten ordens, vnnfer gebette, fründlich willig dienfte, vnd gonnftlichen grufs, yegklichem nach feinem gebüre. Wann wir alle vor dem gerichtzftul Crifti ftan werden dafelbs lon empfahende, nach vnnfern werken, hie im zeyte begenngen. So geburt fich wol. den fchnitt der letften erne, den wercken der parmhertzigkait, zufür komen, vnd von ewigs lons wegen, hie vff ertrich zu fäen, das wir durch gottes miltigkait, in den himeln, mit tufentfaltiger früchte, widerumb fchneiden werden. Darumb weyle die kirch vnnfers obgenanten clofters, in mergklichen vnbaw vud zergengklichait komen ift, darinne bey vier vnd dreyffig gehailigotter leyben raftende, vnd mit vil wunderbaren zaichen bisher erfchinen find, vnd noch offt erfcheinent, vnd fich gnedig vnd erhörig ertzöugen, allen den, die fy dafelbs anruffflich in gutem hoffen vnd gelawben, fuchen tund, fo haben wir zu vorderft, gott dem allmechtigen, der himelkungin *marie*, vnd den yetz gemelten hailigen, zu lob eere vnd wirden, diefelben kirchen zubawen vnd zu ernewern fürgenomen, vnd daran yetzo, mit hilffe fromer leuten, ainen mergklichen taile, volbracht. Wann wir aber folichs pawes, der an im felbs fchwär vnd coftlich ift, one hilff äwer vnd des hailigen Armufens zu enntlicher vnd loblicher volbringung, nicht ftatt haben, denne

daz

daz wir och vnd annder fromleute vmb ferrer hilffe, suchen müssen. Hierumb bitten wir vch alle vnd yegklich inn sonder, die hierumb ersucht werden, das ir zu sollichem loblichen pawe, hanntraichung thuen, äwer hilffe vnd Armusens, vnd ich damit antailhafftig machen der gnaden vnd guthait, so alda, mit loblichen singen, vnd lesen tags vnd nachtz one vnderlauss volbracht werden, vnd des aplauss hierumb gegeben, nach lut des briefs, darumb erlanngt des vidimus ach hiemitt gezöugt wirdt. Das wöllen wir zu sampt dem lone, den ir himlisch darumb erfolgen werden, vmb ach alle, ynd yeden innsonder, wa sich das dehainiff begibt, ouch willig gedinnen. Mit vrkunde ditz briefs der mit vnnserm secret angehencktem Insigel *a)* besigelt vnd geben ist vff Mäntag vor sant Matheus des hailigen zwölfpotten vnd ewangelisten tage *b)* Nach cristi vnnsers lieben herrn geparte Tausent vierhundert vnd im acht vnd sechtzigisten Jaren.

a) Sigillum est bene conseruatum. *b)* 19. Septembris.

Num. CCXLIII. Venditio villae Wengen, Beyrn &c. Anno 1469.

EX ORIGINALI.

Wir dise nachbenempten mit namen JORIG, MARX, JACOB vnd HAINRICH die LANGENMÄNTEL, alle vier gebrüdere Burger zu Augspurg Bekennen vnd veryehen offennlich für vnns vnd alle vnnser erben mit disem briefe, vnd thuen kunt allen den, so in ymer ansehent, lesent oder hörent lesen, Das wir mit guter zeytlicher vorbetrachtung, wolbedachtem synne vnd mute,

zu

zu den zeyten vnd tagen, do wir das mit recht wol krefftenklich gethun kunden vnd mochten, vnd gemainlich in alle annder weyse vnd forme, vnd mit allen den wortten vnd wercken die durch recht dartzu gehorten vnd notturfftig waren, dardurch es yetz vnd hernach ewigklich vnd allenthalb vor allen vnd yegklichen gaistlichen vnd weltlichen leuten, richtern vnd gerichten, gantz volkomen macht vnd krafft haut haben soll vnd mag one allermenigklichs widerruffen hindernusse vnd widersprechen, Den Erwirdigen gaistlichen herren hern *Melchior* Abbte, hern *Cunraten* Prior vnd dem Conuente gemainlich des Gotzhuss sant *Vlrichs* vnd sant *Afren* zu Augspurg sant *Benedicten* Ordens, irem gotzhuse vnd allen iren nachkomen vmb fünfftzehenhundert vnd fünfftzig guter rinischer guldin, die wir. also berait von inen eingenomen, vnd annderhalben an vnnsern nutz gelegt, vnd bewendt haben ains stätten ewigen vnd ymer werenden koufs recht vnd redlich verkoufft vnd zu kouffen gegeben haben, vnd geben inen ouch yetzo zu kouffen in krafft ditz briefs, wie es denne am besten nach dem rechten krafft vnd macht haut haben sol vnd mag, vnnsere gut vnd gült zu *Wenngen* a) vnd zu *Bewren b*) an der zusem, ze *Eppischofen c*) vnd ze *Schönberg d*) als sy hernach geschriben stand, bey dem ersten die gut vnd gülte zu *Wenngen* das ist ain hofe den *Barthlome Hurler* yetzo pawet gilt ierlichen, acht schaff Roggens acht schaff habers alles nach herren gülte gemessen, vier pfund pfening ye sechtzig pfening für ain pfund ze rechnen zu wisgülte acht herbsthüner zwu gens ain vasnachthennen vnd hundert ayer, Item ainen hof den *Hanns Winther* yetzo pawet, vnd ierlich giltet sechs schaff roggens vnd fünff schaff habers herrenmass, ain guldin zu wisgülte acht herpsthüner zwu gens zwu vasnachthennen vnd hundert ayer, Item ainen hofe den *Enndris Widen-*

 man

man yetzo pawet gilt ierlich zehen schaff roggens vnd zehen schaff habers herrenmaſs drey guldin zu wiſgülte zwölf herbſthünr vier genns zwu vaſnachthennen vnd hundert ayer, Vnd ain lehen daz *Hanns Han* pawet, giltet ierlich vier schaff roggens vnd vier schaff habers herrenmauſs, zway pfund pfenning zu wiſgülte acht herbſthünr, zwo genns vnd ain vaſnachthennen. Vnd die nachbenempten hofſtett vnd ſölden daſelbs mit namen ain ſölde die *Martin Nuwmair* innhat, gilt ierlich ſechs groſs, nemlich ye acht pfening für ainen groſs driſſig ayer vnd zwu vaſnachthennen, Item die ſölde da *Haintz Zimerman* vff ſitzet, gilt ierlich zwen vnd zwaintzig groſs vnd ſechs pfening, Item die ſölde da *Hanns Eychenhofer* yetz vffſitzet, gilt ierlich ain metzen öls oder ſechtzig pfening darfür, vier vnd zwaintzig pfenning weyſat ain vaſnachthennen vnd dreiſſig ayer, Item die ſölde die *Peter gnann* yetzo innehaut gilt ierlich ain metzen öls acht ſchilling pfening für ainen ſchilling zu rechnen vnd ain vaſnachthennen, Item ain ſölde hinder der kirchen gelegen, die der Meſner, diſer zeyto innhaut Item der Bader geit ierlich von der Badſtuben, zway herbſthünr, ain vaſnachthennen vnd fünfftzig ayer. Item der Schmid geit ierlich von der Schmidſtatt vnd von den äckern, fünfftzehen pfening, newn metzen roggens vier metzen habers vnd drey vaſnachthennen So geit der hirt von der hirtſchafft ierlich zway hundert ayer, Item die Täfer vnnd der Eſch geltent ierlich zwen guldin, zway hundert ayer vnd acht herbſthünr. Darnach vnnſer vogtheyen vnd vogtrecht, vber die nachgeſchriben güter, mit namen vber des Spitals zu Dillingen hofe den *Barthleme Schmid* yetzo pawet ouch vber des obgenanten Gotzhuſs zu ſant *Vlrich* lehen das *Hanns Winther* yeto pawet, Item daz höflin daz zu dem Widem gehört, vnd das *Hanns Gnann* yetzo pawet, die obgeſchriben

güter

güter alle zu *Wemngen* gelegen sind, Vnd darzu vber den Mairhofe zu *Eppischofen* gelegen, der dem Stiffte zum Thum zu Augspurg zugehört, vnd vber zwo hoffstette die darein gehören vnd geit nemlich des ersten Spitals von Dillingen hofe ierlich zu vogtrecht zway schaff habers nach herrengülte gemessen fünff pfund pfening minder vier vnd zwaintzig pfening mer sechs pfening fünff vasnachthennen vnd hundert ayer. So geit daz obgenant lehen das dem gotzhuse zu sant *Vlrich* zugehört ouch ierlich zu vogtrecht ain schaff habers herrenmass fünff pfund pfening vnd drey schilling pfening, vier herbsthünr, vier vasnachthennen vnd hundert ayer, Item das obgenant höflin des *Hanns gnann* yetzo pawet geit ouch ierlich zu vogtrecht ain vasnachthennen, Item der Mairhofe zu *Eppischofen* vnd die zwo hoffstett die darein gehörten, geund ierlich zu vogtrecht zway schaff habers herrenmass, achtzehen gross vier vasnachthennen. Darnach vnnsern hofe zu *Bewren* gelegen den yetzo *michel schmid* pawet, vnd der ierlich giltet drützehen schaff roggens. drützehen schaff habers, alles nach herren gülte gemessen, vier guldin zu wisgülte, vier vnd zwaintzig pfening weysat zwaintzig herbsthünr zwo vasnachthennen, zwen metzen öls vnd zwayhundert ayer, Item vnnser Enngerlin zu *Münster*, daz die *Albrechtin* daselbs yetz innhaut, gilt ierlich drüw pfund pfening vnd zwo vasnachthennen, Item vnser holtze zu *Rüschgoe*) gelegen, ist yetzo verlihen *Barthlome Hurler* vnd *Enndrissen Wideman* in die höfe, vnd gend ierlich dauon dritthalben guldin vff den weyssen Suntag. Vnd vnnser zehendlin zu *Schönberg*, was das ierlich giltet, oder gelten mag, Dartzu sechs gütlin daselbs haissent die Elinshart, geltent ierlich newn pfund pfening, vnd dreyssig pfening, zwölff herbsthünr, oder sechs gross darfür, vnd daz gelt soll man ierlich geben one allen scha-

ſchaden, vff den weyſſen ſuntag, Vnd ouch das gerichte, zwing vnd Bänne, vnd alle eehafftinen vber die gut, ze *Wenngen* vnd ze *Bewren*, vnd was wir gut vnd gülte, nutz vnd rechten, daſelben haben, ſy ſeyen oder werden an dem briefe benempt oder nicht, dieſelben obgenanten gült vnd gut alle, ouch die vogteyen, vnd vogtrecht als ſy dauor geſchriben ſtand, vnd was zu in allen gemainlich, vnd ir yeglichem beſonnder gehört, oder von recht oder gewonhait dartzu vnd darein gehören ſoll vnd mag in dorffe vnd zu velde, an äckern, an wiſen, an waid vnd waſſer, an gartten an Bewnden, an egerden an holtze vnd an holtzmarcken, an gerewt an Beunen ze Brugk ze wegen vnd ze ſtegen, an vällen vnd vogtheyen mit beſuchtem vnd vnbeſuchtem wie das alles gehaiſſen iſt, nichtz auſgenomen, es ſeye an dem briefe benempt oder nicht, vnd mit allen dienſten nutzen vnd gülten, die ſy geltent oder gelten mügent an clainem vnd an groſſem mit beſatzen vnd entſetzen, mit allen eren freyhaiten vnd gewonhaitten, mit allen eehafften vnd gewaltſamin, vnd mit allen den rechten vnd guten gewonhaiten; als *Hainrich Langenmantel* vnnſer lieber vatter ſelig die inngehebt haut, vnd an in komen ſind. vnd wir die von im ererbt, vnd biſher mit nutz vnd gewer in ſtiller gewer inngehebt vnd genoſſen haben, vnd alles vnnſer rechtaigen geweſen iſt, für freye vnuogtbere, ledige vnd vnuerkümberte gut, vnd für rechte aigen vnzinſber vnſturber vnd vndienſtber. Vnd haben ouch alſo den obgenanten herren Abbt vnd Conuente irem Gotzhuſe vnd alle iren nachkomen, vnnſer egenanten gut vnd gült alle mit allen iren zugehörungen, wie das alles genant iſt, als vorgeſchriben ſtat, zu rechten aigen vffgegeben Etc. — Vnd des alles zu warem vrkunde vnd ſtätter ewiger vnd veſter ſicherhait So geben wir den obgenanten herren irem gotzhuſe

vnd

vnd allen irem nachkomen disen briefe für vns vnd vnnser erben besigelten vnd geuestent mit vnnser obgenanten *Jorigen, Marxen Jacobs* vnd *Hainrichs* der *Langenmantel* gebrüdere aigen angehenckten Insigeln, vnd haben dartzu mit fleysse ernstlich erbotten, die Ersamen vnd wysen *Conrat Mörlin*, vnd *Sigmunden Ilsung* vnnsern lieben schwager baide Burger zu Augspurg, daz die ire aigne Insigel *f*) zu noch merer gezüyknuss vnd sicherhait diss koufs vnd aller obgeschriben sachen doch in selbs vnd iren erben one schaden ouch offennlich gehenckt hannd an disen briefe. Der geben ist vff Mentag vor sannt Mattheis der hailigen zwölffboten tage Nach cristi vnnsers lieben herren gepurte Tusennt vierhundert vnd im newn vnd sechtzigisten jaren.

a) Vicus in praefectura Werting. *b*) Curia prope Wengen. *c*) Villa ad amnem zusam. *d*) Prope Altenmünster. *e*) Riska seu Riegau ad zusam. *f*) Sigilla illaesa.

Num. CCXLIV. Litterae Abbatum reformationem monasteriorum concernentes. Anno 1470.

Ex Originali.

Vniuersis et singulis venerabilibus in Xpo patribus et dnis dnis Abbatibus monasteriorum ordinis scti *Benedicti* per prouinciam *Salzburgen.* ac dyoc. Augusten. vbilibet constitutis MELCHIOR in Augusta VDALRICUS in Wiblingen, PAULUS in Elchingen MARTINUS in Anhausen et HAINRICUS in Thyrhaupten monasteriorum Abbates cum sincere caritatis affectu se ad beneplacita pa-

ratos.

ratos. Confiderantibus nobis quod in monafteriis ordinis nri in quibus olim vita viguit regularis, religiofiffima ab ipfius regularis obferuancie tramitibus propter negligenciam et remiffionem perfonarum tam fuperiorum quam fubditorum ipforum monafteriorum adeo difceffum eft vt vix aliqua veftigia regularis vite in ipfis remanferint et nihilominus dno largiente temporibus noftris in plerifque monafteriis obferuancia regulari denuo in ipfis inchoata quam plurime difficultates et aduerfitates in ipfius profecucione orte vife funt crebriufque oriantur propter quas eciam nonnulla monafteria ab incepta obferuancia vel penitus collapfa funt vel minantur ruinam, Vnde pro fuccurendo huiufmodi periculo et monafteria reformata in vita regulari conferuando atque pro non reformatis vt diuina voluntas fuerit reformandis fumme neceffarium videtur patres ordinis zelum religionis habentes fepius in vnum concurrere atque de conferuacione monafteriorum reformatorum et non reformatorum reformacionem mutuo tractare prout patres quidam qui originem a monafterio fcti *Thome* in *Burffeldia a)* traxerunt ante aliquot annos inceperunt et in religione diuina ipfis gratia opitulante plurimum profecerunt, qui licet frequentes affint in celebracionibus capitulorum prouincialium prouincie maguntine nihilominus tamen omni anno in loco eis competenti fimul conueniunt de bonis ordinis tractant atque pro vifitacione et reformacione monafteriorum ipfis vnitorum diligentiffime laborant, quibus quamuis crebrius attemptauerimus vniri eorumque capitulis fubici atque cerimonias affumere obftiterunt tamen plurima propter que vfque huc in effectum deduci nequiuerit, exhinc nos quinque abbates prefati cupientes prouidere monafteriis nobis commiffis vt obferuancia vite regularis in ipfis vtcunque incepta conferuetur atque augeatur fimul conuenimus mutuo concordauimus atque ad prefens in tribus precipue

punctis

propoſitis nos vniuimus Primo videlicet quod in noſtris monaſte-riis obſeruanciam regularem iuxta modum monaſterii Mellicenſis *b*) a quo originem reformacionis tranſduximus cum ipſius breuiario in quantum competenter fieri poterit vniformiter obſeruemus, ſecundo vt omni annó mutuo ad aliquem locum competentem in tempore oportuno conſtituendum conueniemus ad ibidem tractandum de hiis que neceſſaria et oportuna viſa fuerint pro obſeruancia regulari. tercio quod monaſteria noſtra ſingulis annis vel quando viſum fuerit oportunum viſitentur iuxta ordinacionem patrum qui modo pretacto ſimul conuenient, Et quia huiuſmodi noſtra mutuo preconcepta ac ſimul concluſa eciam paternitatibus veſtris notificare decreuimus exiſtimantes caritates veſtras ampliori zelo ad ſanctam obſeruanciam regularem ardere et ob id promptiores ad concurrendum nobiſcum in prefatis facere propter quod ad eaſdem caritates veſtras religioſum fratrem *Johannem* profeſſum et Subpriorem monaſterii prefati in Wiblingen tranſmittendum duximus qui noſtra preconcepta et concluſa paternitatibus veſtris verbis latius quam nos ſcriptis preſentibus manifeſtare poterit, cui fidem adhibere velint indubiam, qui in ſpeciali commiſſo habet paternitates veſtras vocare eiſque inſtancius ſupplicare quatenus nobiſcum concurrere atque de conſeruacione monaſteriorum prout dno largiri dignabitur velint tractare, prout et nos preſentibus cum omni qua valemus precum inſtancia per dei miſerentis viſcera rogamus et obſecramus caritates veſtras quatenus quilibet veſtrum in perſona propria ſi id commode fieri poterit, alioquin per aliquem religioſum et expertum fratrem Conuentus ſui conuenire velit nobiſcum ad ciuitatem Friſingenſem quam ad preſens locum eſtimamus conpetenciorem ad feriam terciam proximam poſt dominicam Inuocauit proxime futuram vbi diuina nobis fouente gratia

gratia tractabimus; vt speramus que visa fuerint vtilia et necessaria pro bono ordinis nostri et monasteriorum ipsius ad laudem dei omnipotentis qui est benedictus in secula. Datum sub nostri *Melchior* Abbatis prefati sigilli secreti appensione feria secunda proxima post festum Epiphanie Anno dni Millesimo quadringentesimo septuagesimo.

a) Erat monasterium celeberrimum in Ducatu Brunsuicensi et dioecesi Moguntina.

b) Mellicum monasterium in Austria nobilissimum.

Num. CCXLV. Confoederatio cum monasterio Anhusano. Anno 1470.

Ex Originali.

Venerabilibus in Xpo ac religiosis patribus et fratribus *Melchiori* Abbati *Johanni* Priori totique Conuentui Monasterii sanctorum *Vdalrici* et *Afre* ordinis scti *Benedicti* Augusten dyocess. Nos fratres MARTINUS Abbas. *Johannes* Prior totusque Conuentus monasterii sancti *Martini* in *Brentzauhusen a*) ordinis et dyocess. eorundem Cum sincero fraterne caritatis affectu salutem in domino perhenniter adipisci Quia mediante caritate que vinculum dilectionis ab apostolo predicatur membra singula in corpore saucte ecclesie sibi inuicem coherent et Xpo suo capiti ad percipiendam per ipsum et in ipso graciarum spiritualium influentiam vniuntur tanto liberius atque libentius sinum caritatis in ampliande confraternitatis consorcium dilatamus. quanto ad participacionem fructus huiusmodi feruencius anhelamus. Vnde ve-

strarum

ftrarum paternitatum religiofitate moti matura deliberacione prehabita plene fraternitatis bonorum scilicet omnium confortium et communionem in miffis oracionibus. abftinenciis. elemofinis. vigiliis. ac aliis quibufuis virtutum exerciciisque diuina clemencia per prefentes nos et fucceffores noftros in dicto monafterio *Brentzavhufen* dignabitur operari. Vobis ac fucceforibus veftris tenore prefentium libere concedimus Adicientes quod cum obitus fratris vnius vel plurium perdicti monafterii veftri profeffi vel profefforum nobis intimatus fuerit vigilias et miffam defunctorum iuxta confuetudinem noftri monafterii perfoluemus Sed et finguli facerdotes miffas legentes fingulas miffas. Clerici vero miffas non legentes officium defunctorum totum vefperas fcilicet et vigilias nouem lectionibus cum laudibus Conuerfi quoque centum pater nofter et totidem aue maria in remedium animarum eorundem dicent In quorum omnium teftimonium et robur hanc paginam figillis noftris munitam vobis tradere decreuimus. Datum noftro in monafterio prefato *Brentzahufen* feria fecunda poft feftum fancti Martini confefforis atque Pontificis. Anno dni Millefimo quadringentefimo feptuagefimo.

a) In Würtenbergia.

Num. CCXLVI. Mancipiorum permutatio cum monafterio Campidun. facta. Anno 1471.

Ex Originali.

Wir Johanns von Gottes gnaden Abbte des Erwirdigen Gotzhufs *Kempten* Bekennen offennlich mit dem brief, für vns vnd vnſer nachkommen, das wir ains ſtäten ewigen wechſels in vnd vberain kommen ſeyen. Mit dem Erwirdigen herren, hern *Melchiorn* Abbte des Gotzhuſs zu ſant *Vlrichen* zu Augſpurg, vnnſerm lieben herren, dem ist alſo, das wir demſelben vnſerm herren, von ſant *Vlrichen* vnd ſinem Gotzhus zu ainem fryen zinſer vff ſant *Vlrichs* altare in ſinem Gotzhuſe gegeben vnd geaignet haben *Märcken Schedler* vom *Richtiſs a)* der dann vnns vnd vnſerm Gotzhuſe als ain fryer zinſer zugehört hat vff vnſer lieben frowen altar in dem genanten vnſer Gotzhus, als das derſelb *Märk Schedler* im vnd ſinem Gotzhus, nun fürohin vff den genanten ſant *Vlrichs* altar als ain fryer zinſer zugehören ſollen, mit allen rechten vnd pflichten, als ander deſſelben Gotzhuſs fry zinſer vnd zinſerin vngehindert, von vnns vnſerm Gotzhus vnd allen vnſern nachkommen dann wir vns, für vns, vnſer Gotzhus vnd nachkomen an ſin lyb vnd gut aller gewaltſami, recht, vordrung vnd anſprach verzigen, vnd begeben haben vnd verzyhen, vnd begeben vnns des in krafft dits briefs, darumb vnd dagegen hat vnns der obgenant vnſer herr von ſant *Vlrichen* gegeben vnd geaignet *Bentzen Biſchlagern* zum *Kenels* och zu ainem fryen zinſer, vff der obgenanten vnſer frawen altar in vnſerm Gotzhuſe, alſo das der vnns vnd vnſerm Gotzhus zugehören ſol, mit allen rechten vnd pflichten, als ander vnſer vnd vnſers Gotzhuſs fry zinſer vnd zinſerin, alles nach lut vnd ſag ains briefs, ſo wir darumb verſigelt innhaben, Vnd ſol och yedem tail, ſin Erbſchafft volgen vnd werden. Vnd des zu warem vrkund haben wir vnnſer Abbty Inſigel *b)* offenlich laſſen hencken an den brief der geben iſt vff frytag vor dem Sontag daran man in dem ampt der hailigen meſs ſinget Oculi *c)* Nach der geburt Criſti vierzehenhundert vnd im ain vnd Sibentzigiſten Jare.

a) In

a) In Algoia. b) Sigillum bene conferuatum.
c) 15. Martii.

Num. CCXLVII. Permutatio Bonorum cum Monast. Fultenbac. Anno 1471.

EX ORIGINALI.

Wir JÖRIG von Gotz verhenngnufs Abbte, vnd der Conuent gemainlich aller der gotzhufs fant *Michels* zu *Fultenbach* fant *Benedicten* ordens in Augfpurger biftumb gelegen. Bekennen offennlich mit difem briefe. für vns vnnfer gotzhufe vnd nachkomen vor allermenglich. Das wir mit veraintem wolbedachtem mute vnd guter vorbetrachtung, in vnnferm zufammen beleitten Cappitel hierumb gehabt, die nachgefchriben vnnfers gotzhufs guter zu vnd vmb *Wengen* gelegen mit namen den hof den *Lienhart Kapfer* pawet, vnd der ierlich giltet acht fchaff Roggens, vnd acht fchaff habers herrenmafs, ain metzen öls fünftzehen fchilling haller zu wifgülte, acht herbfthünr, zwo vafnachthennen vnd hundert ayer, vnd in den yetz gemelten hofe gehört ain holtz des ift bey achtzehen iucharten. Item das lehen zu *Rietfend a)* das *Thoman Hurler* pawet, vnd ierlichen giltet achtzehen metzen roggens, achtzehen metzen habers, vnd zway herbfthüner vnd hat das lehen in yegklichs felde fechs iuchart ackers, Item vnd das lehen das *Hanns Helmfchrot* von Sunthain pawet vud ierlichen giltet, ain vnd zwaintzig metzen roggens, vnd ain vnd zwaintzig metzen habers, vnd wenn er von dem lehen fchaidet lebendt oder todt. fo fol er das nach hofrecht ligen laffen, Vnd was zu den yetzgemeldten gütern vberale yenndert gehört gehörn sol oder mag, zu dorffe vnd velde, an hofraiten, gärten, bewnden, äckern, wisen, holtz holtzmarcken, waide oder anderm besuchtem vnd vnbesuchtem, erpawem vnd vnerpawem, wie das alles genant ist, auch alle vnnser gerechtigkait daran, wie wir denne, die in stiller nutzlicher gewere, bisher besessen inngehebt herbracht, vnd genossen haben, für frey ledig vnuerkumbert, vnuogtber, vndienstber, vnd für recht aigen recht vnd redlich in ain stätten vnabgenden Tausches vnd wechssels wyse, zugefügt vnd gegeben haben, vnd yetz geben in craft vnd mit vrkund ditz briefs. Den erwirdigen, gaistlichen herren hern *Melchiorn* abbte, hern *Johannsen* prior, vnd dem Conuente gemainlich des gotzhuss sant *Vlrichs* vnd sant *Afren* zu Augspurg sant *Benedicten* ordens irem Gotzhuse vnd allen iren nachkomen, oder wem sy die hinfüro gebent verkouffent schaffent oder lauffent zehaben vnd zeniessen, ewigklich vnd geruwigklich, vmb ainen hofe zu *Holtzhain* gelegen, ouch vmb zway lehen, vnd vmb ain hoffstatt, die sy vns darumb vnd dargegen getauscht vnd gewechsselt hand, nach lut des wechsselbriefs, vns darumb gegeben. Vnd also haben wir denselben herrn irem Gotzhuse vnd nachkomen, die vorgemeldten güter mit allen iren zugehörungen: wechsselswyse, zu rechtem aigen, wie obsteet vff vnd vber gegeben, vnd vns der aller, vnd yegklichs in sonnder, gentzlichen vnd gar vertzigen in craft ditz briefs, für vns vnser gotzhuse vnd alle vnnser nachkomen, als man sich sollicher güter durch recht vnd pillichen vertzeyhen vnd vffgeben soll, nach sollicher guter recht, nach aigens vnd nach lands recht, vnd nach dem rechten vngeuarlich. Allso das wir vnnser gotzhuse oder nachkomen noch sust yemant andrer von vnnsern wegen. darnach noch daran, kain vordrung ansprache noch

noch recht, nymer mer haben noch gewynnen sollen können mögen noch enwöllen, von kainerlay sach wegen, weder mit noch one recht gaistlichem noch weltlichem, noch sust mit kainen andern sachen, an kainer statt in dehain wyse Etc. — — Vnd des alles zu warem vrkunde, so haben wir obgenanten Abbt vnd Conuente des gotzhuses zu *Fultenbach* vnnser Abbteye vnd Conuentz Insigele b) offennlich gehenckt an disen briefe. Der geben ist vff freytag sant Peter vnd Pauls der zwayer hailiger zwölffbotten aubent, in dem iare do man zalt von der gepurt cristi vnnsers lieben herren Tausent vierhundert vnd in dem ain vnd sibentzigisten Jaren.

a) Riedsend in praefectura Werting. b) Sigilla sant illaesa.

Num. CCXLVIII. Friderici III. confirmatio Siluarum omnisque iuris in Berkheim. Anno 1471.

Ex Originali.

Wir Fridrich von gottes gnaden Romischer Keyser. zu allen zeitten merer des Reichs. zu Hungern Dalmatien Croacien etc. Kunig. Hertzog zu Osterreich zu Steyr zu Kerrndten vnd zu Carin Herre auf der Windischcamarch vnd zu Portenaw Graue zu Habspurg zu Tyrol zu Phiert vnd zu Kyburg Marggraue zu Burgaw vnd Lanntgraue im Ellsaß. Bekennen vnd tun kunt allermenclich mit disem brieue. Daz vns die Ersamen geistlichen vnser lieben andechtigen *Melchior* Abbt vnd Conuent des Gotzhawss zu sannt *Vlrich* zu Augspurg durch ir erber botschaft

ſchaft diemütiglich haben bitten laſſen, das wir ine das holtz *Berkhan* bey Augſpurg gelegen *a*) das ein rechts panholtz iſt, mit allen ſeinen herrlicheiten nutzen gülten zugehörungen Rechten vnd gerechtikeiten, darauf daſſelb Gotzhawſs etlicher maſſen geſtifft vnd gewidmet vnd in durch vnſern vorfarn am Reich Keyſer Sigmunden loblicher gedechtnuſs vnd vns in künigklichen wirden mit ſambt anndern iren brieuen priuilegien gnaden vnd freyheiten confirmiert vnd beſtett worden ſey, yetz in ſonnderheit als Romiſcher Keyſer zu vernewen confirmiren vnd beſtetten gnediclich geruhten. Das haben wir angeſehen ir diemütig zimmlich bete, auch den loblichen gotzdinſt damit ſy in dem gemelten Gotzhawſs in fleiſiger ſtetter vbung ſein, vnd haben darumb mit wolbedachtem mut gutem Rat vnd rechter wiſſen demſelben Abbt Conuent vnd Gotzhaws das gemelt ir holtz zu *Berkhan* mit allen ſeinen herrlicheiten nutzen gülten rechten vnd zugehörungen als Römiſcher Keyſer gnediclich confirmirt vnd beſtett. Confirmiren vnd beſtetten in das auch alſo von Romiſcher keyſerlicher macht volkomenheit wiſſennlich in craft diſs briefs. Vnd meynen ſetzen vnd wellen daz das nu fürbaſſ er krefftig ſein vnd ſtett beleiben, vnd dieſelben Abbt Conuent vnd Gotzhaus vnd ir nachkomen das alſo mit allen ſeinen herrlicheiten rechten nutzen gülten vnd zugehörungen nach iren notturften willen vnd geuallen nutzen nieſſen vnd gebrauchen ſollen vnd mögen von allermeniclich vngehindert, die wir auch dabey gnediclich handthaben ſchützen vnd ſchermen wellen. Vnd gebietten darumb allen vnd yglichen fürſten Geiſtlichen vnd weltlichen Grauen Freyen herren Rittern Knechten haubtleutten Ambtleutten Vögten pflegern verweſern Schultheiſſen Burgermeiſtern Richtern Reten Burgern vnd Gemeinden vnd ſunſt allen anndern vnnſern vnd des Reichs

vnder-

vndertanen vnd getrewen in was wirden ſtättes oder weſens die ſein ernſtlich vnd veſticlich mit diſem brieue daz ſy die genannten Abbt Conuent vnd ir nachkomen an dem gemelten irem holtz vnd irn gnaden freyheiten rechten gerechtikeiten nutzen gülten vnd zugehörungen daran nicht hindern noch irren in dhein weiſe, Sonnder ſy dabey, auch bey diſer vnſer Keyſerlichen Confirmacion vnd beſtettung von vnſern vnd des heiligen Reichs wegen getrewlichen hanndthaben ſchützen vnd ſchermen, vnd gerulich dabey beleiben Auch der alſo in obgeſchribner maſſe gebrauchen vnd genieſſen laſſen, als lieb einem yglichen ſey vns vnd des Reichs ſwere vngnad vnd darzv ein pene nemlich viertzigk mark löttigs goldes die ein yeder ſo freuenlich hiewider tette halb in vns und des Reichs Camer, vnd den anndern halben teil dem genannten Abbt Conuent vnd irn nachkomen vnableſlich zu betzaln verfallen ſein ſol zuuermeiden. Mit Vrkund diſs brieues beſigelt mit vnſerm keyſerlichen maieſtat anhanngendem Innſigel *b*) Geben zu Regenſpurg am Phintztag vor ſannt Maria magdalenen tag. Nach Criſti gepurde vierzehenhundert vnd im Einſ vnd ſibentzigiſten. Vnſerr Reiche des Romiſchen im zwey vnd dreiſſigiſten des Keyſerthumbs im zweintzigiſten vnd des Hungeriſchen im dreyzehennden Jaren.

a) In ſiniſtro vindae littore in ditione Wellenburg.

b) Sigillum eſt optime conſeruatum.

Num. CCXLIX.

Num. CCXLIX. Litterae reuerſales ius ligna ſecandi etc. in Berkheim concernentes. Anno 1471.

EX ORIGINALI.

Wir diſnach benampten *Enndris Scheffler Hanns Vetter*, *Martin Hoflin*, *Vtz Vayd Jorg Schempp Lienhart* vnd *Claus* die *Bruckhay* gebrüder *Contz Schmid Michel Schmid*, *Mathis* vnd *Diſem* die *Egelin* gebrüder, *Jorg Praun*, *Hans Newmair*, *Jacob Fend Hans Möringer* vnd *Hanns Rumel* alle zu Berckhain geſeſſen, Bekennen offennlich mit dem brief vnd thuen kundt allen den die in anſehen leſent oder hörent leſen Als wir dem Erwirdigen Gaiſtlichen herren MELCHIORN Abbt des wirdigen gotzhuſes zu ſant *Vlrich* vnd ſant *Afren* zu Augſpurg vnſerm gnedigen herrn in ſeiner gnaden vnd irs Gotzhus holtz zu *Berkhain* gelegen on ſein gnaden gonſt willen vnd erlaubnuſs vber vnd wider kongclich vnd kayſerlich fryhait vnd beſtätigung darinn daſſelb holtz ſeinen gnaden vnd irem gotzhuſe loblich confirmiert vnd beſtät vnd ſant *Vlrich* holtz gennet iſt, vnnſer vich vſs vnnſer ſelbs aigem fürnemen getriben vnd holtz darinn gehawen haben, vber das vns ſein gnad ſolichs mermalen vnderſagen laſſen vnd ſeiner gnaden gerechtigkait konigclicher vnd keyſerlicher fryhait vnderrichtung getan, vmb ſolich verachtigung ſein gnad vnnſer ettlich an dem kongclichen hofgericht zu Rotweyl mit Ladung fürgenommen vnd beclagt hat, vff das wir vns zu ſeinen gnaden gefügt vnd durch vnser diemüttig anruffen vnd bitten ſouil erlangt haben, das ſein gnad ſolich fürnemen, vnd recht gnedigclich gegen vns abgethan, vnd vns von gnaden vnd nit von rechtz wegen vergonnet vnd erlaubt hat, das wir nu fürohin in dem vermelten holtz

holtz hawen mügen zu vnser selbs zimlicher notturfft ze brennenen zeiunen vnd zymern, vnd sunst weder zuuerkauffen verschencken hinzegeben noch zu kainem andern gepranch vnd auch allain an den ennden do vns durch seiner gnaden oder irer nachkomen holtzwart vnd diener darinn zu obgeschribener notdurfft angezaigt wirdet vnd sunst nit noch nyndert anderst alles vngefarlich Wir Bekennen auch dabey das wir in die newen gehaw vnd Slege vnser vich vor dem dritten Jar one seiner gnaden oder irer nachkomen gonst wissen willen vnd erlauben nit treiben sullen noch wöllen, vnd also ob vns solicher trib zu zeiten vor dem dritten Jar durch sein gnad oder ir nachkomen von gnaden vnd nit von rechtz wegen vergonnet vnd erlaubt wurd, das sein gnad oder ir nachkommen solich erlaubnuss nach ir gnaden willen vnd gefallen allweg wol abschaffen vnd vns solichen trib weeren vnd verbieten mag, darein vnd dawider wir seinen gnaden vnd iren nachkommen nichts reden noch tun, auch dieselben gehawe darnach mit vnserm vich meyden, vnd on seiner gnaden oder irer nachkomen ferrer gonst willen vnd erlaubnuss darein nit faren noch treiben sonder ir gnad vnd gotzhuse an demselben gehawe vngeirrt vnd vngeenngt bey konglichen vnd bey keyserlichen fryhaiten vnd bestätigung bleiben lassen sollen alles getrülich on all arglist vnd geuerde, zu vrkund vnd guter sicherheit geben wir dem genanten vnserm gnedigen herrn seinem Gotzhuse vnd nachkomen den brief besigelt mit der Fürsichtigen Ersamen vnd weysen *Hannsen Vittels* älltern Burgermaisters zu Augspurg vnd *Josen Onsorgen* Burgere daselbs vnd *Hartman Onsorgen* vnnser lieben herren Insigeln die sy vmb vnser fleyssigen bete willen offenlich hiran gehenckt haben in vnd iren erben on schaden Dar vnnder wir vns alle samentlich vnd sunderlich bey guten

 truen

truen vestlicklich verpinden stät ze halten was vor stet vnser bet vmb die Insigel sind gezuigen die Ersamen vnd erbern hr *Jorg Summerman* pfarrer zu Newkirch vnd diser zeit Schulmaister zu sant Vlrich zu Augspurg hr. *Jörg Schmid* zugesell zu sant Vlrich daselbs vnd *Vlrich Sultzer* Burger zu Augspurg. Der geben ist an sant Bartholomeus tag nach der gepurt Cristi tusent vierhundert vnd im ain vnd sibentzigisten Jaren.

a) Duo priora sigilla sunt illaesa, reliqua laesa.

Num. CCL. Confoederatio cum Canonicis S. Georgii. Anno 1472.

EX ORIGINALI.

Reuerendo in Xpo pri ac dno dno *Melchiori* Abbati *Johanni* Priori totique Conuentui Monasterii sctorum *Vdalrici* et *Afre* in Augusta ordinis scti *Benedicti* Augusten dyoc. Frater JOHANNES prepositus *Nicolaus* Decanus totusque Conuentus Monasterii sci *Georgii* ordinis sancti *Augustini* Canonicorum Regularium eiusdem dyoc. pium in dno sincere caritatis cordisque affectum. Hoc summe prudencie arbitramur si in vita presenti nobis talia media prouideamus eaque sollicite procuremus per que in futuro non solum liberemur a penis debitis sed eciam cicius ad felicem visionem creatoris nostri perueniamus Attendendum igitur quod iuxta sentenciam Apostoli deus frequenter exaudiat preces multorum et prestet id quod ab eo petitur qui hoc non prestaret ad preces vnius Nam si ipse apostolus *Paulus* ad impetrandum sibi a deo hoc bonum quod ab eo optabat accipere se cre-

credebat aliorum precibus posse obtinere nec de suis tamen meritis sperare audebat quanto magis nos qui ipsi apostolo vita et meritis longe impares sumus Quare huiusmodi apostolicis monitis ac racionis indiciis permoti dignum duximus cum V. P contrahere confraternitatem et tenore presencium contrahimus et contradimus vti supplicacionibus ex vtraque parte significatum est vt quod minus quisquam egerit pro se ipso reciproco fulciatur auxilio Statuentes et toto deuocionis studio confirmantes vos vestrosque successores participes fore omnium piorum nostrorum operum exerciciorumque spiritualium que per nos et nostros presentes et futuros fratres professos operari dignabitur clemencia diuina in vita pariter et in morte specialiter tamen cum vestrum alicuius tam presencium quam futurorum obitus quem deus felicem faciat nostro conuentui fuerit intimatus cum vigiliis et missa defunctorum cantatis iuxta piam et vsitatam nostri monasterii consuetudinem memoriam fideliter et deuote peragemus Insuper adicientes quod quilibet sacerdotum vnicam missam priuatam quilibet sub sacerdocio vigilias nouem lectionum quiuis fratrum conuersorum quinquaginta pater nr. expedire tenetur Et nomina singulorum intimatorum annologio annotare Et si plures intimati fuerint vno contextu modo prefato sub plurali numero memoria peragetur Ceterum ne huius sancte vnionis fraternitas in petra que Xpus est fundata obliuionis vicio futuris possit infringi temporibus quando verius inuiolabili stabilitate permaneat has litteras Sigillorum nostrorum a) Prelature et Conuentus appensione roborauimus Actum in die sci. Benedicti Abbatis Anno ab incarnacione domini Millesimo quadringentesimo Septuagesimo secundo.

a) Sigilla sunt bene conseruata.

Num. CCLI. Confirmatio iuris Patronatus fuper parochia S. Vdal. a Marco Card. facta. Anno 1474.

EX ORIGINALI.

MARCUS Miferatione diuina tt. Sancti *Marci* Prefbr. Cardinalis Patriarcha Aquilegien. Sedis Apoftolice legatus Reuerendo in Xpo patri N. Epo Auguften aut eius in fpiritualibus Vicario Generali Salutem. Pro parte dilecti nobis in Xpo *Heinrici* Abbatis a) Monafterii fanctorum *Vdalrici* et *Afre* Auguften. Ordinis fancti *Benedicti* nuper extitit expofitum quatenus in ipfo Monafterio quedam Parrochialis ecclefia a tanto tempore citra fuit prout hodie eft quod ipfius erectionis fundacionis et dedicationis inicium in memoria hominum non exiftat que per fecularem pfbrm regi confueuit et ad prefens regitur qui quidem fecularis pfbr pro tempore fingulis annis ipfi Monafterio de omnibus et fingulis ipfius parrochialis ecclefie fructibus redditibus et prouentibus foluit viginti fex libras monete monacen Erifsingen diocefis. Sitque ipfa ecclefia de iure patronatus Abbatis dicti monafterii qui ipfius ecclefie vacacionis tempore habet alium fecularem. pfbrm qui fibi ydoneus videatur ad eandem, Vobis Epo Auguften prefentare. Et licet ipfe Abbas et fui Anteceffores Abbates ipfius Monafterii fuerint et fint ab eodem tempore citra in vera pacifica et quieta poffeffione iuris prefentandi et receptionis annue penfionis huiufmodi. Quia tamen monafterium predictum dudum cum fere omnibus iuribus priuilegiis et litteris ad dictum monafterium pertinentibus fortuito cafu combuftum fit ficque iura inftrumenta et littere conceffiones et indulta ecclefiam ipfam concernentes et concernentia credantur combufta timeatque Abbas memoratus

tus quod ipse vel successores sui Abbates dicti monasterii possent imposterum forsan defacto vt in expositione ipsa nobis facta continebatur inquietari. Quare nobis dictus Abbas fecit humiliter supplicari vt statum tam monasterii quam parrochialis ecclesie predictorum ac valorem vtriusque pro expresso habentes ius presentandi ac pensionem solutam et singulis annis vt premittitur soluendam confirmare seu de nouo concedere et indulgere dignaremur. Nos igitur supplicationibus huiusmodi inclinati. Attendentes quod iuste deprecantibus non est denegandus assensus. Cupientesque Xpi fidelium pacem et quietem vobis auctoritate legacionis nostre presencium tenore committimus et mandamus. Quatenus si prenarrata quentum sufficit vera esse repereritis per diligentem vestram inquisitionem desuper per vos faciendam super quo conscientiam vestram oneramus ex tunc ius patronatus ad Abbatem predictum et suos post eum successores pensionem per rectorem ecclesie parrochialis Monasterio huiusmodi. Cuius vtriusque ecclesie et monasterii statum et valorem pro expresso habere volumus soluendam inantea perpetuis futuris temporibus in terminis solitis et consuetis. Auctoritate nostra predicta confirmetis. Litterasque vestras desuper decernatis in contrarium facientes non obstantibus quibuscunque. Datum Auguste sub Sigillo nostro. Anno a Natiuitate dni Millesimo quadringentesimo septuagesimo quarto. Octauo Kls Junii Pontificatus sanctissimi in Xpo et dni nri dni Sixti diuina prouidentia Pape quarti Anno tercio.

a) Fries.

Num. CCLII.

Num. CCLII. Confoederatio cum Monast. Mellicensi. Anno 1474.

Ex Originali.

Venerabilibus ac Religiosis in Xpo patribus et fratribus Dno *Henrico* Abbati . . Priori Totique Conuentui Monasterii sctorum *Vdalrici* et *Afre* in Augusta ordinis scti *Benedicti* Augusten. dioc. Nos fratres Ludouicus Abbas *Ilis* Prior totusque Conuentus Monasterii *Mellicen* ordinis eiusdem Pat. dioc. a) Romane Curie sine medio subiecti Cum sincere caritatis affectu. salutem in dno perenniter adipisci Quia mediante caritate que vinculum perfectionis ab apostolo predicatur. membra singula in corpore sancte ecclesie sibi inuicem coniunguntur. et Xpo suo capiti, ad percipiendam per ipsum et in ipso gratiarum spiritualium influentiam vniuntur, tanto liberius atque libentius sinum caritatis inampliande confraternitatis consortium dilatatus. quanto ad participationem fructus huiusmodi anhelamus Vnde vestrarum caritatum precibus et religiositate moti. matura deliberatione prehabita. plene confraternitatis bonorum scilicet omnium consortium et communionem in missis oracionibus, Elemosinis abstinenciis, et vigiliis ac aliis virtutum exerciciis. que diuina clementia per presentes nos, et successores nostros in dicto monasterio *Mellicen.* dignabitur operari. vobis ac successoribus vestris tenore presentium libere concedimus. Adiicientes quod cum obitus fratris vnius ac plurium predicti monasterii vestri professi vel professorum nobis nunciatus fuit. vigilias et missam defunctorum iuxta consuetudinem nostri monasterii persoluemus. Sed et singuli sacerdotes missas legentes singulas missas Clerici vero missas non legentes officium defunctorum

ctorum totum, vefperas fcilicet, et vigilias nouem lectionum cum laudibus Conuerfi quoque centum pater nofter cum totidem aue Maria in remedium animarum eorundem dicent In quorum omnium teftimonium et robur hanc paginam figillis noftris *b*) munitam. prefatis fratribus noftris tradere decreuimus Datum in Monafterio nro predicto *Mellicen* in octaua beate virginis natiuitatis Anno domini Millefimo quadringentefimo feptuagefimo quarto.

a) Pafsauienfis Dioecefis.
b) Sigillum Abbatis laefum; conuentus vero periit.

Num. CCLIII. Teftamentum Joan. Ruch Plebani S. Vdalr. Anno 1474.

EX ORIGINALI.

In Nomine domini Amen. Prefentis publici inftrumenti ferie cunctis ipfum intuentibus pateat euidenter Quod anno a natiuitate dni Millefimo quadringentefimo feptuagefimo quarto indictione feptima Pontificatus fanctiffimi in Xpo pris et dni nri dni SIXTI diuina prouidentia pape quarti anno quarto die vero fabbati quinta decima menfis Octobris hora vefperorum vel quafi coram venerabili pre et religiofis fratribus dno *Hainrico* Abbate et Conuentu monafterii fanctorum *Vdalrici* et *Affre* Aug. in loco eorum capitulari capitulariter congregatis et capitulum reprefentantibus in meique notarii publici et teftium infra fcriptorum ad hoc fpecialiter vocatorum et rogatorum prefentia perfonaliter conftitutus Honorabilis vir dns JOHANNES RUCH olim

olim plebanus eccleſie parochialis ſancti *Vdalrici* Aug. Sanus corpore compos racionis et in ſua bona ac valida memoria perſiſtens animaduertens quod hominis breues dies ſunt ſuper terram et numero apud deum retinentur Quodque morte nil certius et hora mora nihil incercius exiſtat et quod languente corpore tempore languorum vehemencia adeo racionem ſepe obnubilat vt quis vix adhibeat diligenciam in agendis ſed homo ſui ipſius cogatur interdum obliuiſci Ne igitur dies et hora huiuſmodi ipſum circumuenirent improuiſum ſeu minus paratum noluit decedere inteſtatus ſed anime ſue ſaluti ſalubrius prouideri volens de rebus et bonis ſuis ſibi a deo graciarum patre in hac valle lacrimarum miſericorditer collatis diſponere facere et ordinare cupiens dum adhuc in eo iudicium viget racionis ne huiuſmodi ſua bona in alienos vſus quam iuſtos et ſibi placitos conuerti contingant Sciens iure cautum illum inteſtatum non decedere qui extremam ſuam voluntatem in alterius diſpoſitionem committit Idcirco omnibus melioribus modo via iuris cauſa ſtilo forma et ordine quibus melius et efficacius potuit et debuit rerum ſuarum et bonorum omnium diſpoſicionem et vltimam ſuam voluntatem per preſens nuncupatiuum teſtamentum quod ſine ſcriptis dicitur fecit condidit ordinauit teſtatus eſt legaliter et huiuſmodi ſuam finalem intentionem declarauit iuxta modum et formam cuiuſdam ſcripture de verbo ad verbum in vulgari Theotunico inferius inſerte continetur quam ibidem in infraſcriptorum teſtium preſencia exhibuit ac alta et voce intelligibili per Notarium infraſcriptum publice de verbo ad verbum legi fecit dicens publice et expreſſe contenta in eadem ſcriptura fore et eſſe ſuam vltimam voluntatem rerum et bonorum ſuorum diſpoſitionem et ordinationem ac teſtamentum quodſi ex quacunque cauſa non valeret iure teſtamenti voluit

quod

quod faltem valeat iure codicillorum vel cuiufcunque alterius vltime voluntatis feu iure quocunque quo melius et efficacius valere poteft ita quidem per omnia ad effectum debitum producatur Et pro executione effectuali huiusfmodi fue voluntatis et teftamenti modo et forma quibus potuit melioribus elegit fecit et conftituit fuos manu fideles et teftamentarios ac fue prefentis vltime voluntatis executores videlicet prefatos dnm Abbatem et Conuentum necnon magiftros *Francifcum* et *Jacobum* in cedula teftamenti fui fub inferta fpecificatos prefentes et onus executionis huiufmodi fponte fufcipientes et quemlibet eorum in folidum dans et concedens eifdem fuis executoribus plenam facultatem fe de vniuerfis et fingulis rebus et bonis fuis vbicunque repertis et confiftentibus per eum poft mortem fuam relinquendis intromittendi et ad execucionem omnium et fingulorum legatorum et ordinatorum procedendi ordinandi et difpenfandi pro ut in dicta cedula per eum ordinata funt et legata et exinde deo altiffimo in examine diftrictiffimi iudicis extremi iudicii voluerint facere racionem Tenor vero fcripture et declaracio vltime vōluntatis de quibus fit mentio de verbo ad verbum fequitur et eft talis

In dem namen der heiligen vnd vntailbern driualtigkait. Amen. Ich JOHANNS RUCH weylend pfarrer der pfarrkirchen fant *Vlrichs* vnd fant *Affren* zu Augfpurg Bekenne offennlich mit dem brieue vnd tun kunt allen den die in anfehen lefen oder hōren lefen Wann ich betracht hoch wargenomen vnd angefehen hab das alle menfchen von natur tōding find, nichtz gewiffers dann der tod, Nichtz vngewiffers dann die zeit vnd ftund des todes, vnd nymant gewiffen mag, wie wa oder wenn got der herr vber in gebuit, Darumb gar loblich vnd wolgetan ift, wer mit feinem zeitlichen hab vnd gut fo im der almechtig got hie auf erden zu geschickt vnd verlihen hat in zeit seins lebens ordnung vnd richtigkait macht, dadurch vnter frunden erben oder kain krieg oder zenngk anferstannde. Solchs in meinem leben zufürkumen hab ich mit wolbedachtem mut zeitigem vorrat vnd guter vorbetrachtnng gesundhait meins leibs vergünftig meiner synne zu den zeiten vnd tagen als ich das on allermenglichs verhindern wolgetan zu kirchen vnd strafsen gan vnd wandeln kund vnd mochte Alsdann das yetzo vnd hernach alwegen an aller stat vor allen leuten richtern vnd gerichten gaistlichen vnd weltlichen zum förträglichsten höchsten vnd pessten craft hat haben sol vnd mag für aller menglichs widertailen vnd absprechen in alle weg ain solch ordnung testament vnd gescheft fürgenomen getan gemacht Vnd zu solchem meinem fürnemen vnd gescheft tun volfür ordnen mach vnd schaff das alles vnd yetzo wissentlich in kraft ditz brieffs in nachgeschribner vnterschaid vnd ist dem in forme vnd masse vnd hernach volget zum ersten alsdann vnd dann als yetz so schaffe ich dem allerhochsten schöpfer vnd seiner hochgelopten Muter der Junkfraw Marie vnd dez ganntzen himelschar der enngel mein seel vnd dem ertreich beuilch ich meinen leichnam diemütigclich. . Vnd wann das beschicht das ich mit tod abgeganngen vnd erstorben bin, das dann die ordnung mit dem hailigen sacrament vber die Kranken mit zwayen schülern die singen vor dem sacrament wann man die krancken menschen mit dem versicht ir yeden alle Jar geben zehen guldin etc. wie ein herr vnd appt zu sant *Vlrich* sein Conuent die zechmaister der pfarrer zu sant *Vlrich* zu Augspurg für sie vnd ir nachkomen Auch ich benannter *Johanns Ruch* gegen einander verschreibung haben ewigclichen nach solch verschreibung fürganng haben vnd in seiner ordnung beleiben a) Auch das gescheft vnd ordnung zwaintzig guldin

guldin ewigs geltz die ich vorbenannter *Johanns Ruch* von einem Abbt seinem Conuent vnd iren nachkomen zu sant *Vlrich* zu Augspurg erkauft han nach meinem tod absterben, vsgenomen das ain Abbt zu sant *Vlrich* vier pfund müncher geben sol zu Jartagen am aftermentag nechst Jeronimi ierlichen nach verschreibung aber etlicher brief die da ligen tailt in ains Apptz auch in der zechmaister gewalt zu sant Vlrich zu Augspurg. Darnach schaff vnd orden ich wenn beschicht das ich *Johanns Ruch* mit tod abgegangen bin das alsdann der Eltest *Ruch* meins geschlechtz von Mannen vnd manns namen layen stat eelichen geporn die fünftzig guldin reinisch ierlichs vnd ewigs zins vnd geltz so ich dann von den fürsichtigen vnd weysen Burgermaister Ratt vnd gemainer Stat *Nördlingen* vmb dreytzehenhalb hundert guldin reinisch erkauft hab eintzenemen auf sant Michels tag inhalt des kaufbrieffs darüber begriffen. Dieselben yetz bestimbten fünftzig guldin nach meinem abgang sol allemal ierlichen der eltest *Ruch* meins geschletz von mannen vnd manns namen in layen stat eelich geborn sein leptag einnemen Mit solchem vnterschid welcher *Ruch* meins geschlechtz von mannen vnd manns namen in layen stat eelich geborn eeliche kinder hette ains oder mer sun oder tochter, welches oder welche die selben kinder sein die iren stat verenderten Et wer mit heyrat pfrund kauffen oder priester oder gaistlich werden, dem oder denselben verendetten kinder sol der eltest *Ruch* meins geschlechtz der zu den zeyten einnemer ist der benannten gült fünftzig guldin geben, vnd ob sich mer dann eins verendert Sol aber der einnemer meins geschlechtz, dem oder denselben veranderten kinden ain Jargült fünftzig guldin geben als oft solchs sich begibt vnd allemal den ersten die nachsten gült vnd darnach dem andern nach zeit irer verendung doch ir yedem

 nit

nit mer dann ainmal sein leptag Es wer dann das solchen benannten Kinden von rechter erbschaft in obgeschribner vnterschid züstund vnd anfallen wurde Ob aber einer oder mer meins geschlechtz alter oder iunger meiner solcher ob vnd nachgeschribner ordnung nit nachkomen vnd widersesig were ist mein entlicher will vnd mainung das der oder dieselben vberfarer so oft sich das begibt der obbestimbten fünftzig guldin ewigs zins eintzenemen sein leptag beraubt sein, vnd fürohin alweg der elter nach im des benannten meins geschlechtz *Ruch* wieuor die genannten fünftzig guldin ierlichs zins doch das vorgemelter erclerung vnd ordnung vor gnug beschehe einnemen solle, Es ist auch fürtter mein wil vnd gescheft, wann beschicht das solch *Ruchen* meins geschlechts von mannen vnd manns namen eelichen geborn alle verganngen vnd abgestorben sind, sollent die obbestimbten Ratgeben der benannten stat *Nördlingen* den Erwirdigen ainem Appt vnd seinem Conuent zu sant *Vlrich* vnd sant *Affren* zu Augspurg vnd iren nachkumen auf das benampt zil Michaelis geben ierlichen dreyssig guldin von den vorbenannten fünftzig guldin ierlichs zins die ewigclichen niessen in der ere vnd lob gotes vnd die andern zwaintzig guldin ierlichs vnd ewigs zins ierlichen geben einem Ratt zu *Oettingen*, von denselben zwaintzig guldin sol ain Ratt zu Oettingen ainem Caplan auf sant Jacobs altar in der pfarrkirchen zu *Oettingen* geben ierlichen zehen guldin, vnd die andern zehen guldin prauchen zu Gotz zier vnd notturft irer pfarrkirchen Die vorbenannten zway gemain ain Appt vnd sein Conuent vnd ir nachkumen zu sant *Vlrich* zu Augspurg vnd ain Ratt zu *Oettingen* sollen der bestimbten fünfzig guldin in solcher berürter mass mein erben nach solchem ganntzem absterben der Ruchen meins geschlechtz von mannen vnd manns namen in layen stat eelichen

geborn

geborn sein Wann aber ich obgemelter *Johanns Ruch* den oftbenanten Ratt vnd stat *Nördlingen* fruntschaft vnd lieb ertzaigt vnd getan hab, das sie die obgenannten fünftzig guldin ewigs zins ablösen mügen samentlichen mit einander vmb dreytzehenthalb hundert guldin nach innhalt des kaufsbriefs. Ob beschehe das die benannten von *Nördlingen* solch losung tun wolten ee das mein geschlecht wie vor gantz abgestorben were, sollen die benannten von *Nördlingen* ainem Appt zu sant *Vlrich* solch losung verkünden, doch das der benannt Appt oder sein voller gewalt wann er die dreytzehenthalb hundert guldin einnymbt verkunde dartzu zwayen den eltesten *Ruchen* meins geschletz wie vor vnd darnach mit inen so oft sich das begibt widerumb ain solch summ fünftzig guldin fürderlichen kauffen vnd anlegen, doch sol die hauptsumm der dreytzehenthalb hundert guldin nit gemyndert werden sun. der ob deshalben einicherlay von briefgelt costung oder ander sachen halben darüber gieng sol an der nachfolgenden gült abgang Ob aber die vorbenannten von *Nördlingen* nit wolten ainem Appt zu sant *Vlrich* zu Augspurg solch verkündung tun so mügen sie dem eltesten *Ruch* meins geschlechtz zu den zeiten einnemer des obgenannten zins verkünden, doch sollen sie demselben Ruch das Gelt nit geben Es sey dann ain abbt oder sein voller gewalt dabey, derselb sol das zu seinen hannden nemen, vnd mit gefarn vnd kauffen wie vor Ob aber die von *Nördlingen* die benannten fünftzig guldin nit ablösten, bis mein geschlecht wie vor von mannen ganntz abgestorben were so mügen sie dreyssig guldin von ainem Abbt zu sant *Vlrich* vmb achthalb hundert guldin, vnd von ainem ratt zu *Oettingen* die zwaintzig guldin vmb fünf hundert guldin yedes besunder ablösen Doch sol ain Ratt zu *Oettingen* widerumb fürderlichen kauffen ain gült mit dem das dem

Caplan

Caplan sein zehen guldin ierlichen gefallen, vnd auch ir zehen guldin in ewigkait ierlichen zu der ere gotes gebraucht werde. . Fürbas schaff vnd ordne ich dem Hochwirdigen inn got vater vnd herren hern N. Bischoffen zu Augspurg so zeiten meins abgangs ist vnd sein wirt damit er solch mein gescheft hannthab vnd schirme zehen Guldin reinisch. Damit aber solchem meinem Gescheft ordentlich vnd statlich nachgegangen vnd alles wie vor laut treulich vollennt werde, setz vnd mach ich zu meinen gescheftherren vnd testamentarios die obgenannten Appt vnd Conuent des gotzhaus sant *Vlrichs* vnd die wirdigen vnd ersamen Maister *Franciscus Reuter* Licentiat in gaistlichen rechten zu vnnser lieben Frawen Thumbherr vnd maister *Jacob Wirsung* zu sant Mauritzen Corherr baider stift zu Augspurg die gegenwärtig durch meiner gebet sich verwilligt haben, meinem gescheft treulichen nachtzekomen vnd exequieren, Also das sy alle oder ir yglicher vnuerschaidenlich ob sy *alle nit* engagen wern solch mein gescheft vfrichten vnd volenndeu treulich als sy dann dauon Rechnung tun wellen vor got dem almechtigen Vnd ob sy solchs meins gescheft halb zerung vnd cost tun warden sol inen von meiner verlassen hab genntzlich vnd gar widerlegt werden. . Fürbas ist mein gescheft vnd letzter wil ob vber solch mein gescheft wie vor laut etwas vorhannden belibe, Es wer an gelt klainat oder anderm gut was das were das solcher hab vnd gut die obgenannten mein testamentarii sich verfahen vnd vnterstanden, vnd dass durch meiner vnd aller gelaubigen seelen vmb gotes willen spennden vnd vsgeben wie sie geduinck nutzlichst sey Doch das vor allen sachen schulden so ich verlassen würde vnd kuntpar wern betzalt werden. . Es ist auch mein gescheft vnd letster wil ob sich macht, das nach meinem abgang in meiner kisten oder kasten

ain

ain gschrift mit meiner hannd geschriben oder mit meinem sigel besigelt gefunden würde doch allain von varender hab. Oder ob ich müntlich weitter dann obgeschriben stet schaffen vnd ordnen würde solch hantgeschefft nach irem laut oder müntlich gescheft sol auch mit sambt dem obgeschribnen gescheft kraft vnd macht haben vnd volgent werden. Damit auch die genannten mein testamentarii desterwiligk vnd vleyssiger seyen zuuollstrecken solch mein testament vnd gescheft hab ich also berait geben meinem herren Abbt vnd Conuent zu sant *Vlrich* achtzig guldin reinisch Also das sie darumb kaufen vier ewig guldin dauon man einem Conuent ierlichen zu zeiten ir pfrünnd pessern zu einer consolation. Auch das sy mein testament vnd kaufbrieue etc. in irem gewalt halten ob ainicherlay Irrung oder vergessen vnter mein erben erstünde denselben meinen erben solch brieue ze vidimieren oder copiern nit vertzeihen vnd auch das sy got für mich bitten. Dartzu schaffe ich den wirdigen herren Maister *Frannczen* vnd maister *Jacoben* auch mein geschefftherren ir yedem zehen gulden rinisch.

Lecta igitur cedula preinserta et vltima voluntate sicut in eadem cedula continetur declarata prelibatus dns *Johes* testator me Notarium publicum infrascriptum quatenus sibi desuper vnum vel plura publicum seu publica conficerem instrumentum vel instrumenta publice requisiuit, Acta sunt hec in ciuitate Aug. et dicto monasterio sancti *Vdalrici* Anno Indictione Pontificatu die mense hora et loco prenotatis presentibus ibidem Venerabili honorabilibus et discretis viris magistro *Adam Twring* hospitalis sancti Spiritus dnis *Johanne Weyss* sancti Seruatii extra muros dicte ciuitatis capellanis *Ludouico Rumel* vicario chori sancti *Mauricii* Aug ecclesiarum *Johanne Griesbeck* Sartor dicte ciuitatis *Hainrico Pramiger* de Elwangen *Georgio Brugkschlegel* de Kauf-

Kaufpeurn clericis et *Jodoco Müller* de Rogkenburg laico Aug. dioc testibus ad premissa vocatis et requisitis.

Signum Notarii. Et ego *Erhardus wagner* de Wolfteten Clericus Augusten. dioc publicus sacra imperiali auctoritate Notarius causarumque curie Augusten. scriba juratus etc.

Num. CCLIV. Dispositio Joan. Ruch Plebani S. Vdal. Anno 1474.

EX ORIGINALI.

Ich JOHANNS RUCH ettwen pfarrer zu sant *Vlrich* zu Augspurg, vergich vnd bekenn offennlich mit dem brief für mich vnd all mein erben vor allermengklich, Als von dem wirdigen hern *Melchior* verganngen Abbte seliger gedachtnuss vnd seinem Conuente zu sant *Vlrich* zu Augspurg vor ettlichen Jaren zwaintzig guldin reynisch ewigs zyns vnd gellts auf ablosung erkawfft han nach innhalt der kawffbrief darüber begriffen, vnd ich von denselben zwaintzig guldin ain geschäft gemacht, vier pfund Müncher werung alle Jar auf ewig Jartag zu hallten geordnet han, auch nach innhalt meins geschäfftbriefs darüber begriffen, die nach meinem abgangk vnd tod, das zu Gott steet angeen vnd krafft haben sol, vnd nit ee vnd wann alsdann solich Jartag angeen vnd ich erstorben pin, so sol füro solicher brief, so ich vmb die egemelten zwaintzig guldin ewigs zins hab, tod ab vnd kraftlos haysen vnd sein, Auch dem Gotzhaws zu sant *Vlrich* vbergeantwort werden, vnd weder mir noch meinen erben, noch geschäftherren füro darumb nichtz mer dann die vier pfunt Mün-

Müncher wie ich die zu den Jahrtagen geschaft han schuldig ze sein nach innhalt derselben brief vber die Jartag begriffen Es soll auch solicher hauptbrief mit sambt dem Jartag briefe die weyl ich in leben pin in trews manns hannden ligen, Vnd wann ich nymmer enpin der hawptbrief vmb die zwayntzig guldin ewigs zyns den Gotzhaws zu sant *Vlrich*, vnd die andern zynsbrief vmb die vier pfunt Müncher werung ieglichem tayl vbergeben zu hannden geantwurt vnd damit gehanndelt werden nach laitt vnd innhalt der gemelten brief, Ob aber sach were das Gott nicht enwölle, das der egemelt hawptbrief vmb die zwaintzig guldin ewigs gellts dem Gotzhaws zu sant *Vlrich* durch wölcherlay sach das wäre, nit vbergeben wurde, so soll doch derselb brief ganntz vnd gar tod vnd kraftlos sein. vnd das dick genannte Gotzhaws, nicht mer noch weytter pynnden, dann allain vmb die vier pfunt Müncher zu den Jartagen vszerichten, nach Innhalt derselben brief darüber begriffen, vnd wann ich die egenanten vier pfunt Myncher, Nemlich das ain ainem pfarrer zu sant *Vlrich*, das ander zu den *Predigern a)* das dritt zu sant *Vrsulen b)* vnd das vierdt in die zway Sichhewser zu sant *Sebastian* vnd zu Wertachprugk *c)* geordnet vnd geschaft hab, Do ist doch beredt, vnd in denselben briefen lawtter begriffen, das ain ieglicher Abbt vnd Conuent zu sant *Vlrich* vnd alle ir nachkomen, die obgenanten vier pfunt Müncher werung wöliches Jars si wöllen, wol ablösen vnd wider kauffen mögen, Nemlich die vorgenanten drew pfunt ains gen den *Predigern*, das ander gen sant *Vrsulen*, vnd das dritt in die vorgenanten zwey Siechhewser gehörig ir ains, mer, alld alle drew, ieglichs besonnder mit fünff vnd zwaintzig pfunt müncher werung nach innhalt derselben kawffbriefe, vnd das obgenant pfunt Müncher ainem pfarrer zu sant *Vlrich* zugehörig, vmb ain an-

 ders

ders pfunt müncher werung, inn oder aufferhalben der Statt gewifs vnd guts Ewigs ierlichs zynfs vnd gelits in vorgefchribner form mafs vnd peen zegeben; Solich obgefchriben lofung fol gefchehen ains ieglichen Jars auf fant Jeronimus tag in viertzehen tagen den nechften daruor oder darnach vngeuarlich, Allfdann nach folicher lofung fol in vnd iren nachkomen die kauffbriefe darûber begriffen vbergeantwurt vnd zu iren hannden gegeben werden folicher lofung follen in die obgefchriben parthey Statton on alles widerfprechen, Das zu vrkunt gib ich difen brief verfigelt mit meinem anhanngenden Infigell, dartzu han ich gebetten vnd erbetten die wirdigen Maifter *Frantzen Rewter* Thumbherren des Thumbftiffts vnnfer lieben frawen zu Augfpurg vnd Maifter *Jacoben Wyrfung* Chorherren zu fant *Mauritzen* dafelbs das die ire Infigel *d*) an difen brief haben thon hencken doch in vnd iren erben on fchaden Der geben ift an Mittwoch vor fant Symon vnd Judas der zwayer hailigen zwölffpoten tag nach crifti gepurt Tawfent vierhundert fibentzig vnd vier Jare.

a) Fratribus ordinis Praedicatorum.

b) Ad ecclefiam S. Vrfulae tunc temporis Beginae tertii Ordinis S. Dominici habitabant.

c) Ibi tunc temporis erat xenodochium S. Wolfgangi.

d) De Sigillis illaefa primum et tertium reperiuntur.

Num. CCLV. Sixti Papae IV. Priuilegium Plebano S. Vdalrici conceffum. Anno 1474.

EX ORIGINALI.

SIXTUS Eps Seruus Seruorum dei Venerabili fratri Archiepo Patracen et dilectis filiis Frifingen et Auguften Officialibus falutem

lutem et apoſtolicam ben. Hodie dilecto filio *Johanni Ziegler a*) perpetuo Vicario parrochialis eccleſie ſanctorum *Affre* et *Vlrici* Auguſten Maguntin Prouincie conceſſimus vt vſque ad ſeptennium a dat. preſentium computandum litterarum ſtudio in loco vbi illud vigeat generale inſiſtendo aut in Romana curia, ſeu in aliquo reſidendo, quorumcunque beneficiorum eccleſiaſticorum cum cura et ſine cura que in quibuſuis eccleſiis ſeu locis obtinebat et interim obtineret etiam ſi canonicatus et prebende dignitates perſonatus adminiſtrationes vel officia in cathedralibus etiam Metropolitanis vel collegiatis eccleſiis forent fructus redditus et prouentus percipere valeret prout in noſtris inde confectis litteris plenius continetur Quocirca diſcretioni veſtre per apoſtolica ſcripta mandamus quatinus vos vel duo aut vnus veſtrum, ſi et poſtquam dicte littere vobis preſentate fuerint, per vos vel alium ſeu alios, eidem *Johanni* vel procuratori ſuo eius nomine faciatis auctoritate noſtra prefatos fructus redditus et prouentus vſque ad dictum ſeptennium iuxta huiuſmodi noſtre conceſſionis tenorem integre miniſtrari non permittentes eum per quoſcunque ad reſidendum interim in dictis eccleſiis ſiue locis compelli, vel alias contra huiuſmodi noſtre conceſſionis tenorem quomodolibet moleſtari Non obſtantibus omnibus que in dictis litteris voluimus non obſtare aut ſi aliquibus communiter vel diuiſim ab apoſtolica ſede indultum exiſtat quod interdici ſuſpendi vel excommunicari non poſſint per litteras apoſtolicas non facientes plenam et expreſſam ac de verbo ad verbum de indulto huiuſmodi mentionem contradictores cenſuram eccleſiaſticam appellatione poſtpoſita compeſcendo Dat. Rome apud ſanctum Petrum anno Incarnationis dominice Milleſimo quadringenteſimo ſeptuageſimo quarto Decimo ſeptimo Kl. Januarii. Pontificatus noſtri Anno Quarto.

Num. CCLVI. Inſtrumentum executionis mandati Marci Card. ſupra relati. Anno 1475.

Ex Originali.

JOHANNES GOSSOLT in decretis Licentiatus Canonicus et Archidiaconus eccleſie Auguſtenſis Reuerendique in Xpo pris et dni dni JOHANNIS dei et apoſtolice ſedis gratia Epi Auguſtenſis in ſpiritualibus Vicarius Generalis executor ad infra ſcripta per Reuerendiſſimum in Xpo patrem et dnm dnm MARCUM miſeratione diuina legatum ſpecialiter deputatus Vniuerſis et ſingulis quorum intereſt vel intererit quoſque aut quem infra ſcriptum tangit negotium ſeu tangere poterit quomodolibet in futurum in genere vel in ſpecie communiter vel diuiſim quibuſcunque nominibus cenſeantur cuiuſcunque ſtatus ordinis gradus vel conditionis exiſtant aut quacunque prefulgeant dignitate Salutem in dno Et noſtris ymo verius apoſtolicis firmiter obedire mandatis litteras prefati Reuerendiſſimi dni Legati eius vero ſigillo oblongo de cera rubea cere albe ſeu glancee impreſſo in cordulis rubeis impendente ſigillatas ſanas et integras non viciatas non cancellatas nec in aliqua ſui parte ſuſpectas ſed omni prorſus vicio et ſuſpicione carentes Nobis per venerabilem patrem dnm *Heinricum* permiſſione diuina Abbatem monaſterii ſanctorum *Vdalrici* et *Afre* Auguſten. ordinis ſancti *Benedicti* coram Notario et teſtibus infra ſcriptis preſentatas Nos cum ea qua decuit reuerentia noueritis recepiſſe huiuſmodi ſub tenore MARCUS miſeratione diuina etc. — *Sequitur charta Marci Cardinalis ſupra Num. CCLI. relata integre inſerta; deinde pergitur* Poſt quarum quidem litterarum preſentacionem et receptionem nobis et per nos ſicut premittitur factas fuimus per prefatum dnm Abbatem debita

bita cum inſtantia requiſiti quatenus ad executionem earumdem litterarum et contentorum in eiſdem procedere dignaremur iuxta traditam ſeu directam a dicto dno Legato nobis formam Nos igitur *Johannes* Vicarius et executor predictus attendentes requiſicionem huiuſmodi fore iuſtam et conſonam rationi volentesque mandatum nobis in hac parte directum reuerenter exequi vt tenemur dictarum litterarum forma diligenter pre aſpecta et attenta ad earumdem litterarum executionem duximus procedendum Recepta itaque ſuper narratis in ipſis litteris quatenus nobis ſufficere pro narratorum verificatione videbatur informacione ſufficienti inuenimus omnia et ſingula in dictis litteris expoſita et narrata fore et eſſe veritati ſubnixa Idcirco auctoritate legationis nobis in hac parte commiſſa ius patronatus eccleſie parochialis ſancti *Vdalrici* ad Abbatem eiuſdem Monaſterii ſanctorum *Vdalrici* et *Afre* et ſuos ſucceſſores pertinere decernimus et declaramus penſionem quoque annuam viginti ſex librarum Monacen. debitam in antea perpetuis futuris temporibus ſolitis ſoluendam eſſe et exolui debere per vicarium in dicta eccleſia parrochiali ſeu vicaria perpetua ſancti *Vdalrici* tam Jus patronatus quam penſionem predictam ſicut premittitur ſoluendam approbamus ratificamus et confirmamus in contrarium facientibus non obſtantibus quibuſcunque Quocirca prefatas litteras et hunc noſtrum proceſſum ac omnia et ſingula in eis contenta vobis omnibus et ſingulis ſupradictis quibus preſens noſter proceſſus dirigitur atque aliis quorum intereſt intererit vel intereſſe poterit quomodolibet in futurum communiter vel diuiſim intimamus inſinuamus et notificamus ac ad veſtram noticiam deducimus et deduci volumus per preſentes Mandantes et diſtrictius in virtute ſancte obediencie inhibentes ne quiſquam veſtrum per vos vel alium ſeu alios directe vel indirecte publice vel occulte contra

hanc

hanc noſtram confirmacionem et approbacionem ymo verius apoſtolicam omniaque et ſingula in ipſis litteris et proceſſibus noſtris huiuſmodi contenta quitquam ſtudeatis ſeu ſtudeat attemptare In quorum omnium et ſingulorum fidem et teſtimonium omnium premiſſorum preſentes noſtras litteras exinde fieri et per notarium publicum ſcribamque noſtrum infra ſcriptum ſubſcribi et publicari mandauimus ſigillique dni nri Auguſten quo in noſtro vtimur officio iuſſimus et fecimus appenſione communiri Datum et actum Auguſte in Monaſterio ſancti *Vdalrici* et *Afre* predicto ſub anno a Natiuitate dni Milleſimo quadringenteſimo ſeptuageſimo quinto Indictione octaua Pontificatus ſanctiſſimi in Xpo patris et dni nri dni SIXTI diuina prouidencia pape Quarti Anno quarto die veneris vltima menſis Marcii hora meridiei vel quaſi preſentibus ibidem honorabilibus viris *Johanne Grieſpeck* Plebano in Hauſſteten et *Leonardo Eggelperger* de Ried clerico Aug et Patauien. dioc Teſtibus ad premiſſa vocatis pariter et rogatis.

Signum Notarii. Et Ego Jacobus Wirſung clericus Auguſten dioc. publicus ſacra Imperiali auctoritate Notarius ac Curie Auguſten. Scriba iuratus etc.

*) Sigillum illaeſum.

Num. CCLVII. Magiſtratus Aug. litterae collectiuae. Anno 1476.

EX ORIGINALI.

Allen vnd ieglichen den diſer gegenwürttig vnnſer briefe fürgebracht getzaigt oder geleſen wirdet in was wirden eeren

ſtands

ſtands oder weſens die ſeyen, Entbietten wir die Ratgeben der Statt Augſpurg, vnnſer berait vnuerdroſſen früntlich vnd willige dinſt, lieb vnd Früntſchafft, nach geſtalt ains yeden herkomen, ſtand vnd weſens, Nach dem das wirdig Gotzhauſe vnd Münſter vnnſer hailigen Patron ſannt *Vlrichs* vnd ſannt *Afren* bey vnns, das bey den acht Jaren, mit mercklichem Schatz, vnd Koſtung in zierlicher hoch vnd weytt vffgebracht, vnd bedeckt war vff ſannt Peters vnd ſannt Pauls tag der hailigen zwölffbotten, der myndern Jartzal Criſti im drew vnd ſybenntzigiſten Jare nächſt verſchinen, durch vnuerhörlich groſs vngeſtöm der wynnde vnd vngewitters zerriſſen vnd ze grund eingeworffen *a)* wie vnns nit zweyffelt bisher weytt vnd braytt offenbar worden vnd gelangt iſt, ſollicher ſchad nach geſtalt ſeiner merklichen Koſtunge, vnd groſſe, on mylt hanndtraichung rat vnd hilff andächtiger frommer leute, nit widerpracht werden mag, Darumb vnd deſshalben die wirdigen Abbt, Prior, vnd Conuente des vermelten Gotzhauſes, mit ſampt den Bumaiſtern deſſelben bauwes, diſen gegenwürttigen zaiger des briefs abgefertigt, vnd im das hailig almuſen an ſollichem baw allenthalben ze bitten vnd ſuchen befolhen haben, Bitten wir mit allermaiſtem fleiſs, ſo wir ymmer höchſt künden vnd mugen, vnd wie vnns ainen yeden nach geſtalt ſeins herkomens, vnd weſens ze bitten, vnd erſuchen gebüret, das ir all vnd yeglich ſollichen erſchrockenlichen groſſen ſchaden ze hertzen nemen diſem gegenwürttigen botten, das hailig almuſen in ewern lannden, Stetten, Märkten, dörffern, heuſern vnd gebietten ze ſuchen geſtatten, vnd im an ſollichen nottdürfftigen bawe von dem hab, vnd gutten, euch von gott dem allmächtigen verlyhen, ewer haylig allmuſen, vnd hilfflich hanndtraichung barmhertziglich mittaylen, vnd in zuuoran vmb gottes ſeiner werden

mutter

mutter der Junckfrawen magt Marie aller hailigen, vnd besunder der hailigen patron, desselben Gotzhauses sannt *Vlrichs* vnd sannt *Afren*, vnd dartzu vnnser vnuerdrossen beraitter früntlicher dinste willen, gnad, gunst, fürdrung vnd früntlichen genaigten gutten willen, ertzaigen thun, vnd beweysen wöllet. Das wöllen wir zu sampt dem hailsamen lone, den ain yeder on zweyfel von Gott dem allmächtigen durch erhörlich andächtig fürbett, derselben sant *Vlrichs* vnd sant *Afren* Abbts vnd Conuents daselbs gnädiglich empfahen wirdet mit beraittem fleiss vnd willen alltzeit vnuerdriesslich vnd gern gedienen Geben vnd mit vnnser Statt anhanngendem Insigel *b*) geuestnott, Vff Afftermäntag vor sannt Anthonyen des hailigen Abbts tag *c*) von der geburd, Tausent vierhundert vnd im sechs vnd sybenntzigisten Jare.

a) Hoc 29. Junii 1474. contigit.
b) Sigillum laesum. *c*) 14. Jan.

Num. CCLVIII. Sententia censum ad ecclesiam Conradshof. pertinentem concernens. Anno 1476.

EX ORIGINALI.

Ich VLRICH von RYETHAIN, Bekenn offennlichen mit dem briefe für mich mein erben vnd thon kunt allermengklich der Irrung halben, antreffent das gut zum *Hyltprannisperg a*) dem Gotzhaws sant *Vlrich* vnd sant *Affren* zu Augspurg zugehörig an ainem, vnd der Kirchen sant *Martin* zu *Conratzhofen* die dann in die vogthey zu Swabegk gehört, der ich diser zeyt ain Innhaber

haber pin des andern tails, von wegen der zwaintzig schilling haller so die hailigen pfleger vnd vogtherren der vermeltem Kirchen sant *Martin* aus dem benanten gut *Hyltbranntsperg* ierlich vermaynen ze haben Desshalben ich allen vleyss ankert gar grüntlich erkonnet vnd erfarn, hab ich als oberster vogtherr vnd Kirchenbrobst der vermelten Kirchen sant *Martins* nutz vnd notdorfthalben mich der sachen beladen, angenomen vnd betädyget Also das nun fürohin ain yeder pawr auf dem obgenanten gut *Hiltpranntsperg* seshaft oder sein nachkomen alle Jar ierlich vnd als yeden Jars besonnder. Ausser ainem wysmad in das benant Gut *Hyltpranntsperg* gehörig der benannten Kirchen sant *Martin* vnd iren gesetzten hailigen pflegern oder iren nachkomen funff vnd zwaintzig schilling haller lannds werunge ierlichs zins, ye zwischen sant Michels vnd sant Gallen tag geben sol, on allen abgangk eintrag vertziehen vnd on all schaden nach Innhalt ains briefs, von dem Erwirdigen herrn *Hainrichen* Abbte des vorbenannten Gotzhaws sant *Vlrichs* darumb ausgegeangen der vermelten Kirchen gegeben darinn das wysmad daraus die benannten fünff vnd zwaintzig schilling haller, iärlichs zins gand vnd gan sollen verzaichnet ist, zu vrkunt hab ich mein Insigell *b*) an disen briefe thon henngken, vnd geben an sant Anthonien tag *c*) Nach Cristi gepurt Tawsent vierhundert sibentzig vnd sechss Jare.

a) V. Supra. *b*) Sigillum illaesum.
c) Decima septima Januarii.

Num. CCLIX. Indulgentiae, auxilium ad reaedificandam ecclesiam S. Vdal. tribuentibus, ab Episc. concessae. Anno 1478.

EX ORIGINALI.

JOHANNES Dei et apostolice sedis gratia Epus Augusten. Vniuersis et singulis dnis Abbatibus Prioribus Prepositis Decanis Archidiaconis parochaliumque ecclesiarum Rectoribus plebanis viceplebanis Vicariis perpetuis et loca tenentibus eorundem capellanis presbiteris et clericis per ciuitatem et dioc. nostras Augusten vbilibet constitutis ad quos presentes peruenerint Salutem in dno et presentibus fidem credulam adhibere In hac lacrimarum valle peccatorum mole ex prothoplasti lapsu oppressis misericordiarum pater diuersa salutis antidota pietatis operibus longe preponderat Gratum igitur deo pariter et acceptum impendere credimus famulatum dum fideles ipsos ad elemosine largitionem ac alia deuotionis pietatis et caritatis opera incitamus, per que diuine gracie redduntur aptiores ac salus animarum suarum efficacius procuratur Et licet sit nobis quottidiana sollicitudo omnium locorum sacrorum nostro regimini subiectorum ad ecclesiam tamen monasterii sanctorum *Vdalrici* et *Afre* Augusten ordinis sancti *Benedicti*, quam sanctus *Vdalricus* presul dignissimus predecessor noster Epus Augusten cui hora sancti sacrificii dextera dni apparuit, construxit et edificauit singularem gerimus deuocionem in quo eciam Monasterio regularis sancti *Benedicti* viget obseruancia et hostia salutaris pro viuorum et mortuorum salute assidue ymolatur, propter quod dignum ymo pocius debitum arbitramur vt ecclesiam dicti Monasterii honore et vocabulo sanctorum *Vdalrici* et *Afre* dedicatam remissionem prosequamur impendiis,

pendiis, et Xpi fideles ad fuccurrendum eiufdem ecclefie neneffitatibus diligentius excitemus ne ruine fubjaceat periculo Cum itaque prout facti cognicione nobis claruit in die fanctorum *Petri* et *Pauli* apoftolorum Anni huius quarti in ciuitate noftra Auguften et locis vicinis fuborta fuiffet maxima tempeftas ita vt venti circumquaque vi maxima feuientes edificia plurima euertiffent. arbores aliquas radicitus euulfiffent, nonnullas vero truncaffent, et alia dictu horrenda dampna multipharie intuliffent, adeo quod ftructuram ecclefie prefati Monafterii que maximis fumptibus et expenfis in octo annis tunc precedentibus eleuata tectaque fuerat impetuofiffime deuoluebantur, fub qua quod dolenter referimus prefbiter parochianus cum coadiutore fuo *a*) plurefque alie vtriufque fexus perfone *b*) que eo tunc deuocionis caufa in eadem fuere ecclefia ceciderunt. Vnde ex premiffis et aliis contrariis euentibus diffortunio nouercante, dictum Monafterium fanctorum *Vdalrici* et *Afre* grauia et inmodeftia ymmo quod lamentabilius dicimus irrecuperabilia difpendia et nocumenta fubierit Et nifi eidem Monafterio cleri reparacionis remedia fuccuratur in extremum defolacionis obprobrium formidetur tranfire et in collapfum et diuinum obfequium inibi laudabiliter tentum ac regularis obferuancia prorfus decrefcere timetur, Porro cum Abbati et conuentui fupradicti Monafterii vt defectibus huiufmodi occurrerent et fuis neceffitatibus mederi valerent facultates minime effent prout nec fint Sed Xpi fidelium infidiis caritatiuis et piis fuffragiis plurimum oportuni exiftant Quocirca ex innata clemencia huiufmodi defectibus neceffitatibus et egeftatibus fubuenire cupientes, Confiderantes quoque quod tanto amplius ad pietatis et caritatis opera incitandum exiftit quanto opera ipfa plus edificant ad falutem vt bonorum que in toto ordine fcti *Benedicti* et in dicto

 Mona-

Monaſterio die noctuque in dei laudibus perpetuo exercentur Xpi fideles tam ex noſtra conceſſione quam ex dicti ordinis largicione ſe participes faciant, et partem ſe habere gaudeant vniuerſi, et ſpiritualibus allecti rependiis vltro compunctionis et deuocionis caleſcant ardore et huius momentanee peregrinacionis laborioſo certamine illis preparata gloria coeterne felici adiungi mereantur Vos requirimus et in domino exhortamur vobiſque nihilominus nobis ſubiectis communiter et diuiſim in remiſſionem peccatorum iniungimus quatenus predictorum Abbatis et Conuentus nuncios ſeu procuratores has noſtras litteras deferentes cum ad vos ſemel duntaxat in anno Xpi fidelium elemoſinas petituri declinauerint ſine contrad.ctione et reſiſtencia qualibet benigne recipiatis Et ſi nuncii huiuſmodi ſacerdotes vel religioſi fuerint ipſos aut alterum eorum perſonaliter admittatis indulgenciaſque monaſterio et ordini predictis conceſſas veſtris in eccleſiis et capellis publicare ſinatis et permittatis ac *alias* fraterne pertractetis ipſoſque apud ſubditos veſtros promoueatis vt iidem veſtri ſubditi ad tam pios et ſalubres vſus elemoſinas et ſuffragia eorum largiantur et manus porrigant adiutrices quatenus fructus exinde accipiant peroptatos et poſt lubricum preſentis miſerie ad gaudia celeſtis patrie prouehi mereantur ſempiternam Nos enim de omnipotentis dei miſericordia et piiſſime genitricis ſue virginis *marie* ac ſanctorum omnium meritis et interceſſione confiſi omnibus vere penitentibus et confeſſis qui ad ſtructuram ſepe dicte eccleſie ſanctorum *Vdalrici* et *Afre* manus porrexerunt adiutrices aut manu propria pro reparacione eiuſdem laborauerint ſeu pecuniis ſuis operarios et laboratores conduxerint quadraginta dies de iniunctis eis penitenciis miſericorditer in dno relaxamus preſentibus abhinc vſque ad biennium a data preſencium et non amplius in ſuo robore duraturis Excipimus

pimus tamen tempus quadragesime in quo vigore presencium peticionem fieri nolumus aliqualem In cuius rei testimonium sigillum nostrum presentibus est appensum Datum Auguste anno dni Millesimo quadringentesimo septuagesimo octauo VI. Kln Octobris.

a) Lieber Parochus, Thomas Eber Coadiutor.
b) Triginta tres personae suppressae sunt.

Num. CCLX. Henrici Abbat. Litterae Collectiuae. Anno 1478.

Ex Originali.

Allen vnd ieglichen andächtigen Kristgelaubigen menschen Gaistlichen vnd welltlichen, in was Stäts wesens oder wyrden der oder die sein, zu dem oder den dise gegenwürtig vnnser pottschaft komet, Entbieten wir HAINRICH von Gottes verhenngknuss Abbte des Gotzhawss sant *Vlrich* vnd sant *Affren* zu Augspurg sant Benedicten Ordens, vnnser andächtig gebette, vnd früntlich willig dienste, Nachdem layder kuntlich vnd offenbar ist, wie das wirdig Gotzhawss vnnsers Klosters zu sant *Vlrich* hie zu Augspurg durch schickung ains vngestümen wetters an sant Peter vnd Pauls tag, im vier vnd sibentzigisten Jare, der myndern Jartzal Cristi ergangen, mit sambt ettlichen erbern personen darinn verfallen vnd mercklich gross schäden empfangen hat solichs wider zepringen vnd zepawen wir on frumer lewt hillfe nicht verpringen mögen sonder ainer gemaynen Samlung notdorftig seyen, demnach so hat der hochwürdig Fürst vnd her Johanns Bischofe a) zu Augspurg vnd ander Fürsten

ſten Gaiſtlich vnd weltlich gnedigen gunſt vnd guten willen, zu ſolicher ſamblung verlihen den merklichen gepreſten, vnd dagegen die groſsen gnad vnd applas damit das wirdig Gotzhaws von ettlichen Bäbſten Cardinäln Ertzbiſchofen vnd Biſchofen begabet iſt, angeſehen, des erſten von ſiben Bäbſten zway hundert vnd achtzig tag töttlicher ſünd vnd ſiben iar läſlicher, vnd viertzehen Karren, Item von zwen vnd zwaintzig Biſchofen achthundert vnd achtzig tag töttlicher ſünd vnd zway vnd zwaintzig Jar läſlicher vnd viertzehen Karren. Item von zwölf Biſchöfen vierhundert vnd achtzig tag töttlicher ſünd. Item von ainem Biſchof viertzig tag töttlicher ſünd, vnd ain Jar läſlicher vnd beſonder von dem Hochwürdigen Fürſten vnd Herren herrn PETERN Cardinal der Römiſchen Kirchen vnd Biſchofe diſer Statt hundert tag töttlicher ſünd aufgeſetzter puſs des yetz gemelten Applas an ainer Summ tauſent vierhundert tag töttlicher ſünd ains vnd dreyſſig Jar hundert vnd fünfftzig tag läſlicher ſünd vnd ſechs vnd dreyſſig Karren ſollichen Applas erlanngen alle die menſchen die dits Gotzhaws haymſuchent oder ir almuſen daran geben, Hierumb wir diſe gegenwirtig vnnſer pottſchafft die dann ſoliche ſamblung nicht erkauft, ſonder haben ſi vmb ain zymlich taglon beſtellt zu euch ſchiken Bittende ſie in gönſtiger beuelhnuſs haben vnd in ewer almuſen treulichen mittaylen wöllent Als ir die widergab vnd den lon von Gott dem allmächtigen auch dem hailigen hymel fürſten vnd hawſfater ſant *Vlrich* empfeanglich ſein werden Das wöllen wir vnd vnnſer Conuente mit vnnſerm andächtigen gebett gegen Got verdienen. Geben vnd mit vnnſer Abbtey anhanngenden Inſigel *b*) beſigelt am freitag nach ſant Mangen des hailigen Abbts tag Nach Criſti gepurt Tauſent vierhundert ſibentzig vnd acht Jare.

a) Joan-

a) Joannis Episcopi August. commendatitiae Septima Septembris datae sunt.

b) Sigillum est illaesum.

Num. CCLXI. Venditio Curiae in Riedsend. Anno 1479.

EX ORIGINALI.

Ich ANNA SIGHARTTIN *Constantin Breyschuchs* säligen eeliche gelassne wittwe Burgerin zu Augspurg, Bekenn offennlich mitt dem brieue für mich vnd alle mein erben, vnd thun kundt allen den, die in ansehen, hören oder lesen, Das ich mit fryem gutem willen vnd wolberauttem mutte zu den zeiten vnd tagen, do ich das zethund volkomen macht vnnd gewallt gehept han, von bessers meins nutzes vnd notturffte wegenn, vnnd mit rautte willenn vnd gunst meiner bestest fründe, meinen hoffe zu *Riedsennd* gelegen den yetzo *Hanns Troger* pawet, vnnd daruff sitzet, vnd iärlichen gülltett zway schaff Kerns zehen schaff rogkens zehenn schaff habers zway schaff gersten alles nach herren gülttt recht, ainen guldin zu wisgülltt vier gännss zwölliff herbsthöner zwayhundert ayer vnnd ain vasnachthennen, vnd was zu dem vorgeschriben hoffe oder darein vberäl yemndertt gehörett von recht ald von gewonnhaytt gehören sol oder mag in dorff oder zu velde an hewsern an städelln an garten ann hoffrayttin an Bewnden an ackern an wisen an holltz an holtzmarcken oder an gerewt ze wasser ze wayd an awenn ze brugkenn ze wegen vnnd ze stegen an klainem vnd grossem benennten vnd vnbenannten wie das alles vnd yegklichs genanntt gehayssen vnnd wau es gelegen ist nichtzitt noch ainicherlay vssgenogenomen noch hinden gesetztt Mitt besetzenn vnd entsetzenn mitt allen wirden eeren eehäfften rechten nutzen güllten diennsten genyessen gemainsamen vnd zugehörungen so er yetzo gültett oder füro gellttenn mag, der von *Framntzen Sighartt* meinem vatter vnd *Elisabethen* seiner eelichen wirttin meiner lieben mutter säligen Erbschafftweyse vff mich komenn vnnd mir in der Tayllung zugestannden vnnd geuallen ist alls denne mein voruordern säligen vnnd ich den menige Jar in stiller nutzlicher gewer lanng zeytt hergebracht inngehept vnnd on menigclichs ansprach geruwigklich genossen habenn vnnd mein rechtz aygenn gewesen ist, mitt disem brieue yetzo recht vnnd redlichen für ain freys ledigs vnansprächs vnuerkömmbertz vnd vnuogtbärs gutt vnnd für rechtz aygen verkaufft vnnd zu kauffen gegeben hann Dem erwirdigen andächtigen vnd gaystlichen hern *Hainrichen* von Gottes verhengknus Abbt des Gotzhauss zu sannt *Vlrich* vnnd sannt *Affren* hie zu Augspurg seinem Conuente Gotshauss vnnd allenn iren nachkommen vmb viertzig Guldin reinischer iärlichs Leyppting gelltz vff mein vnnd *Constantin Breyschuchs* meins eewirts salligen suns leybe vff zway zille in dem Jar zegeben nach lannhalltt des versigellten leypptingbrieffs, vnns darüber gegeben vnnd vffgericht Etc. — — Darumb vnd das alles zu warem vestem stättem vnnd guttem vrkond so gib ich dem vilgenanntten Abbt *Hainrich* seinem Conuentt Gotzhauss vnd nachkomen disenn brieue vmb meiner vleyssigen vnnd ernstlichen bett willenn versigellteпn mit der fürnemmen vnnd ersamen weysen *Jorig Otten* Stattuogts vnnd *Hannsen Glizennstains* burggrauen zu Augspurg aygen angehenncktenn Insigelln *a*) in vnnd iren erben onn schaden. Darunnder ich mich bey meinen warenn vnnd guttenn trewen verbind stätt zu hallten was vorgeschriben steett meiner bett

vmb

vmb die Innsigell sind getzewgen die erbern vnnd weysen *Claus Wanner* zunnfftmayster vnnd abredner dis kauffs *Leonhart Berger* der Kramer vnnd *Hanns Welser* der Schlosser bayd burger zu Augspurg Geben vnnd beschehen vff Freyttag vor sanntt Pauls bekör tage b) des Jars alls man zallt von der gepurd Cristi Tausennt vierhundertt sibentzigk vnnd inn dem Newndten Jaren.

a) Sigilla sunt laesa. b) 22. Januarii.

Num. CCLXII. Donatio praediorum in Ortlfingen. Anno 1479.

Ex Originali.

Ich Jörg Repphun Burger zu Augspurg, Bekenn offennlichen mit dem briefe für mich mein erben vnd thon kunt allen den so disen briefe ansehen lesen oder hören, Wann ich nun auss göttlichem einsprechen für augen genommen vnd betracht hab die täglichen Gotzdienste so dann Gott dem almächtigen seiner werden muter *Marien* der hymelküngin, vnd besunder den hayligen hawsfättern vnd hymelfürsten sannt *Vlrich* sannt *Symprechts* vnd sant *Affren* in dem wirdigen Gotzhawss der yetz bestymbten hailigen sant *Vlrichs* vnd sant *Affren* hie zu Augspurg beschehen pin ich nicht vnpillich bewegt, das sollich Gotzdienste hinfüro in künftig zeytte vnabgänngklich gehallten vnd dest stattlicher vollpracht werden, Demnach hab ich mit freyem gutem willen wolbedachtem mute, zu den zeyten vnd tagen da ich das wol thon kunt vnd mocht Also auch das yetz vnd hernach an allen stetten, vor allen leuten Richtern vnd Gerichten

Gaiſtlichen vnd weltlichen volkomen gantz kraft vnd macht hat haben ſol vnd mag für allermengklichs widertayln vnd ab ſprechen in all weg mein zwu ſellden zu *Ortelfingen a)* gelegen, die dann yetzo bayd *Oſwaltt Pföſtlin* daſelbs innhat, vnd gellten iärlich, nemlich die ain ſelld ain metzen öls zwöllf pfenning für recher vnd weyſat dreyſſig ayer, vnd ain vaſnachthennen, vnd ſo offt es zu enndrung kumbt vier vnd zwayntzig für Auffart vnd abfart, So güllet die andern ſelld iärlich ain metzen ölls zwöllf pfening für recher vnd weyſat, dreyſſig ayer vnd ain vaſnachthennen vnd auch vier vnd zwayntzig pfening für auffart vnd abfart, die Güllt allwegen vnd ains yeden Jars zu gewonlicher gült zeyte als ye zwyſchen ſannt Martins vnd ſant Gallen tag die dann frey rechts aygen ſind, Allain durch gottes vnd der obbeſtymbten hailigen vnd hymelfürſten ſant *Vlrich* ſant *Symprecht* vnd ſant *Affren* zu lob eere vnd wirdikait, auch mein meiner vordern vnd nachkomenden ſelen zu troſt hilf vnd ſälikait, dem Erwirdigen vnd Gaiſtlichen herrn *Hainrichen* Abbte des Gotzhaws zu ſant *Vlrich* vnd ſant *Affren* zu Augſpurg ſeinem Conuent Gotzhaws vnd allen iren nachkomen recht vnd redlich vbergeben eingeantwurt vnd ergeben hab Einantwurte vnd gib in die yetzo wiſſentlich mit dem briefe, mit der beſchaydenhait, das der obgenant Abbt ſein Conuent Gotzhaws vnd nachkomen, die obbeſtymbten zwu ſellden, mit allem dem das dartzu vnd darein gehört wie ich dann die byſher in ſtyller nutzlicher gewer on allermenglich annſprach inngehebt vnd genoſſen hab, als ir aygenntlich gut innhaben geprauchen mit beſetzen vnd entſetzen, nutzen vnd nyeſſen ſöllen vnd mögen on mein meiner erben frund vnd ſunſt allermenglich irrung einträg vnd widerſprechen in all weg Etc. — — Des allſo zu warem vrkund ſo gib ich in diſen briefe verſigellten mit mei-

meinem aygen anhanngenden Infigell dartzu hab ich mit vleyfs gebetten vnd erbetten den erfamen weyfen *Herman Nördlinger* Burger zu Augfpurg meinen lieben vettern das er fein Infigell zu merrer gezewgknufs auch offenlich hieran gehenngkt hat *b*) doch im vnd feinen erben on fchaden, vnnter die infigell bayde ich mich verpynnd ftätt ze hallten alles obgefchriben Der geben ift an fant Hylarien tag *c*) Nach Crifti gepurt Taufent vierhundert fibentzig vnd Newn Jare.

a) Ortlfingen in praefectura Werting.

b) Sigilla funt illaefa. *c*) Duodecima Augufti.

Num. CCLXIII. Traditio praediorum in Bobingen. Anno 1479.

EX ORIGINALI.

Ich WILHALM HANGENOR Burger zu Augfpurg Bekenn offenlichen mit dem briefe für mich mein erben, vnd thon kunt allen den fo difen briefe anfehen lefen oder hören, wann ich nun aufs göttlichem einfprechen für augen genomen vnd betracht hab die täglichen Gotzdienfte fo dann Gott dem almächtigen feiner werden muter *Marien* der hymelküngin, vnd befunder den hailigen hawffättern vnd hymelfürften fant *Vlrich* fant *Symprecht* vnd fant *Affren* dem wirdigen Gotzhawfs der yetzbeftymbten hailigen fant *Vlrichs* vnd fant *Affren* hie zu Augfpurg befchehen, pin ich nicht vnpillich bewegt das follich Gotzdienfte hinfüro in künftig zeytte vnabgänngklich gehallten, vnd deft ftattlicher vollpracht werden. Demnach hab ich mit freyem gutem willen wolbedachtem mute zu den zeytten vnd tagen, da ich das wol thon kunt vnd mocht alls auch das yetzo vnd hernach an allen ſtetten vor allen leutten Richtern vnd Gerichten Gaiſtlichen vnd welltlichen volkomen gantz kraft vnd macht hat haben ſol vnd mag, für allermenglichs widertayln vnd abſprechen in allweg, mein zwu ſellden zu *Bobingen* gelegen die ainen *Haintz Hägelin* daſelbs innhat, vnd gülltet iärlich vier vnd zwaintzig Schilling Augſpurger ye drey pfening für ain ſchilling zezelen alle Jar vff ſant Michelstag, vnd dartzu ain vaſnachthennen, Die andern *Hanns Heyn* daſelbs innhatt vnd güllet auch vier vnd zwaintzig ſchilling Augſpurger vorgerürter werunge ierlich auf ſant Michels tag vnd ain Vaſnachthennen, die dann frey rechts aygen ſind, allain durch Gottes vnd der obeſtymbten hailigen vnd hymellfürſten ſant *Vlrich* ſant *Symprecht* vnd ſant *Affren* zu lob ere vnd wirdikait auch mein meiner vordern vnd nachkomenden ſeelen zu troſt hillf vnd ſälikait, Dem Erwirdigen vnd Gaiſtlichen herren *Hainrichen* Abbte des Gotzhawſs zu ſant *Vlrich* vnd ſant *Affren* zu Augſpurg ſeinem Conuent Gotzhaws vnd allen iren nachkomen recht vnd redlich vbergeben eingeantwurt vnd ergeben hab, Etc. — — Des zu warem vrkunt ſo gib ich in diſen brife verſigelten mit meinem aigen anhanngenden Inſigell dartzu hab ich mit vleyſs gebetten vnd erbetten den Erſamen vnd weyſen *Herman Nördlinger* Burger zu Augſpurg meinen lieben Swager das er ſein Inſigell zu merrer getzewgknuſs auch offennlich hieran gehenncktt hat a) doch im vnd ſeinen erben on ſchaden, vnntter die Inſigell bayde ich mich verpynnd ſtätt ze hallten alles obgeſchriben, Der geben iſt an ſant Hylarien tag Nach Criſti gepurt Tauſend vierhundert Sibentzig vnd newn Jare.

a) Sigilla ſunt optime conſeruata.

Num.

Num. CCLXIV. Donatio et traditio decimae in Bobingen. Anno 1479.

EX ORIGINALI.

Ich WILHALM HANGENOR von Augſpurg, Bekenn offennlich mit diſem briefe für mich all mein erben vnd thun kunt allen den ſo diſen briefe ymmer anſehen leſen oder hören Das ich mit freyem gutem willen, wolbedachtem mute, zu den zeitten vnd tagen, da ich das zethon volkomen macht vnd gewallt gehebt, von beſunder lieb naygung vnd guts willens wegenn So han ich zu dem Erwirdigen Gotzhawſe ſant *Vlrichs* vnd ſant *Affren* zu Augſpurg meinen zehennten auſs den zwöllf huben zu *Bobingen*, Nemlich des *Spitals* zum hailigen Gaiſt zu Augſpurg hub pawet yetzo *Vlrich Mayr* vnd hat bey zwölff Jucharten in ain felld hat ain beyacker im nydern velld im Oſtertal ſtoſst im tal hynntter Hawſtetter weg den auch der vorgenant *Vlrich Mayr* innhat, Mer ain acker im mitteln velld der da ſtoſst auf den Lechfelld graben, Item anderhalb hub ſant *Kathrinen* zu Augſpurg pawet yetz *Peter Holl*, hat beyäcker ainen der ſtoſst an die Haſelſtawden, in dem nydern eſch, Aber ain acker in dem nydern Eſch der ſtoſst vnnter den graben Mer ain acker ſtoſst auf Hawſtetter weg auch in dem nydern Eſch, ainen Acker der ligt vntterhalb des veyolwegs auch in dem nydern Eſch, ainen acker der ſtoſst auf die purgſtraſse in dem mitteln Eſch, aber ainen acker in dem mitteln Eſch der ſtoſst auf den graben, Mer ainen acker in dem mitteln Eſch in der zwyrch, aber ainen acker oberhalb des nydern hewwegs in dem eſch der an das dorff ſtoſst, Mer ainen acker in demſelben eſch der auch an das dorff ſtoſset, vnd ainen acker

des

des ſind zwu Anwannd vnd gänd vber den langen grafweg, Item ain hub pawet *Bernlin Lacher* gehört ſant *Kathrinen* vorgenant zu, hat auch beyäcker des erſten ainen acker ligt in der zwyrch, mer ainen acker vor der zwyrch; Aber ainen acker der ligt da die zwen Eſch auf ainander ſtoſſent auf Hawſtetter weg ſo gat der zehent auſs der gröſsern zwyrchin, vnd zehen ſtrangen gehörn auch in dieſelben hub in dem nydern eſch die an Inninger eſch ſtoſſen auf Hawſtetter weg, vnd das gerewt äckerlin in dem mitteln eſch vor den zwyrchen, Item ain hub pawet yetzo *Clas Nepperſchmid* hat in yedes velld viertzehen Juchart, Item mer ain hub gehört den frawen zu ſant *Steffann* zu Augſpurg pawet yetzo *Peter Gräſlin*, hat ain beyacker bey ſiben ſtranngen in mitteln velld, Item mer ain hub pawet yetz *Hainz Lacher* hat vierthalb Juchart, Item ain hub *Hannſen Langenmantels* pawet yetz *Jörg Meuttingin*, hat beyäcker vier äcker. Mer ain acker im mitteln velld ſtoſs auf die hynndern velld, Item mer ain hub des *padſchuſters* hat yetzo halbe *Bartholme Lacher* vnd mit im den andern halbtail *Lienhart Viſcher*, die *Eſchayin* vnd *Hans Wagner*, hat auch beyächerlach die zu der hub gehörn, vnd gänd ze wechſel mit des Biſchofs gut, Item mer ain hub iſt des Biſtums zu Augſpurg pawet yetzo *Hans Mayr* vnd gat ze wechſel mit *Bartholme Lachers* hub, hat beyäcker ainen acker im vnttern velld, ainen acker im mitteln velld vnd ainen acker in der zwyrchin, Item aine halbe hub pawet yetzo *Matheis Patzenhofer*, Item ain halbe hub pawet yetzo *Hans Aechter*, Item ain halbe hub pawet *Bartholme Lacher*, Item aine halbe hub pawet yetzo *Gaſtel Lechuelld* hat beyäcker ainen auf der zynkallt in dem nydern eſch, ainen bey dem langen wege vor der zwyrchin im mitteln eſch, Mer ainen bey dem Lacher vnd Ambtacker im mitteln eſch, aber ainen der

gat

gat von dem dorff bis an den grafwege, vnd auch vier ftranngen im mitteln Efch ftoffent vber den veyolweg vnd das lehen hat im yedem Efch ain durchgandes viertail, hat mer ain acker im vnttern velld ftofst auf hawftetter weg, Item fünffthalbe Juchart in yeglichs velld, die vormaln der *Gruber* inngehebt hat, der hat yetzo der *Mittelfchmid* bey fünfthalben Juchart, der *Gruber* by funffthalben iuchart vnd der Frümeffer bey anderhalben iuchart, Alles mit aller zugehörung, mit fambt dem Stadell vnd Gärtlin die zu demfelben zehennten gehören der yetz genant ftadell vnd gärtlin frey aygen vnd der zehend lehen ift, von dem hochwirdigen fürften meinem gnedigen herren hern JOHANNSEN Bifchofen zu Augfpurg, vnd feiner gnaden Styffte, vnd alle meine recht vnd gerechtikait, fo an demfelben zehennten mit fambt dem ftadell vnd gärtlin von meinem vatter feligen mit fambt anderer feiner verlaffen habe vnd gut erbfchaftweyfe an mich komen, vnd als den meine vordern vnd ich manige Jar in ftyller nutzlicher gewere lanngtzeit vnd ob menfchlich gedächtnufs inngehebt herbracht vnd one menglichs anfprach ruwicklich genoffen haben, mit difem brief yetzo recht vnd redlich auch williklich vnd vnbetzwungen befunder mit gunft wiffen vnd willen des obgenanten meins gnedigen herren Bifchofen zu Augfpurg als Lehenherren des gemelten zehenten von meinen hannden vnd gewalts in der Erwirdigen vnd gaiftlichen hern *Hainrichen* Abbte, *Johannfen* Priors vnd des Conuents gemainlich des vorgenanten Gotzhaws fant *Vlrichs* vnd fant *Affren* zu Augfpurg deffelben irs Gotzhawfs vnd aller irer nachkomen hannd vnd gewallte vor den Erwirdigen hochgelerten Richtern des hoffs vnd Chorgerichts zu Augfpurg auf vnd vbergeben hab, in gegenwürtigkait des obgenanten herrn *Hainrichen* Abbte Auch des Erfamen Maifter *Jofen Pflantzemans*

fein

ſein vnd ſeins conuents Procuratorn vnd anwallt darzu ſunderlich verordnet vnd geſetzt, vnd gib auch yetzo wiſſentlich in craft des briefs frymutiklich mit gelerten vnd ſogethanen worten, wie das nach ordnung der recht allerhöchſt vnd beſte kraft vnd macht hat haben ſol vnd mag, dermaſſen das ſi ir Gotzhaws vnd alle ir nachkomen, nun fürohin ymmer ewigklich den vorgeſchriben zehenntn mit ſambt dem *ſtadell* vnd gärtlin vnd mit aller vnd yeglicher ſeiner eehaftin rechten nutzen gülten vnd zugehörungen zu rechtem lehen vnd aygen als vorgeſchriben ſtat einnemern innhaben nutzen nyeſsen verleyhen verſetzen verenndern vnd in all ander wege damit gefaren ſchaffen, werben thun vnd laſſen ſollen vnd mögen wie vnd wa ſi verluſt vnd gelangt vngeirrt daran, von mir meinen erben vnd ſunſt allermenglichem von meinen wegen in all weg Etc. — — Des alles zu warem ſtättem vnd gutem vrkund ſo gib ich dem vilgenanten herren Abbt Prior vnd Conuente irem Gotzhaws vnd allen iren nachkomen diſen briefe für mich alle mein erben vnd nachkomen beſigelt vnd geueſtnet mit meinem aygen anhanngenden Inſigell Dartzu hab ich mit vleyſs gebetten vnd erbetten die edeln Geſtrengen Erbern vnd veſten hern *Wygels* von *Wey hſs* zu Weychſs Ritters Pflegers zu Fridberg vnd *Hannſen Zeltters* Kaſtners daſelbs das die ire Inſigel *a)* zu merrer getzeugknuſs auch offennlich hieran gehenngkt hand doch in irn erben vnd Inſigeln one ſchaden, Der gebett vmb die zway Inſigell ſind getzewgen die erſamen vnd weyſen *Bartholme Strobell* Burgermaiſter zu Fridberg *Six Brew*, *Lienhart Felpach* vnd *Jörg Wollff* Burger vnd des Ratts daſelbs, Vnd wir JOHANNS von Gottes gnaden Biſchoue zu Augſpurg bekennen mit diſem briefe das ſolich vbergebung des obgeſchriben zehennten mit vnſerm gunſt wiſſen vnd willen geſchehen iſt Des zu Vrkunt haben

wir

wir ynnser Vicariats Insigel gehennckt an disen brief doch vns vnnsern nachkomen vnd Stifft des gemelten zehennden lehen lehenschaft one schaden, Der geben ist am Afftermontag des hailigen Creutztag Exaltacionis Nach Cristi vnnsers lieben herren gepurt tausend vierhundert sibentzig vnd newn Jare.

a) De Sigilla sunt illaesa.

Num. CCLXV. Confirmatio supradictae traditionis. Anno 1479.

Ex Originali.

In Nomine Domini Amen. Nos Judices Curie Augusten Recognoscimus et notum facimus vniuersis presentium inspectoribus Quod die date presentium comparuit coram nobis in loco nostro consistoriali solito mane hora causarum consueta ad iura reddenda pro tribunali sedentibus prouidus vir *Wilhelmus Hangenor* Laycus ciuitatis August. habens et tenens in suis manibus et in medium exhibens certas litteras donationis presentibus annexas de et super rebus et bonis per eum certis de causis in eisdem litteris expressis Venerabili patri dno Abbati et Conuentui Monasterii sanctorum *Vdalrici* et *Afre* ordinis sancti *Benedicti* Aug, ibidem per honorabilem virum magistrum *Jodocum Pflantzman* dicte curie nostre causarum procuratorem iuratum Sindicum suum prout de sui sindicatus officio nobis legitimis constabat prout constat documentis comparentibus et gesta ipsius *Wilhelmi* grato animo acceptantibus facto proposuit quod idem *Wilhelmus*

 et

et dixit Quod huiusmodi donatio summam quingentorum florenorum renensium iuxta communem estimationem rerum et bonorum excederet, ob eandem causam huiusmodi donatio insinuatione coram iudice ordinario secundum iuris communis dispositionem forte egeret ne igitur sibi in donatione huiusmodi et dicto dno Abbati et Conuentui preiudicium aliquod generetur donationem huiusmodi nobis insinuauit modo et forma quibus potuit melioribus petens humiliter et instanter insinuationem huiusmodi per nos tanquam iudices ordinarios acceptari necnon consensum nostrum ordinarium ad eandem donationem preberi et pro huiusmodi donationis robore et perpetua firmitate decretum nostrum ordinarium interponi Nos vero Judices prelibati considerantes pium et deuotum desiderium dicti *Wilhelmi* Quodque per huiusmodi donationem ad dictum monasterium tanquam ad locum pium et dictis dno Abbati et Conuentui factam diuinus cultus augmentaretur et regularis obseruantia *ipsorum dni* Abbatis et Conuentus que in dicto monasterio laudabiliter per plura tempora viguit eo melius conseruaretur in esse lecto et intellecto per nos dictarum litterarum donationis tenore omnibus melioribus modo via iure stilo causa forma et ordine quibus melius et efficacius potuimus et valuimus ac possumus et valemus eandem insinuationem quantum in nobis fuit acceptamus necnon donationem iuxta huiusmodi litterarum coram nobis productarum tenorem factam laudauimus et approbauimus ac laudamus et approbamus per presentes consensum nostrum prestantes ac decretum nostrum ordinarium interponentes volumus et decernimus vt bona in dictis litteris specificata cum suis pertinentiis vniuersis apud dictum monasterium futuris perpetuis temporibus permaneant dicta quoque donatio tam in iudicio quam extra illud legitima et efficax habeatur et censeatur robur quoque habeat per-

perpetue

petue firmitatis In quorum omnium et ſingulorum fidem robur et teſtimonium premiſſorum preſentes litteras exinde fieri et per Notarium publicum ſcribamque noſtrum infra ſcriptum ſubſcribi et publicari mandauimus Noſtrique Sigilli *a*) iuſſimus et fecimus appenſione communiri Datum et actum in ciuitate Aug. in loco conſiſtoriali noſtro ſolito ſub Anno a Natiuitate dni Milleſimo quadringenteſimo ſeptuageſimo nono Indictione duodecima Pontificatus Sanctiſſimi in Criſto patris et dni noſtri dni Sixti diuina prouidentia quart Anno nono die vero Jouis ſedecima menſis decembris hora primarum vel quaſi preſentibus ibidem venerabibus viris dno *Johanne Goſſolt* in decretis licentiato Canonico et Archidiacono eccleſie et Vicario Aug. in ſpiritualibus generali magiſtris *Jacobo Wirſung* - ſigillifero *Vdalrico Schaller* et *Berennardo Wagner* procuratoribus cauſarum curie noſtre Aug. teſtibus ad premiſſa vocatis et requiſitis.

Signum Notarii. Et Egó *Erhardus Wagner* de Wallſtetten Clericus Auguſten. dioc. publicus ſacra Imperiali auctoritate Notarius etc.

Num. CCLXVI. Praeſentatio ad Eccleſiam S. Nicolai. Anno 1479.

Ex Originali.

Reuerendo in criſto patri et dno domino Johanni dei et apoſtolice ſedis gratia Epo Auguſtn. Aut eius in ſpiritualibus vicario generali Hainricus Abbas Monaſterii ſanctorum *Vdalrici* et *Affre* Auguſten. ordinis ſancti *Benedicti* Quitquid poterit ſeruitii reuerencie et honoris Cum honorabiles viri dns *Nicolaus Kantzler* Capellanus capelle fcti *Nicolai* extra muros ciuitatis Auguften a) ex vna Et magifter *Jodocus Michaelis* vicarius perpetuus chori ecclefie Auguften. ad altare fcti Andree appli partibus ex altera eadem fua beneficia ad inuicem permutare defiderent et intendant Nos ad permutacionem eandem legittime celebrandam confummandam et autorifandam racione dicte capelle fancti *Nicolai* cuius iuf patronatus feu prefentandi ad nos pertinet pleno iure noftrum prebemus et adhibemus confenfum pariter et affenfum harum quibus figillum fecreti noftri appenfum eft teftimonio litterarum Datum anno dni Millefimo quadringentefimo Septuagefimo nono tercio Kln. Jannarii.

a) Apud eamdem ecclefiam erat Monialium Ord. S. Benedicti monafterium SS. Vdal. et Afrae Abbati fubiectum.

Num. CCLXVII. Inueftitura Parochi in Haidelftetten. Anno 1480.

Ex Originali.

JOHANNES GOSSOLT in decretis Licentiatus Canonicus et Archidiaconus ecclefie Auguften. Reuerendique in Xpo pris et dni dni JOHANNIS dei et apoftolice fedis gratia Epi Aug. in fpiritualibus vicarius generalis Vniuerfis et fingulis prefbiteris prefentibus requifitis falutem in domino Ad ecclefiam parochialem in *Haydellftetten* a) per liberam refignacionem *Erhardi Ranger* eiufdem ecclefie vltimi et immediati poffefforis vacantem ad prefens Venerabilis pater dns *Hainricus* permiffione diuina Abbas

totuftotusque Conuentus Monasterii sanctorum *Vdalrici* et *Affre* Augusten. ordinis sancti *Benedicti* qui ius presentandi ad se et monasterium suum asseruit pertinere dilectum nobis in Xpo *Gallum Ziegler* Clericum Aug. nobis ad prefatam ecclesiam legitime presentauit Cum et pro eo supplicans humiliter et instanter vt ipsum inuestire dignaremur Nos vero supplicationibus huiusmodi fauorabiliter annuentes premissis premittendis ac seruatis rite seruandis *Gallum* predictum nobis vt prefertur legitime presentatum ad dictam ecclesiam parochialem in *Haydelsteten* pro vero et perpetuo plebano duximus canonice instituendum et de eadem inuestiendum ac instituimus et inuestimus presencium per tenorem Curam animarum regimen populi et administracionem ipsius sibi in animam suam fideliter committendo Quocirca vobis committimus et mandamus quatenus prelibatum *Gallum* in et ad supradicte ecclesie iuriumque et pertinenciarum eiusdem possessionem inducatis corporalem facientes sibi ab hys quorum interterest de ipsius ecclesie fructibus redditibus prouentibus iuribus et obuentionibus vniuersis integre responderi ipsumque populum et populo fideliter committatis adhibitis in hys solemnitatibus debitis solitis et consuetis In cuius rei testimonium sigillum dicti dni nostri Aug. quo in nostro vtimur officio presentibus est appensum Datum Aug. Anno dni de Octuagesimo XVI. Kln. Aprilis.

a) Locus nunc penitus ignotus, neque inuestigandus erat in decanatu Wertingano, vti praesentationis litterae de an. 1510. demonstrant.

Num.

Num. CCLXVIII. Litterae Feudales decimas in Bobingen concernentes. Anno 1480.

EX ORIGINALI.

Wir JOHANNS von Gottes gnaden Bischoue zu Augspurg Bekennen mit dem brieue von wegen des zehenden vss den zwölf huben zu *Bobingen* gelegen. so von vns vnd vnserm stifft zu lehen rüret dauon der ersam vnser lieben getruwer *Wilhelm Hangenor* von Augspurg den zu lehen gehapt vnd vns fürbracht hat wie er solchen zehennden mit seiner zugehörd dem wirdigen vnd andechtigen vnsern lieben getruwen *Hainrichen* Abbte vnd gemeinlich dem Conuent vnsers Gotzhuss zu sannt *Vlrich* vnd sannt *Affren* hie zu Augspurg vber vnd ingegeben hab vnd daruff auch vns solchen zehennden vffgeben vnd vndertänigklich gebetten im als trager vnd in tragerweise des benanten Abbts vnd Conuents zu sant *Vlrich* vnd sant *Affren* zu Augspurg daruff denselben zehennden mit seiner zugehörd gnädigklich zu lyhen. Also solch sein auch des benanten Abbts vnd Conuents diemütig gebette vns angelegt angesehen so haben wir mit rat vnd wissen der wirdigen andechtigen lieben getruwen Dechant vnd Capitels vnsers Tumstiffts zu Augspurg vff das demselben *Wilhelm Hangenor* als trager vnd in tragerweise der benanten Abbts vnd Conuents zu sant *Vlrich* vnd sant *Affra* zu Augspurg den egeschriben zehennden vss den zwölf huben zu *Bobingen* gelegen mit seiner zugehörd zu rechtem lehen gnädigklich gelihen vnd lyhen auch ietz mit dem brief wissenntlich was wir im daran zu lyhen haben vns vnserm stifft vnd menglichs gerechtigkeit doch vnschädlich wie dann vnser vnd vnsers stiffts lehenrecht stand Also auch das er

solchen

solchen zehennden den benannten Abbt vnd Conuent getruwlich tragen auch dauon vns vnd vnserm stifft getruwe vnd gewere sein vnsern fromen fürdern vnd schaden warnen auch sunst tun sol alles das ein lehenman seinem herrn von lehen billichs vnd rechts wegen pflichtig ist. Vnd haben wir mit nämlichen worten solch lyhung getan in der gestalt vnd mit dem geding das hinfüro den ein yeder Abbt vnd Conuent zu sannt *Vlrich* vnd sannt *Affra* zu Augspurg allweg durch einen Erbern redlichen Burger zu Augspurg der nit lehen vom stifft hab von vns auch vnsern nackkomen zu lehen empfahen verdienen vnd damit auch sust als mit anndern des stiffts lehen gehalten werden soll wie lehensrecht ist alles getruwlich vnd vngeuärlich Geben vnd des zu vrkunde mit vnserm anhanngenden Insigel *a*) versigelt zu Augspurg an Montag nach dem heiligen Palmtag *b*) Nach Cristi vnnsers lieben herrn geburt Tausent vierhundert vnd im achtzigisten Jaren.

a) Sigillum est bene conseruatum. *b*) 27. Martii.

Num. CCLXIX. Compositio cum Jacobo Schwarz Mindelheim. Anno 1482.

EX ORIGINALI.

Ich JACOB SWARTZ Burger zu Mindelhain Bekenn offenlich mit dem brieff für mich vnd all mein erben vnd tun kunt allermengclich nachdem der beschaiden *Vlrich Mair Herman* der Erwirdigen herren hern *Hainrichs* Abbts vnd Conuentz sant *Vlrichs* vnd sant *Afren* zu Augspurg sant *Benedicten* Ordens

miner

miner lieben herren hinderſeſſe vff irem Mairhofe zu *Schönemberg a*) an der Mindel gelegen denſelben ſeinen herren fürbracht hat wie er ain mad habe in denſelben iren mairhoffe gehörig genant der Brüel vnderhalb Schönenberg gelegen darinn enmitten die von *Schönmberg* ain vichwaidlin haben das ir vnd irem Gotzhus an ſolichem mad merclich vnd ſchaden pring Nu hab ich obgenanter *Jacob Swartz* daſelben zu Schönenberg auch etliche meder in minen hoff den *Hans Hieber* ytzo von mir buwet gehörig, die ich anders nit wäſſern muge, noch das waſſer vff ſoliche mine meder nit füren noch laitten denn durch das genant ir vnd irs gotshus mad genant der brüel, Vnd wa wir ſoliche in ewig zit zu weſſren vergunnt vnd verwilligt wurd ſo wölt ich das ſelb der von *Schönenberg* vichwaidlin durch abwechſel von der von *Schönenberg* an mich pringen, vnd in vnd irem Gotzhus zu aigen geben. Wann nu der vorgenant min herr Abht vnd Conuent durch ir anwält den gemelten iren hinderſeſſen vnd ander byderlüt bericht ſind, das daſſelb ir mad auch etlich andre ir vnd irs gotzhus nieder dauon auch gewäſſert vnd gebeſſert werden Vnd in kainen ſchaden ſunder mer nutz und frommen bringet ſo haben die vorgenanten min herren der Abbt vnd Conuent mir obgenanten *Jacoben Swartzen* allen minen erben vnd vnſern hinderſeſſen vff vnſerm hoff ze Schönenberg mit guttem willen vergonnen vnd verwilligt durch das genant ir mad ain graben ze machen vnd ze graben vnd vnſre meder in den genanten hof gehörig zu ewigen Zitten ze wäſſern in maſs wie mir der ze graben ze machen vnd ze wäſſern. die erbern vnd wolbeſchaiden *Hans Aman* vnd *Conrat mair* bed von Saulgun die der obgemelt min herr Abt und Conuent vnd ir amptlüt dartzu beſchaiden haben angeben, die mir den alſo wie hernach volget ze machen vnd

ze

ze wässern angeben haben Nemlich so sol der grab vornen hinein bis an *Hansen mairbecken* mad zu Pfaffenhusen haben sybenthalben schuch an der wittin vnd drey schuch an der tieffin, vnd darnach fürass sechs schuch weitt, vnd zwayer tieff vnd also sollen vnd mügen ich obgenanter *Jacob Swartz* all min erben vnd alle vnser hindersessen nu fürbas mer allweg zu ewigen zeitten vnsre genante meder wässern nach alle vnser notdurft vngeuarlich. Doch so sol ich vnd min erben alle vnser hindersessen vnd auch die so an dem wässern anligen das wur fauchbörn vnd wassergraben one ir vnd irs gotzhus auch aller irer hindersessen vff dem genanten mairhoff arwait machen vnd in ewig zeitt halten. Vnd auch das genant irs gotshus mad genant der brüel alle Jar hindersessen vff dem mairhoff auch nach aller notdurft wässern lauffen. Doch das dieselben ir hindersessen den wassergraben nicht verschellen noch versetzen Also das das wasser seinen gang für vs vff vnsre meder haben muge vngeuarlich. Ir hindersessen söllen auch denselben graben nit einwerffen. doch wenn sy das hew ab dem mad füren wöllen, mügen sy wol holtz oder wellen darein legen damit sy darüber faren mügen, vnd das darnach wider nacher tun, ich vnd min erben vnd alle vnser hinderseſſen sollen auch in dem wassergraben sunst nichtz zetun haben denn allain mit vsraumen als wir ouch den graben wol vsraumen sollen vnd mügen als oft vns des not ist. doch zu billichen zitten. Vnd so das genant mad nit im bann ist. Vnd ob das wasser von im selbs ain gruben die tieffer dann hieuor stett machen wurd das sol vns kainen schaden pringen. vnd damit nit vss dem brief gangen sein, Wir sollen auch denselben Wassergraben also halten das zu den zitten so man nit wässert kain wasser darein gang, auch ist herinn beredt das ich min erben vnd all vnser hindersessen, solich

Hhhh wässern

wässern wie oben an dem brieff ſtät tun ſollen. daʒ irem vnd irs gotzhus mad genant elldrach zu Summers zeitten kain ſchad geſchech allz one geuerde. Vnd vmb das mir obgenanten *Jacob Schwartzen* die vorgenanten min lieb herrn Abt vnd Conuent das wässern wie vorſtat alſo vergunnen vnd verwilligt haben ſo han ich in vnd irem gotzhus das obgenant vichwaidlin in ire mad gelegen von denen von *Schönenberg* abgewechſelt. Vnd an mich gebracht vnd in den genanten iren mairhof zu lütter aigen geben. Vnd des zu waurem vrkund ſo han ich obgenanter *Jacob Swartz* für mich vnd min erben min aigen Inſigel offenlich tun hencken an den brieff. Vnd dartzu han ich mit fleiſs erbetten den Erſamen weiſen *Othmarn Brunner* burger zu Mindelhain das er ſein Inſigel *b*) im und ſein erben one ſchaden zu mer gezugknuſs auch offenlich an diſen brief hat tun hencken. Geben an dornſtag nach Philippi et Jacobi Apoſtolorum von Xpi gottes vnſers lieben herrn gepurt tuſent vierhundert achtzig vnd zway Jare.

a) In praefectura Mindelheim.

b) Sigilla ſunt bene conſeruata.

Num. CCLXX. Adminiſtratio Sacramenti extremae vnctionis Vicario parochiae S. Vdalrici ab Abbate conceditur. Anno 1482.

EX ORIGINALI.

In nomine domini Amen. Anno a natiuitate eiuſdem Milleſimo quadringenteſimo octuageſimo ſecundo Indictione quinta decima Pontificatus ſanctiſſimi in Xpo patris et dni noſtri dni

SIXTI

SIXTI diuina prouidentia Pape quarti anno duodecimo die vero Sabbati quinta mensis Octobris hora meridiei vel quasi in meique Notarii publici testiumque infra scriptorum ad hoc specialiter vocatorum et rogatorum presentia personaliter constitutus Reuerendus pater dnus *Johannes* permissione diuina Abbas Monasterii Sanctorum *Vdalrici* et *Afre* Augusten. ordinis sancti *Benedicti* afferens et exponens Quod cum ecclesia parochialis sancti *Vdalrici* Augusten. ipsi Monasterio legitime incorporata existat ipseque dns Abbas et sui antecessores ac Conuentus dicti sui Monasterii a longis temporibus et vltra memoriam omnium hominum sacramentum sacre vnctionis infirmis et subditis predicte ecclesie parochialis in signum dicte incorporationis ministrarunt ac iura et obuentiones ex huiusmodi ministracione obuenientes receperunt et imbursarunt Vnde vt prefatus dns Abbas subiunxit quod ipse ex certis causis animum suum ad hoc mouentibus ministerium dicti sacramenti sacre vnctionis honorabili viro dno *Johanni Ziegler* vicario perpetuo prelibate ecclesie sancti *Vdalrici* ibidem presenti duxit committendum et commisit vsque ad ipsius dni Abbatis seu successorum suorum reuocationem citra etiam preiudicium incorporationis eiusdem ecclesie parochialis cui quidem incorporationi per concessionem seu commissionem huiusmodi in nullo voluit preiudicare, Vnde prefatus dns *Johannes Ziegler* ibidem personaliter constitutus commissionem huiusmodi sic vt profertur sibi factam sponte acceptauit similiter vsque ad suam vel successorum suorum reuocationem quibus pariter per hoc nullum voluit preiudicium generare De quo hinc inde publice protestabantur Super quibus omnibus et singulis prenominatus dns Abbas me Notarium publicum infra scriptum quatenus sibi desuper vnum vel plura publicum seu publica conficerem instrumentum seu instrumenta publice

 lice

lice requisiuit Acta sunt hec Auguste in habitatione abbatiali supradicti Monasterii Anno Indictione Pontificatu die mense et hora quibus supra Presentibus ibidem honorabilibus viris dnis *Cristanno Herb* et *Johanne Kaufman* vicariis perpetuis ecclesie maioris Augusten Testibus ad premissa vocatis et rogatis.

Signum Notarii; et *Subscriptio*.

Et Ego *Jacobus Wirsung* Clericus Augusten dioc. publicus sacra imperiali Auctoritate Notarius etc.

Num. CCLXXI. Fundatio Capellae et sepulturae a Jacobo Hausteter facta. Anno 1482.

EX ORIGINALI.

Ich JACOB HAWSTETTER Burger zu Augspurg vnd ich *Vrsula* sein eehliche hawsfraw Bekennen offennlichen mit dem briefe für vns vnnser erben vnd thuen kunt allermengklich das vnns die Erwirdigen vnd Gaystlichen herren herr *Johanns* Abbte. *Petrus* Prior, vnd der Conuente des wirdigen gotzhawses sant *Vlrichs* vnd sant *Affren* zu Augspurg, mit guter vorbetrachtung vnd nach zayttigem rate so sy in irem Capittel mit beleutter gloggen, als sittlich vnd gewonlich ist, zu ainander berufft, darumb gehebt, vmb vnnser sunder begir vnd früntlich naygung, so wir zu in vnd irem gotzhaws bysshero gehebt, vnd mit den wercken mermaln bewysen haben, vff vnnser diemütig vnd vleyssig ansynnen bett vnd begern für si ir Conuent Gotzhaws vnd nachkomen vergonnt vnd erlawbt haben, innhallt

des

des briefs vns darumb gegeben, Allso das wir vns selbs ain begrebnuss in irs Gotzhawses sant *Vlrichs* vnd sant *Affren* Kirchen, dessgeleych ainen Altar mit ainem messgewannd vnd aller gezyerd zu ainem priester, alles auf vnnser selbs kost, in irem Conuent Gotzhaws vnd nachkomen one schaden, mit mann vnd frawen stüelen, wie nachsteet, aufrichten pawen vnd machen lassen vnd die füro zu ewigen zeytten allso haben sollen vnd mögen von mengklich vngeengt vnd vnuerhyndert vnd vngeirrt in allweg, Vnd sol nemlich die begrebnuss auffgericht vnd gemacht werden aussen an der abseytten geen dem Kirchhoff zwyschen den nechsten zwen sträbpfeylern vnnden an der zech segrar so weytt dieselben zwen strebpfeyler begreyffen, Allso das aufwenndig auf dem Kyrchoff gegen den zwayen pfeylern ain mawr mit vennstern nach aller nottorfft aufgefürt vnd ain pog durch die mawr in die Kirchen geschlossen vnd vergöttert werde mit ainer thür, dardurch man ein vnd ausgeen müg, vns ist auch darpey vergönnt zwyschen der zwayer pfeyler gegen vnnser grepnuss vber an den vordern ainen alltar vnd an den hynnttern ainen stul mit funff stennden, daran ich benampter *Jacob Hawstetter*, vnd wenn ich nit enpin der diener so vber mein seelgerätt laut meins testaments gesetzt wirdet vnd by in vier layenbrüder ruwigklich steen mögen aufrichten mag, vnd dartzu wenne man die pogen der zwayer pfeyler beschlyessen wirdet, mein Wappen in die schlossstayn ze machen, Weytter ist vns vergönnet ainen frauen stull zu nechst an vnnser begrebnuss mit drey oder vier stennden, alle in der form wie dann die gemaynen Mann vnd Frawen stüll in der Kyrchen daselb gemacht vnd sein werden vngefarlich aufzerichten Sollich begrebnuss mit vennstern verglasen vergättern, auch den Alltar mit messgewannd vnd allen getzyer zu ainem priester

Dartzu

Dartzu die geſtüell vnd wappen, wir alles auf vnnsern Koſten in irem Gotzhaws vnd nachkomen one ſchaden auffrichten ſollen. zu dem allem ſi vnns auch den ſtul vnd ſtannd in irem predighaws, da ich benanter *Hawſtetter* gewonlich geſtanden pin, furohin ewigklich von mengklichem vnuerhyndert ze haben vnd vnnsern layenbrüdern zugepranchen vergonnt haben. vmb ſollich ir gunſt vnd verwilligung wir zu vorberürter vnnser gutthatt funfftzig guldin guter reyniſcher an den paw irs Gotzhaws gegeben haben, Des alles zu veſtem gutem vrkund ſo geben wir den genanten Abbt Prior vnd Conuent des vermelten Gotzhaws vnd iren nachkomen diſen briefe beſigellten, mit mein benanten *Jacoben Hawſtetters* aygem anhanngenden Inſigell dartzu hab ich obgenante *Vrſula Hawſtetterin* mit vleyſs gebetten vnd erbetten den Erſamen vnd weyſen *Ludwigen Hofer* zunftmaiſter Burger zu Augſpurg das der sein Inſigell a) zu merrer getzewcknuſs offennlich hieran gehanngen hat doch im vnd ſeinen erben on ſchaden der geben ist an aller Selen tag Nach Criſti gepurdt Tawſent vierhundert vnd im zway vnd achtzigiſten Jare.

a) Sigillum primum eſt laeſum; ſecundum illaeſum.

Num. CCLXXII. Joan. Hauſtetter fundatio anniuerſarii. Anno 1482.

EX ORIGINALI.

Ich JACOB HAWSTETTER Burger zu Augſpurg, vnd ich *Vrſula* ſein eeliche hauſfraw, Bekennen offennlichen mit dem briefe für

für vns vnnser erben, vnd thuen kunt allen den die in ymmer ansehen lesent oder hörent lesen, das vns die Erwirdigen vnd Gaistlichen herren herr *Johanns* Abbte *Petrus* Prior vnd der Conuente des wirdigen Gotzhawses sant *Vlrichs* und sant *Affren* zu Augspurg, mit verayntem wolbedachtem mute vnd guter vorbetrachtung, als sy darumb mit beleutter gloggen als sittlich vnd gewonlich ist, zu ainander berufft vnd des ainmutiklich ze ratt worden ainen ewygen ymmerwerenden Jartag in irem Gotzhawss ierlich in nachfollgender weyse vnd form zubegeen, zugesagt vnd versprochen haben, innhallt des briefs vns darumb gegeben, Nemlich allso wenne beschicht das ich obgenanter *Jacob Howstetter* mit tod vergannge̅n vnd nit mer in leben pin des mich Gott der herr lanng tzeytt frysten wölle das dann ain yeder knecht meins Seelgeräts ains yeden Jars besunder acht tag vor oder nach mitfasten vngefarlich die obgenannten herren Abbte Prior vnd Conuente vnd ir nachkomen manen vnd ersuchen sol auf sollich sein ersuchen si ainen tag in acht tagen den nechsten nach sollicher mannung fürnemmen vnd im den bestymen, sollichs tags sie ir Conuent Gotzhawse vnd nachkommen vnns bayden ainen Jahrtag in irem Gotzhawse loblich begann sullen, aubentz mit ainer vygilt vnd placebo, vnd enmorgens mit ainem gesungen Seelamt, alles nach irs Gotzhawss loblicher gewonhait, dartzu derselb vnnser selgeräts Knecht oppfern brott liecht vnd ander gebürnuss on ir vnd irs Conuents schaden fürsehen ordnen vnd bestellen das auch füro by irem Gotzhaws beleiben sol alles vngefarlich, vnd nachdem wir auss früntlicher naygung so wir zu in vnd irem Gotzhaws, haben wir in versprochen vnd verhayssen, das wir auf sollichen Jartag yeds Jars besunnder für drey guldin reynisch, vysch oder annder Speys vnd getranck nach gefallen

vnd

vnd begern der Conuentherren, durch ir. Gotzheuses Keller in beywesen des vermelten selgeräts Knecht erkawft vnd durch denselben selgeräts Knecht betzalt werden sullen, in irem Conuent bey vnd mitainander zenyessen vnd zu verprauchen, vnd derselb selgerätz Knecht sol mit in in dem Conuent dasselbmal essen demselben irem Keller für sein müe des einkawffens ains yeden Jars besunnder, allwegen zwen grofs oder sechtzehen pfenning dafür von dem vermelten selgerätz Knecht aufserhalben der dreyer guldin gegeben werden sullen. Es soll auch ainem iedem Abbt do der ains yeden Jars bey sollichem Jartag selbs personlich sein vnd oppfer legen würde, desselben tags durch den vermellten selgeräts Knecht ain mafs Malfasiers oder vier grofs darfür vber seinen tysch bestellet vnd geantwurt werden, wöllichs Jars ain Abbt bey sollichem Ampt vnd oppfer selbs personlich nit sein wurd desselben Jars soll der Selgeräts Knecht die mafs malfasier oder der vier gros ze geben nit schuldig sein alles ongefarlich, Des Allso zu vrkund so geben wir den genanten Abbt Prior vnd Conuent des vermelten Gotzhaws vnd iren nachkomen disen briefe besigellten mit mein benanten *Jacoben Hawstetters* aygem anhanngendem Insigell Dartzu hab ich obgenante *Vrsula Hawstetterin* mit vleyfs gebetten vnd erbetten den Ersamen vnd weysen *Ludwigen Hofer* zunftmaister Burger zu Augspurg, das er sein Insigell a) zu merrer getzeugknufs auch offennlich hieran gehanngen hat doch im vnd sein erben on schaden Der geben ist an aller seelen tag Nach Cristi gepurt tawsent vierhundert vnd im zway vnd Achttzigisten Jare.

a) Sigilla bene conseruata reperiuntur.

Num.

Num. CCLXXIII. Permutatio prati in Bonstetten. Anno 1484.

EX ORIGINALI.

Wir Johanns von gottes verhenngknufs Brobst *Ofwaldus* Dechant vnnd der Conuente gemainlich des Gotzhaufs zum *heiligen Creutz* zu Augfpurg Bekennen offennlich mit dem brief vnnd thun kundt allermengclich das wir mit veraintem wolbebedachtem fynne vnnd mut auch gutem rate den wir defshalben in vnnferm Capitel darinn wir dann mit belütter glocken als fitlich vnnd gewonlich ist vefammet warn gehallten dem Erwirdigen herren hern *Johannfen* Abbt vnnd dem ganntzen Conuente gemainlich des Gotzhaufs fannt *Vlrichs* vnnd fannt *Affren* zu Augfpurg von vnfer vnnd vnnfers Gotzhaufs beffern fromen vnd nutzes wegen verwechfelt haben vnnfer vnnd vnnfers Gotzhaufs annderhalb tagwerk mads zu *Bonftetten a)* vnnderhalb Egerdach auf der lawgen vnd dem fwartzbrunnen gelegen auf das holltz ftoffend für ledig lofe vnuerkumbert vnnd recht aigen wie wir dann die mit irer zugehörde bifher inngehebt vnnd genoffen haben, vnd zu dem gut Egerdach gehört hat, Alfo das der gemellt herr *Johanns* Abbt vnd der Conuente des gedachten Gotzhaufs zu fannt *Vlrich* vnnd all ir nachkomen die obgemellten annderhalb tagwerk mads mit eller zugehörde innhaben nutzen vnnd nieffen follen vnnd mögen one vnnfer nachkomen vnnd allermengclichs von vnnfern wegen irrung widerrede vnnd anfprach Wann wir vnns für vnnfer Gotzhaufs vnnd all vnnfer nachkomen Aller der recht vordrung vnnd anfprach fo wir daran ye hetten oder hinfüro vberkommen möchten, yetz als dann vnnd dann als yetzo wiffentlich in crafft ditz

 briefs

briefs vertzigen haben darumb vnd dagegen sy vnns auf vnnser vlissig ansönnen vnnd frundtlich bitten in wechsels weyse für frey ledig vnuerkümbert vnd recht aigen zu vnnsern hannden geantwurt hat ain tagwerk mads zu *Bonstetten* oberhalb Egerdach vnnd der Weyer auf dem holltzmad gelegen wie sy das bissher inngehebt vnnd genossen haben vnnd in ir gut so *Contz Aubelin* yetzmals pawet gehörig gewesen ist, Vnnd also seyen wir vnnd vnnser Nachkomen der egedachten herren *Johannsen* Abbts vnnd Conuentz zu sant *Vlrich* auch aller irer nachkomen auf die obgemellten annderhalb tagwerk mads mit allen iren zugehörungen vnd rechten recht gewern für allermenglicha irrung vnnd Ansprach gaistlich vnnd welltlich nach aigens lands vnnd stett recht, vnnd nach dem rechten, Also welche irrung vnnd ansprach in oder irn nachkomen daran beschehe oder widerfure wie oder von wem das beschehe von gaistlichen oder welltlichen lütten oder Gerichten, das alles vnnd yedes sollen vnd wellen wir oder vnnser nachkomen inen oder iren nachkomen ausrichten sy des vertreten versprechen vnnd verstann vnnd auch allerding nichtig vnnd vnansprechig machen nach aigens lannds vnd stett recht, vnnd nach dem rechten gar vnnd gäntzlich onne allenn iren costen vnnd schaden getrewlich vnnd vngeuarlich Vnnd des alles zu warem vnd offnem vrkund haben wir vnnser Brobstey vnnd des Conuents Insigel *b*) offennlich an den brief gehenngkt Der geben ist auf freitag nach sannt Gillgen tag *c*) Nach Cristi gepurt viertzehenhundert vnnd im vier vnd achtzigisten Jare.

a) In praefectura Zusmarshusana.

b) Sigilla sunt laesa. *c*) 27. Augusti.

Num.

Num. CCLXXIV. Friderici Ep. litterae, quibus alienatores reliquiarum S. Simperti excommunicationis censura notantur. Anno 1491.

EX ORIGINALI.

FRIDERICUS dei et apostolice sedis gratia Epus Augusten Vniversis et singulis ecclesiarum parochialium plebanis, Viceplebanis, Ceterisque clericis Notariis et Tabellionibus publicis per ciuitatem et diocesin nostras Augusten vbilibet constitutis Salutem in dno Cum itaque sicut ordinauimus reliquias sancti *Simperti* Confessoris Epi et predecessoris nostri in monasterio nostro sanctorum *Vdalrici* et *Affre* Augusten. ordinis sancti *Benedicti* reconditas, die veteri tumba in nouum sarchophagum transferri, vt maiori reuerencia et honore venerentur et habeantur Volentes itaque ne de reliquiis huiusmodi quicquam alienetur, Idcirco vobis omnibus et singulis supradictis et cuilibet vestrum in virtute sancte obedientie mandamus quatenus venerabili et religiosis nobis in Xpo sincere dilectis Abbati et fratribus dicti monasterii coniunctim et diuisim ac omnibus et singulis aliis cristi fidelibus clericis et laycis auctoritate nostra inhibeatis, quibus et nos sub penis et censuris infrascriptis inhibemus per presentes, ne de reliquiis huiusmodi alienent, recipiant, sew alienari et recipi, neque alicui persone cuiusuis dignitatis, status vel conditionis existat aliquid de dictis reliquiis publice vel occulte dent, tradant, seu dari vel tradi promittant sub excommunicationis pena quam omnes et singulos presenti nostre inhibitionis violatores ipso facto incurrere volumus per presentes Volentes eosdem excommunicatos et quemlibet eorum sic ligatos manere, quousque a nobis absolutionis beneficium meruerint obtinere, inhibentes etiam omnibus et ſingulis confeſſoribus ſub dicta pena, ne excommunicatos huiuſmodi, aut aliquem eorum in foro penitentialis a peccatis eorum et dicto exceſſu preterquam in mortis articulo abſoluant, donec dictis Abbati et Conuentui reliquias huiuſmodi reſtituant realiter cum effectu, in cuius rei teſtimonium preſentes litteras appenſione ſigilli noſtri a) iuſſimus communiri. Datum ex caſtro noſtro Dillingen die veneris ſeptima menſis octobris. Anno dni Milleſimo quadringenteſimo Nonageſimo primo.

a) Sigillum eſt optime conſeruatum.

Num. CCLXXV. Inſtrumentum ſuper inuentione reliquiarum S. Simperti Ep. Anno 1491.

Ex Originali.

JOHANNES permiſſione diuina Abbas monaſterii ſanctorum *Vdalrici* et *Affre* Auguſten. ordinis ſcti *Benedicti* Vniuerſis et ſingulis Xpi fidelibus preſentibus et futuris cum noticia ſubſcriptorum ſalutem in dno ſempiternam; Vt animos Xpi fidelium quantum poſſumus ad deuocionem et veneracionem ſanctorum excitemus quoniam vti cernimus mala peccatis noſtris ex gentibus multiplicantur ſuper terram pro quibus iram dei meremur et flagellum pro auerſione neceſſarium extimauimus ſanctos dei implorare et illa precioſa pignora in monaſterio noſtro, multo tempore abſcondita ſuper candelabrum ponere vt in maiore reuerencia et honore prout dignum foret habeantur Vnde quondam Reuerendiſſimo in Xpo patre dno dno PETRO Cardinali et Epo Auguſten. coram felicis recordacionis ſanctiſſimo dno noſtro NICO-

LAO

lao papa quinto perſonaliter conſtituto et de reliquiis ſcti Simperti quondam Epi Auguſten. relatione faciente idem ſanctiſſimus dns noſter papa conceſſit et indulſit quatenus diuinum diurnum atque nocturnum officium cum hyſtoria et legenda eiuſdem ſcti Simperti predicto dno noſtro pape exhibitis in monaſterio noſtro per Abbatem et conuentum pro tempore exiſtentes legendo et cantando debita cum reuerentia perſoluere poſſint et valeant Quodque ipſe beatus Simpertus per nos et alios Xpi fideles de cetero tanquam ſanctus ſine alicuius peccati labe et tranſgreſſionis nota nominari reuereri et venerari poſſit et valeat prout in litteris dicti dni cardinalis deſuper confectis continetur et habetur Nos itaque volentes vt reliquie prefati ſcti Simperti maiori reuerentia et honore a Xpi fidelibus venerentur ne lucerna accenſa in abſcondito aut ſub modio ponatur de conſenſu ſcitu et voluntate reuerendi in Xpo patris et dni dni Friderici dei et apoſtolice ſedis gratia epi Auguſten. nobis ſpecialiter deſuper conceſſis preſente etiam et cooperante venerabili et egregio vtriuſque juris doctore dno *Hainrico* de *Lichtenaw* eiuſdem dni noſtri Epi Auguſten. vicario in Spiritualibus generali Tumulum ſcti Simperti qui ante capellam et altare ſub vocabulo ſuo conſecratum in eccleſia dicti monaſterii noſtri meridionalem verſus partem ſituatur cum proceſſione ſolempni accedentes reliquias huiuſmodi in ſarcophago ibidem poſitas effodimus et ex eodem in populi multitudine honorifice recepimus ad nouum mauſoleum ſiue ſarcophagum ſuo congruo tempore tranſferendas aſſiſtentibus nobis venerabilibus in Xpo patribus dnis *Georgio* permiſſione diuina Abbate monaſterii *Ceſarienſis* ordinis ciſtercienſis *Laurencio Velman* ſcti *Georgii* et *Vito Fackler* ſcte *Crucis* Auguſten. monaſteriorum Prepoſitis ordinis S. *Auguſtini* Canonicorum regularium *Vdalrico* de *Rechberg* maioris et *Jacobo Contzelman* ſcti *Mauricii*

Augu-

Augusten ecclesiarum decanis *Conrado Harscher* Scholastico *Georgio* de *Schaumberg Ludowico* de *Zillnhart Johanne Goffolt Wilhelmo Prwscher Cristofero* de *Knöringen Johanne* de *Wolfstain Conrado Frölich Pangratio Mauslin* Canonicis predicte maioris ecclesie Augusten. necnon priore et fratribus nostri conuentus In quorum omnium et singulorum fidem et testimonium premissorum presentes nostras litteras siue presens publicum instrumentum exinde fieri dictique dni nostri Augusten. quo prelibatus dns *Hainricus* vicarius suo vtitur in officio nostrique sigillorum vnacum subscriptione notariorum infrascriptorum iussimus et fecimus appensione communiri. Datum et actum in predicto monasterio Anno a natiuitate dni millesimo quadringentesimo nonagesimo primo Indictione nona Pontificatus Sanctissimi in Xpo patris et dni nostri dni INNOCENCII diuina prouidencia pape octaui Anno octauo in festo scti Andree appli Regnantibus serenissimis et inuictissimis dnis dominis FRIDERICO diuina fauente clementia Imperatore tercio et MAXIMILIANO primo rege Romanorum semper Augustis Presidentibus ibidem strenuis nobilibus et prouidis viris dnis *Wilhelmo* de *Papenhain*, *Magno* de *Hochenreichen* sacri Romani imperii marscalcis *Johanne* de *Westerstetten Sittich* de *Sebitz Cristoffero* de *Rechberg* militibus *Michaele Lintzko Johanne Zugeneste* polonis *Sigismundo* de *Prundenstein* Armigeris *Johanne Langenmantel Ludouico Hofer Sigismundo Gossenbrott Hilpoldo Ridler* magistris ciuium *Luca Welser Vdalrico Hochstetter* consulibus *Georgio Ott* aduocato ciuitatis Augusten. et magistro *Jodoco Pflantzman* sindico dicti nostri monasterii necnon multis aliis Xpi fidelibus ibidem congregatis testibus ad premissa vocatis pariter et rogatis.

Sequuntur subscriptiones Notariorum: *Jacobi Wirsung*: *Joannis Fischer* de *Dinkelspühl* Can. S. Mauritii: *Petri Mor* de Aichach et *Johan. Bayr* de Haydenhaim clericorum August.

Num.

Num. CCLXXVI. Instrumentum super Translatione S. Simperti Ep. Anno 1492.

Ex Originali.

Friedericus dei et apostolice sedis gratia Eps Augusten Vniuersis et singulis Xpi fidelibus presentibus et futuris Salutem in dno sempiternam cum noticia subscriptorum Gloriosus Deus in sanctis suis et in maiestate mirabilis cuius ineffabilis altitudo prudentie nullis inclusa limitibus nullis eciam terminis comprehensa recti censura iudicii celestia pariter et eterna disponit et si cunctos eius ministros magnificat altis decoret honoribus et celestis efficiat beatitudinis possessores illas tamen vt dignis digna rependat potioribus attollit insigniis dignitatum et premiorum vberiori retribucione prosequitur quos digniores agnoscit et commendat ingentior excellencia meritorum Preterea si quisque multum laborat ducem inuenire qui eum alicui mortali adducat quanto magis duces generis humani qui pro nobis hominibus ad deum interpellant sunt honorandi quorum reliquias dominator cristus fontes nobis prebuit salutares multiformia beneficia irrigantes illos enim honorando in eis honoramus et mirabilem eum predicamus qui ipsos sanctificauit Hinc est quod cum alias quondam bone memorie dns Petrus Cardinalis et Eps. Augustn. predecessor noster a quondam felicis recordacionis dno Nicolao papa quinto indultum impetrasset et obtinuisset quatenus diuinum diurnum atque nocturnum officium de Scto Simperto Epo qui in monasterio sctorum *Vdalrici* et *Affre* ordinis Scti *Benedicti* Augustn. requieuit tumulatus per Abbatem et Conuentum eiusdem monasterii possent inibi peragi ipseque sctus Simpertus a Xpi fidelibus de cetero pro Sancto nominari reuereri et venerari se-

rie

rie litterarum prefati quondam dni PETRI Cardinalis desuper confectarum *a*). Nos cupientes reliquias eiusdem scti SIMPERTI pro maiori veneratione in lucem produci ne lucerna accensa in abscons0 aut sub modio teneatur Quocirca venerabili nobis in Xpo dilecto *Johanni* de *Giltlingen* Abbati dicti monasterii concessimus facultatem cuius pretextu ipse coassumptis pluribus prelatis et egregiis personis tumulum scti SIMPERTI qui ante Capellam ad altare sub vocabulo suo consecratum in ecclesia dicti monasterii situabatur cum solemni processione in conspectu multitudinis populi publice accedens, reliquias suas in sarcophago ibidem contentas effodit et ex eodem recepit nouo sarcophago ad hoc construendo imponendas prout hec in litteris inde confectis *b*) limpidius clarent Verum facto in eodem loco pro ipsis reliquiis imponendis et inibi conseruandis nouo mausuleo siue sarcophago super terram eleuato Nos FRIDERICUS Eps prefatus volentes more vigilis pastoris quo dicte scti SIMPERTI *reliquie* deuocius venerentur quo dns noster Jhs Xpus ipsius intercessionibus vota dirigat fidelium et ad gratiam exaudicionis perducat eiusdem reliquias debitis honore et reuerentia suscipientes caput videlicet eiusdem scti SIMPERTI astante nobis et auxiliante serenissimo et inuictissimo principe et dno dno MAXIMILIANO diuina fauente clemencia Romanorum rege primo semper Augusto Hungarie Dalmacie Croacie etc. Archiduce Austrie Comite Flandrie Tyrolis Arthesii Burgundie Palatino Hanonie Hollandie Zellandie Namuri Zutphanie et Mechlinée sacrique imperii Marchione ac dno Frisie et Salinarum instituta solemnitate venerati sumus Reliquias vero per nos et per certos quos nobis duximus in hoc actu adiungendos videlicet reuerendum in Xpo patrem et dnm dnm *Vdalricum* diuina gratia Epm Adrimitanum suffraganeum nostrum et prefatum *Johannem* dicti monasterii

sctorum

sctorum *Vdalrici* et *Affre* Augusten. venerabilesque in Xpo nobis dilectos *Bartholomeum* S. *Crucis* in Werd *Jeorium* in *Fultenbach* prefati S. *Benedicti* et *Georgium* in *Roggenburg* premonstratensis nostre diocesis monasteriorum ordinum Abbates Astantibus eis et cooperantibus illustribus et generosis principibus et dnis *Cristoffero* et *Wolfgango* Comitibus Palatinis Reni superioris et inferioris Bauarie ducibus *Rudolpho* principe in *Anhalt* et *Eberhardo* iuniore Comite de *Wirtenberg* in processione solenni circum septa ipsius monasterii sctorum *Vdalrici* et *Affre* cum clero et populo tocius ciuitatis ad hoc vocatis et congregatis laudabiliter habita vsque ad nouum mausoleum seu sarcophagum predictum solemniter baiulatum et baiulatas publice ibidem proclamari et commendari fecimus Et seruatis solempnitatibus singulis in his seruari solitis capite ipsius scti SIMPERTI vt in monasterio sctorum *Vdalrici* et *Affre* predicto apud thezaurum aliarum reliquiarum sctorum inibi consistentium honorifice habeatur per nos ordinato atque vna de costis eiusdem scti SIMPERTI sigillo dicti altaris sub vocabulo suo per nos consecrati inclusa necnon quadem ex eisdem reliquiis Scti SIMPERTI particula vnius pollicis fere longitudinis et spissitudinis prefato dno MAXIMILIANO id petenti tradita et quadam alia minori earundem reliquiarum particula pro nobis reseruata et recepta ceteras vero omnes et singulas scti SIMPERTI reliquias ad nouum sarcophagum supradictum posuimus perpetuo inibi conseruandas eundem sarcophagum cum summa diligentia claudi iubendo et faciendo assistentibus etiam nobis in premissis venerabilibus et honorabilibus nobis sincere dilectis *Laurentio Velman* scti *Georgii Vito Fackler* scte *Crucis* monasteriorum ordinis scti *Augustini* Canonicorum regularium prepositis *Jacobo Contzelman* Decano S. *Mauricii* Augustn. *Henrico* de *Lichtenau* nostro in spiritualibus

 vica-

vicario *Conrado Harscher* Scolastico *Ludouico* de *Zülnhart Burchardo* de *Freyberg Andrea in der Clingen Cristofero de Knöringen Georgio* de *Swabsberg Wolffgango* de *Zülnhart* et *Conrado Frölich* officiali nostre ecclesie maioris Canonicis *Johanne* de *Salinis* decretorum doctore sedis apostolice prothonotario Nec non religiosis sepedicti monasterii sctorum *Vdalrici* et *Affre* fratribus videlicet *Wilhelmo Ranger* Priore *Johe Stenglin* Suppriore *Mathia Vmhofer Thoma Rieger Wilhelmo Wittwer Petro Conrado* et *Leonhardo Wagner Conrado Mörlin Johe Peirlin Symone Weinharte Balthazare Kramer Johe Griesher Sigismundo Zymerman Leonardo Weinlin Hainrico Hayden Sigismundo Lang Stephano Degen Andrea Burg Leonhardo Gregg Vdalrico Flechsenhaar* professis *Symone Ridler Erasmo Huber* nouiciis *Bernhardo* ac *Laurentio* conuersis In quorum omnium et singulorum fidem et testimonium premissorum presentes nostras litteras siue presens publicum instrumentum exinde fieri et prefati serenissimi dni regis Romanorum id mandantis nostrique sigillorum *c*) vnacum subscriptionibus notariorum infrascriptorum iussimus et fecimus appensione communiri Datum et actum Auguste in monasterio ac locis supradictis sub anno a natiuitate dni Millesimo quadringentesimo nonagesimo secundo Indictione decima die vero lune vicesima tercia mensis aprilis que erat feria secunda pasce Pontificatus Sanctissimi in Xpo patris et dni nri dni INNOCENCII diuina prouidentia pape octaui anno octauo Regnantibus gloriosissimo et inuictissimo principe et dno dno FRIDERICO diuina fauente clementia Imperatore tercio et prefato serenissimo dno MAXIMILIANO rege Romanorum eius nato semper Augustis Presentibus ibidem generosis strenuis nobilibus spectabilibus et egregiis ac prouidis viris dnis magistro *Francisco* de *Ponte* oratore et Cancellario regis Anglie et *Francisco Wolffgango* de *Hohenzolrn Cristofero foro* de *Sunnenberg Nicolao* et *Joh* regni Croacie de *Frankenhain* comitibus *Cristofero* de *Limpurg* ſacri Romani imperii pincerna, *Martino* et *Erhardo* de *Bolhain Georgio* von *Stain* in Goſſen *Sigiſmundo* de *Rorbach Georgio* de *Kaſtelwart Leonhardo* de *Fronberg* vom Hag *Michaele* de Eytzingen *Georgio* de *Kalten* Baronibus *Wilhelmo* de *Pappenhain Magno* et *Leonhardo* iuniore de *Hochenreichen* ſacri Imperii marſcalcis *Philippo Lort* ex Burgundia magiſtro curie dicti dni Regis Romanorum *Caſpare Mägk* Camerario eiuſdem dni Regis *Ernesto* de *Welden Diepoldo* vom *Stain Jacobo* de *Landow* militibus *Wolfhardo* de *Knöringen Paulo* et *Andrea* de *Giltlingen Georgio Morſcalco* de *Bibe bach Diethmaro* de *Liechtenaw Hainrico* de *Paulſweyl Petro* de *Frödenberg Vdalrico* de *Weychs Georgio Buchbeck Georgio* de *Aw Georio* de *Litzelſtain Jacobo Geblin* von pfird ex ſunco *Georgio* de *Lilberg* ex ſtiria *Georgio* de *Liechtenſtain Wilhelmo Güſs* Armigeris nobilibus *Wilhelmo Verchtel* Secretario noſtro et magiſtro *Jodoco Pflantzenman* curie noſtre Auguſtn. procuratore dictorum *Johis* Abbatis et Conuentus Sindico Atque *Sigiſmundo Goſſenbrott Johe Langenmantel Hypoldo Ridler Ludouico Hofer* magiſtris ciuium *Georgio Ott* prefecto ciuitatis Auguſtn. *Bartholomeo Ridler* Canonico Tridentino decretorum *Conrado Peytinger et Sebaſtiano Illſung* legum doctoribus *Georgio Herwart Leonhardo* et *Jacobo Rechlinger Luca Rem Georgio Contzelman Georgio Ridler et Johe Hämerlin* ciuibus Auguſtn. teſtibus ad premiſſa vocatis ſpecialiter atque rogatis.

Huic inſtrumento conſueta forma ſubiecta eſt ſubſcriptio quatuor Notariorum praecedenti numero relatorum.

Num. CCLXXVII. Litterae feudales Siluam in Balzhausen concernentes. Anno 1493.

EX ORIGINALI.

Wir Dechant vnnd das ganntz Capitel gemaintich des Stiffts zw sannt *Moricen* zw Augspurg Bekennen offennlich mit dem brieff vnnd thwn kund allermengclich das wir mit freyem willen wolbedachtem synn vnnd mute auch gutem vorraute den wir inn vnnserm Capitel darinn wir deshalb versamelt warn dem Erwirdigen inn got andächtigen herren hern *Johannsen* Abbt *Conrat* Prior vnnd dem ganntzen Conuent gemainlich des wirdigen Gotzhauss sannt *Vlrichs* vnd sannt *Affren* zw Augspurg vnnd allen jrn nachkomen auff ewigkait gelauffen vnnd verlihen haben vnnser vnnd vnnsers Stiffts holtz zu dem *Bernbach a)* gelegen stost ainhalb nach der lenng an *Simon Pawrs* holltz des auch zw dem Bernbach gehört zw der anndern seytten nach der lenng an vnnser gut so die Bernbacher die *Strödelin* genannt innhaben oben an *Clausen Kalkschmids* von Baltzhawsen holltz auch zw dem Bernbach gehörig vnnd vnnden aber an vnnser gut so die genante *Strödelin* innhaben doch allso vnnd mit der beschaydenhayt das sy das benant holltz hinfüro einem yeden Innhaber irs Gotzhauss hof zw Baltzhausen gelegen den yetzo *Leonhart Wagner* ir hindersäss daselbst innhatt vnnd pawt zw dem yetz genanten hof verleyhen sollen dauon dann ain yeder Innhaber desselben hofs vnns vnnserm stifft vnnd allenn vnnsern nachkomen oder wem wir das schaffend zu geben nun fürohin ewigclich alle Jar iärlich vnnd eins yeden Jar allain besonnder allwegen vff sant Gallentag acht tag dauor vngeuarlich oder nach geben vnnd zu vnnsern vnnd dennen hannden

den anntwurten sol zwölf-phenning der Stat Augspurg werung allwegen one allen vnnsern schaden vnnd abganngk Es sol ein yeder Innhaber des obgemellten hofs hinfüro nit mer noch weyter in dem berürten holltz rewtten weder äcker noch wyssen darinn machen so vill yetzo gerewt vnnd zw äcker gemacht ist sonnder das holltz hinfüro allain zw des obgemellten hofs notturfft nemlich ze zymern ze zewnen vnnd ze prennen niessen vnnd prauchen Doch die benant *Strödelin* vnnd ir nachkomen Innhaber des Bernbachs die wayd vnnd tratt in demselben holtz mit sampt dem acker so darinn wachset innhaben nutzen suchen vnnd mit irm vich darein treyben lassen von mengclichem vngeirrt vnnd vnuerhindert Ob auch ain innhaber des obgemellten sannt *Vlrichs* Gotzhauss hofs vnnd des berürten verlihen holltz die waid vnnd tratt anndern on schaden darinn suchen vnnd prauchen möchte sol im hiemit nit verbotten noch abgeschnitten sein getrewlich vnnd vngefarlich Vnnd des alles zu warm vrkund so haben wir vnnsers Capitels Innsigel *b*) offennlich an den brieff henngken lassen Der geben ist auff mitwochen nach sannt Georigen tag Nach Cristi gepurt viertzehenhundert vnd im drew vnnd newntzigisten Jaren.

a) Prope Balzhausen in praefectura Vrsberg.
b) Sigillum est bene conseruatum.

Num. CCLXXVIII. Conuentio decimae Goeggingae concernens. Anno 1494.

EX ORIGINALI.

Wir JOHANNS von gottlicher verhenngknuss Abbt vnnd gemainlich der Conuent des gotzhaws zu sannt *Vlrich* vnnd *Affren*

HAIN-

HAINRICH von SCHELLENBERG Thumher vnnd JÖRG VISCHER der Verg Burger zu Augspurg Bekennen offenlich vnnd thun kundt allermeniglich mit dem brief von wegen solcher Irrung Spenn clag vnnd zwiträcht so sich der zehenden halb bey *Geggingen* gelegen, der wir Abbt vnnd Conuent obgemellt ainem *Hainrich* von *Schellenberg* den anndern in das Sennffampt so ich von ainem wirdigen Capitel des Thumbs zu Augspurg innhab gehörig vnnd ich *Georg Vischer* den dritten in das vorgenampt das ich von dem hochwirdigen Fürsten meinem gnedigen hern von Augspurg innenhab gehörig bißher lang zeyt gehallten haben Also das vnnser yeder tail vermaint hat er wurde in solchen seinem zehenden vnnd zugepürnden taile durch den anndern vbergriffen etc. Das wir sölher Irrung vnnd Spenn mit allen iren Anhengen vnnd vmbstenden durch die wirdigen Edeln vnnd hochgelerten herren *Vlrichen* von *Westerstetten* vnnd her *Conraten Fröhlich* baider recht Licentiaten Official etc. baid Thumbherren zu Augspurg auf beuelhe vnnd mit willen vnnd vergunsten des genanten vnnsers genedigen herrn von Augspurg vnd seiner gnaden Capittl vnnd besonnder auch vff aller vnnser zusagen So wir inen darum vnnd deßhalben bey hanndgebenden trewen gethan haben mit vnnserm willen nach gnugsamer verhörung gütlich vnnd früntlich mit vnnd gegenainander betädinget gericht veraint versönt sind in form vnnd maynung wie hernach vollgt dem ist also am Ersten das aller vnwill vnnd vnfrewntschafft so sich solcher Irrung vnnd spenn halben zwischen vnnser zu allen tailen vnnd vnnsern zugewannten biß vff hewt dato ditz briefs in worten vnnd werken ye gegeben. verloffen gesachet vnnd gemachet haben ganntz niemand noch ichtz aufsgenomen noch hindan gesetzt mit disem brief ganntz todt vnnd ab vffgehebt vnnd ain verainte gerichte sach in all-

weg

weg haissen sein vnnd beleyben vnnd durch vnnser dhainen tail noch sein zugewanten oder yemand annder nun fürohin zu ewigen zeytten in argem noch vnfrundtschafft nicht mer geandet geäffert werden sol noch auch nit schaffen non bestellen gethon werden in dhain weyss noch wege vngeuarlich Fürter haben die genanten Tädingsherren hierinn zwischen vnnser betädinget vnnd gesprochen das hinfüro in ewig zeyt Wir obgemellten Abbt vnnd Conuent zu sannt *Vlrich* vnnd vnnser nachkomen dieselben bestimpten zehennden alle samlen vasen vnnd einnemen wie annder vnnsers Gotzhawses zehenden vnnd güllten on vnnser genedigen herrn von Augspurg seiner gnaden Capittel genannten von *Schallenberg Jörgen Vischers* vnnd ir nachkomen vnnd meniglichs verhindernuss in all weg vnnd darvon genantem von *Schellenberg* vnnd sein nachkomen bemellts senffampts für all zehenden so er der vnnd bey *Göggingen* in Senffampt gehörig hat geben sollen vnd wöllen on allen Abgang iarlichen vnnd yedes Jars besonnder ye vnnd allweg vff sannt Gallentag viertzehen tag vor oder nach sechs schaf roggen vnnd ain schaf keren ye acht metzen für ain schaf zu rechnen vnnd sechs schaf habers ye newndthalben metzen für ain schaf zu rechnen vnnd ain schaf gersten alles Augspurger mess vnnd das alles inen hie zu Augspurg in vnserm Gotzhaws on allen iren schaden antwurten nach Eysengülltrecht in aller Form mass vnnd rechten sollen vnnd wöllen Wir obgemellten Abbt vnnd Conuent vnnd vnnser nachkomen bemellten *Jörgen Vischer* sein leben lang vnnd seinem Absterben seinen dreyen Sunen vff die dann vorgenampt verleybgedingt ist vnnd nach iren absterben genantten vnserm gnedigen herren von Augspurg vnnd seiner gnaden nachkomen Bischoue zu Augspurg für ir zehenden so sy der ennd haben bey *Göggingen* in das vorgenampt gehörig geben

ben fouil roggen kern habern vnnd Gerften wie dem von *Schellenberg* ye vnnd allweg vff fannt Gallen tag wie vor ftatt trewlich vnnd vngeuarlich vnnd nachdem die gemellten herr *Hainrich* von *Schellenberg* ain fchaf roggen ain fchaf habers vnd *Jörg Vifcher* ain halb fchaf roggen vnnd ain halb fchaf habers von irem tail zehennden zu *Göggingen* alle Jar ainem Brobft vnnd Conuent zu *hailigen Crewtz* hie zu Augfpurg lawt ains tadings briefs iärlichen zu geben fchuldig find ift durch die gemellten tadings herren gefprochen das nun fürohin in ewig zeyt wir mer genanten Abbt vnnd Conuent zu fannt *Vlrich* vnnd vnnfer nachkomen follen drew fchaff roggen vnnd habers wie vor ftat für gemellten von *Schellenberg* vnnd *Jörgen Vifchers* vnnd irn nachkomen den gemellten Brobft vnnd Conuent zum *hailigen Creutz* irn nachkomen laut des tadingsbriefs geben vnnd bezalen follen on des von *Schellenberg Jorgen Vifchrn* vnnd irn nachkomen koften vnnd fchaden vnnd bemelten Brobft vnnd Conuent zum *hailigen Creutz* darum mit befunnder verfchreybung verfichern nach aller notturfft alles trewlich vnnd vngeuarlich alle arglift vnnd geuerd in allen vnnd yden obgefchribenen puntten vnnd artikeln in allweg aufsgefchloffen vernntten vnnd hindan gefetz Darumb vnnd des alles alfo zu veftem vnnd warem vrkund find difer tading vnnd fpruch drey brief in gleylauttender form aufgericht gemacht vnnd mit des hochwirdigen Fürften vnnfers genedigen herrn Bifchoue FRIDERICHEN feiner gnaden Capittl zu dem Thum vnnfer obgemellten Abbt vnnd Conuent zu fannt *Vlrich* zu Augfpurg Abbtey vnnd Conuent vnnd der gemellten tadings herren herrn *Vlrichs* von *Wefterftetten* vnnd *Conrat Fröhlich* aller anhanngenden Innfigelln a) befigellt vnnd Geben vff Freytag nach fannt Johanns des hailigen Tauffers tag zum Sunwenden nach Crifti vnnfers lieben Herrn

geburt

geboet Taufeant vierhundert vnd im vier und newntzigiften Jare.

a) Sigilla funt illaefa.

Num. CCLXXIX. Alexander PP. VI. parochiam S. Vdalrici monafterio incorporat. Anno 1495.

E x O r i g i n a l i.

ALEXANDER Eps Seruus Seruorum Dei Ad perpetuam rei memoriam. Ad ea ex iniuncto nobis defuper quamquam infufficientibus meritis apoftolice feruitutis officio libenter intendimus per que noftre prouifionis auxilio fidelibus fingulis prefertim fub fuaui religionis iugo altiffimo famulantibus in eorum neceffitatibus necnon animarum faluti valeat falubriter prouideri. Dudum fiquidem omnia beneficia ecclefiaftica cum cura apud fedem apoftolicam tunc vacantia inantea vacatura collationi et difpofitioni noftre referuauimus decernentes extunc irritum et inane fi fecus fuper hys a quoquam quauis auctoritate fcienter vel ignoranter contingeret attemptari. Cum itaque poftmodum parrochialis ecclefia fanctorum *Vdalrici* et *Affre* fita infra fepta Monafterii eorundem fanctorum Auguftn Prouincie Moguntin ordinis fancti *Benedicti* per liberam refignationem dilecti filii *Johannis Zyegler* nuper ipfius ecclefie Rectoris de illa quam tunc obtinebat per dilectum filium *Paulum Koler* clericum Auguften procuratorem fuum ad hoc ab eo fpecialiter conftitutum in manibus noftris fponte factam et per nos admiffam apud fedem predictam vacauerit et vacet ad prefens nullufque de illa preter nos hac vice difponere potuerit fiue poffit referuatione

 et

et decreto obsistentibus supra dictis. Et sicut exhibita nobis nuper pro parte dilectorum filiorum Abbatis et Conuentus dicti Monasterii petitio continebat si dicta ecclesia ad quam dum pro tempore vacat presentatio persone ydonee ad Abbatem pro tempore existentem eiusdem Monasterii ac predictos Conuentum de antiqua et approbata hactenusque pacifice obseruata consuetudine pertinet et super cuius fructibus redditibus et prouentibus Abbas et Conuentus prefati pensionem annuam seu censum annuum viginti sex librarum monete opidi Monacen. frisingen dioc. percipiunt et que vt a nonnullis asseritur dudum eidem Monasterio vnita annexa et incorporata extitit dicto Monasterio perpetuo vniretur annecteretur et incorporaretur. Ita quod hic eisdem Abbati et Conuentui deinceps perpetuis futuris temporibus. eidem ecclesie per aliquem Monachum dicti Monasterii vel alium sacerdotem ydoneum secularem aut regularem pro eorum solo nutu ibidem ponendum et inde amouendum *in diuinis* deseruiri et illius parrochianorum animarum curam exerceri facere profecto ex hoc eorundem Abbatis et Conuentus comoditatibus non parum prouisum foret ipsi que ad deseruiendum eidem ecclesie talem personam deputare studerent per cuius diligentiam et solicitudinem cura animarum parrochianorum predictorum salubriter exerceretur. Pro parte Abbatis et Conuentus predictorum asserentium quod ipsi alias contra dictum *Johannem* super dicta pensione litigando tres conformes diffinitiuas sententias pro se et contra ipsum *Johannem* non absque magnis laboribus et expensis reportarunt et deinde ad euitandum nouas lites tractantibus nonnullis probis viris cum ipso *Johanne* concordarunt pro qua concordia adimplenda dictus *Johannes* ecclesiam ipsam vt prefertur resignauit quodque fructus redditus et prouentus dicte ecclesie octo Marcharum argenti secundum communem ex-

extimationem valorem annuum non excedunt nobis fuit humiliter supplicatum vt ecclesiam ipsam eidem Monasterio perpetuo vnire annectere et incorporare ac alias in premissis oportune prouidere de benignitate apostolica dignaremur. Nos igitur qui dudum inter alia voluimus quod petentes beneficia ecclesiastica alias vniri tenerentur exprimere verum valorem annuum secundum communem extimationem etiam beneficii cui aliud vniri peteretur Alioquin vnio non valeret et semper in vnionibus fieret commissio ad partes vocatis quorum interesset prefatos Abbatem et Conuentum ac eorum singulos a quibuscunque excommunicationis suspensionis et interdicti aliisque ecclesiasticis sententiis censuris et penis a iure vel ab homine quauis occasione vel causa latis si quibus quomodolibet innodati existunt ad effectum presentium duntaxat consequendum harum serie absoluentes et absolutos fore censentes necnon fructuum reddituum et prouentuum dicti Monasterii verum annuum valorem presentibus pro expresso habentes huiusmodi supplicationibus inclinati ecclesiam predictam siue premissio siue alio quouis modo aut ex alterius cuiuscunque persona seu per similem resignationem dicti *Johannis* vel alterius de illa in Romana curia etiam coram Notario publico et testibus sponte factam aut Constitutionem felicis recordationis Johannis ppe XXII. predecessoris nostri que incipit Execrabilis vel assecutionem alterius beneficii ecclesiastici quauis auctoritate collati vacet etiam si tanto tempore vacauerit quod eius collatio iuxta Lateranen statuta Concilii ad sedem predictam legitime deuoluta ipsaque ecclesia dispositioni apostolice specialiter vel alias generaliter reseruata existat et super ea inter aliquos lis cuius statum presentibus haberi volumus pro expresso pendeat indecisa dummodo eius dispositio ad nos hac vice pertineat cum omnibus iuribus et pertinentiis suis ei-

 dem

dem Monasterio auctoritate apostolica tenore presentium perpetuo ynimus annectimus et incorperamus Ita quod liceat extunc Abbati et Conuentui prefatis per se vel alium seu alios corporalem possessionem ecclesie iuriumque et pertinentiarum predictorum propria auctoritate libere apprehendere et perpetuo retinere illiusque fructus redditus prouentus in suos dicti Monasterii vsus et vtilitatem conuertere. necnon eidem ecclesie per aliquem Monachum dicti Monasterii seu alium sacerdotem ydoneum secularem seu regularem per eorum solo nutu ponendum et amouendum in diuinis deseruiri illiusque parrochianorum animarum curam exerceri facere dioecesani loci et cuiusuis alterius licentia super hoc minime requisita Non obstantibus voluntate nostra predicta ac pie memorie BONIFACII pp. VIII. etiam predecessoris nostri et aliis constitutionibus et ordinationibus apostolicis contrariis quibuscunque Aut si aliqui super prouisionibus sibi faciendis de huiusmodi vel aliis beneficiis ecclesiasticis in illis partibus speciales vel generales dicte sedis vel legatorum eius litteras impetrarunt etiam si per eas ad inhibitionem reseruationem et decretum vel alias quomodolibet sit processum quas quidem litteras ac processus habitos per easdem et inde secuta quecunque ad dictam vnitam ecclesiam volumus non extendi sed nullum per hoc eis quoad assecutionem beneficiorum aliorum preiudicium generari et quibuslibet aliis priuilegiis indulgentiis et litteris apostolicis specialibus et generalibus quorumcunque tenorum existat per que presentibus non expressa vel totaliter non inserta effectus earum impediri valeat quomodolibet vel differri et de quibus quorumcunque totis tenoribus de verbo ad verbum habenda sit in nostris litteris mentio specialis. Prouiso quod propter vnionem annexionem et incorporationem predictas dicta ecclesia debitis non fraudetur obsequiis et animarum cura in ea nul-

nullatenus negligatur sed eius congrue supportentur onera consueta. Nos enim prout est irritum decreuimus et inane si secus super his a quoquam quauis auctoritate scienter vel ignoranter attemptatum forsan est hactenus vel imposterum contigerit attemptari. Nulli ergo omnino hominum liceat hanc paginam nostre absolutionis vnionis annexionis incorporationis et voluntatis infringere vel ei ausu temerario contraire Si quis autem hoc attemptare presumpserit indignationem omnipotentis dei ac beatorum *Petri* et *Pauli* Apostolorum eius se nouerit incursurum. Dat. Rome apud sanctum *Petrum* anno incarnationis dominice Millesimo quadringentesimo nonagesimo quinto Kl. Aprilis Pontificatus nostri anno tercio.

D. Galletus. *B. de Burmo Lupicinus.*
R. Cabredo *M. Robun.*
Ja. de Bosis. Et pro annata duc. vnum. *M. Saxls.*
B. de Angleria.

Solicitauit *Engel: Funk* et exposuit ducentos viginti et quinque A. dr. arab.

Num. CCLXXX. Immunitas a theloneo per Max. Reg. concessa Anno 1496.

Ex Originali.

Wir Maximilian von Gottes Gnaden Romischer Kunig zu allen Zeiten merer des Reichs zu Hungern Dalmatien Croatien etc. Kunig Ertzhertzog zu Osterreich Hertzog zu Burgundt zu Bra-

Brabannt zu Ghelldern e Graue zu Flanndern zu Tyrol etc Bekennen das Wir den Ersamen vnnsern lieben Andechtigen *Conraten* Abbt vnnd dem Conuente des Gotzhaus zu sant *Vlrich* in Augspurg die gnad getan haben wissentlich mit dem brief das sy aller zoll in vnnser Graffschafft Tyrol von den Weinen die inen auch darinn wachssen vnnd zu zinns vnnd dienst geraicht werden wie annder Prelaten vnnd Gotzhewser die auch an denselben enden wein haben vnnd von dannen füren zugeben frey sein vnnd gehalten vnnd dawider nit beschwert werden sollen in dhein weyse vngeuarlich, Mit vrkund ditz briefs besigelt mit vnnserm Kunigelichen anhangendem Insigl Geben zu Augspurg an Eritag nach dem Sonntag *Misericordia dni a)* Nach Christi gepurt Viertzehenhundert vnnd im sechsundnewtzigisten Vnnser Reiche des Römischen im Eylfften vnd der Hungerischen im sibennden Iaren.

a) Dominica secunda post Pascha, quae erat decima septima Aprilis.

Num. CCLXXXI. Transactio Ep. cum Monast S. Vdal. ob Incorporationem Parochiae. Anno 1496.

Ex Originali.

FRIDERICUS dei et apostolice sedis gratia Epus Augusten. Venerabili et Religiosis nobis in Xpo dilectis *Conrado* Abbati et Conuentui Monasterii sanctorum *Vdalrici* et *Affre* ordinis sancti *Benedicti* Augusten Salutem in dno sempiternam Exposcit inter cetera nostri pastoralis officii debitum et requirit vt ea que ad diuini cultus augmentum et personarum deuote dno famulantium

con-

congruam fustentationem pertinent verbo et opere fauorabiliter studeamus promouere. Hinc est quod cum pridem ecclesiam parrochialem infra septa dicti Monasterii que dudum alias etiam eidem Monasterio asserebatur vnita annexa et incorporata de nouo a sanctissimo in Xpo patre ac dno nro dno ALEXANDRO diuina prouidentia ppa sexto sub datis Rome apud sctm Petrum anno Incarnationis dominice Millesimo quadringentesimo nonagesimo quinto Kls Aprilis Pontificatus sui anno tertio vniri annecti et incorporari Ita quod liceret vobis per vos ipsos vel alium seu alios corporalem possessionem ecclesie predicte iuriumque et pertinentiarum omnium eiusdem propria auctoritate apprehendere et perpetuo retinere illiusque fructus redditus et prouentus in vestros ac dicti Monasterii vsus et vtilitatem conuertere necnon eidem ecclesie per aliquem Monachum dicti Monasterii seu alium sacerdotem ydoneum secularem vel regularem pro vestro solo nutu ponendum et amouendum in diuinis deseruiri illiusque parrochianorum animarum curam exerceri facere diocesani loci et cuiuslibet alterius licentia super hoc minime requisita obtinuissetis prout in litteris apostolicis desuper confectis plenius continetur Verum quia intentionis vestre vt asserebatis nusquam erat nobis et successoribus nostris per huiusmodi vnionem et incorporationem preiudicare velle Et idcirco vos pro iuribus Episcopalibus nobis et successoribus nostris persoluendis litteris tamen predictis in suo robore mansuris nobiscum composuistis et concordastis in modum subsequentem In primis in institutione cuiuslibet prelati vestri Monasterii predicti idem prelatus sic institutus et Monasterium tenebuntur persoluere Epo Augusten pro tempore existenti loco primariorum fructuum viginti duos florenos Renen. de fructibus et redditibus dicte ecclesie prout per vos *Conradum* modernum Prelatum post dictarum

lit-

litterarum admiſſionem inſtitutam de preſenti dari debeant Item quia plebani dicte eccleſie qui pro tempore ante predictarum litterarum vnionis impetrationem fuerunt ſingulis annis quinque libras denariorum pro cathedratico perſoluere fuerunt aſtricti et perſoluerunt Quare vos et ſucceſſores veſtri in quos dicte eccleſie regimen predictarum litterarum pretextu tranſlatum et tranſfuſum eſt ad huiuſmodi cathedratici ſolutionem Epo Auguſten pro tempore exiſtenti impoſterum ſingulis annis faciendam tenebimini Item quotienſcunque contigerit caritatiuum ſubſidium ſeu ſteuram per Epm pro tempore exiſtentem a ſuo clero recipi tenebimini de dicta eccleſia caritatiuum ſubſidium ſeu ſteuram huiuſmodi perſoluere prout plebani eiuſdem eccleſie antea fecerunt et tenebantur Conſequenter quamuis priuilegii per vos obtenti pretextu per aliquem Monachum dicti Monaſterii ſeu alium ſacerdotem ydoneum ſecularem vel regularem pro ſolo veſtro nutu ponendum et amouendum dicte eccleſie in diuinis deſeruiri facere vt prefertur vobis liceat Volumus tamen quod Epus pro tempore exiſtens ſeu eiuſdem in ſpiritualibus vicarius generalis de Idoneitate alicuius pro prouiſore dicte eccleſie per vos ſic poſiti cognoſcere poſſit ipſeque ſic poſitus prouiſor Iuriſdictioni ordinarie ſit ſubiectus ſaluo tamen quod ſi ex certa cauſa per vos aliquem ex Monachis dicti Monaſterii in prouiſorem eiuſdem eccleſie recipere contingeret quo caſu ſuperioritati et Iuriſdictioni vobis in et aduerſus eundem tam ratione ordinis quam alias competentibus non debeat eſſe renuntiatum, neque Epo Auguſten in ſuo iure ordinario preiudicatum. Demum voluiſtis concordiam huiuſmodi ſi prefate vnioni in aliquo preiudicaret aut vnio predicta per eandem lederetur pro infecta haberi niſi ſedis apoſtolice auctoritas interueniret. Pro quorum itaque iurium epiſcopalium ſolutione et premiſſorum obſeruantia fruc-

fructus redditus et prouentus dicte ecclesie nobis et successoribus nostris vosque et successores vestros obligastis Renunciantes priuilegiis et indultis per vos obtentis et obtinendis que contra premissa et eorum aliqua facere possent quibus contra nos nostrosque successores neque in iudicio neque extra aliquatenus vti debeatis dicta vnione nihil omninus semper salua prout in litteris vestris obligationis sigillis vestris sigillatis nobis traditis limpidius claret Quapropter prefatas vnionis et incorporationis litteras dudum alias per nos sanas integras non viciatas neque in aliqua parte suspectas inuentas et repertas ac saluis iuribus nostris Episcopalibus admissas denuo duximus admittendas et admisimus et tenore presentium admittimus nolentes vos dictis iuribus Episcopalibus saluis contra ipsarum litterarum continentiam et tenorem aliquatenus molestari In quorum omnium et singulorum fidem et testimonium premissorum presentes litteras exinde fieri sigillique nostri iussimus et fecimus appensione communiri a) Datum et Actum anno a natiuitate dni Millesimo quadringentesimo nonagesimo sexto die Martis tercia decima mensis Septembris.

a) Sigillum est illaesum.

Num. CCLXXXII. Venditio quorundam bonorum in Vischach. Anno 1496.

Ex Originali.

Ich Anna Mörlerin, *Mangen Ferbers* eeliche haussfraw wonhafft zu Augspurg, Bekenn offennlich für mich vnd alle mein erben mit dem briefe vor allermengklich, das ich mit freyem gutem willen wolbedachtem fynn vnd mute, in crafft vnd machte, der vbergabe, fo mir durch den genanten *Mengen Ferber*, meinen lieben eewirt aller ligenden vnd varenden habe vnd gut halben nach Innhalt ains befigelten briefs befchehen ift, vnd fonderlichen mit deffelben meins eewirtz, wiffen willen vnd vergunften, auch nach feinem, vnd andrer meiner guten Fründ raute vnd vnderweyfung, von meiner notdurfft vnd beffers nutzes wegen, meine nachgefchriben ftuck vnd gute zu *Vifchach a*) nämlich die zway hewfer, hoffftett vnd gärten, an einander, zwifchen *Hannfen Gäffels* von Vttenhofen, vnd *Jörigen vetters* Burgers zu Augfpurg güetter gelegen, Mer zwu Juchart vnd ain viertail ackers, minder oder mer vngeuarlich ligend am grafsweg, ftoffent vff das dorffe, vnd oben vff fant Martins zu Augfpurg gut, Mer aine halbe Juchart ackers ze Keynenberg ftofst vornen vff die ftrafs, vnd oben an die gemaynt, vnd leyt innen gen dorff daran, fannt *Martins* vnd auffen *Jörigen Ridlers* burgers zu Aupfpurg güetter, Mer fiben viertail ackers bey der Langen wis ftofft vff die ftrafs, vnd des *Schmückers* gut, gem dorf leyt des *Welfers*, vnd auffen fant Martins obgenannt guetter daran, Mer ain viertail ackers, im Kreben, ftofft vff die vichwaid, vnd oben an *Hannfen Gäffels*, vnd neben ze Rayn an der Aebbtiffin zu Schönenfeld güetrn Mer ain halbe Juchart ackers, ftofst vff die Neyffnach, oben vff den Creutzfleckeu vnd fant Martins gut, vnd leyt innen gem dorff daran des *Ridlers* gut. Item anderthalbe Juchart ackers, ftoffent vff den Creutzflecken, vnd oben vff die gemaind, vnd leyt fant Martins gut auffen daran, vnd gem dorffe fant Vlrichs gut, Item anderthalbe Juchart ackers, ligend vff der ftegwis vnd an der hailigen wis zu Arnetzried. vnd an der gemayndweg. Item ain tagwerk wifmads leyt vor dem acker, vnd

vnd ftofst vff die Iägerin. Item drew tagwerck mads, die zwischen des burgftals vnd der Schmutter ligen, Item anderthalb Tagwerk wifmads, fo ich alle Iar mit *Hannfen Krämeln*, der auch anderthalb tagwerck hat, ze höwen hab, an den fechs Tagwerk mads nemlich drew Tagwerck zwifchen der Neyffnach vnd den ackern dafelbs zu Vifchach genant die Birenbömin, vnd drew Tagwerck ftoffent vff die Schmutter vnd an den burgftal vnd vnden an der hailigen Gut, vnd gand alle Iaur drew tagwerck gegen *Vrfula Burckhartin* zu wechfel, wie denn von alter heerkomen ift, Item ain mad genant Seelach, Item newn Iuchart ackers in der Rewtin ftoffent, drew Iuchart ackers vff den weg, der durch das gut gat vnd ligen vnden an *Hannfen Krämelrs* acker, gen den Seelach, Mer drey Iuchart ackers an der ober brayttin, an dem vnderm ort, Mer drew Iuchart ackers genant die brayttin. Mer ain holtzmarck an das verlorn holtz vnd Riedeweg ftoffet darzu dz höltzlin fo ich von *Hannfen Burckhart* erkaufft han, Item ain tagwerck mads in dem aygen holtz, vnd ftofst vff das verlorn holtz, Mer fünff tail ackers bey dem innern fteininfurt, ftofsen oben vff des *Schmuckers* gut, Item ain viertail ackers zu Schalkenberg oben vnd vnden vff die vichwaid, vnd ligt auffen daran der widemacker. Vnd was zu den gemelten ftucken vnd guten gemeinclich vnd fonderlich vberal yendert gehört von billichait rechtz oder gewonhait wegen gehörn fol oder mag ob erd vnd vnder erd an befuchtem vnd vnbefuchtem, erpawem vnd vnerpawem, mit allen vnd yedlichen zu vnd eingehörungen, nichtz dauon aufgenomen noch hindan gefetzt, die alle recht frey ledig aigen, vnd fuft gen mengklichen vnuerfetzt vnd vnuerkümert find, dann aufgenomen, das dem lieben hailigen fant Micheln patron zu Vifchach vier Kirchlayb, vnd dem pfarrer dafelbs vier pfening zu hewtzehenden, ierlich

 daraus

daraus gand, vnd gan sollent. Mit dem briefe yetzo ains stätten ebigen ymmer wernden Kaufs, recht vnd redlich verkaufft vnd zu kaufen geben han, vnd thu das yetzo wissentlich in crafft ditz briefs, in der besten maynung, vnd es Krafft vnd macht hat haben sol vnd mag. Den Erwirdigen geistlichen herren, hern *Cunraten* Abbte vnd dem Conuente gemainlich des wirdigen Gotzhawss sant *Vlrichs* vnd sant *Affre* zu Augspurg, irem Gotzhause, vnd allen iren nachkomen, Vmb anderthalbhundert Guldin, guter reinischer gemainer landswerung, die ich also bar und berayt von in empfangen, vnd anderhalben meinen nutz vnd fromen bewenndt han. Vnd vff das, so han ich inen, die obgemelten stuck vnd gut, mit ir aller vnd ir yedes zu vnd eingehörungen, auch mit allen darzu gepürnden vnd notdürfftigen wort vnd werken, wie recht ist, frey ledig auff vnd vbergeben vnd mich das alles, auch aller vnd yedlicher meiner recht vnd gerechtigkait daran, *gentzlich* vnd aller ding vertzigen vnd begeben, vertzeych vnd begib mich der auch yetzo wissentlich mit vrkund vnd in craffte ditz briefs Also das sy ir Gotshause vnd nachkomen die genanten stuck vnd gut, samentlich vnd sonderlich, mit allen iren rechten vnd zugehörungen, nun fürohin ebigclich vnd geruwigclich innhaben vnd niessen, verleyhen, verkauffen, versetzen, vnd sust in alle ander weg damit handeln, wandeln, thun vnd lassen sollen vnd mugen, wie vnd was sy gelust vnd verlangt, als mit anderm irs Gotzhaus aigentlichen gut, one mein, meiner erben, vnd sust allermengklichs irrung, einred vnd widersprach in allweg, vnd auch also das ich kain mein erben frunde noch sust yemantz an der von meinen wegen, dartzu darauff, darnach vnd daran kain clag, recht, vordrung noch ansprach nymer mer haben suchen, fürnemen gewynnen noch gepreuchen sollen,

len, können, mugen noch wollen von kainerlay sachen wegen auch mit noch vor kainen gaistlichen noch weltlichen leuten, Richtern Gerichten, clagen noch Sachen noch on recht in ainich ander weys noch wege, Ich vnd alle mein erben vnd nachkomen sollen vnd wollen auch den obgenanten herren Abbte vnd Conuent irem Gotzhaus vnd allen iren nachkomen, die obbestimpten stuck vnd güter, mit aller irer vnd ir yedes besonder, eehäfftin, rechten, zu vnd eingehörungen zu rechtem aigen vnd wie obsteet, auch also stätten vnd ferttigen vnd darauff, ir recht gewern, verttiger vnd vertretter sein, für allermengklichs irrung vnd ansprach, so in mit dem rechten deran beschehen noch solche gütter, vnd aigens recht, auch nach lands vnd der harrschafft recht vnd gewonhait, darinne die gelegen sind, vnd nach dem rechten. Vnd wurden inen irem Gotzhanse oder nachkomen, die gar oder ains tayls, oder ichtes, so dartzu oder darein gehört, von yemant wer der, oder die wären, irrig oder ansprach, mit dem rechten in zeyte vnd zylen, darinne man aigen, vnd solche stuck vnd gut ze recht vnd pillich stätten vnd ferttingen sol, dieselben irrung vnd ansprach alle auch was sy der schaden nämen vnd ze schaden kämen doch redlich vnd vngeuarlich, sollen vnd wollen ich, vnd alle mein erben, inen, irem Gotzhanse vnd nachkomen, ze hand vnd vnuertzogenlich, nach irer ermanung, entledigen, gelten vnd ausstragen, auch allerding ferttigen, vertretten, richtig vnd vnansprächig machen, von allen abgang myndrung vnd gebrechen, gar vnd gentzlich, on all ir müe cost vnd schaden, getrewlich, vnd on all geuerd. Wäre auch sach, das ich, mein erben oder nachkomen, ainicherlay briefe innhetten, füro funden oder fürzaigten, darinne die obgemelten stuck vnd gut mit iren rechten vnd zugehörungen gar vnd

ains

eins tayls begriffen stuenden, in welcher weyse, form oder maynung, der, oder die begriffen wären, der oder dieselben Briefe aller sollen yetzt alsdann, vnd dann als jyetzo wider die genanten herren, in Gotzhause vnd nachkomen, gantz tod, ab, krafftloss vnd vnpündig sein, vnd inen, auch sonderlich disem Kauff vnd briefe, kainen schaden sagen peeren noch pringen, wa sy dawider vffgebotten, fürgetzaigt gelesen, oder gehört werden, Es seye vor gericht, gaistlichen oder weltlichem, oder anderhalben, alles getrulich, sonnder Arglist vnd geuerde, hierian gentzlich aufgeschlossen vnd vermitten in allweg. Darumb vnd des alles zu warem vnd offnen Urkunde so hab ich inen irem Gotzhause vnd nachkomen, disen briefe gegeben, daran ich mein aigen Insigel für mich vnd mein erben ofgehenkt, vnd dartzu mit fleysse ernstlich erbetten han den fürnämen weysen *Wernher Vitzlin* Burggrafen zu Augspurg, das er sein aigen Insigel zu noch merer gezugknuss der ding, doch im vnd seinen erben, on schaden, auch offentlich gehenkt hat, an den briefe, darunter ich mich verpind, stätt zu halten alles obgeschriben, Meiner gebette, vmb des yetzt genanten Burggrauen Insigel sind gezugen, die erbern *Vtz Stieff* der bader burger zu Augspurg vnd *Hanns Karg* von Vischach. Vnd ich vorgenanter *Mang Ferber*, bekenn sonderlich, das die vorgenant, *Anna Mërlerin*, mein liebe eliche haussfraw, diss verkauffen vnd alle vorgeschriben sachen, mit meinem vergunsten wissen, vnd willen getan hat, gered und versprich auch darein vnd darwider nichtzit zu reden noch zu tun, weder durch mich selbs, mein erben, noch niemant von meinen wegen, in kain weys noch wege, Darumb vnd des alles zu warem Vrkunde, vnd zu noch merer Festigung diss Kaufs, vnd meiner berürten vbergabe, so han ich mein aigen Insigel, für mich

vnd

vnd mein erben, auch offenlich gehenkt an disen briefe *b*) Der geben ist vff Sambstag vor dem weyssen Suntag daran man in der hailigen Kirchen singet Inuocauit in der vasten *c*) Nach Christi vnnsers lieben herrn gepurt Tausent vierhundert vnd sechsundnewntzigisten Iaren.

a) V. supra.

b) Sigilla illaesa.

c) Prima dominica quadragesimae, quae illo anno in vicesimam Februarii diem incurrebat.

Num. CCLXXXIII. Donatio horti in Orthlfingen. Anno 1497.

EX ORIGINALI.

Ich OSWALT PFÖLSTLIN von Ortolfingen, bekenn offennlich vnd tun kunt menigclichen mit disem brieff, das ich mit freyem willen wolbedachtem gemüt aus sonnder lieb vnd neigung so ich zu den wirdigen heiligen sant *Vlrich* vnd sant *Affren* vnd irem gotzhus zu Augspurg trag dem Erwirdigen in got herrn herrn *Conraten*, Abbt des benanten Gozthus meinem gnedigen herrn vnd demselben seinem Gotzhus meinen garten zu *Ortolffingen a*) gelegen, der an zweyen orten an *Herman Nerdlingers* seligen erben garten am dritten ort auff sannt Lorentzen Garten vnd am vierten ort auff das Gässlin stosst. Vnd den ich verschiner zeit von *Hannsen Nördlinger* burger zu Augspurg lut eins sennds brieffs darüber begriffen erkawfft mit sambt solchem brieffe recht vnd redlich zu aigen frey ledigclich auff vnd vbergeben hab. dermass das solher gart nun hinfür zu ewigen

ewigen zeiten dem gut daſelbs zu *Ortolſingen* gelegen, ſo dem bemelten gotzhus zuſteet vnd darauff ich ſitz mit der eigenſchafft eingeleibt vnd darzu vnd darein gehörig vnd auch ſölh gut vber Kurtz oder lang lut meins beſtannds dem benanten gotzhus ſant *Vlrichs* vnd ſant *Affren* zu Augſpurg ledig wirdet alſdann ſölher gart damit allerdings ledigclich haimgeuallen ſein, den auch furohin der benant mein gnediger herr von ſant *Vlrich* oder ſeiner gnaden nachkomen mit ſambt obbemelten gut verleihen vnd damit handln ſöllen vnd mögen wie vnd was ſie gelangt vnuerhindert mein meiner erben vnd mengclich in allweg dann ich mich für mich vnd all mein erben ytzo mit rechter wiſſen in Krafft hitz brieffs aller Aigenſchafft vnd gerechtigkeit ſo wir in Krafft obbemelts Kawffs zu ſölhem garten haben, oder hinfüro zehaben vermeinen möchten gegen dem benanten meinem gnedigen herrn von ſant *Vlrich* ſeinem Gotzhus vnd nachkomen genntzlich vnd gar vertzigen vnd begeben hab wie ſich ſölchs nach ordnung der recht in der beſten form zetun gepürt one alle einréd vnd geuerde. Vnd des zu vrkund ſo hab ich mit vleis erbetten den erſamen vnd weyſen *Görigen Ott* Statuogt zu Augſpurg das der ſein aigen Inſigel doch im vnd ſeinen erben vnuergriffen offenlich tun hat henncken an dieſen brieff, *b*) des gebets des Ynſigel ſein getzeygen die erbern *Hanns Völck* vnd *Hanns Brieler* beyd burger zu Augſpurg. Der geben iſt an Samſstag nach ſant michelstag nach chriſti gepurt viertzehenhundert vnd im ſibenundnewntzigiſten Jare.

a) In praefectura Werting.
b) Sigillum eſt illaeſum.

Num. CCLXXXIV. Statuta ab Abbate et Conuentu facta. Anno 1498.

Ex Originali.

In Nomine fancte et Indiuidue Trinitatis Patris Et Filii Et Spiritus fancti Amen. Quoniam a beatissima creatrice Trinitate mundissimas atque ab omni labe criminis liberrimas humanis corporibus fingillatim infufas fue ipfi diuiniffime ymagini iterato. a terrenis contagiis immaculatas racionales reddere animas, nilque quod fummo ipfi creatori difplicet aut contrahere aut contractum reportare oportet. Porro communis (poft prohtoplafti miferum lapfum) mortalis vite ratio multis variorum difcriminum cafibus obnoxia. proniorque femper ad ruinam aut pauciffimos a criminalium letali vulnere. aut venialium delictorum puluere liberos reddit nullos. cum vtique vt propheticus teftatur fermo humane perfectionis omnis iuftitia, diuine collata equitati inmundicie obtineat rationem. obindeque tametfi in hominum oculis iufta ad inftarque perfecti decoris fulgere videntur in confpectu tamen iudicis cuncta cernentis, cum delinquenti parcat nulli. fueque incommutabili iufticie cenfura inultum malum non paciatur vllum verenda merito nobis funt opera noftra vniuerfa. Obinde nos CONRADUS Abbas. *Petrus Wagner* Prior. *Thomas rieger* Subprior. *Mathias vmbhofer. Wilhelmus ranger. Wilhelmus witwer. Leonhardus wagner. Johes peyrlin. Symon Weinhart. Balthafar Kramer. Thoms Griefher. Sigifmundus Zimmerman. Leonhardus weinlin. Hainricus heyden. Sigifmundus Lang. Stephanus Degen. Andreas burg. Leonhardus Gregg. Vdalricus Flechfenhar. Johes Könlin. Johes Köfinger. Antonius Reiftlin* Sacerdotes. *Symon Ridler. Erafmus Huber.*

Dyaconi. *Sixtus Schenck. Clericus Sinder.* Subdyaconi. *Petrus Berckenmair. Johes Schrot* iuniores. *Bernhardus wanner, Laurentius michel. Johes Frey.* Conuersi. almi presulis *Vdalrici.* triumphalisque martiris *Afre* insignis cenobii conuentuales. professique fratres quos hoc ipso tempore amor dei. ardorque vite celestis sub eiusdem voti regularisque obseruancie professione. ac arcioris vite conuictu pariter vnanimes habitare fecit in domo dei. alta hec mente considerantes. atque pre timore dei contemplacioneque pene future. ac gloris vite eterne. corde toto inter spem metumque pauidi contremiscentes. ante iudicium prudenter parare iusticiam. donecque dies est. ae per hanc vite lucem dei miseraciones vacat inuenire virtutes pro viribus instanter operari. minusque benegesta piis precibus artibusque remediabilibus compensare; atque vt sic dum creatoris precepto e corporibus migrandum erit. immaculatos ei spiritus reddamus. viam parare cupientes. hecque secuntur sancti spiritus implorata gratia vnanimiter concludendo statuere. atque per nos successoresque nostros omnes in hoc ipso sacrosancto almi patris *Vdalrici* diueque *Afre* monasterio inuiolabiliter perpetuo obseruari. vtque hec nulla vnquam suo cedencium obliuiscatur posteritas, aut quod absit deleat male audax temeritas. ad perpetuam rei memoriam litteris. ac vtriusque dni Abbatis sc. et conuentus sigillis perhennare. diuineque vlcionis intimacione ac sanctorum nostrorum patronorum animaduersionis in precacione contra temerarios. vt infra lacius patebit. ex certa sciencia publice profitendo et ad infrascripta nos obligando communire curauimus. *Primo* quia non nostro sudore sed amarissime passionis Xpi precioso sanguine celi sunt nobis ianue reserate. quo igitur eius pietati non ingrati. sed iugis sit in nobis cum digna veneracione eius memoria atque per ea quandoque ad re-

resurrectionis gloriam perducamur. vitaque sic nostre decursum dirigat ac exitum tueatur. Statuimus et ordinamus. atque sub imprecacione diuine vicionis contra neglectores seu derogatores communi consilio ita agi inuiolabiliter in hoc venerabili sacrosanctoque loco perpetim. ita vt nulla hec temporum diuturnitate vicissitudineue aboleantur seu eui vilius longinquitate senescant seriosius decernendo determinandoque per nos successoresque nostros irreuocabiliter obseruare volumus. vt singulis feriis sextis post (iuxta morem) decantatas nonas vtue temporis racio postulauerit. deinde ac attente per plenam congregacionem. accensis iuxta ymaginem Crucifixi candelis ac lampadibus omnibus. signo maioris campane. quo plebs Xpi fidelium excita; aut ad ecclesiam accurrens. aut in suis domibus consistens dei laudet misericordiam interim sonante Responsorium Tenebre facte sunt etc. hoc vt sequitur eodem cantetur. Et primum quidem inchoante illud presidente prius eius prima. vsque Tunc vnus etc. sensim tractimque cantetur. denique cum silencio procumbentibus singulis ac genuflexo dominicam oracionem tacite dicentibus. itemque ad signum presidentis cunctis resurgentibus. altera eius parte citaciori voce percantata. duobusque cantoribus versum qui sequitur ante ymaginem crucifixi reuerenter pronunciantibus. repetita per chorum iam dicta altera parte. ac per duos iuniores fratres coram iam dicta ymagine versiculo sc. Proprio filio suo etc. cantato; presidens pronunciacione collecte sc. Respice quesumus etc. huic salutissere diuinissimeque memorie passionis Xpi finem imponat. *Secundo.* quoniam in multis deliquimus omnes. nec nisi vsque ad nouissimum quadrantem vniuerso soluto debito creatori rationalis iungetur anima. sanctaque ac salubris est cogitatio vt a peccatis soluantur dni pietatem pro defunctis exorare. eadem obligacione ac inprecacione que ſupra ſtatuimus et ordinamus. vt ob remedium animarum preteritorum preſencium et futurorum dnorum Abbatum fratrumque omnium huius monaſterii profeſſorum annua reuolucione propenſiori ſtudio ſolemnis hoc modo habeatur memoria. Itaque ſecunda poſt octauam penthecoſtes, aut ſi feſtum XII. lectionum id fieri vetuerit. ſequenti tercia feria poſt nonam. quatuor ſuper venerabili diue *Afre* martiris mauſoleo accenſis candelis per plenam congregacionem deuote cum tribus in fine collectis, quarum prima ſit Deus venie etc. in qua tantum abbatum et fratrum commemoracio fiat. Secunda Deus cuius miſericordie non eſt etc. vt ſc benefactorum noſtrorum quorum vtique largicione in hoc loco ſuſtentamur non ſit obliuio. Tercia fidelium deus etc. vt ſc noſtre deuocionis animabus omnibus generalis fiat particio concludendo. defunctorum dicantur veſpere. Dein eadem die finitis cum concluſione antiphone *Salue regina.* etc. veſperis. preuio ſolemniori omnium ſignorum pulſu atque ſuper tumbam *Afre* martiris duodecim accenſis Candelis ac tractim inuitatorio duntaxat ac tercio nocturno in nota cantatis. maioribus vigiliis dictis. item cum vltimo reſponſorio ſc. libera me etc. omnis congregacio venerabiliter ad locum ſepulture dnorum Abbatum et frm. ſc. ad ambitum deſcendens. ibique nihilominus quatuor prius cereis accenſis deuote laudes alternatim dicendo cum prefatarum collectarum concluſione ac aque benedicte aſperſione. Thuriſque odore peroret. Poſthinc in craſtino hora conſueta. denuo accenſis eodem numero ſuper ſepulchrum ſancti *Vdalrici* candelis. pulſuque campanarum celebriori facto. miſſa deuocius in eiuſdem altari cantetur. Et vt ſolemnis ſit in ore omnium deprecacio. ſinguli ſacerdotes miſſas cum collectis predictis ſingulas. Clerici autem ſeptem pſalmos cum letania. Fratres vero conuerſi quinquageſies dominicam oracionem to-

cienſ-

ciensque falutacionem angelicam deuote celebrando dicant. Sane vt his omnibus celebrior accedat cultus, festiuiorque fit peractio, ac infirmorum animus ad huiusmodi nostre magnifice constitucionis prosecucionem alacrior exurgat. eadem que cuncta hec alia animi maturitate obligacione ac imprecacione volumus et constituimus inuiolabiliterque omnis excusacionis pretenso colore semoto, obferuari volumus. vt eadem die qua hec nostrorum defunctorum folemnis agitur memoria dns Abbas qui pro tempore huic preest monasterio. fratribus omnibus fine diminucione annone consuete in piscibus et vino melioribus liberaliter vtque feruos Dei decet absque retractione caritatem faciat. In qua quidem annuali anniuerfarii peractione Reuerendissimi in Xpo patris et dni. dni Friderici Aug. Epi. consensu ac confirmatione littere appensionem vt infra videtur hec cuncta gesta ac communita funt. pia fieri debet. cum participacione bonorum operum recordacio. *Tercio* eadem obligacione ac inprecacione qua. supra statuimus et ordinamus vt tam dnorum abbatum quam et defunctorum fratrum conuentualium singulorum. reuerso post annum sue defunctionis die primus duntaxat anniuerfarius accensis luminaribus, ac pulsu campanarum folemniori. de sero quidem cum minoribus vigiliis. ac vltimo refponsorio Libera me etc. sc. propensiori. in fine tota congregacione eius visitante sepulchrum ibidemque dicente ac concludente laudes. In crastino autem cum missa pulsu luminaribusque consuetis. fingulis facerdotibus fingulas priuatas missas. Clerici autem feptem pfalmos cum Letania. fratribus vero conuerfis quinquaginta pater noster. totidemque aue maria. pro requie anime defuncti fratris deuote dicentibus venerabiliter ac folemniter agatur. Preterea et nomine defuncti Abbatis quidem vsque ad obitum fui fucceſſoris. fratris autem conuentualis per

cir-

circulum anni dumtaxat singulis diebus dominicis iuxta morem per nostre parochie preuisorem in ambone palam cum pia exhortacione. quo pro eius placida requie Xpi fideles diuinitati supplices preces offerant memoriter distincteque coram vniuersa plebe pronuncietur. *Quarto* eadem obligacione ac inprecacione qua supra statuimus et ordinamus. vt quoniam nos predecessoresque nostri motu pietatis fraterneque dilectionis ac vberioris profectus animarum mutuique suffragii cum multis monasteriorm diuersorum ordinum congregacionibus. datis nimirum vtrumque in ejusmodi perpetui roboris firmamentum sigillatis litteris federa fraternitatum sub certa orationum missarumque ac aliorum remedialium suffragiorum racione contraximus. atque vsque in presens tempus tum nunciorum quibus passim defunctorum fratrum litterales denunciaciones commisse sunt, dubiam fidem. tum et eorum quorum opera obitus fratrum ad destinata loca designandi erant in curia res intermissa est plerumque aut plurimum neglecta. Obinde dns Abbas qui pro tempore huic loco preest nequaquam parcens expensis. nec auarus nimium, de minori causando substancia celerem animarum sibi commissarum negligens redempcionem certo stipendio conductos perferendarios festinos nuncios ad queque sit nobis confederata monasteria. quo eisdem animabus debita obsequiorum suffragia maturius reddantur. facta nihilominus eisdem nunciis commissione. vt a quolibet monasterio de redditis litteris recognicionem reportent prepropere mittat litteras. *Quinto* iterum eadem obligacione ac inprecacione qua supra statuimus ac ordinamus. vtque et viuis iugis sit mortis salutaris quotidiano aspectu recordacio. defunctisque continuata a pretereuntibus pro beata requie ad diuinitatem supplicacio construatur edicula in angulo ambitus iuxta locum capitularem. aut quouis alio conuenienti. et qui pre-

preterevncium obtutibus vltro se offerat loco. vbi ossa fratrum diligenter ac venerabiliter reposita duorum Abbatum ossibus ibidem distinctim notatis. et viuis vt diximus mortis memoriam ingerat continuam et defunctis perpetuam postulent quietem. Enimvero et iuxta ipsam ediculam aqua benedicta per solicitum fratrem continuis suffusionibus nutrita deuocioni omnium se paratam semper exhibeat. *Sexto* eadem iterum obligacione ac imprecacione qua supra statuimus et ordinamus. vt ob remedium memoriamque animarum omnium defunctorum. ac in hoc ipso loco sepultorum nostri sc. monasterii professorum atque edificacionem viuencium in ambitu juxta sepulturas in loco magis eminenti lampas die noctuque iugiter arsura suspendatur atque per solitum fratrem crebro refecta. diligenter ac perpetim alatur. *Septimo* preterea et vltimo eadem obligacione ac imprecacione qua supra statuimus et ordinamus. vt cuilibet conuentualium nostrorum fratrum sepulchro. mox post eius defunctionem lapis paruus. puta bipedalis seu tante quantitatis. cui et nomen fratris defuncti. diesque defunctionis ejus et natiuitatis Xpi annorum numerus insculpi possit superpositus. memoria eius apud posteros conseruans et perstites sic viuere. vt eorum cum benedictione merito post mortem memoria habenda sit admoneat. et defunctis a pretereuntibus pro beata requie oracionum suffragia precetur. Nulli ergo successorum nostrorum liceat quoquo modo harum nostrarum constitucionum ordinacionem decretorum salutares. concordesque voluntates vel minuere vel alterare. quatenus tam sancta caritatis vnio. salubrisque precogitacio non vtique humano consilio. sed haut dubium diuina inspiracione concepta deliberauit statuit et firmiter roborauit. Si quis autem (quod absit) sibi nimium visus sapiens ausu temerario quicunque contra acceptauerit. inducat super eum deus. almusmusque presul *Vdalricus.* ac *Afra* martir beatissima. cum vniuersa sua sancta cohorte maledictionem. atque anime ipse nostrorum defunctorum ceu contra sacrilegum. iustorumque suffragiorum detractorem a sedente super thronum iudice viuorum et mortuorum vindictam eternam inclament. Et quia que geruntur humanis negociis, casibus subjacent ac mutabilitati. nisi scripturarum notulis roborentur. Obinde ne horum gestorum. constituciones obliuiones vicio vnquam denigretur. sed pocius ad perpetuam rei memoriam apud posteros nostros perhennentur firmiterque ac indelibiliter constent. hanc presentem earundem nostrarum ordinacionum constitucionumque paginam diligenter conscribi fecimus. ac in omnium premissorum debitam firmitatem. robur et testimonium sigillorum nostrorum Abbacialis et Conuentualis appensione communimus. a) Actum et vt supra patuit communi omnium consensu confirmatum in hoc ipso prefato sanctorum *Vdalrici* et *Afre* Monasterio. Anno dni Millesimo quadringentesimo nonagesimo octauo. Quinto Kalendas Aprilis.

a) Sigilla sunt optime conseruata.

Num. CCLXXXV. Friderici Episc. Confirmatio statutorum. Anno 1498.

Ex Originali.

FRIDERICUS Dei et apostolice sedis gratia Epus Augustensis Venerabili et Religiosis nobis in Xpo sincere dilectis *Conrado* Abbati et Conuentui monasterii sctorm *Vdalrici* et *Affre* ordinis scti *Benedicti* August. Salutem in dno sempiternam Pastoralis nobis iniuncti officii debitum existit vt diligenter pariter operibus et exem-

exemplis fuper cunctum gregem dominicum noftre fidei fiducialiter creditum vigilemus et labores expendamus assiduos. per quod nobis et aliis falutis commoda procuremus Proinde namque inter ceteros ordines religionesque facras multiformi conflictu militantis ecclefie ftrenue dimicantes ad facram religionem veftram noftre dirigere attente considerationis intuitum optamus in dno . ihu Xpo que à mari vfque ad mare per incrementa temporum fuos palmites dilatauit ac per vniuerfa orbis climata virtutum radiis illuminofis iugiter illustrata eft Et quamquam circa illius falubrem et felicem ftatum eiufque attinencias tam per regulares inftituciones almorum patrum qui de hoc feculo feliciter tranfierunt quam etiam per iuridicas fanctiones prouifum exiftere dinofcatur vos tamen ob zelum amplioris falutis et maioris profperitatis intra veftra precordia diligenti tractatu prehabito et fuper eo digefta deliberacione fubfecuta vt eadem religio apud vos indicium cultus obfequio florefcat honeftarumque virtutum candore fulgeat vigeatque inter cenobitas veftros caritatis foliditas et perfiftat fanctimonie fortitudo in virtute dominica confidentes quatenus premiffa valeant cooperante fuperna omnipotencia efficaciter prouenire. certas ordinaciones et ftatuta feciftis et edidiftis ferie litterarum prefentibus annexarum et vt eifdem robur confirmationis noftre adicere dignaremur debita poftulaftis cum inftantia Nos vero qui petentium vota dumodo a rationis tramite non difcordant libenter profequimur talismodi ordinationes et ftatuta vidimus ac examinari fecimus diligenter Et quia per examinationem huiufmodi reperimus eafdem et eadem equas iuftas et canonicas ac equa iufta et canonica Idcirco auctoritate noftra ordinaria qua fungimur ordinationes et ftatuta huiufmodi ratas et gratas rata et grata habentes eas et ea confirmamus et appro-

 bamus

bamus ac ipsis auctoritatem nostram ordinariam interponimus et decretum robur firmum et firmitatem canonicam decernentes habituras. et volentes atque mandantes vt vos et successores vestri ad eorundem obseruantiam teneamini. illaque inuiolabiliter obseruetis. statutis tamen et ordinationibus vestris regularibus saluis remanentibus quibus nolumus prout non possumus per huiusmodi nostram confirmacionem in aliquo derogare. Preterea desiderantes dno populum reddere acceptabilem et bonorum operum sectatorem et eos quos diuini amoris feruor ac spiritus sancti gratia ad bonum inspirat allectiuis de thesauro ecclesie muneribus de bono in melius incitari. et vt memoriam passionis Xpi et sue redemptionis deuotius recolant et per eius merita dei misericordiam pro omni necessitate ecclesie implorent. Omnibus vere penitentibus et confessis qui feriis sextis ad sonitum maioris campane in prefato monasterio sanctorum *Vdalrici* et *Affre* decantationi responsorii *Tenebre facte sunt etc.* ac aliis in memoriam dicte passionis ibidem dicendis et cantandis iuxta tenorem primi articuli ipsis litteris annexis inserti deuote interfuerint quotienscunque id fecerint quadraginta dies Quique vigiliis defunctorum die qua abbatum et fratrum ipsius monasterii solemnis habetur memoria pro omnibus fidelibus defunctis exorando vt a peccatis soluantur interfuerint similiter quadraginta Et qui crastina ex post die missarum pro defunctis celebrationi iuxta secundi articuli in ipsis annexis litteris contenti tenorem interfuerint etiam quadraginta dies indulgentiarum totiens quotiens id fecerint de iniunctis eis penitentiis in domino misericorditer relaxamus et indulgentiam damus perpetuo duraturam. In quorum omnium fidem et testimonium premissorum presentes litteras exinde fieri nostrique sigilli iussimus et fecimus appensione communiri a). Datum et

actum

actum Augufte Anno dni Millefimo quadringentefimo Nonagefimo octauo quarto decimo Kl. Maij.

a) Sigillum eft optime conferuatum.

Num. CCLXXXVI. Venditio praediorum in Ahlingen. Anno 1499.

Ex Originali.

Ich Hanns von Bappenhaim zu Biberbach de heiligen Römifchen Reichs Erbmarfchalk der ellter Bekenn. offenntlich für mich vnd all mein erben; vnd tun kundt menigclichem mit difem brieff, das ich mit gutem willen zeittlicher vorbetrachtung vnnd wolbedachtem gemüte von meins beffern nutzes wegen dem Erwirdigen in got vnnd den wirdigen andechtigen herren herrn *Conraten* Abbt Prior vnnd gemainen Conuent des wirdigen gotzhus fant *Vlrichs* vnnd fant *Affren* zu Augfpurg denfelben irem gotzhus vnnd allen iren nachkomen mit difem brieff recht vnnd redlich zu einem beftetten, vund ewigen Kauff zu kauffend gegeben hab difs nachuolgend mein zins vnnd gült auf den höuen vnnd gütern zu *Allungen* a) gelegen, nemlich auffer dem houe daruff *Hanns Allunger* fitzet zwölf metzen habers drey reinifch guldin dinftgeltz viertzig behmifch ye acht phening für einen beumifch wifsgült vnnd ein hennen, vnnd auffer dem houe fo *Clafen Sailers* wittwe bawet auch zwölff metzen habers drey reinifch guldin dinftgeltz zweintzig behmifch zu acht pheningen wifsgült vnd ein hennen vnnd darzu die vogthey lehenfchafft vnnd den gerichtszwang fo mein vordern vnnd vatter felig auch ich vber folch hoff vnnd güter auch die perſonen, ſo darauff geſeſſen ſein biſsher gehabbt haben, mit ſambt aller ander Eehafftin gerechtigkeit vnd anſprach Es ſei mit zubeſetzen vnnd zu entſetzen zu gebietten vnnd zuerbietten oder in einich annder weys wie die namen haben möcht, gentzlich daſelbs in keinen weg nichtz auſgenomen, Alles für ledig vnuerkömbert, vnlehnbaur vnnd recht frey aigen, vnnd darüber ſunſt niemands anders auſſerhalb ir gantz *keinerlei* gerechtigkeit hat noch haben ſoll, Vnnd alſo daſs die vorgenannten Abbt vnnd Conuent zu ſant *Vlrich* zu Augſpurg ir gotzhus vnnd nachkommen ſölh obeſtimbt zins vnnd gült zu ſambt ander ir vnnd irs gotzhus rechten zinſen vnnd güllten ſo ſie vormals auch der ende auff ſolchen höuen vnnd gütern haben, nun hinfür ewigclich vnnd alle Jar ierlichen zu gewonlicher gültzeit einnemen, vnnd auch ſolh vogthey lehenſchafft vnd gerichtzwang vber ſolh obeſtimbt höue lewt vnnd güter mit aller gerechtigkeit nach vogtrechtz recht vnnd *gewonheit* mit gerwiger beſitzung inhaben vnnd ſich der gebrawchen auch ſölh houe ſo offt es zu vellen kombt hin leyhen beſetzen entſetzen, vnnd die perſonen ſo daruff ſitzen vnnd wonen wie vnnd wohin ſie wöllen zu recht ſtellen ſollen vnnd mögen, von mir meinen erben vnnd allermenigclichem daran vngeirrt vnnd vnuerhindert in allweg, darumb ſie mir alſo bar bis an mein völlig begnügen drewhundert reiniſch Guldin guter landwerung gewert vnnd betzallt, die ich in anndern meinen beſſern nutz gewenndt vnnd auff ſolchs ſo hab ich den bemelten Abbt vnnd Conuent ſölh obeſtimbt zins vnnd güllt vogthey lehenſchafft, vnnd gerichtzwang mit ſambt aller vnd yeder annder meiner gerechtigkait vnnd anſprach vber die benanten höue vnnd güter zu *Allungen* als obſteet gentzlich nichtz dauon auſsgenomen eingeantwurt vnd bin auch frey ledigelich dauon abgetretten,

vnnd

vnnd sie des alles gesetzt in ir gerwig gewalt vnd gewalt, wie sich das nach satzung der recht in der höchsten form ze tun gebürt, vnnd mich auch auff das für mich vnd all mein erben aller recht vordrung vnd ansprach so wir dartzu oder daran ye hetten oder noch fürter gehaben sölten oder möchten gegen inen irem Gotzhus vnnd allen iren nachkommen gar vnnd gentzlich vertzigen, vnnd vertzeih mich des alles vnnd yedes ytzo mit rechter wissen in krafft ditz brieffs Also das weder ich mein erben noch sunst yemands annders von vnnsertwegen die obgenanten Abbt vnnd Conuent zu sant *Vlrich* zu Augspurg ir gotzhus noch nachkomen nu hinfür zu ewigen zeiten daran nicht bekümbern noch irren noch wir auch vnns verrer dheinerlai gerechtigkeit oder gewaltsamkeit wie oder was scheins die in einich weys fürgenomen werden möcht vber sölh obestimbt höue vnnd güter zu *Allmangen* nicht gebruchen noch sunst einich vordrung noch ansprach mit noch one gericht weder geistlichen noch weltlichen dartzu nymmer mer haben noch gewynnen sollen noch wöllen in einich weg, Vnnd hierauff so seyen ich vnnd all mein erben der obbenannten Abbts vnnd Conuents irs gotzhus vnd nachkomen recht gewern für allermengclichs irrung vnnd ansprach geistlich vnnd weltlich nach aigens recht nach landsrecht vnd nach den rechten. Vnnd zu merer sicherheit so hab ich inen irem Gotzhus vnnd nachkommen zu mir vnnd meinen erben zu rechten gewern gesetzt, nemlich die edeln gestrengen vnd vesten herren *Mangen* zu *Hohenreichen* Ritter vnnd *Hannsen* zu *Bibrabach* den Jüngern beid des heiligen Römischen Reichs Erbmarschalk mein lieb vetter, Also vnnd dermas welche irrung oder ansprach inen irem Gotzhvs oder nachkomen an den obestimbten zinsen vnnd gülten, Vogthey lehenschafft gerichtzwang oder an annder obe-

obersthanbter gerechtigkeit vber die obbemelten höue lewt vnnd güter zu *Allungen* sammentlich oder sunderlich eemals sie das nach aigens vnd landsrecht ersessen hetten, beschehe oder widerfüre von gaistlichen oder weltlichen lewten oder gerichten wie oder von wem das were. das alles sollen ich vnnd die genanten gewern vnnd vnnser erben inen irem gotzhus vnnd nachkomen, wie offt sich das begibt sobald wir darumb schrifftlich oder mündlich vnder augen ermant werden allwegen aufsrichten vnnd sie deshalb inner oder ausserhalb rechtens geistlichen oder weltlichen vertretten versprechen vnd allerding richtig vnd vnansprechig machen. nach aigens recht nach landsrecht vnnd nach dem rechten gar vnnd gentzlich one allen iren costen vnd schaden, wa aber ich vnd die genanten gewern oder vnnser erben das nit tätten so haben die offtgenanten Abbt vnnd Conuent zu sant *Vlrich* zu Augspurg ir nachkomen vnd alle die in des hilff raut vnnd beystannd tund vollen gewalt vnervolgt einichs rechtens oder ob sie wollen mit gericht geistlichem oder weltlichem mich vnnd die bemelten gewern vnnd vnnser erben alle sammetlich oder vnnser einen oder zween vnnd des oder derselben erben welhen oder welhe sie vnder vnns wöllend sonnderlich an allen vnsern oder iren lewten vnd guten eigen vnd lehen ligenden vnnd varenden allenthalb darumb anzegriffen zenötten vnnd zephenden in stetten dorffern oder auff dem lannd wie vnnd wa sie betretten Dauor mich die genannten gewern vnnser erben lewt noch gut nichtz freyen friden noch schirmen soll dhein freiung einung gelait gewalt gebot noch verbott gericht noch recht geistlichs noch weltlichs noch sonders dhein hoff noch landtgericht noch dhein heimlich gericht appellirn freyhayt noch gnad die ytzo von dem heiligen stul zu Rom gemeinen Concilien Römischen Kaysern oder

Kun-

Kungen fürsten herren oder andern steenden erlanngt oder aus eigner bewegtnus gegeben worden wern oder hinfür geschehen möcht noch auch die vereinung des bundts im land zu Swaben noch sunst gentz nichts annders in kain weg dann nach dem diser kauff in seinem vollen werd beschehen ist vnnd ich darynn kains wegs betrogen bin so hab ich mich für mich vnd die genanten gewern vnnd all vnnser erben hierynn des alles vnnd sonnders der geschriben rechten die da die kewff so vber den halbteil irs werds betrügenlich beschehen vernichtigen vnnd vnkrefftigen vnnd auch fürnemlich des gemain geschriben rechten das da weisst das gemain vertzeihung nit verfengclich es sei dann ain sonnderung vorgeganngen gegen bemelten Abbt vnnd Conuent zu sant *Vlrich* zu Augspurg irem gotzhus vnnd nachkomen gar vnnd genntzlich vertzigen hiemit wissentlich in krafft ditz brieffs ymer als lanng bis inen irem gotzhus vnnd nachkomen solch obestimbt zins vnnd güllt vogtheilehenschafft vnnd gerichtzwang vber die offtgemellten höue lewt vnnd güter zu *Allungen*, vnnd gemeinlich alles das daran sie wider inhallt ditz brieffs mangel oder gebrechen gewinnen völligclich voluertigt richtig vnnd vnansprechig gemacht auch inen alle ir cost vnnd scheden desshalb erlitten widerkert vnnd abgelegt werden genntzlich one allen iren costen vnnd schaden, ob auch einich allt brief die obbemellten hoff vnnd güter zu *Allungen* betreffennd vber kurtz oder lanng durch mich oder mein erben erfunden wurden, die sollen ze stund den benannten Abbt vnnd Conuent zu sant *Vlrich* zu Augspurg oder iren nachkomen zu hannden geantwurt werden souerr sölhs aber dennas nit geschehe, so sollen doch die vntüchtig von vnwirden tod vnnd absein vnnd wo die zu behellff fürbracht wurden verrer gantz kain krafft noch wirkung haben in dhein weys noch weg Vnnd

des

des zu vestem vrhund so hab ich mein aigen Innsigel für mich vnnd mein erben offennlich gehenngkt an disen brieff Vnnd wir obgenannten gewern bekennen auch sonnderlich in krafft ditz brieffs diser gewerschafft vnnd alles so obsteet verbunden vnns der auch so vil vnns die innhallt ditz brieffs aufflegt gestragks nach zegeen vnnd volg ze tun one alle einred vnd geuerde Vnnd des zu merrer beuestigung so haben wir baid vnnser eigne Innsigel auch offennlich hieran gehennkt *b*) Geben an Möntag nach sannt Sannt Sebastions des heiligen marterestag Nach Cristi geburt viertzehenhundert vnnd in dem Newn und newntzigisten Jare.

a) Alingen in praefectura Werting.
b) Sigilla sunt illaesa.

Num. CCLXXXVII. Ordinationes iudiciales. Anno 1499.

Ex Originali.

Wir Conrat von Gottes gnaden Abbt des wirdigen gotzhus sannt *Vlrichs* vnd sannt *Affren* zu Augspurg thun kunt vnd ze wissen zu einen yeden vnnsern ambtman richtern vnd gericht auch ganntzer gemeind vnnser vnd vnnsers gotzhus dorff *Wenngen a*) vnd allen anndern so in recht daselbs ze hanndln haben was personen oder in was stannds die sein, den das ze wissen not sein wirdet offennlich mit disem brieff, Nachdem vns als Gerichtsherrn vnd oberkeit des bemelten vnnsers gerichts vnd dorffs *Wenngen* durch ewch vnd annder manigualualtigclich anbracht worden ist mencherley vnordnung vnd vnlewtrung so sich der freuel straffen vnd bůssen halb die sich im gericht begeben. Vnd das sich auch sunst in annder weg an der gerichtzordnung etlich menngel bisherr gehalten dardurch ir die Richter sonnders in sachen so vor ewch berechtet werden vnnd die freuel straffen vnd bůssen oder sunst etwas annder achtbar henndel antreffent mencherley irrsall vnd dessbalb sölh sachen offtmaln für ewr obergericht zu erlewtrung schieben haben můssen daraus nicht allain ewch als einem gericht versawmnus vnd můe dessgleich den partheien verlengrung vnnotdürfftiger cost sonnder auch durch sölh vnordnung Ringachtung vnd vnlewtrung der bemelten freuel erwachsen das durch eigenwillig personen die zum frid nit geneigt sein destringuertiger gefreuelt vnd missbandelt worden ist vnd künfftiglich geschehen möcht, Vnd zwang vnd oberkeit als vnd wie dann solhs in vnnser macht steet. vnd vns zetun gebürt. Anfengklich der freuel strauffen vnd bůssen, auch annder gerichtzordnung halb damit ir die Richter darauff ze vrteilen vnd rechtmessig gebürlich gerichtzordnung hinfür zehelten wissen. Vnd damit auch von widerwertigen mutwilligen personen, gegen denen se zu erberm frůdlichen leben geneigt sein destfürter auffrur vnrw vnd freuelich misshandlung vermitten vnd yedermann neben dem anndern mit destmerrem vnd bessrem frid vnd gemach leben vnd bey dem seinen pleiben möge dis nachuolgend ordnung vnd satzung ernstlich fürgenommen gesetzt vnd geordnet, setzen ordnen vnd wellen auch hiemit in krafft ditz brieffs das dem allen wie von artigkel zu artigkel hernach volgt gestraks vnd vestigclich one alle mittel nachgegangen, vnd so auff einichen artigkel vor ewch als einem gericht gegen yemands in recht geclagt wirdet, das also auff sölh artigkel vnd ord-

 nung

nung durch ewch vnd ewr nachkomen geurteilt vnd procediert werde wie ſich dann im rechten nach erfindung einer yeden ſachen vnd gſtalt derſelben zetun gepürt, alles auff ewr geſworn gerichtzeide ſo ir vns als ewrm gerichtzherrn getan habt, Vnd das ir darynn nit anſehen wölt, weder früntſchafft veintſchafft gunſt muet noch gaub ſonnder niemand weder zu lieb noch als ir got dem almechtigen am iungſten gericht antwurt darumb geben wöllt getrewlich vnd vngeuarlich.

Anfengklich volgt hernach die ſatzung der freuel.

Zuerſt wann ſich begibt das yemannds den anndern es ſeien frowen oder Mannſperſonen freuelich vnd ernſtlich lug ſtrafft oder liegen haiſſt ſo ſol die ſelb perſonn vns vnnſerm gotzhus vnd nachkomen als der herrſchafft des gerichtz zu bus veruallen ſein fünff ſchilling haller tut dreiſſig phening *b)*

Item welh perſonn der anndern mit ſchmechlingen oder freuelichen ſchmachworten zu redt oder bet eycht ſol zu bus veruallen ſein, ſouerr der betzig weder leib noch leben antrifft zehen ſchilling haller tut ſechtzig phening. *c)*

Item wann ein frowen perſon ſo zu iren tagen komen iſt die anndern in ernſtſweis ein hurn ſchilt oder annder dergleichen ſchmachwort zumiſſt oder ſo eine die anndern rawfft oder ſchlecht zehen ſchilling haller.

Item welcher vber den anndern ein wör oder waffen freuelich zugkht vnd auffrur macht das vnderkomen wirdet oder ſich ſunſt begibt das er in nicht ſchlecht zehen ſchilling haller.

Item welher aber vber den anndern ein wör oder waffen freuelich zugkht vnd in blutreyns oder wund oder ſunſt mit

trucken

trucken ftraichen fchlecht doch nit lam bainfchröttig oder letzig zwaintzig fchilling haller. d)

Item welher den anndern bainbrichig liddiech lemig oder funft letzig fchlecht zehen phund haller, tut V. guldin fünff vnd zwaintzig fchilling haller. e)

Item welcher nach dem anndern freuelich würfft oder fchewfft er treff oder faele zehen phund haller.

Item welher einem anndern etwas zukauffend gibt oder zu vnderphand verfetzt oder verfchreibt, das vor einem oder mer andern verkaufft oder zu vnderphand verfetzt oder verfchriben were vnd demfelben das verheimlicht oder verhielt zehen phund haller.

Item welher einem oder mer andern vnrechtigclich in feinen aid oder glübt oder an fein Ere redt vnd das freuelich vnd offenbarlich tete zehen phund haller.

Item welcher den anndern nit bey recht beleiben lafft vber das fich einer des rechten erbewt vnd vber das nichtz deft minder mit gewaltiger getat als verachter des rechten gegen im hanndel vnd hand anlegt zehen reinifch guldin.

Item welhem ein frid gebotten wirdet oder welher einen frid zehalten lobt oder fwörrt vnd vber das fridbrichig wirdet zehen reinifch guldin mit vorbehaltung weyter ftrauff vnd handlung gegen demfelben fridbrecher nach gftalt folchs feins getanen fridbruchs.

Item welher auch vngerecht gewicht waug fchenkmaus oder mülwerckh gebrawchte vnd fich das fo fölhs befichtig vnd auffgehöbt kuntlich erfinden. Wie offt das befchehen wurde oder ob einer ander betrugenlicheit oder falfch vmb eigens nutz willen trib zehen phund haller.

Item welher den anndern in feinen erblichen oder verlicher güttern geuerlich vbertzeint vbermäet vberackert oder vber fchneyt oder einen markbom oder marckftein verenndert vnd die geuärde offenbar am tag ligt oder mit recht oder glaubwirdiger kuntfchafft aufsfindig gemacht wirdet zehen phund haller.

Item es föllen auch die obemelten artigkel dermas verftanden werden ob fich einicher vbertretter in der obegriffen artigkel einem oder mer alfo fwerlich verhanndelte, das die maleuitz ftrauff nach geftrengen rechten gegen im geübt würde das hierynn dem penlichen rechten in denfelben velln nichtz abgenommen fonnder demfelben vnuergriffen vnd vnfchedlich fein folle.

Item als auch der gemein gebrawch des lannds deffgleich die einung des bundts vnd auch die recht fetzen vnd wellen an welhem ort durch einen gefreuelt werde das dann derfelb freffler an demfelben ennd da er gefreuelt hat bieffen folle Demnach fo ift vnnfer ernftlicher beuelch vnd meinung fo fich begibt das yemands im gericht einen miffhandl begeet vnd einen freuel verwirkte. der flichtigen fufs fatzte. Das dann ein yeder von der gemeind fo er des felbs gewar oder des von vnnferm ambtman eruordert wirdet bey feinem ayd fo er vnd als feinem rechten herrn gefworn hat ze ftund auff fey Vnd demfelben flichtigen naucheylen vnd helffen handthaben damit der vnnferm Ambtman an vnnfer ftat vmb feinen begangen freuel auch dem lhenen an dem er miffhanndelt hete vmb fein fpruch vnd emphangen fcheden burgfchafft vnd gnug thue vnd im gericht darumb gerecht werde.

Hier-

Hiernach volgt wie die gerichtzordnung im Gericht hinfür gehalten werden foll.

Item wann man phligt gericht zu befitzen vnd das auch nach gerichtzordnung verbannen ift. welcher alfdann fich zu recht andingt vnd verfürfprecht vnd aufferhalb feins fürfprechen für fich felbs vngebürlich bochwort oder ander freuelich wort treibt Oder ob im einer felbs das wort thet. Vnd freuelich anderft redte dann zu recht diente der fol zu bus auff erkantnus ewr als eins gerichtz verfallen fein zehen fchilling haller. *f*)

Item welher fich ein guhtig bekenntlich fchuld nit phenden laffen wölt fonder darumb feinem fchuldner das recht bewt vnd fich in recht beclagen lafft vnd an vngegrundt auffzüg henngkt. Vnd dem clager der fchuld mit vrteil vellig wirdet zehen fchilling haller.

Item welher fich vmb verfchieden vertedingt gelt vor gericht beclagen lafft vnd feinem fchuldner weder phannd noch gelt geben wil nah des gerichtz recht der fol fo er dem fchuldner feiner fchuld im rechten vellig wirdet den dritteil derfelben fchuld fouil der ift zu penn veruallen fein.

Item welcher einen vmb ein vnbekantlich fchuld oder annder gelt mit recht furnembt oder beclagt derfelb anclager fol ze ftund fo er fein clag dartut vnd bemals der antwurter in feiner antwurt gehört wirdet von einem yedem gulden fouil er der guldin oder des gelts zu guldin ze rechnen in feiner clag beftimbt fiben phening. Vnd von vnd vnnder einem halben guldin vierthalben phening zu clagfchatz geben in mas wie dann dermas an anndern orten auch zetun gephlegen wirdet.

Item

Item als auch ein gewonnheit bisher gehalten worden ist das ir die richter so ir ewch in den sachen vnd hanndeln die vor ewch in recht berechtet worden, vrteil ze geben bedawcht vnnd vnderredt, von vnnsern Ambtmann der von vnnsern wegen als des gerichtsherrn den stab in der hand hat vnd von ewr gerichtz stat aufgestannden sein. Vnd ewch ausserhalb der stuben vnd vnnsers gesworns Ambtmans vnderredt vnd *ein vrteil* verfasst habt das ein missbrawch vnd wider die gerichtsordnung ist. Darumb so söllen hinfür ir die richter an ewr gerichtzstat vnd bey vnnserm gesworn Ambtman oder dem, dem wir das gericht hinfür zu besitzen beuelhen werden sitzen beleiben. Vnd die partheien so vor gericht ze handeln haben auch die vmbsteender aufftretten, vnd der bemelt vnnser Ambtman in solchem bedenncken der vrtailen frawgen, wa aber freuel oder ander handlung vns als den gerichtzherrn antreffent berechtet werden so sol vnnser Ambtman auffsteen, vnd *einem richter* oder andern erbern man dem hanndel vnuerwandt den stab in die hand geben vnd selbs bey sölhen rechtvertigungen nicht sitzen.

Item ob ouch einicher hanndl an im selbs also gros vnd tappfer were das der erb eigen lehen glimpff oder ere oder ychts annders antreff deshalb ein antwurter des clagers clag in schrifft vnd dartzu zug vnd teg begerte so sol einem yeden in sölhen tapfern sachen auff sein begern die dargetan clag in schrifft vnd dartzu zug vnd teg sechs wochen drey teg wie recht ist one aufflegung einichs aids gegeben werden.

Item welhem auch zum rechten furgeboten wirdet der zum ersten vnd andern fürbott vngehorsam were vnd solh recht eg nit ersuchte der sol zu yedem mal funfftzehen phening zu bus veruallen sein vnd die ze stund so er also aussbleibt one gnad von im genomen oder aber er. wo er sich des widert

darumb

darumb phenndt. Vnd ob er auff den dritten rechttag der im dann für einen endtrechtag peremptorie angesetzt vnd zu hus vnd hoff verkündt worden sol durch sich selbs oder seinen volmechtigen anwalt auch nit erschine so sol dem clager auff sein anruffen vnuerhindert des widerteils ausbeleiben nichtz destminder fürgefarn vnd bis zu der enndvrteil procediert werden.

Item als auch an etlichen orten ein missbrawch gehalten das im rechten kein person zu zugen dann allain gesworn lewt als ambtlewt Richter vnd gesworn knecht, vnd sonderlich das auch in keiner sachen wa das die freuel berürt vnd die berechtet gar dhein getzewg was glabens oder frömkeit der geacht gehörrt noch zugelassen wirdet das dann wider ordnung geistlicher vnd weltlicher recht vnd ganntz ein vngebürlich gewonheit ist sol hinfüro sölher missbrawch ob der bey ewch geübt wirdet auch in andern vnnsern gerichten abgestellt sein vnd alle erber vnuerlaymbt personen man vnd frowen namen heimsch oder frembd so zu zugen tawgenlich sein es betreff an, freuel oder ander rechtuertigung nach form des rechten gehörrt vnd auf ir kuntschafft vnd sagen geurteilt vnd geacht werden doch hierynn einen yeden wider den getzewgknus oder kuntschafft gelait wirdet sein einred in der zewgen person vnd ir sag vorbehalten wie recht ist.

Item als ir auch einen brauch bey ewch an bemeltem vnnsern gericht bisher gehalten so ir die richter ewch in einer sach die vor ewch berechtet worden ist, ze vrteilen nit verstanden das ir dann sölh sach anfengclich für etlich annder dorffgericht geschoben habt dardurch die zu iungst mermals für vogt vnd gericht gen Wertingen durch weytern schub gewachsen daraus den partheien vnnützer cost vnd verlengrung

irs

irs rechten genolgt, vnd sölher schub weitlewff auch von einem dorffgericht für das ander da sich der henndel vnd des rechten villeicht auch nit mer dann bey ewch verstanden werden möcht zu geschehen one frucht ist Vnd darumb so haben wir angesehen vnd ist vnnser ernstlicher will vnnd meinung so ir die richter oder ewr nachkomen in einicher sachen, darynn ir ewch ze vrteilen nit versteen, einen schub tun vnd vnderschid einer vrteil nemen wollen, das ir dann sölhen schub hinfür anfenngelich von ewch für vogt vnd gericht gen Wertingen vnd an kein ander ort thun vnd vnderschid daselbs nemen sullen. *g*)

Item wann auch ir die Richter einich sachen obgemelter massen gen Wertingen als für ewr obergericht schieben, souerr dann der hanndel ein clag oder ansprach antrifft die ob zehen gulden ist. so sollen ir damit einich parthey an irem rechten durch die fürsprechen so sie den hanndel *muntlich fürhielten nit* gesawmbt oder verkurtz werde sölhen hanndel mit red vnd widerred beschreiben. Vnd den alsdann verhören, Vnd so ir als die richter erkhennen das der hanndel dermas beschriben wie der in recht gehanndelt worden ist alldann die zween fürsprechen derselben partheien sölhen auffgeschriben hanndl für das obergericht obgestimbt bringen vnd vnderschid oder vrteil hollen lassen Was aber hanndl die vnder zehen guldin vnd dernhalb red vnd widerred zu beschreiben nit not were, sol es in denselben clainen sachen mit den vertailen ze hollen durch muntlich fürhalten der fürsprechen gehalten werden wie von alter herkomen ist Es were dann ewr eins gerichtz notdurfft vnd meinung in einicher sach die were clain oder gros das die beschriben werden solt so sol das allweg auff ewr begern vnd der partheyen costen beschehen vnd yede parthey irem für-

spre-

ſprechen für ſein mue zerung vnd verſawmnus als offt ſie nach der vrteil geen der hanndel werde beſchriben oder nit geben fünff ſchilling haller zu ſambt der anzall an dem gerichtzgelt ſo man einem gericht zu Wertingen der gewonheit nach ze geben ſchuldig iſt wie uil ſich dann yeder parthey des ir teils gebürett Es ſol auch in einer yeden ſach der vnderſcheid oder vrteil in viertzehen tagen den nechſten von dem tag darauff der ſchub von ewch als einem gericht geſchehen iſt. geholt damit den partheyen fürderlichs rechtens geſtattet vnd verholffen doch ſölh vrteil alſdann nit eroffnet die fürſprechen werden dann zuuor irs obeſtimbten zergelts mit ſambt obemelten gerichtzgellt nach irem begnügen entricht.

Item es ſol ouch ſunſt mit belonung der fürſprechen vnd richter der zeitten ſo vrteilbrieff angeben auch Gaſtrecht gehalten vnd annder dergleichen ſachen gehanndelt werden wie von alter herkomen iſt one geuerde.

Item welher auch von einer vrteil ſo an bemelten vnnſern gericht zu *Wenngen* ergeet für vns als den obern gerichtzherrn wie ſich dann zetun gepürt appeliert vnd ſölh apellation in fußſtapfen ſo die vrteil gemellt oder aber nachmals vor auſgannig der zehen tag nach form des rechtens thut ſo ſol er ſölh ſein getan apellation in monatſfriſſt von dem tag darauff die beſchieht an vns als den gerichtzherrn bringen vnd auch des erganngen hanndls vnd vrteil einen gerichtzhanndl vnd apoſtel nemen darauff ſölh apellation vor vns mög gerechtuertigt wer. wa aber ſölh apellation in obemeltet monatſfriſſt nit anbracht oder erganngner handlung kein gerichtzhanndel genomen vnd dargelegt wurd ſo wellen wir ſolher apellaciones dheine annemen ſonnder ſol verrer durch ewch die richter auff des behabbten teils anrüffen procedirt vnd weyter im rechten vol-

 farn

farn werden wie sich gebürt damit sich yemands beclagen möge das im sein recht geuerlich verzogen vnd demselben stat getan werde.

Item was auch in bemeltem vnnserm gericht vnd dorff zu *Wangen* zeschreiben not sein wirdet in was sachen das ist nichts ausgenomen das selb sol auch durch niemands anndern dann ye einen vnnsern vnd vnnsers gotzhus Cantzler oder wem derselb solhs an seiner stat beuilcht geschehen, vnd ein yeder im solchen schreiben durch einen Cantzler nach gestalt eins yeden hanndels wie der an im selbs lanng gros oder clain ist mit der belonung zimlich gehalten vnd vbernomen werden vnd ob einicher beswert ze sein vermeinte sölhs allweg bey vnnser oder vnnser nachkomen erkanntnus vnd messigung besteen.

Item nachdem auch etwan so die gütter ligennde oder varende in verbot gelegt worden allweg sölh verbot zu aussgeenden viertzehen tagen ernewrt vnd sölh verbotten gütter widerumb von newem verbotten worden sein das der ennd wo solher gebrawch geübt ein yberflus vnd vnnotdurfftige hanndlung ist, Darumb so sol sölhe ernewrung des verbotts zu angezeigter zeit der viertzehen tag in bemeltem vnnserm dorff zu *Wangen* noch anndern vnnsern gerichten nicht mer getan werden Sonnder das verbotten gut in dem verbot so anfangs beschicht Jar vnd tag vnuerenndert ligent peleiben Es machte dann einer sölh gut mitler zeit Jars vnd tags vber kurtz oder lang des verbotts mit recht ledig so sol im sölhs alsdann vnuerhindert ze stund wider entschlagen werden. Ob aber sölh gut also bis zu verschinen Jar vnd tag vnangefochten des dem sölh gut zusteet vnd verbotten worden were im verbot ligen belibe, so sol alsdann sölh gut so also ein Jar vnd ein tag verscheint wo der verbietter das verbotten gut im Jar nit

nit rechtuertigt vnd mit recht weyter verbot darauff erlangt one mittel des verbotts auch wider entschlagen, doch sol keinem vnserm hindersessen der zum rechten gesessen gehorsam vnd phandbar ist nichts one mercklich vrsachen vnd one eruolgung des rechten oder ausserhalb vnnsern oder vnnser anwelt sondern beuelch vnd verwilligen verbotten werden.

Item vnd als auch sunst ausserhalb diser vorbegriffen artigkel mencherley gewonheiten die man dann der notdurfft halb phligt in den gerichten zugebrawchen vorangen dieselben alle vnd yede souerr die disen obestimbten artigkeln nit widerwertig sein lassen wir in irem wesen vnd bestannd beleiben das die hinfür wie bisher auch sollen dermas gehalten vnd geübt werden doch so behalten wir vns vnd vnnsern nachkomen hierynn beuor dieselben gemein gewonheiten vnd auch dise obegriffen ordnung zu künfftigen zeiten sametlich oder sonnderlich nach gelegenheit einer yeden sach ze merren ze mindern vnd ze enndern vnd darynn zehanndeln wie vns dann zu fürderung des rechten auch gemeinen nutz ze gut zimlich vnd gepürlich sein beduncken wirdet.

Vnd als auch ir die richter vnnsers gerichtz zu *Wenngen* auf dise ordnung so wir aufs obertzelten zimlichen vnd guten vrsachen fürgenomen iüngst in besatzung des bemelten vnnsers gerichts als wir ewch die mit obestimbtem iren artigkeln fürhalten lassen ze vrteilen in ewren gegeben gewonlichen gerichtz eiden geswororn haben. So wellen wir als gerichtzherr aus krafft vnnser oberkeit vnd gerichtzzwangs damit sölher ordnung vnuerhindert hinfür dest statlicher gelobt vnd volg getan das fürbass so offt das bemelt vnnser gericht zu *Wenngen* nach alter gewonheit besetzt durch ewch als richter vnd ewr nachkomen auff söllh ordnung ze vrteilen das ewch nach der-

 sel-

selben ynnhalt das gleichest vnd rechtest bedunckt sein mit sambt anndeꝛm so ir in ewrn gewonlichen gerichtzeiden ze swören phlegt, gesworn werde one ewr einichs einred vnd widersprechen in allweg. Vnd diser vnser ordnung zu merrer beuestigung vnd glaubwirdiger vrkund, vnd darmit ir auch auff dieselben dest statlicher zehandeln wissent So geben wir ewch die mit vnnserm anhanngendem Secret innsigel *h)* gesecretiert vnd besigelt. Actum an Möntag nach dem Sonntag Exaudi *i)* Nach Cristi gepurt viertzehenhundert vnd im Newn vndnewntzigisten Jare.

a) Non Wengae solum eiusmodi iudicium pagense; sed et in aliis pagis sine medio monasterio San. Vlricano subiectis erat.

b) In libello iudiciali Bonstettensi de eodem anno legitur: ain schilling müncher tut dreyssig phening.

c) In eodem: zwen schilling müncher thut sechtzig phening.

d) Ibidem vier schilling müncher thut ain phund haller.

e) Ibid. fünff phund müncher thut zehen phund haller.

f) Ibid. zwen schilling müncher.

g) Haec ordinatio in libello citato desideratur.

h) Sigillum est bene conseruatum.

i) Decima tertia Maii.

Excerpta.

EXCERPTA.

Ex Monumentis San - Vlricanis Seculi XVI. et XVII.

Num. I. Ferdinandi I. Rom. Reg. mandatum contra rebelles Haunstettenses. Anno 1538.

FERDINAND Röm. König etc. gebietet den Vnterhanen des Dorfs oder Flecken Haustetten, welche dem Kloster St. Vlrich abfällig worden, vnd einem abtrinnigen Ordensmann sich pflichtig gemacht haben, in Namen des Kaisers dem Abt Johann allen billichen Gehorsam zu leisten, vnd alle Rennt, Zins vnd Gilten dem Kloster zu reichen, wo solches nicht geschehen soll, würde er verursacht gegen sie mit Straff zu verfaren. Geben in der Stadt Wienn am Siebenden Tag Decembris Anno etc. im acht vnd dreissigsten, des Röm. im achten, vnd der andern im zwölften Jahren.

Num. II. Transactio inter Episcopum August et Monasterium S. Vdal. iurisdictionem concernens. Anno 1557.

Zu wissen vnd kund gethan Sey meeniglich, nachdem sich zwischen dem Cardinal vnd Bischof OTTO vnd *Jacob* Abt. vnd dem Conuent zu St. Vlrich der geistlichen vnd weltlichen Oberkeiten vnd Jurisdiction, Sonderlich aber der Ordinaren vnd Extra-

Extraordinaren Steuren vnd Reysens halber Speen vnd Irrungen entstanden - - - so haben beyd Theil zu Verhütung weiters Vnwillens vnd Vnkostens sich gutwillig vereinbart, verglichen vnd erboten, sollicher irer Spen vnd Irrungen Verhör vnd Handlung auf die Herren *Marquart* von *Stein* Domprobst, vnd *Christoph* von *Freyberg* von Eisenberg Dechant vnd gemein Capitl zu komen, welche auch beyde Theile nachfolgender Gestalt vereinbart vnd verglichen. 1.) Wollen Abt vnd Conuent zu St. Vlrich in Spiritualibus den Bischof für ihren rechten Ordinarium erkennen vnd ihm vnd seinen Nachfolgern Gehorsam leisten, vnd in temporalibus soll er bey seinem hergebrachten Recht gelassen werden. 2.) Gedachter Praelat vnd Conuent sollen vnd wollen auch einem iedem Bischof wie von Alters her vnd wie andere Praelaten in Reichs ordinaren vnd extraordinaren Anlagen, ieder Zeit Steur vnd Reyss zu leisten schuldig seyn, ohne aber wider alter Herkomen beschwert zu werden, 3.) Soll dem Praelaten vnd seinen Nachfolgern das Petitorium, beyder obgemeldter Jurisdiction belangend, zu ergreiffen vnbenommen seyn. 4.) Soll dieser Vertrag dem Stritt wegen der Straff, vnd hohe Oberkeit zu Haustetten nichts benehmen. 5.) Die ausstendige Bundshülf vnd Reichssteur soll der Praelat zu St. Vlrich dem Bischof mit dreyzehen hundert Gulden reinisch in Münz ersetzen. - - Die geben seind zu Augspurg dem zwen vnd zwainzigsten Tag Augusti als man zalt nach Christi geburt Tausent fünfhundert fünfzig vnd siben Jare.

Num.

Num. III. Fundatio Capellae et Sepulturae a Georgio Fugger facta. Anno 1563.

Georg Fugger Freyherr zu Weissenhorn vnd Kirchberg R. K. Majestät Rath stiftet in der Kirche St. Vlrich vnd St. Afra zu Augsburg mit Erlaubniss des Abts Jacob vnd. des Conuents für sich vnd seine Erben, die der catholischen Religion zugethan sind, eine Capelle, in welcher er einen Altar a) vnd eine Gruft errichtet, mit Stühlen vnd Fenstern versieht, vnd mit einem eisernen Gitter schliesst. Geben am tag ascensionis Domini. der da was den zwaintzigisten Monats Maij Nach Christi vnnsers lieben herrn vnd Seligmachers geburth gezalt fünffzehenhundert im drey vnd sechtzigisten Jar.

a) Huius altaris tabula, quae B. V. Mariam et SS. Vdalricum et Afram repraesentat, a Petro Candit seu de Witte depicta est.

Num. IV. Conuentio cum Magistratu Augustano facta. Anno 1569.

Jacob der Abt vnd der Conuent hat Verzicht gethan, vnd dem Magistrat veberlassen einen zins aus dem Haus der Ferber, vnd einen andern aus einem Haus oberhalb Paarfüsser Closter, dann zwey Brücken, die erste von Stein bey dem rothen Thor, vnter welcher die zwen Brunnenbäch durch die Pastey flüssen, die zweyte kleine bey dem Stosser, dadurch der Wolfbach in den Flossbach flüsst; hingegen hat sich der Magistrat verpflichtet, die zwey Brucken künftig zu bauen vnd zu vnterhalten. Geben

Geben den dreyzehenden Tag des Monats Junii als man zalt nach Christi etc. Tausent fünfhundert vnd im neun vnd Sechtzigisten Jare.

Num. V. Marci Fuggeri fundatio Capellae, Sepulturae, Anniuersarii etc. Anno 1578.

MARX FUGGER Freyherr von Kirchberg vnd Weisenhorn erbauet in der nämlichen Kirche an der obgenannten Capell mit Einwilligung des Abts et Conuents eine Capelle, vnd eine für sich, seine Gemahlinn *Sibilla* geborne Gräfinn von Eberstein vnd seine Erben männlichs vnd weiblichs Geschlechtes gewölbte Gruft; versieht solche mit einem Altar a) Stühlen, Fenster, vnd allen Paramenten, vnd verschliesst selbe mit einem eisernen Gitter zwischen Säulen von Marmor. Stiftet auch einen solemnen Jahrtag vnd Quatember-Messen, wouon iedes Quatember sieben zu lesen sind.

Geben den fünfften Tag des Monats Decembris, alls man nach Christi vnnsers lieben herrn geburt zalt fünffzehenhundert vnnd im acht vnnd sibentzigisten Jare.

a) Altare vitae et passionis Domini historiam a Christophoro Schwarz venustissime depictam repraesentat.

Num. VI. Jacobi Fuggeri Fundatio Capellae Sepulturae Organi etc. Anno 1580.

JACOB FUGGER Herr von Kirchberg vnd Weisenhorn auch zu Babenhausen stiftete in der Kirche zu St. Ulrich für sich vnd seine feine Erben eine Capelle, ein Begräbniss vnd eine Orgel mit folgenden Bedingnissen: 1.) Soll in der Capell vnd Sepultur nur *Jacob Fugger*, feine Gemahlinn vnd eheliche Erben beydes Gefchlechtes ein Recht haben. 2.) Soll in der Capelle alle Sonn- vnd Festtägen, an denen die Orgel gespielt wird, eine Messe gelesen werden. 3) Soll alle Quatember eine Mess vnd iährlich ein Jahrtag mit Vigil vnd Amt gehalten werden. 4.) Soll der Leichnam eines ieden Verstorbenen in Procession an der Grenze der Pfarrei abgeholt, entweders in ihr Begräbniss begraben, oder allein deponiert werden, bis folcher auf ihre Kösten erhoben, transferiert vnd hinweggeführt wird. 5.) Soll die Orgel fowohl als die Capelle mit aller Zugehör von der Familie vnterhalten werden. 6.) Soll das Gottshaus vnd die Familie zur Orgel einen Schlüssel haben. 7.) Soll der Organist von der Familie aufgenommen, vnd befoldet werden, hingegen von dem Gottshaus, fo oft er bey dem Amt schlägt, das Mittagmal in dem Conuent haben. 8.) Sollen die Religiosen von ihrem Gottshaus vertrieben werden, vnd ausser der Stadt wohnen müssen; iedoch catholisch bleiben, fo follen fie die Messen fortlesen, als wann fie in Augsburg wohnten, vnd foll der Praelat die Schlüssel zu der Capellen vnd Orgel dem Herrn Stifter oder feinen Erben zuftellen. Beschehen zu Augsburg den ersten Tag Monats Aprilis. Als man zallt nach Christi gepurt fünfftzehenhundert vnd achtzig Jar.

Num. VII. Octauiani Fuggeri Fundatio Capellae et Sepulturae etc. Anno 1583.

Octauian-*Secundus Fugger* Freyherr zu Kirchberg vnd Weifsenhorn erbaute in der Kirche zu St. Ulrich hinter dem Predigtdigtstuhl eine Capelle, in der er einem Alter zu dem Dienst vnd Lob Gottes zu Ehren der Himmels Königinn Mariae. SS. Benedicti et Francisci a) errichtet, vnd vnter derselben eine gewölbte Gruft für sich vnd seine Erben zubereitet hat. Geben den drey vnd zwaintzigisten Tag des Monats May. Als man zalt nach Christi vnsers lieben Herrn vnd Seligmachers Geburt Tausent fünfhundert achtzig vnd drey Jahr.

a) Imagines illorum PETRUS Candit seu de WITTE artificiosissimo suo penicillo perpulchre expressit.

Num. VIII. Sibillae Fugger fundatio Anniuersarii. Anno 1584.

SIBILLA FUGGER geborne Gräfinn von *Eberstein*, indem Sie sah, dass in dem Fürstenthum Würtenberg, in ihrem Vaterland die vralten Stiftungen, Jahrtäge, vnd geordnete Gottsdienst irer Voreltern, vnd Verwandten seliger Gedächtniss durch Veränderung der alten wahren catholischen vnd allein seligmachenden Religion mutiert, aboliert vnd abgethan, die abgeschiedene Seelen ihrer Stiftung, aller Fürbitt beraubt, vnd auch derselben Einkommen, Rent Zins vnd Gülten wider der Fundatorn wohlmaynliche Intention vnd Fundation alieniert worden, stiftete in der Kirche der heiligen Vlrich vnd Afra einen Jahrtag für ihre verstorbene Voreltern. 2.) Nachdem die Frau *Fuggerin* vorlängst aus sonderbaren Gnaden Gottes von vielen Zweifel, irrigen Lehrpuncten der Religion erledigt, vnd zur wahren christlichen catholischen apostolischen Kirchen ganz heilsam bekert worden, hat sie verordnet, dass alle Jahr zwischen Ostern

vnd

vnd Pfingsten ein Officium de SS. Trinitate Gott dem Herrn zu Lob vnd Dank für solliche erzeigte Gnade gehalten werde. Geschehen zu Augspurg den zwaintzigisten Tag des Monats Nouembris nach Christi etc. Tausent fünfhundert vnd im vier vnd achtzigisten Jar.

Num. IX. Philippi Eduardi Fuggeri Fundatio Capellae, Sepulturae, Anniuersarii etc. facta. Anno 1596.

Philipp Eduard Fugger Freyherr zü Kirchberg vnd Weisenhorn erhält von dem Abt vnd Conuent zu St. Vlrich in der Kirche eine Capell, (die Vögelische St. Bartholome Capelle genannt,) in welcher er einen Altar zu Ehren der h. Dreyefaltigkeit errichtete, eine Sepultur für sich, seine Gemahlin vnd seine Leibeserben, die der Catholischen Religion getreu verbleiben, baute, die er mit einem eisernen Gitter verschloss, vnd mit allen Paramenten versah. Er stiftete auch einen feyerlichen Jahrtag auf Mitwoch nach Reminiscere mit Vigil, Amt, vnd zwey Messen; dann auf iede Quatember sieben Messen. Geben zu Augspurg auf Afftermontag den sibenden Tag des Monats May als man nach Christi - Geburt zählt fünfzehenhundert vnd sechs vnd neuntzig Jahre.

Num. X. Christophori Fuggeri Fundatio. Anno 1604.

Christoph Fugger Freyherr von Kirchberg vnd Weisenhorn Herr zu Mindelheim etc. beeder Fürstl. Durchlaucht *Ertzherzog Maximilian* zu Oesterreich etc. vnd Herzog *Maximilian* in Bayrn

 Cäm-

Cämmerer, errichtete in der Kirche des h. Vlrichs mit Consens des Abts *Johann* vnd des Conuents zu Ehren der Himmelfart Mariae einen Altar *a*) versah ihn mit allen Paramenten, vnd neben zu mit Stühlen: erbaute auch allda für sich, seine Gemahlin *Maria* geborne Gräfinn von *Schwarzenberg* vnd seine Erben eine Gruft, vnd verordnete einen Jahrtag mit Vigil, Amt, vnd einigen Messen; dann auch eine wochentliche Mess auf seinem Altar. Geschehen zu Augspurg den fünfzehenden Monats Tag Decembris nach Christi Geburt gezählt Sechzehenhundert vnd vier Jahr.

a) Ara, Assumtionem B. V. Mariae repraesentans, a Joanne Rottenhamer artificiosissime picta, omnium pictoriae artis expertorum adplausum meretur.

Num. XI. Compositio cum senatu August. iura quaedam in coemeterio concernens. Anno 1616.

JOHANN Abt vnd der Conuent zu St. Vlrich haben sich mit dem Magistrat des Freyt- vnd Kirchhofs halber dahin verglichen, 1.) Soll das Gottshaus auf dem Freyt- vnd Kirchhof zwischen beyden Ecken der Allerheiligen Capell vnd Praedicanten Haus, einen gemaurten Bogen vnd Thor dergestalt mit gemeinen Costen der Zechpfleger aufführen, vnd bey Nachts schliessen, solches Morgens vnd Abends zur Zeit des Ave Maria Läutens durch des Gottshaus Mesner respectiue eröffnen vnd sperren lassen. 2.) Soll hingegen den Herren der Stadt vnbenommen seyn, dero bestellte Diener vnd Knecht, so oft es die Noth erfordert, dahin zu schicken, die müssiggehende, heillose vnd verdächtige Störzer vnd Bettler von Mann- und Weibspersonen bescheidenlich auszutreiben, gefänglich wegzuführen vnd der Stadtobrigkeit zu überantworten, doch mit der Bedingung, daſs die Diener vnd Knecht in die Kirche nicht einfallen, vnd keinem Theil an ſeinen Rechten vnd Privilegien etwas benommen ſeyn ſolle. 3.) Der Freyung halber wurde ausgetragen, daſs die ienigen Perſonen, welche zu Begehrung der Freyung für das geſchloſsne Thor des Freythofs kommen, vnd ſolliches auſserhalben erreichen, vnd anrühren, von der Stadt, oder den Ihrigen nicht ſollen angegriffen, ſondern in des Gottshaus Schutz gelaſsen werden. 4.) Der exponierten Kinder wegen wurde ausgemacht, daſs die Kinder, die in der Kirche, Freythof vnd auch in dem ganzen Umfang des Kloſters, in des Kanzlers Behauſung, in dem Garten, vnd Mayrhof exponiert werden, auf Anzeigung die Stadt hinwegtragen vnd in ihre Findelhäuſer aufnehmen, vnd ohne Entgelt des Gottshaus erhalten ſoll. Geſchehen den neunzehenden Monatstag Aprilis, als man zahlt etc. Tauſent ſechshundert vnd ſechzehen Jahre.

Num. XII. Dorotheae de Eberſtein Fundatio Anniuerſarii. Anno 1618.

DOROTHEA Gräfinn von *Eberſtein* geborne Freyinn zu *Königsegg* vnd *Aulendorf* ſtiftete für ſich, ihrem Gemahl *Ruprecht* vnd ihre Eltern in der Kirche zu St. Vlrich einen ewigen Jahrtag mit Vigil, Amt vnd zwölf Meſsen. Geſchehen zu Augſpurg den zehenten Tag det Monats May nach Chriſti Geburt gezählt tauſent ſechshundert vnd in dem achtzehenden Jahre.

Num.

Num. XIII. Compositio cum Capitulo Cathedrali August. Anno 1624.

CHRISTOPH von Aw Domprobst ZACHARIAS FURTENBACH Dechant vnd das Kapitl, dann JOHANN Abt vnd der Conuent zu St. Vlrich haben sich wegen den an das Burschamt schuldigen zwölf Castronen dahin verglichen, daſs hinfür iährlich vnd zu ewigen Zeiten ein Domcapitl die bemeldte Castron nicht in specie sondern allein zwölf Gulden Gelds dafür erforderen vnd einnehmen, vnd das Gottshaus St. Vlrich mehreres zu bezahlen nicht gehalten seyn soll. Geschehen vnd geben in des h. R. Reichsstadt Augspurg den fünfzehenden Tag des Monats Aprilis als man zahlt etc. Tausent Sechshundert vier vnd zwainzig Jahre.

Num. XIV. Transactio aquae ductum per Territorium Haunstettense concernens. Anno 1642.

EX ORIGINALI.

Zue wiſsen Demnach mann vff Seiten ihrer Churfrtl. Dht. *in* Bayren etc, denen vier Mühl: Grundt: vnd Gülltherrschafften am Pronenlech in Augspurg, vnderhabenden Mülleren vermög des den fünffzechenden decembris anno Sechzechenhundert vnd sibenzechene, zwischen dem lobl. St. *Vlrichs* vnd St. *Affrae* Gottshauſs in Augspurg an ainem: Sodann auch gemaine lobl. Statt Augspurg anders thailſs selbsten wegen der mit gewiser condition vberlaſsnen Pronenwaſseren oberhalb *Haustetten*, allein zwischen Inen aufgerichten vertrags, vnd hernach den fünffzechenden Monathstag Februarii im Jahr Sechzehenhundert,

vnd

vnd neunzechen darüber verferttigten erleutferungs Recefs die gewünn: vnd hereinlaittung defs nothwendigen Lechwaffers durchs Rohr, oder Loch gantz nit geftendig fein, noch vill weniger nunmehr vber die drey negft verftrichene Jahr, bedittene Gewün: oder hereinlaittung angerögten herrfchafften vnd Mülleren paffieren oder zuelaffen, fondern niemand alfs gemainer lobl. Statt Augfpurg felbft mit gewifer feiner mafs condefcendieren vnd geftatten: Nun aber lobl. gedachte Statt Augfpurg, wegen defs vermeintlich vor fye acquiefcerenden vertrags hierzu ganz nit verftehen wöllen, derentwegen fich die interefsierende Grundt: vnd Gülltherrfchafften, welche difs waffer zue nit geringem Abgang ihrer grundtherrlichen vnd fchuldigen Güllten fo lange zeit wider fteets beffer verhoffen, entrathen, der obangerögten mit gewifer Condition auch referuat, vnd vorbehalt vergebener Pronenwafferen, gleichfam wider Ihren willen widerumben hetten bedienen, vnd vnderfangen müeffen: dieweilen aber ein folches allerhandt beforgte vngelegenheit, vnd vnnachbarfchafft nit wenig caufiert, vnd verurfachet hatte, dahero vnd bey bewandten difen mer dan hochfürtringenden motiuen vnd vrfachen. hat fich zu verhüettung deffen, gemaine lobl. Statt Augfpurg, vermög ihrer Kay: vnd Königl. theur erworbnen Priuilegien, auch der mit Chur Bayren abfonderlich habenden wafferverträg des werckhs felbiten vnderfangen auch fich ratione angedeitter Priuilegien vnd Wafferuerträg wegen gewün vnd hereinlaittung defs nothwendig: vnd vnempörlichen Lechwaffers durchs Rohr oder Loch, mit Chur Bayrn vf gewife mafs vnd weifs verglichen, wie folches der vnder dato zwen vnd zwaintzigiften monaths tag May difes lauffenden Sechzechenhundert zway vnd viertzigiften Jahrs, von gemainer lobl. Statt Augfpurg, Chur Bayren derentrentwillen gegebene Reuers mehrers weifst, vnd zuerkhennen gibt, hierauf vnd difem allem nach, auch wie vnd wafs gestalten solche gewün- vnd hereinlaittung defs nothwendig, vnd vnempörlichen Lechwaffers, durchs Rohr, oder Loch mit allen vnumbgänglich erforderenden requisitis volzogen, beschechen, vnd vnderhalten werden soll, haben sich des hochwürdigen Fürsten vnd herrn HEINRICHEN Bischoffens zue Augspurg Frtl. Gn. Rentmaister der Edel vnd vöste herr *Hans Caspar Betz*, wie auch der hochwürdige in Gott herr, herr *Bernhardt* Abbte, defs lobwürdigen St. *Vlrichs* vnd St. *Affrae* Gottshaufs daselbsten ingleichen die wohledle, vnd gestrenge herrn *Hanfs Foelix Ilfung* von Tratzberg, vnd herr *Peter Rehlinger* von Haldenberg beede des Raths respectiue Burgermaister vnd verordnete Spittalpflegere, auch defs Edlen vnd vösten herrn *Hanfs Melchior Mannlichs* Burgers alhie zue Augspurg, dessen Gwalthaber herr *Hanfs Ruedolph Knopff* auch burger allhier, vnd aller ietzernanter vier Güllt - vnd Grundt: vnd Aigenthumbsherrschafften iederweilen vnderhabender Müller an ainem: vnd dan die woledle vnd gestrenge, herr *Dauid Welser* der Jünger, vnd herr *Octauian* von *Rehlingen* vnd Radaw, beede defs Raths, vnd verordnete defs lobl. Bawmaisterambts in Namen, vnd anstatt gemainer lobl. defs heyl. Röm. Reichsstatt Augspurg andern thailfs: obangeregter hereinlait: vnd Gewünung defs nothwendigen vnd vnempörlichen Lechwaffers halben (welches doch im Fall der noth in allweeg dem in Annis Sechzechenhundert sibenzechen, vnd sechzechenhundert neünzechen aufgerichten vertrag, vnd dariber verferttigten erleütterungs Recefs mit gewifer condition vnd vorbehalt reseruierten Pronenwaffern vnpraejudicierlich vnd vnnachthailig sein vnd verbleiben soll) weitter absonderlich auch one schaden vnd nachthail höchst-

höchstgedacht ihrer Chur frtl. Dht. in Bayrn etc. gegebenem Reuers auf ein endlich auch bestendig vnd vnwiderrueflichês Ende, gestaltsambe: dan ein solches von allerseits interessierten herrn Principalen genedig vnd grossgünstig ratificiert, confirmiert vnd guet gesprochen worden, verainbart, verglichen, vnd vertragen, wie mit mehrerm vnd specifice von Puncten zue Puncten hernach zusechen vnd zu finden ist. Alls Erstlichen weilen Chur Bayren etc. die einlait: vnd gewünnung des nothwendigen vnd vnempörlichen Lechwassers, obberüerthen Grundt: vnd Güllthèrrschafften der vier Mühleren am Pronenlech, noch vill weniger derselben iederweilen darbey vnd darob vorhandtnen oder wohnenden Mülleren selbsten, gestatten oder zuelassen wöllen, hingegen aber dessen gemaine lobl. Statt Augspurg, vermög habender Kay: vnd Königl. Priuilegien, vnd dessentwegen aufgerichter wasser verträgen befuegt vnd berechtiget sein solle: vnd doch solchem nach, so woll als eben die Müller, bey abgang vnd ermanglendem wasser nit geringen schaden vnd nachthail nemmen, vnd leiden müesste: also soll diss bey mer höchstgedacht Ihrer Chur frtl. Dht. in Bayren etc. von gemainer lobl. Statt Augspurg wegen one allen entgelt, vnd Costen der Güllt: vnd Grundtherrschafften, wie auch deroselben iederweilen habenden Müllern verfochten vnd aussgetragen werden. Fürs ander solle es mit reparierung, dann auch recht vnd wol versorgt, vnd souil imer möglich bestandthaffter erbawung dess ablässlens beim Rohr, oder altem Loch genant, Item des vberfallenden wasserpöths, der einsetzung einer neuen Archen, oder Kasten, an gedachtem Ablässlen, dessgleichen auch leg: vnd machung dess Prügglens darbey, vnd wass selbigen sonsten ietzt, vnd ins khünfftig mit erhalt: vnd vnderhaltung dessen alles in all andere weeg, noch mehr vnd weitters anhängig, alſo gehallten werden, daſs gemaine lobl. Statt Augſpurg (vber die ihenigen ainhundert Gulden reiniſch in müntz, welche ſy an ietzt iedoch allein für diſsmahl an obgedachtem haubtbaw allen Intereſſierten Grundt: vnd Güllt-herrſchafften zw nachbarlichen ehren vnd Guetem zum vor-thail darreichet, ſpendiert vnd hergübt) an dem auflauffenden Vncoſten den halben, vnd den andern halben thail der vier Miller Grundt: vnd Güllthеrrſchafften erſtattem guetmachen, vnd bezallen ſollen. vnder welchem vncoſten nit allain daſs baw: oder werkhholtz, wie auch einleg: oder Portzholtz: ſondern auch die tag vnd Fuehrlohn, deſsgleichen die Nögel, vnd all ander Eiſſenwerckh, auch waſs ſonſten in ainem vnd andern hierzue nothwendig erfordert würdt, gemaint, vnd ver-ſtanden werden: ſouil aber den hierzue gehörig, vnd erforder-ten werckhzeug belangt ſolle ſelbiger ſouil allzeit darzue von-nöthen von gemainer lobl. Statt wegen hergegeben vnd deſs hierbey wider verhofften erfolgenden abſchlaipfes halber. weder an die Güllt - vnd Grundtherrſchafften, noch auch derſelben Müller nichts begert, noch vill weniger von Inen erſtattet wer-den. Drittens inn - vnd mit beuorſteender ietzig vnd all khünff-tiger Raumung, deſs Ordinarii Bachs, oder Canalſs vom Rohr, oder Loch biſs auf Hauſtetten an den Mühlbach, wie auch die einholl - vnd gewünnung nothwendigen Lechwaſſers vom Rue-der oder haubtfluſs deſs lechs aber ſolle es ietzt vnd hinfüro dergeſtalt, vnd allſo gehalten werden, daſs es auf ieden erfor-derenden nothfall vnd dürfftigkeit mit der Statt Augſpurg, vnd denen von offt bedittenen herrſchafften vnd dero Müllern herr-gebenden Tagwerckhern vnd leuten (warunder allzeit von ge-mainer lobl. Statt Augſpurg wegen wenigiſt ein Obman oder Rottmaiſter, ſo daſs gantze Werckh dirigiert vnd füehrt, wie dan

dan one der herrn defs lobl Baumaifterambts vorwiffen oder lhrer iederzeit hierzue verordneten leuth beyfeinn die Güllt- vnd Grundtherrfchafften, wie auch derofelben Müllere nichts zw bawen oder vorzunemmen (weilen ein folches gleichfamb ohne beforgende gefährliche andtung von Chur Bayren, wie oben verftanden, nit woll gefchechen möchte) befuegt fein, iedoch inen fambt vnd fonders vf alle begebende nothfäll vnd erfcheinende dürfftigkeit, wie auch derentwillen befchechendes erinneren, begeren, vnd anmelden vf beditenen Coften nichts nit abfchlagen, fondern gantz vnwaigerlich gratificiert vnd wilfahrt werden (zwifchen ine auf gleiche halbe fpefa fo woll mit tag: vnd fuhrlohn, alfs baw: weyden, bofch, oder einlegholtz, vnd all andere hierüber auflauffenden baw vncoften, wie beim anndern Puncten oder articül nechft oben mehrers declariert vnd erleüttert worden, gehen, die Statt Augfpurg aber iederweilen den werckzeug, wie auch oben vermeldt hierzue gantz vnwaigerlich herrgeben, defsgleichen die darein gehende Pronenflüfs durch die ihrige hinfüro mit nothwendigen Raumen, Saubern, vnd in all andere bettürfftige weeg (maffen von Alters herkhommen) erhalten vnd vnderhalten follen, weilen ein folches felbige Pronnenbäch die Güllt- vnd Grundtherrfchafften wie auch derfelben Müller niemahlen gantz nicht concerniert oder berührt haben. Fürs vierte folle denen von Mülleren bey iederweilen ermanglendem waffer, vnd da fy nit drey Gäng beftendig füehren kundten, von gemainer lobl. Statt zue erhalt- vnd füehrung wenigift fteter zwen oder drey Gäng nach gelegenheit defs waffers vf iedes eruolgende gebürliche infinuiren vnd anmelden aller vnwaigerliche gebürend vnd erfpriefsliche beyftandt erzaigt werden, auch hierwider inen Müllern im obern Pronenthurm kain vnpaffierliche verhinderung, sondern alle zuelässige mitbefürderung beschechen, vnd würcklichen erzaigt werden solle. Fünfftens, soll der für dißmahl vber abzug der zum vorthail bewilligten ainhundert Gulden der halbe Thail auflauffende, auch zu bezallen, vnd abzustatten angenommene vncosten nach vollendten baw, von denen Gült- vnnd Grundherrschafften, oder dero Müllern alfo gleich halbbezalt, der verbleibende Rest aber auf leidenliche, vnd erschwinglich Fristen abzulegen ernent werden: der weitter künfftigen gemainen vncosten halber sollen gleiche Conto gehalten vnd alle quartal beim lobl. Bawmaisterambt, worvon entzwischen die bezallung aller sachen halber beschechen solle, abgerechnet, vnd darneben die paare bezallung, waß es iedem Thail proportionabiliter treffen würdt (daß ist von allen vier Mühleren Grundt - vnd Gültherrschafften, iederweilen verhandenen Müllern wann es kain haubtbaw betrifft die hellffte) dahin erstattet werden, wan aber ein starckher haubtbaw vorfallen solte, so sollen one außnamb oder vortheil die Güllt - oder Grundtherrschafften den halben thail mit erschwinglichen fristen wie negst oben vermeldet bezallen vnd ablegen. Schließlichen solle es in allem andern bey denen zum eingang angeruehrten haubt- vnd erleütterungs Receß: Item Chur Bayrn gegebnem Reuers auch all andern verträgen, vnd Priuilegien sein beständig vnd vngeändertes verbleiben haben. Getreulich vnd ohne alles geuärde. Zue mehrer vnd besserer becräfftigung dessen, seind diser zwar guet: freundt: vnd nachbarlichen iedoch aber endtlich, auch beständig - vnd vnwiderrueflichen vergleich vnd vertragung fünff gleich lauttende Exemplaria, deren eines one daß ander gülltig vnd cräfftig sein vnd verbleiben solle, vfgericht, so von ainer handt geschriben, vnd von der vier Müller Grundt - vnd Güllthertschafften (ausser herrn *Hansen* *Mel-*

Melchior Mannlichs alſs welcher ſich in Oeſterreich befindet an deſſen ſtatt aber herr *Hanns Ruedolph Knopff* vermög genuegſamen gewaldts verferttigen ſolle) an ainem: ſo dan wegen deſs woluerordneten Bawmaiſterambts von gemainer Statt Augſpurg andern thailſs, mit iren hieranhangenden Secret, vnd aigenen Inſigelen a) verferttiget, vnd becräfftiget worden. Geſchechen vnd geben in Augſpurg auf dem Rathhauſs den zechenden Monathstag Septembris nach Chriſti vnſers lieben herrn vnd Seligmachers gnadenreichen geburth, gezöhlt aintauſſent Sechshundert vnd in dem zway vnd viertzigiſten Jahre.

a) De quinque ſigillis primum et quartum deſiderantur, reliqua ſunt illaeſa.

Num. XV. Compoſitio cum Epiſcopo et Capitulo Cathedrali Jurisdictionem, et ius Steurarum etc. in Haunſtetten concernens. Anno 1643.

EX ORIGINALI.

Wir HAINRICH von Gottes gnaden Biſchoue zue Augſpurg etc. Vnnd zugleich wir *Chriſtoff* von *Aw*, Domprobſt, *Johann Vlrich Schenkh* von Caſtell, Dechant, auch gemain Capitel des Dombſtiffts daſelbſt, aines: Sodann Ich BERNHARDT des Gottshauſs zue St. *Vlrich* vnnd St. *Affrae* in ermelktem Augſpurg Abbte neben vnnd mit meinem anuertrauten Conuent, anndern thailſs, Thuen khundt vnnd bekhennen hiemit offentlich, demnach zwiſchen vnnſs vnnd vnnſerem Stifft, auch mir dem Praelaten vnd meinem anuertrawten Gottſshauſs, nunmehr vber die ſibenzig Jahr, wegen der Superiorität vnd temporal-Jurisdiction, auch Steurbarkhait, deſsgleichen der hochen: vnnd maleſiziſchen Obrigkhait zue *Hauſſtetten* bey ohngefahr hundert Jahr hero, ſtrift vnnd Irrung, thailſs an dem Kayſerlichen Cammergericht zue

Speyr

Speyr, vnnd zwar in primo puncto vermitelſs deſs Kayſerl. Fiſcals daſelbſt, vnnd thails bey dem kayſerl. Reichshofrath, auch ſonnſt der nidergerichtlichen Obrigkait halber extraiudicialiter erhallten; daſs ſollichem nach, auf beederſeits gehabt: reifliches nachdenckhen, der beſte weeg zu ſein erachtet worden, inſonnderheit auf ein verträgliches mittel einer güetlichen Conferenz, vnnderred vnnd handlung zuegedenkhen; dardurch man ſich mit einander verainbaren, vnnd diſe ſtrittigkhait völlig ab: vnnd hinlegen, ſollicher geſtallt auch denen ſonnſt noch hierbey beſorgendt langwürig: vnnd zumahl coſtbaren Proceſſen (beuorab, weil in primo puncto die rechthängige ſach ſuper mandato noch hafften, vnnd beſtehen thuet, deſs künfftigen Auſstrags in cauſa principali zuegeſchweigen) ein enndt machen möge, alſs ſolliche noch ferners mit allerſeits vngelegenheit continuieren vnnd fortſetzen müeſſe, fürnemblich aber vnnd weiters darumb, damit, wie es pflegt bei dergleichen proceſſen etwann zuegeſchehen allem widerwillen vorgepawt, vnnd vilmehr vf die lieb ſuccedierende Poſterität ein guettes Vertrauen vnnd Vernemmen gepflanzt werde.

Zue diſem ennde, vnnd auf das angeregte Conferenz zue werckh geſtellt werde, iſt den ſibenzehenden iüngſthingelegten Monatſs May, ſolliche in deſs heyl. Röm. Reichs Statt Augſpurg etc. auf vnnſers deſs biſchoffs Rentambts behauſung alda, vermitleſt allerſeits intereſſierten, darzue gewiſer Deputierter, vnnd thails auf deſs Gottshauſs ſeiten perſohnlicher erſcheinug, auch in Gegenwarth herren *Carl* Abbtens zue Prinnz-Annhauſen *a*) alſs von beeden thailen Erkhieſſten interponenten, fürgenommen, vnnd ſein beede ſtrittigkhaiten, neben annderen denſelben anhängigen ſachen, nachuolgender maſſen verglichen, vnnd gethädiget worden.

Vnnd

Vnnd zwar, souil denn ersten puncten anbelangen thuet, hat man zue allen thailen dahin verainbart, dass vnnss dem bischoff vnnd vnnserem Stifft, Er der Praelat zue St. *Vlrich* vnnd St. *Affrae* mit vnnd neben seinem Conuent, für die dess Stüffts halber iure proprio bestrittene Jura der immedietät Superiorität vnnd Steurbarkhait, zuer widergelltung vnnd satisfaction, ain Gellt zwelfftausendt Gulden, denn Gulden zue sechzig Kreuzer oder fünfzehen batzen, gangbarer Reichsmüntz gerechnet, bezahlen vnnd laisten soll, zwar dergestallt, dass bey gemainer Statt Augspurg dem Stifft von dem Gottshauss zue St. *Vlrich* vnnd St. *Affrae*, Ailfttausendt gulden an Capital, neben vnnd mit denen daruon verfallenen, vnnd nit bezahlten zünsen, welliche zünss auf viertausendt neunhundert fünfzig gulden sich belauffen, angewisen vnnd wirckhlich vbergeben, die vberige aintausendt Gulden aber, welliche der Stifft mehr gedachtem Gottshauss zue St. *Vlrich* vnnd St. *Affrae* eines alda verhanndenen Conuentuals F. *Laurentii Mayrs* halber, in Capitali schuldig gewesen, vnnss dem Bischoff, vnnd vnnserem Stifft zue völliger Complierung obgedachter zwelfftausendt Gulden nachgelassen, auch die daruon restierende zünss, gegen denen noch ebenmessig hinderstelligen consueten Gellfern, allerseits compensiert vnnd aufgehebt sein.

Vberdass hat mehr offt berüertes Gottshauss zue St *Vlrich* vnnd St. *Affrae*, dem Stifft noch darzue verschidene Leüth vnnd Güetter, neben vnnd mit allen daruon gefallendt: vnnd eingehendten Recht vnnd gerechtigkhaiten, Rennt: gillt: zünss, vnnd nuzbarkhaiten wie die alle namen haben mögen, so thaills in vnnserer des Bischoffs zue Augspurg herrschafft *Rettenberg b)* Fürters dem Stüfft *Kempten*, vnnd thails der Graffschafft *Rottenfelss* vermöge einer sonnderbahren disem haubtuertrag beygeleggelegten, vnnd allerseits becräfftigten Designation vnnd Specification, gelegen, aigenthumblich vnnd auf ewig cediert, eingeraumbt vnnd vbergeben. Dargegen haben wir der Bischoff vnnd vnnser Domcapitel zue Augspurg gleichfahls gännzlich vnnd auf ewig, vnnsere vnnd vnnsers Stiffts iura vnnd gerechtsame der welltlichen Superiorität, vnnd Steurbarkhait dem Praelaten vnnd seinem Gottshauss zue St. *Vlrich* vnnd *St. Affrae* hinumbgelassen vnnd eingeantworttet, dass er sich derselben fürbass hin, alss diss orths ein dem heyl. Reich vnmitelbar vnderworffner Stanndt habe zu gebrauchen vnnd zu bedienen; Wardurch mit vnnd neben der obuerstandenen welltlichen Superiorität (zuemahlen es diss Orths der gaistlichen Jurisdiction alss einer gannz vnstrittigen sach, bey dem Stifft sein richtiges verbleiben hat) vnnser vnnd vnnsers Stüffts welltlicher Schutz oder ius aduocatiae allerdings, sambt dem darfür geraichten iährlichen consueta gellt gefallen vnnd aufgehebt *sein soll.*

Der ander strittige Punct, die hoch- vnnd Malefizische: auch nidergerichtliche Oberkhait, inner vnnd ausser dess dorffs *Haustetten* Etterss betreffendt, ist dahin abgeredt vnnd verglichen worden, dass alle vnnd iede Malefizische fähl, wie die, siue de iure, seu de consuetudine immer namen haben khünden oder mögen, welliche zue gedachtem Hausstetten beganngen, oder wann alda inner des dorffs Etter Maleficanten beygefangen werden, deren verbrechen durch denn Scharpfrichter zu bestraffen, vnnss dem Bischoff vnnd vnnserem Stifft als Innhabern der Strassuogtey, vnnd an vnnserer statt, vnnseren iederweilen bestellt: vnnd verordneten Strassuögten, oder annderen an seiner statt beuelchten, allainig zuberechtigen, gleichwohlen darneben der Praelat durch die seinige inner des dorffs Etter (Primo) Maleficanten beyzufangen, dieselbe hernach aber einem

Strass-

Strafsuogt, oder aber einem anderen beuelchten, auffer defs dorffs Etters an dem Egg defs oberen hauftetter veldts gegen Bobingen zue, alda ein newer fonnderbahrer Stain, gefetzt ift; zueliferen, (Secundo) die cognition, ob nemblich die begangene that malefizifch oder Ciuil, ihme Praelaten gebühren; darbey iedoch khein Criminalfach, ciuiliter abzuftraffen nit zuegelaffen, derowegen auch (Tertio) in entftehung follicher frag oder zweifels, ob nemblich der begangene fahl malefizifch oder ciuil feye, wir die beede Partheyen aus vnnferen Räth: oder dieneren iemandt nacher Augfpurg, oder an ein anderen denn Partheyen beliebenden Orth verordnen, felbige fich vnndereinander, defs vorgefallenen ftritts oder zweifels halber, in der Güette bereden, vnnd darinn ein richtigefs machen laffen, oder da difs nit verfänglich, dennfelben gewallt auftragen follen, dafs Sie die von jeder Parthey deputierte einen Schidmann erkhiefen, vnnd da folliche zween Schidmänner auch nit ainig werden khönndten, diefelben mit fambt beeder Partheyen abgefanndten, einen vnpartheyifchen Obmann, wellicher beederfeits beliebig erfuchen, vnnd vermittelft deffelben de plano et ex bono et aequo ohne einige fchrüfftwechfslung, von welchem auch weder reduction, appellation, oder ainich anndere prouocation zuuerftatten, der vorgefallene ftritt ein endliche aufstragung bekhommen, vnnd erlangen möge; Wann aber (Quarto) auffer defs Dorffs Etters zue hauffletten Maleficanten betretten wurden, fo hat der Strafsuogt, oder anndere an feiner ftatt, die, die Maleficanten beyzufanngen, in dem ganz hauffletti-fchen diftrict oder fluer, alfs nemblichen von einem allten weiffen Stain vnnderhalb Haufftetten (wellicher fonnft vermög defs zwifchen dem Stüfft vnnd der Statt Augfpurg in anno Sechzehenhundert vnnd zway, allain auf ihrer Kay. May. etc. rati-

 fica-

fication, ſo noch nicht eruolgt, vſgerichten vertrags ein ſchaid-markh, wegen der Straſsuogtey vnnd der Statt Augſpurg, die hoche vnnd malefiziſche Obrigkhait betreffendt, ſein ſolle) der ſchlemmen nach vf daſs egg deſs anfangs der Biſchöfflichen Grieſsäckher deren der Obriſt der Schrankhenackher genant wirdet, an diſem ackher der lännge nach hinauf gegen denen hauſſtettiſchen braitwiſen biſs vf denn Veldweeg, ſo naches Augſpurg vnnd Göggingen gebraucht wirdet, volgendts im diſenn weeg etwas wenigsten ab biſs zue enndt hauſſtetter, vnnd anfanng Gögginger Veldts,. dann am vnnderſten hauſſtetter Veldt vnnd Rhain mit denen grieſeren vnnd berg biſs vf Gögginger Anwanden, vf diſer Anwandt vf dem berg hinauf, biſs vf Inninger Veldt, ſo gannz vſs Lechfeldt durchgehet, vnnden an diſem Veldt ob dem Lechueldt hinumb biſs vffs hauſſtetter Mittelueldts vnnderen anfanng an diſem Veldt wider hinauf bis vf Inninger Veldt alda ein groſſer *Marckhſtain ligt*, von diſem Stain obm berg anwannden der hauſſteter mittel-vnnd oberem Veldt hinauf, biſs vf einen Inninger Ackher, ſo ein Dombcapitliſch guett daran noch ein bobingiſcher Ackher, vnnd volgendts den lanngen weeg durch, diſen langen weeg hinab bis zue endt deſs hauſſtettiſchen oberen veldts, vom endt diſes oberen Veldts der zwerch nach, vber die Lechueldt-mäder, vff ein groſſen Stain, mitten vf einen hauſſtettiſchen zwölfer Wiſmadt, welliches iezt *Görg Miller* baur obm Groſs innenhat, von diſem Stain abermahls die Zwerch hinüber biſs vf daſs bildt, oder aber den Stain ſo oberhalb deſs lebendigen ſtain gemachter Bildtſaul an Oelbach ligt, vnnd noch weiterſs ſchregweiſs hinauf, biſs an einen gegen dem Lech verhannde-nen Stain oberhalb deſs Rohr oder lochs, deſs Gottſshauſs be-ambtem aber dieſelbige allain zwiſchen dem weiſſen Stain bey dem bey dem Egg vff die bildtſaul, vnnd gerad hinüber biſs an allten Floſsbach, wie daſelbſt die Bayriſche Markhen ordenlich verhanden, doch auſsgeſchloſſen deſs bezürckhs, von der gemaurten bildtſaul der ſchrege nach, biſs zum Stain beim Loch, auch anzugreiffen vnnd hanndtzuhaben zuegelaſſen ſein ſoll, vnnd alſo diſsfahls die praeuentio ſtatt haben, iedoch dergeſtallt, daſs die der ennden gefangne einem Straſsuogt oder denn ſeinigen, ohn alle cognition vnnd widerred, inner dreyen tagen, an vorobgedachtem vnnd verglichenen orth vnfehlbar zuliferen ſchuldig ſeyen, oder im widerigen deſs einfalls endtlich zuegewartten haben. Fürterſs ſolle dem Gottshauſs immer dem dorff vnnd vſſer Etterſs in obſpecificiertem hauſſtettiſchen gannzen diſtrict oder Fluer, die nidergerichtliche Oberkhait gebühren vnnd zueſtehen, iedoch dergeſtalt, weilen in diſem hauſſtetter berzirckh oder Fluer (darinn ſonſt ohne das die forſtliche Obrigkhait dem Stifft Augſpurg, allſs vnſtrittig, iure proprio zuegehört) gewiſe benachbarte ſtüfftiſche gemaindtsleuth verſchidene Wiſsmäder innhaben, daſs derſelben beſteurung, ſie veränderen gleich die iezige qualität, oder werden zue äckheren gemacht, dem Stifft, ſo darauf bis dato ſolche gehabt, in allweeg, wie nit weniger auch die Pfandung hierzue, durch die von denn ſtifftiſchen gemaindten beſtellten Pfänndteren, oder derſelben Güetter beſizeren ſelbſt, ſo dann den abtrag deſswegen an dem Orth, wohin diſe ſtuckh oder gründt gehörig, vnnd die Pfanndt eingebracht ſein, verbleiben. Da aber, vber kurz oder lanng, etwaſs von diſen ſtuckh, oder gründen, durch Tauſch vnnd Auſswechſel von deſs Stiffts zue- vnnd angehörigen an die hauſſtettiſche, vnnd herentgegen von Ihnen an die Stifftiſche in denn ſtifftiſchen Flueren, alda, das Gottshauſs die Steur- vnud pfanndung auch hergebracht, ſollte khönnen, ſo ist vf sollichen sich begebenden fahl bethädiget, dass die Steurbarkhait vnnd pfanndung iedem theil in seinem Fluer, zue verhüettung khünfftiger Müssuerstänndtnuss, verbleiben vnnd zuestänndig sein soll.

Schliesslichen ist bey beeden vorgehendt: vnnd ietzt verglichenen Puncten lauter bedingt, dass nit allain, auf allerseits gleichen vncosten, bey der Röm: Kay: May: etc. vmb die Ratification vnnd Confirmation allerunnterthänigist angesuecht, sonndern auch zuemahlen denen beederseits habenden Procuratorn vnnd Anwällden, dass sie gehöriger orthen die gännzliche ein- vnnd abstellung des biss anhero an dem Kayserl. Cammergericht zue Speyr vnnd dem loblichen Reichshofrath geschwebte vund geföehrte Processen, crafft getroffnen vergleichen begeren. vnnd desswegen liti renuncieren sollen.

Vf dise iezt obgehörte mass vnnd weiss seindt die bisshero strittig gewesste beede Puncten enndtlich vnnd beständig abgehanndlet vnnd verglichen, warbey es auch nun fürbasshin ohne weitere wider- vnnd einred, sein richtigkhait vnnd verbleibens haben soll.

Dessen allem zue wahrem vrkhundt seindt dises vergleichs drey gleichlautende Exemplaria geschriben vnnd aufgerichtet auch mit vnnserem dess Bischoffs, vnnd meinen dess Praelatens aignen hannden vnnderschriben, dann vnnsere gewohnliche Insiglen disem vertrag aufgetruckht *c*) welliches ebenmessig vnnd nit weniger, von vnnseren respectiue Dombcapitel vnnd Conuent beschehen vnnd volzogen, daruon iedem thail aines zuegestellt, vnnd dass dritte der Röm: Kay: May: etc. pro ratificatione et confirmatione allervnnderthenigist vberschickt worden. Geschehen vnnd geben den zwelfften Monatstag Octobris.

tobris, nach Christi vnnsers lieben herren vnnd Seeligmachers gnadenreichen geburth gezehlt, aintausendt Sechshundert, vnnd in dem drey vnnd vierzigisten Jahre.

HEINRICH Bischof
zu Augspurg.

BERNARDUS Abbas S. Vdalrici.

F. Michael Prior S. Vdalrici
et totus Conuentus.

a) Anhusen ad amnem Brenz in regno Wirtenbergico.
b) In Algoia.
c) Sigilla Chartae impressa adhuc sunt illaesa.

Num. XVI. Ferdinandi III. Imp. Confirmatio altefatae compositionis. Anno 1644.

E x C o p i a v i d i m a t a.

Wir FERDINANDT der Dritte von Gottes gnaden, Erwöhlter Römischer Kaiser zu allen Zeiten, mehrer dess Reichs in Germanien, zu Hungarn, Böheimb, Dalmatien, Croatien, vnnd Schlauonien etc. König, Erzherzog zu Oesterreich, Herzog zu Burgund, zu Brabandt, zu Steyr, zu Karndten, zu Crain, zu Luzenburg, zu Württenberg, Ober- vnnd Nider Schlesien, Fürst zu Schwaben, Marggraue dess heiligen Römischen Reichs zu Burgaw, zu Mähren, Ober vnnd Niderlausnitz, Gefürster Graue zu Habspurg, zu Tyrol, zu Pfirdt, zu Kyburg vnnd zu Görtz, Landtgraue in Elsass, herr auff der Windischen

Marckh,

Marckh, zu Portenaw vnnd Salins etc. Bekhennen offentlich mit disem brief, vnnd thuen khundt allermeniglich, dass der Ehrwürdig auch Ersamb *Heinrich* Bischoff zu Augspurg, vnnd *Bernhardt* Abbte bey St. *Vlrich* vnnd St. *Afra* daselbsten vnnsere Fürst, vnnd liebe andächtige einen schrifftlichen Vergleich, darinnen sy etlicher von langer Zeit hero, wegen der Superioritet vnnd temporal Jurisdiction, auch Steurbarkeit: *dessgleichen* der hohen vnnd malefizischen Obrigkheit zwischen Ihnen vorgewesener strittigkheiten halber, sich güetlich miteinander abgefunden vnnd verglichen, in originali allerunterthenigst vorbringen lassen, dess inhallts, wie von wort zu wortten hernach geschriben stehet.

Wir HEINRICH *von Gottes gnaden Bischoue* etc. Sequitur Compositionis instrumentum numero antecedente relatum de verbo ad verbum insertum.

Vnnd vnns darauff eingangs benenter Bischoff zu Augspurg, vnnd Abbte bey St. *Vlrich* daselbsten allerunterthenigst angerueffen vnd gebetten, dass wir obinserirten vertrag, alss regierender Römischer Kaisser, alles seines Inhalts zu confirmiren vnnd zu bestettigen gnediglich geruhten. Dass haben wir angesehen solche ihre demüetige zimbliche bitt, vnnd darumb mit wolbedachtem mueth, guetem Rath vnd rechtem wissen, vorberürten Vertrag gnediglich confirmirt vnnd bestettiget. Thuen dass confirmiren vnnd bestettigen denselben auch hiemit von Römischer Kaisserlicher Macht volkommenheit wissentlich in krafft diss briefs, vnnd mainen, sezen, vnnd wollen, dass ob einuerleibter Vertrag in allen seinen Wortten, Puncten, Clausuln, Articuln, Inhalt-Main- vnd begreiffungen kräfftig vnd mechtig sein, von beeden Theilen stäth, vest vnnd vnuerbrüchbräuchlich gehalten vnnd volzogen, vnnd sy sich dessen alles seines Inhalts geruehiglich erfrewen, gebrauchen vnnd geniessen sollen. vnnd mögen, von allermeniglich vnuerhindert, doch vnnss dem heiligen Reich vnd sonst meniglich ohne nachtheil vnd schaden.

Vnnd wir gebietten darauf allen vnnd ieden Churfürsten, Fürsten, Geistlichen vnd Weltlichen, Praelaten, Grauen, Freyen Herrn, Rittern, Knechten, Landuögten, Haubtleuthen, Vicedomben, Vögten, Pflegern, Verwesern, Ambleuthen, Landrichtern, Schultheissen, Burgermeistern, Richtern, Räthen, Burgern, Gemeinden vnnd sonst allen andern vnnsern vnnd dess heiligen Reichs Vnterthanen vnnd getrewen, wass Würden, Standts oder Weessens die seindt ernst- vnnd vestiglich mit disem brief vnnd wollen, dass sy mehrgedachts Bischouen zu Augspurg, wie auch den Abbten zu St. *Vlrich* vnnd ihre nachkhommen, an hieuor geschribenem Vertrag, vnnd disser vnnsserer darüber interponirten Confirmation vnd bestettigung nicht hindern noch irren, sondern sy dessen geruehiglich erfrewen, gebrauchen, geniessen, vnnd gäntzlich darbey bleiben lassen, insonderheit vorbenenten beeden verglichenen Theilen, dass sy solchem vertrag, so weit derselbe einen ieden berürt vnnd bindet, alles seines inhalts gestrackhs nachkhommen vnnd geleben, darwider nichts thuen, handlen oder fürnehmen, noch solches andern zuthuen gestatten, in kheine weiss allss lieb einem ieden seye vnnsser Kaiserliche Vngnadt, vnnd Straff vnnd darzue ein Poen, nemblich dreyssig Marckh lötigs Goldts zuuermeiden, die ein ieder, so offt er freuentlich hierwider thäte, vnnss halb in vnnsser Kaisserliche Cammer, vnnd den andern halben theil obgedachten verglichenen Partheyen oder dem haltenden theil vnnachlässlich zu bezahlen verfallen sein solle.

Mit

Mit vrkhundt diss briefs besigelt mit vnnsserm Kaiserlichen anhangenden Insigel. Der geben ist in vnnser Statt Wienn den neun vnd zwainzigisten Tag dess Monats Januarii, nach Christi vnnsers lieben herrn vnnd Seeligmachers gnadenreichen Geburt im Sechzehenhundert vier vnnd vierzigsten vnnserer Reiche dess Römischen im Achten, dess Hungarischen im neunzehenden, vnnd dess Böhaimischen im Sibenzehenden Jahre.

FERDINANDT.

Num. XVII. Compositio cum aedilibus Augustanae ciuitatis facta. Anno 1650.

EX ORIGINALI.

Zue wissen, demnach man vngefahrlich vor achtzehen Jahren, durch die vor dem Rothenthor gelegene Schantz oder Hornwerckh, die Strass gegen dem obern Gottsacker, auf Haustötten zue also vnnd dermassen verbawht hat, dass man sich derselben, mit grosser vngelegenheit, vnnd weittem vmbweeg hat bedienen müessen, Wie aber dise Vngelegenheit, insonnderheit, dass Gottshauss bei St. *Vlrich*, sampt dero Vnderthanen zue Hausstötten, vnnd dass Hospital zum h. Geist zue Augspurg, wie auch andere Interessenten wegen Ein- vnnd Aussfürung der lieben Früchten, des Hews, Tungs, vnnd andere Sachen betrifft, alss haben sich ihr Ehrwürden herr Pater Grosskeller bey St. *Vlrich*, wegen gedachts St. Vlrichs Gottsauss, vnnd wegen Hausstötten, wie auch die Woledle Gestrenge woluerordnete Baw vnnd Zeugherrn, in Namen der Statt Augspurg dessgleichen der Spitalmaister

vnnd

vnnd Spittalſchreiber anſtatt des Spittals vnnd andern Intereſsenten, wegen durchſchneidung des obbedüttenen horenwerckhs, vnnd machung einer Pruggen, ſampt dem Schanzthor vnnd auſerm Schrancken oder Schlagpawm damit man ob dem alten grund, widerumben den geraden weeg hinauſs, dem Gottsacker zue, kommen konnte, iedoch allerſeits auf ratification ihrer Obern, ſo lang diſes horenwerckh alda verbleiben, vnnd vnderhalten würdet, volgender maſsen vereinbart, vnnd verglichen. Erſtlich ſoll daſs Gottshauſs bei St. Vlrich, daſs hoſpital, vnnd andere Intereſſenten mit ihren vndergebenen, daſs hornwerckh angezeigter maſſen, ohne der Statt Augſpurg entgelt durchſchneiden, oder abgraben, vnnd daſs Erdtrich daruon an daſs verordnete Orth im hornwerckh füehren, vnnd ganz nit inn den Graben hinein werffen laſſen, allein von gemainer Statt wegen, ſollen ihnen die Schüebkärren darzue gegeben werden. Zum andern ſoll auch obwol gedachtes Gottshauſs bei St. *Vlrich* et Cons. zue der Pruggen, Schanzthor, vnnd Schrancken, alles Aichen: vnd ander holzwerckh hergeben, vnd auf ihren Coſten herfüehren laſſen. Drittens ſoui die Zimmer Arbeitt ann diſer Pruggen, vnnd Schanzthor anbelangt, ſo ſollen ſo lang alſs diſe Arbeitt werth, von des Gottshauſs, zue St. *Vlrich*, vnd Spittalſswegen zween zimmerman, vnd von gemainer Statt wegen auch zween zimmerman vnd ein Rottmaiſter teglich gegeben werden. Souil für das viertte, die beſchlagung des Schanzthors, die Schlöſſer vnnd Pfaelſchuech, neben anderm hierzue nottwendigen Eiſenwerckh, vnnd Nägel anbelangt, ſoll alles ohne entgelt Gemainer Statt, von mehr wolbedachtem Gottshauſs St. *Vlrich* et Cons. erſtattet, vnnd abgelegt werden, allein will man von Gemainer Statt wegen, etwaſs von altem eiſernen bändtern vnnd Schlöſſern woferne ſy verbanden hergeben, daſs auſsmachen aber ſoll vom Gegentheil erſtattet werden. Fünfftens: ſoll auch diſe Pruggen ſampt dem Schanzthor, vnnd Schrancken, von dickhernantem Gottshauſs St. *Vlrich*, derſelben nachkomen, vnd Conſorten inn päwlichen weſen vnderhalten werden, allein wan man künfftiger zeitt daſs horenwerckh von Gemainer Statt wegen, wolte oder würde abgehen laſſen, ſo ſoll alſsdan auch diſe Vnderhaltung, ganz aufgehebt ſein; vnd weitter nichts begert, ſondern es ſoll alſsdan bemelte Pruggen, vnd Schanzthor auf gemainer Statt coſten gegen inbehalt der materialien abgebrochen werden. Schlieſslichen wann ſich aber wider beſſer verhoffen begeben ſolte, daſs ſich bei Kriegs - oder anderer feindts gefahr erzeigen wurde, ſo ſoll alſsdann ob wolermeltes Gottshauſs bei St. *Vlrich* et Cons. crafft diſs brieffs verbunden ſein, auf Gemainer Statt erſtes begern, vnnd erfordern, gedachten durchſchnitt, wider zuebawen, *inn den alten ſtandt* richten, vnnd alles allein auf derſelben, vnnd ohne gemainer Statt coſten, vnnd ſchaden machen laſſen. Getreulich, ſonder geuerde, Deſſen zue wahrem Vrkundt ſeindt diſer abhandlung drey gleichlauttende brieff aufgerichtet: welche von einer handt geſchriben worden, deren auch ieder ohne fürzaigung der andern cräfftig ſein, vnnd gelten ſolle, welche auch nach beſchehener Ratification von den herrn Principalen ſelbsten mit anhangenden Inſiglen a) ſeindt beſtettiget worden. So geſchehen den ain vnnd dreyſigiſten tag des Monats May nach der Geburdt Chriſti im Sechzehenhundert vnnd fünfzigiſten Jahre.

a) Sigilla ſunt illaeſa.

Num.

Num. XVIII. Compofitio cum Magiftratu Aduocatiam fubdelegatam etc. concernens. Anno 1661.

Ex Originali.

Zu wiffen, als fich zwifchen dem hochwürdigen in Gott herrn, herrn BERNHARDTEN Abbten auch herrn Priorn vnd Conuent des lobl. Reichfsgottshaufs vnd Clofters St. *Vlrich* vnd *Affrae* allhie zu Augfpurg, an ainem: So dann Einem Wohledlen, Erfamben, vnd hochweifen Rath alda, am andern theill verfchidene differentien, fowohl wegen einer vff zwölff taufendt gulden capital fambt villen hinterftelligen Intereffe lautender fürftl. Neuburg. Landtfchafft Schuldt, alfs auch zu beeden Theillen gegen einander refpectiue praetendirender Zünfen vnd fowohl aufftändiger, alfs auch künfftiger Affterfchutzgelter, ein zeit lang eraignet, dafs diefelbe fambt vnd fonders, durch beederfeits zuefamen Verordnete, vnd zue Endt difs vnderfchribene herrn Deputirte, anheut dato vf ratification derfelben gnädig vnd grg. herren Principalen folgendermaffen abehandlet, vnd verglichen worden.

Erftlich foll vnd will gemaine Statt Ihren hie obigen Landtfchafftbrieff zuefambt allen vom Capital aufftändigen Zünfen, dem Gottshaus St. *Vlrich* gegen bewilligter Abfchreibung neuntaufent gulden guetten alten Capitals, vnd fünffzechenhundert, fünff vnd fibenzig gulden alfs von zeit des negft pafsirten Reichsfchlufs dauon verfallenen zünfen, difes lauffendte fech-

 zehen-

zehenhundert ain vnd sechzigste Jahr mit eingerechnet, wie nit weniger noch weitere vberlassung ain tausent achthundert gulden, dergleichen guetter Stattgelter vnd Capitalien, aigenthumblich vbergeben vnd einraumen, auch darzue ein gnuegsambes legitimation-Schreiben an wohlgedachte fürstl. Neuburgische Landtschafft erthaillen.

Dann ob zwahr in quantitate der herüberlassenden Statt Capitalien vnd Interesse gegen zwölfftausent Gulden Landtschafft Capital vnd desto mehr belauffender Interesse, noch ein Vngleichheit zu sein erscheint, hat man doch beederseits hierbey ermessen, wie etwann dermahlen eines gegen dem andern an den Mann zu bringen, vnd das bey Neuburg vermuethlich die lang angestandtne, vnd zuesamen aufgewachsne züns nit so leicht als die allhieige ausständige Interesse, wider einsten zuhanden zu bringen.

Waſs dann vor das ander die biſs vff diſs gegenwerttige sechzehenhundert ain vnd sechzigiste Jahr inclusiue hinderstellige Schuzgelter, so an seiten gemainer Statt zuesamen vff fünff tausent zwayhundert gulden berechnet worden, anbelangent, haben zwahr des Gottshauſs zue St. *Vlrich* herren abgeordnete dorgegen vnderschidliches, sonderlich die darunder begriffene villiährige beschwehrliche Kriegszeiten, vnd das in denselben man sich selbst zum theill geschweigents andere vor allerhandt von Freindt vnd Feindt erlittnem schaden vnd Ruin nit gnuegsamb schüzen vnd handthaben können angezogen, vnd entlich vermaint, die von gemainer Statt biſs auf den Regenspurg. Reichschluſs wohlernantem Gottshauſs von ihrem guetten

ten Capital vber achttausent gulden rückhständige verblibne Interesse zu contraponiren, vnd obwohl nit weniger die herren Statt Deputirte die vom lobl. Gottshauss auch in Kriegsiahren empfangne, vnd theils andern in grosser Quantitet cedirte zins auch dass zwischen Schutzgeldern vnd dergleichen zinsen ein nambhaffter vnderschidt versiere zuemal wegen schädlicher consequenz bey andern Statt-Creditorn, welche solchen alten zinsen schrifftlich renuncirt kein Compensation statt fünden möge replicando eingewändet, hat man doch zu lezt auss guetter Nachbarschafft für allen Ausstandt der Schuzgelter ins gemain, sie rüehren von was zeiten sie wollen, gegen gleichförmiger begeb, vnd Renuncirung der alten ausständigen zünsen siben hundert gulden guetter Statt: vnd capital gelter sambt dem halben theill an den statt seits aussteendigen sechs Wolffmühlischen Grundtzünsen (zuuerstehen, diss sechzechenhundert ain vnd sechzigsten Jahr mit eingerechnet) benantlich ainhundert zwey vnd neunzig gulden, thuet zusamen achthundert zway vnd neunzig Gulden zur Abschreibung in solutum angenomen, vnd darmit auch disen Puncten in ein richtigkeit gebracht.

Volgt nun der dritte, die also genante St. Stephans Gottsackhers zinss pr iährlich zway vnd vierzig Gulden betreffent, so man Statt seits an dasselbe wenigist von anno sechzehenhundert neun vnd vierzig inclusiue, als a tempore conclusae pacis in Imperio dem alten herkommen vnd quasi posseßion nach praetendirt; worzue sich aber dessen hh. deputirte vnnder dem vorwandt dass solche beraith anno sechzehenhundert vnd dreyssig aufgehebt, vnd derenthalben niemahls, wie auch noch

nits

nit ainige obligation edirt worden, oder werden mögen, anderer mehr vrſachen ſo aber gemaine Statt nit concerniren, zugeſchweigen, gantz vnd gar nit einlaſſen, noch bequemmen wollen; biſs entlich diſs temperament ins mittel kommen, daſs mit abſtrahirung von allen verfallnen vnd künfftigen zünſen gemainer Statt ein bey derſelben zinſbahr ligendes guettes Capital von achthundert gulden, zue Ablöſung ſolcher iährlichen zins praetension vollſtändig heimbgelaſſen werden, vnd darauf hin beede theill diſſahls kein weiteren Spruch noch forderung, oder auch ainigen Regreſs, woher ſolcher gleich rüehren oder wie derſelbe ſich aus etwan anderwertig in euentum praetendirender Stüfftungs - Obligation begeben mag, gegen einander haben, gewinnen noch in - oder auſſer Rechtens zue ewigen zeiten intendiren, oder exerciren konden, noch ſollen.

Endtlich vnd zum vierdten war noch vbrig zue vergleichen, ob ins künfftig wie vor diſem, für die hergebrachte iährliche Schuzgelter, hundert goldtgulden oder etwas wenigers zu entrichten. Dabey hat man Statt ſeits auf das vnfürdenckliche alte herkommen vnd daraus entſtehendte praeſcriptionem immemorialem ſtarckh getrungen, aber an ſeiten des Gottshauſs die merckhlich veränderte zeit vnd läufden, auch durch negſt paſſierten kriegs erlittne ſchäden, vnd das dermahls kein beſondere materi mehr verhandten, oder leichtlich zu beſorgen, worin ſelbiges zu ſchüzen wäre, oder von gemainer Statt benorab auſſer dem Territorio wider iemandt nachtrucklich geſchüzt, vnd handtgehabt werden köndte, eingewendet, dahero ſich weiter nit, als vff ain hundert Gulden in Münz iährlich einlaſſen, dergeſtalt, daſs man zu dern richtiger Abzahlung

ieder

ieder weill die ienige vier vnd achzig Gulden vier kreizer, zween haller, ſo daſſelbe auſs gemainer Stattpaumaiſterambt für vnderſchidliche Grundtzins, alſs vier vnd ſechzig Gulden wegen der Wolffmühlin, ſechzehen Gulden wegen der Planckenmühlin vnd vier Gulden, vier kreitzer, zween haller auſs dem ſogenanten ängerlin, alle vnd iede Jahr zu erheben, anwenden, vnd noch fünffzeehen Gulden, fünff vnd fünffzig Kreutzer, fünff haller darzue thuen volgents ſolche hundert gulden in münz an einem tag, dabey gemainer Statt Rath gehalten wird, vnder noch wehrender Raths zeit, oder gleich vorher, züeſamen richten, daraufhin alſsbaldt in die Rathsſtuben tragen, vnd dem eltern herrn Stattpfleger mit gewohnlichem vortrag offentlich praeſentiren, vnd diſen actum iedesmahls im Jahr vmb Liechtmeſszeit begehen, damit auch in negſtkünfftigen Sechzehenhundert vnd zwey vnd ſechzigiſten Jahr ein anfang machen laſſen wölle; worbey es dann auch Statt ſeits ſolcher geſtalt verbliben, vnd in angeregte moderation vf vorgedachte maſs vnd weiſs gewilliget worden, daſs hingegen auch der vbrige halbe thaill an den von der Wolffsmühlen herauſſtändigen ſechs grundtzünſen nachſechen, vnd innen behalten werden ſolle vnd möge, ſo man lobl. Gottshauſs ſeits pro complemento ebenfahls geſchechen vnd paſsiren laſſen. Haben auch hierauf die Abrechnungstractaten, vnd waſs daruon dependirt vnd zuerörtern geweſen, ihr Entſchafft erlangt, wie dann Eingangs ermeltermaſſen beederſeits, wie obſtehet, vf ratification geſchloſſen, auch zue mehrer vrkhundt vnd becräfftigung in zween gleich lauttendte Receſs gebracht, dern ieder von allen herrn abgeordneten vnd Deputirten negſt Fürtruckhung deren reſpectiue angebohrner Adelichen vnd gewohnlichen Pettſchafften aigenhändig vnderſchriben, darauf

ein

ein Original mehr wohl ernanntem Gottshaufs, vnd dafs andere gemainer lobl. Stattherren Deputirten zuhanden gelaffen worden. So gefchechen vnd geben den ailfften Monaths tag Juny nach Chrifti vnfers lieben herrn vnd Seeligmachers haylwertigen Geburth im Sechzehen hundert vnd ain vnd fechzigften Jahr.

Gregorius Jos. p. t. Prior
zu St. Vlrich.

F. Antonius Schrenckh Grofskeller.

Niclas Eberhardt Ayblinger Canzler.

Hieronimus Sultzer Eltere
Chriftoph von Stetten.
Reymundt Imhoff.
Erhardt Schreiber Dr.
Dauid Thoman Dr.

Index I.

Index I.
Geographicus.

Numerus romanus II. partem secundam, paginam arabicus indicat.

Xxxx Bazzen-

Index I.

Errin-

I.

K.

L.

M.

Mau-

Ren-

Index I.

Timis-

Index II.

A) Personarum Ecclesiasticarum.

I. Summi Pontifices.

II. Cardinales.

Gra-

III. EPISCOPI

Augustani.

Moguntini.

Salisburgenses.

Bambergenses.

Brixiensis.

Citziensis.

Eustettensis.

Frisingenis.

Index II.

Hilte-

S. Crucis.

S. Georgii.

Caesareensis.

Index II.

Wein-

Katri-

Index II.

B) Personarum Ordinis Secularis.

Imperatores et Reges.

Fride-

Romers-

Index II.

Ror-

Nobiles, Milites ac homines ciuilis Conditionis.

A.

 Alten-

Index II.

Biburg.

Index II.

Douers-

Georg.

Glatz.

H. Haben-

Index II.

Hohen-

I.

P. Paar

P.

R.

S.

Senge.

Studach.

Vose-

Z.

Aduocati Monasterii S. Vdalrici.

Prae-

Personarum Ordinis Secularis.

Praefecti August.

Aduocati Augustani.

Patricii et alii ciues August.

Falscher

Index II.

Maesch

S. Sateler

Index III.

Rerum.

A.

Anni-

Pascui

Lightning Source UK Ltd.
Milton Keynes UK
UKHW010616110219
337000UK00006B/226/P